Zeitgeschichte

Zeitgeschichte
Ullstein Buch Nr. 33029
im Verlag Ullstein GmbH,
Frankfurt/M – Berlin – Wien

Ungekürzte Ausgabe (1966)

Umschlagentwurf:
Hansbernd Lindemann
Photo: Ullstein Bilderdienst
Alle Rechte vorbehalten
Mit freundlicher Genehmigung
von Naomi Léa Wulf
© Naomi Léa Wulf 1982
Printed in Germany 1983
Druck und Verarbeitung:
Hanseatische Druckanstalt GmbH,
Hamburg
ISBN 3 548 33029 0

April 1983

CIP-Kurztitelaufnahme
der Deutschen Bibliothek

Wulf, Joseph:
Literatur und Dichtung im Dritten Reich:
e. Dokumentation / Joseph Wulf. – Unge-
kürzte Ausg. – Frankfurt/M ; Berlin ;
Wien: Ullstein, 1983.
    (Ullstein-Buch ; Nr. 33029 : Zeit-
    geschichte)
    ISBN 3-548-33029-0
NE: GT

Joseph Wulf

Literatur und Dichtung im Dritten Reich

Eine Dokumentation

Zeitgeschichte

Joseph Wulf

Presse und Funk im Dritten Reich (Ullstein Buch 33028)
Die bildenden Künste im Dritten Reich (Ullstein Buch 33030)
Theater und Film im Dritten Reich (Ullstein Buch 33031)
Musik im Dritten Reich (Ullstein Buch 33032)

Seitenverweise beziehen sich auf die obengenannten Ausgaben

Inhalt

Kapitel IV Artfremde Literatur

Einleitung

Dort, wo man Bücher verbrennt, verbrennt man auch am Ende Menschen.

Heinrich Heine: *Almansor*

Diese Dokumentation befaßt sich mit zwölf Jahren deutscher Literatur, die ganz und gar vom nationalsozialistischen Staat gelenkt, andererseits aber auch in ihrer Art von Dichtern und Schriftstellern mehr oder minder begünstigt, unterstützt und gefördert wurde. Entstehung und Ergebnis dieser Literatur sind unverkennbar Versagen und Entartung.

Während der letzten vierzig Jahre gibt es in der deutschen Literatur bei gewissen Schriftstellern der älteren Generation eine Erscheinung, die jeden, der sie erkennt, in Staunen oder sogar Bestürzung versetzt. Beim Lesen der verschiedenen Werke dieser oft Hochbegabten – in der Weimarer Republik, der NS-Zeit oder nach 1945 geschrieben – ist man zunächst über ihre grundsätzliche Verschiedenheit und Gegensätzlichkeit verblüfft und versucht, Gottfried Benns Worte zu wiederholen: «Wenn man wie ich die letzten fünfzehn Jahre lang von den Nazis als Schwein, von den Kommunisten als Trottel, von den Demokraten als geistig Prostituierter, von den Emigranten als Überläufer, von den Religiösen als pathologischer Nihilist öffentlich bezeichnet wird, ist man nicht so scharf darauf, wieder in die Öffentlichkeit einzudringen.»

Nun, Benn erleichtert es dem Beobachter, indem er diese Definition gibt. Im Grunde genommen ist seine Auslegung jedoch eher eine unzulässige Vereinfachung des Problems. Benn gehört mit dieser Selbsterkenntnis, verbrämt mit geschickt-exhibitionistischer Beichte, offensichtlich zu den Burckhardtschen *terribles simplificateurs*; man kann sie ihm nicht ohne weiteres abnehmen. Die Nazis erklärten Benns machtvolle Lyrik offiziell als «Ferkeleien», aber erst nachdem er zur eigenen Schmach, zur Schande der Literatur, seine Hitler-Ergüsse selbst satt hatte – nicht jeder Opportunist im totalitären Staat hat den langen Atem eines Ilja Ehrenburg –, als er also bereits alles, was er nie hätte sagen dürfen, gesagt hatte und die Nazis den verstummten Benn längst entbehren konnten.

Für einen anderen bekenntniswilligen Dichter von beachtlichem Format, Rudolf G. Binding, war es leichter und unkomplizierter, denn er starb bereits 1938.

Benn und Binding – aber gleich ihnen viele andere – besaßen keine «völkische» Überzeugung, waren keine Nationalisten, Chauvinisten oder Antisemiten und mußten sich nicht dem Rausch und der Vernebelung der «nationalen» Revolution 1933 hingeben und in den Gleichschritt der hysterisch Marschierenden fallen.

Nobelpreisträger und gottbegnadete geistige Menschen flogen im Deutschland jener Zeit wie wertlose Lumpen in die Jauche, aber Gemütsstimmung und Bereitwilligkeit eines Benn und Binding glichen 1933 plötzlich aufs Haar der von Hanns Johst oder Will Vesper. Blitzartig zeigten sie sich ebenso gefügig wie Hans Friedrich Blunck. Lyriker von echter Größe redeten auf einmal genau wie jener Haufen, der aus tiefster literarischer Provinz, aus dem Dunkel bedeutungsloser Cliquen, heranstampfte und eben die Literatur besetzte.

Ein so undeutscher Geist – um im NS-Jargon zu sprechen – wie Friedrich Sieburg mit seinem brillanten Verstand verfiel damals auf die Idee, unter Umständen müsse «ein Volk eines Tages zwischen sich selbst und der Humanität» wählen.

Schrieben sie alle für ihr Volk oder vielmehr für das Regime?

Da steckt der Verrat!

Niemand mußte unbedingt NSDAP-Mitglied sein, um als Schriftsteller solchen Treubruch zu begehen; Adolf Bartels war es zu keiner Zeit; über Hans Grimm schrieb ein Funktionär der Reichsschrifttumskammer am 13. August 1941 unter anderem, er sei «der einzige unter den besthonorierten deutschen Schriftstellern, der seit Jahr und Tag mit peinlicher Genauigkeit vermeidet, unseren nationalsozialistischen Gruß ‹Heil Hitler!› auszusprechen. Der Name unseres Führers scheint Herrn Grimm irgendwo Mißbehagen zu bereiten»; Wilhelm Stapel rühmte sich in seinem Nachkriegsbuch ebenfalls, niemals der NSDAP angehört zu haben, vergaß jedoch wohlweislich zu erwähnen, daß er zwei Jahre nach den Nürnberger Gesetzen und ein Jahr vor der Kristallnacht *Die literarische Vorherrschaft der Juden in Deutschland 1918–1933* veröffentlicht hatte. Sein Nachkriegswerk nannte er dann *Über das Christentum*.

Der Scheideweg lag damals nicht zwischen rechts und links, war keine Frage von radikal oder konservativ, sondern lediglich eine Frage des Charakters und der menschlichen Haltung.

«Man braucht weder Luther noch Calvin, um Gott zu lieben», schrieb Friedrich d. Gr.; für die Jahre 1933–1945 bestätigt Ernst Jünger diese Wahrheit unübertrefflich.

Der Schablone nach müßte Ernst Jünger zur Prominenz des Dritten Reiches gehört haben und ihr Komplice geworden sein. Er war ein «völkisch» profilierter Sprecher und Erläuterer der «Frontgeneration». Schon 1923 hörte er als Reichswehrleutnant Hitler aufmerksam zu und schickte ihm am 9. Januar 1926 sein Buch *Feuer und Blut* mit der Widmung:

«Dem nationalen Führer Adolf Hitler!» Er schrieb sogar 1930 einen antisemitischen Artikel in den *Süddeutschen Monatsheften*; seine Kriegsdichtungen waren «heldisch», und im 1932 erschienenen *Arbeiter* rechtfertigte, ja forderte er die Abschaffung des Parlamentarismus, die Knebelung der Presse – alles, was dem Dritten Reich als Reaktionsbasis galt und zur NS-Prädisposition gehörte.

1925 hatte Jünger erklärt, der Tag, an dem der parlamentarische Staat stürze, an dem die nationale Diktatur ausgerufen werde, «wird unser Festtag sein!» Aber das Jahr 1933 ist nicht Ernst Jüngers Festtag geworden, sondern vielmehr der Tag der Besinnung, der Ernüchterung, der Sammlung.

Die Jünger-Literatur ist groß; noch umfangreicher sind vielleicht die Deutungen seiner Persönlichkeit. Am wichtigsten aber sind die Realitäten – für Kant ist Realität eine der Kategorien der Qualität –, und nur sie zählen.

Als 1933 die Berliner Dichterakademie gesäubert wurde, blieben manche aus Opportunismus, andere aus sonstigen Gründen; sie verließen oder verrieten also ihre Freunde, als die neuernannten Emporkömmlinge wie Sieger einzogen. Ernst Jünger aber lehnte es strikt ab, der neugebildeten Akademie anzugehören und trat gleichzeitig aus dem Traditionsverein ehemaliger «73» aus, da der Verein seine jüdischen Mitglieder ausgestoßen hatte. Von dieser Zeit an entwickelte sich seine schriftstellerische und menschliche Einstellung zum Dritten Reich so, daß sie ihn schließlich in die äußerste innere Emigration führte.

Doch mag Ernst Jünger lieber selbst weitersprechen!

Am 14. Juli 1934 schrieb e an den *Völkischen Beobachter*:

«In der ‹Jungen Mannschaft›, Beilage zum Völkischen Beobachter, vom 6./7. Mai 1934 ist ein Auszug aus meinem Buche ‹Das abenteuerliche Herz› zum Abdruck gebracht. Da dieser Abdruck ohne Quellenangabe erfolgte, muß hier der Eindruck entstehen, daß ich Ihrem Blatte als Mitarbeiter angehöre. Dies ist keineswegs der Fall; ich mache vielmehr seit Jahren vom Mittel der Presse überhaupt keinen Gebrauch. In diesem besonderen Falle ist noch hervorzuheben, daß es nicht angängig erscheint, daß einerseits die offizielle Presse mir die Rolle eines Mitarbeiters anerkennt, während andererseits der Abdruck meines Schreibens an die ‹Dichterakademie› vom 18. November 1933 durch offizielles Presse-Communiqué unterbunden wird. Mein Bestreben läuft nicht darauf hinaus, in der Presse möglichst oft genannt zu werden, sondern darauf, daß über die Art meiner politischen Substanz auch nicht die Spur einer Unklarheit entsteht.»[1]

Das Jahr 1939 zog herauf. Während der neue Oberbefehlshaber der

---

[1] Dieser Brief wird mit ausdrücklicher Genehmigung Ernst Jüngers, dem ich dafür hiermit danke, abgedruckt.

Wehrmacht Eiserne Kreuze und Ritterkreuze *auch* an notorische Mörder oder für die Tötung von Greisen, Frauen und Kindern verteilte, notierte der Hauptmann und Pour le Mérite-Träger des Ersten Weltkriegs, Ernst Jünger, in Paris: «In der Rue Royal begegnete ich zum erstenmal in meinem Leben dem gelben Stern, getragen von drei jungen Mädchen, die Arm in Arm vorbeikamen. Diese Abzeichen wurden gestern ausgegeben; übrigens mußten die Empfänger einen Punkt von ihrer Kleiderkarte dafür abliefern. Nachmittags sah ich den Stern dann häufiger. Ich halte derartiges, auch innerhalb der persönlichen Geschichte, für ein Datum, das einschneidet. Ein solcher Anblick bleibt nicht ohne Rückwirkung – so genierte es mich sogleich, daß ich in Uniform war.»

Und ausgerechnet diese feldgraue Uniform – für Jünger einst Ornat soldatischer Tapferkeit, der Ehre und schriftstellerischer Beseelung – sollte ihm in jenen Jahren in verschiedenen Situationen noch oft peinlich sein.

Je differenzierter und individualisierter das Wertgefühl des in der Situation Stehenden ist, sagt Nicolai Hartmann in seiner «Ethik», um so innerlicher und wesensgebundener seine Teilhabe an ihrer Wertfülle.

Fünf Wochen nach der obenerwähnten Notiz schrieb Jünger in Paris nieder: «Gestern wurden hier Juden verhaftet, um deportiert zu werden. Man trennte die Eltern zunächst von ihren Kindern, so daß das Jammern in den Straßen zu hören war. Ich darf in keinem Augenblick vergessen, daß ich von Unglücklichen, von bis in das tiefste Leidenden umgeben bin. Was wäre ich sonst auch für ein Mensch, was für ein Offizier. Die Uniform verpflichtet, Schutz zu gewähren, wo es irgend geht. Freilich hat man den Eindruck, daß man dazu wie Don Quichotte mit Millionen anbinden muß.»

Als Ernst Jünger bald darauf in den Kaukasus verlegt wurde und dort abermals von Vergasungen – diesmal russischer Juden – hörte, vermerkte er: «Ein Ekel ergreift mich dann vor den Uniformen, den Schulterstücken, den Orden, den Waffen – deren Glanz ich so geliebt habe.»

Das also schrieb der Verfasser von *In Stahlgewittern* des Jahres 1920 und von *Das Wäldchen 125* des Jahres 1925 am 31. Dezember 1942.

Liest man dazu die Erinnerungen einer Frau im besetzten Paris, Banine, *Rencontres avec Ernst Jünger*, so findet man jenseits der Barriere noch einen anderen Bürgen für Auftrag und Verpflichtung, Ruhelosigkeit und leidenschaftliches Menschentum dieses Schriftstellers im Dritten Reich. Ein Wunder war es also nicht, wenn das Reichspropagandaamt 1942 verlangte, Ernst Jüngers letzte Bücher sollten weder in Zeitungen noch Zeitschriften besprochen werden.

In unserem Jahrhundert, so oft und mancherorts vom Totalitarismus beherrscht oder doch überschattet, meint man vielleicht, die innere Emigration habe oft die geistige Schöpferkraft gedrosselt; Ernst Jünger, Werner Bergengruen oder Rudolf Pechels *Deutsche Rundschau* im Dritten Reich, ein Boris Pasternak in der Sowjetunion beweisen jedoch das Gegenteil.

Uns heilt dieses Bewußtsein, denn die Würde des Menschen ist sein höchstes Gut.

Ohne das große Verständnis und die mir immer wieder zuteil gewordene Hilfsbereitschaft der nachstehend genannten Herren hätte ich die Arbeit an diesem Buch niemals bewältigen können. Ich möchte ihnen deshalb an dieser Stelle meinen aufrichtigen Dank aussprechen.

In Berlin: Dr. James S. Beddie (Document Center), Dr. Walther Huder (Akademie der Künste);

in Dortmund: Dr. Kurt Koszyk (Westfäl.-Niederrheinisches Institut für Zeitungsforschung);

in London: C. C. Aronsfeld (The Wiener Library);

in München: Dr. Heinz Starkulla (Institut für Zeitungswissenschaft).

Ebenso bedanke ich mich für die liebenswürdige Unterstützung und die mir immer wieder entgegengebrachte Geduld bei folgenden Persönlichkeiten und Institutionen

in Berlin: Fräulein Karin Fratzscher, Fräulein Grete Hesse (Amerika-Gedenk-Bibliothek), Frau Edith Schulze (Institut für politische Wissenschaften der Freien Universität Berlin), Fräulein Margot Schwager (Telegraf-Archiv), Fräulein Dr. Erika Sterz und Herrn Dr. Joachim Wilke (Theaterwissenschaftliches Institut der Freien Universität), Frau Ingeborg Wichmann und Herrn Otto Kühling (Bibliothek der Freien Universität), Herrn Dr. Eberhard Mannack (Germanisches Seminar der Freien Universität), Herrn Winfried Schmidt, den Buchhandlungen Marga Schoeller und «Die Bücher-Insel»;

in Frankfurt a. M.: Professor Dr. Jürgen Habermas;

in New York: E. Lifschutz (Yivo Institute for Jewish Research);

in Paris: Dr. Michel Mazor und Lucien Steinberg (Centre de Documentation Juive Contemporaine).

Zu Dank fühle ich mich ferner folgenden Institutionen und Persönlichkeiten verpflichtet:

in Berlin: Hauptarchiv – Ehemaliges Preußisches Staatsarchiv, Hochschule für Politik, Institut für Publizistik, Senatsbibliothek;

in Bonn: Stadtarchiv und wissenschaftliche Stadtbibliothek (Frau Archivrätin Professor Dr. Ennen);

in Essen: Stadtarchiv (Herrn Archivdirektor Dr. Schröter);

in Frankfurt a. M.: Archiv der Industrie- und Handelskammer (Herrn Kratz);

9

in Göttingen: Niedersächsische Staats- und Universitätsbibliothek (Frau Hanna Burose);

in Hamburg: Staatsarchiv (Herrn Röper);

in Köln: Historisches Archiv (Herrn Archivrat Dr. Stehkämper);

in Leipzig: Stadtarchiv (Herrn Dr. Martin Unger);

in München: Stadtarchiv (Herrn Oberarchivrat Dr. Vogel);

in Nürnberg: Stadtbibliothek (Herrn R. Herold);

in Saarbrücken: Stadtarchiv (Herrn Stadtarchivar Dr. H. Klein);

in Tübingen: Stadtarchiv (Herrn Rau);

in Würzburg: Stadtarchiv.

Und schließlich spreche ich meiner langjährigen Mitarbeiterin Frau Iris von Stryk für ihre Hilfe bei der Erstellung dieses Buches meinen besonderen Dank aus.

Hinweise und Bemerkungen

Zahlreiche Probleme und Aspekte der Kultur im Dritten Reich werden in der fünfbändigen Dokumentation zur Kultur im Dritten Reich behandelt. Grundsätzliches, soweit es in *Die Bildenden Künste im Dritten Reich* (Ullstein Buch 33030) erörtert wurde, soll hier nicht nochmals behandelt werden. Es sei lediglich auf die drei folgenden Bände: *Theater und Film im Dritten Reich* (Ullstein Buch 33031), *Presse und Funk im Dritten Reich* (Ullstein Buch 33028) und *Musik im Dritten Reich* (Ullstein Buch 33032) hingewiesen.

Sämtliche Dokumente ohne ausdrückliche Quellenangabe stammen aus dem Document Center in West-Berlin. Sie sind größtenteils bisher noch nie veröffentlicht worden.

Die Dokumente aus der Preußischen Akademie der Künste befinden sich im Archiv der Akademie der Künste in West-Berlin. Auch sie sind bislang meistens unveröffentlicht.

Dokumente aus dem Archiv des Internationalen Militärgerichtshofes in Nürnberg weisen eine Verbindung von Buchstaben mit Zahlen auf, wie etwa PS – 1015 oder NG – 405.

Dokumente aus dem Centre de Documentation Juive Contemporaine in Paris sind mit der Kennziffer des Instituts versehen, das heißt mit einer römischen Zahl, die durch eine arabische vervollständigt wird, wie zum Beispiel XXI – 21.

Biographisches ist nur dort angegeben, wo es Text oder Ereignisse verständlicher macht. Bei sich wiederholenden Namen ist die Biographie meistens beim erstenmal angegeben. Falls der Text es verlangt, kann sie jedoch auch später angegeben werden.

Die biographischen Daten sind folgenden Quellen entnommen:

Das Deutsche Führer-Lexikon, Berlin 1934–35; Der Große Brockhaus, Band 1–21, Berlin 1928–1935; Encyclopedia Judaica, Band 1–10, Berlin 1928–1934; H. A. und E. Frenzel: Daten deutscher Dichtung – Chronologischer Abriß der deutschen Literaturgeschichte, Band 1 und 2, München 1962; Hermann Friedemann und Otto Mann: Deutsche Literatur im 20. Jahrhundert, Band 1 und 2, Heidelberg 1961; Jüdisches Lexikon, Band 1–5, Berlin 1927–1930; Sigmund Katznelson: Juden im deutschen Kulturbereich, Berlin 1959; Kürschners Deutscher Literatur-Kalender, Berlin 1934, 1937/38, 1939, 1943, 1949, 1952; Franz Lennartz: Deutsche Dichter und Schriftsteller unserer Zeit, Stuttgart 1959; Lexikon der Weltliteratur, Band 1 und 2, Freiburg/Berlin/Wien 1960/61; Kurt Pinthus: Menschheitsdämmerung – Ein Dokument des Expressionismus, Hamburg 1959; Léon Poliakov und Joseph Wulf: Das Dritte Reich und seine Denker, Berlin 1959; Manfred Schlösser: An den Wind geschrieben – Lyrik der Freiheit 1933–1945, München 1962; Wilhelm Sternfeld und Eva Tiedemann: Deutsche Exil-Literatur 1933–1945 – Eine Bio-Bibliographie, Heidelberg 1962; Wer ist's?, Berlin 1935; Wer ist wer?, Berlin 1955.

Die grammatischen oder orthographischen Fehler in den einzelnen Dokumenten sind so wiedergegeben, wie sie im Original vorhanden sind.

Kapitel I
DAS JAHR 1933

Vorwort

Selten wurden Sinn und Zweck des Staates von seinen Führern und vielen seiner Bürger so verkannt, entstellt, falsch ausgelegt oder einfach übersehen wie in den nationalsozialistischen Jahren.

Am unverhülltesten und anschaulichsten trat diese Verfälschung schon im Jahre der Machtergreifung zutage.

Offen und in der Schwebe bleibt jedoch immer noch die Frage, wieso auch Menschen mit festen Vorstellungen von Sitte, Anstand, Vornehmheit und vor allem mit Substanz sich so schnell anziehen und mitreißen ließen.

«Es ist immer ein Vorrecht anständiger Leute gewesen», schrieb Wilhelm Raabe, «in bedenklichen Zeiten lieber für sich den Narren zu spielen, als in großer Gesellschaft unter den Lumpen mit Lump zu sein.»

Viele waren damals wohl anderer Ansicht.

Je aufmerksamer jemand die Dokumentation des Jahres 1933 liest, desto besser wird er zum Beispiel die Ereignisse im Jahre 1943 nachempfinden können.

Am 15. Februar 1933

Hanns Johst fragt

In: *Deutsche Kultur-Wacht*, Heft 4 vom 15. 2. 1933, S. 13.

Hanns Johst, Schriftsteller (Lyrik, Roman, Bühnendichtung), * 1890; nach der NS-Machtergreifung preußischer Staatsrat, Präsident der Reichsschrifttumskammer und der Deutschen Akademie der Dichtung, SS-Gruppenführer; ausführlicher siehe «Porträts», S. 171 f.

Europa sah sich 1918 gemüßigt, in Berlin eine Filiale unter der Chiffre «Dichterakademie»[1] zu etablieren. Der KfDK[2] hält es nun an der Zeit, nach dieser verschwiegenen Einrichtung Ausschau zu halten.

Thomas Mann, Heinrich Mann, Werfel, Kellermann, Fulda, Döblin, Unruh usw. sind liberal-reaktionäre Schriftsteller, die mit dem deutschen Begriff Dichtung in amtlicher Eignung keineswegs mehr in Berührung zu kommen haben.

Wir schlagen vor, diese restlos überaltete Gruppe aufzulösen und nach nationalen, wahrhaft dichterischen Gesichtspunkten neu einzuberufen.

Hanns Johst

1 Die *Deutsche Dichterakademie* wurde im März 1926 der *Preußischen Akademie der Künste* angegliedert, zu ihrem Präsidenten wurde damals Wilhelm von Scholz gewählt, im Oktober 1928 dann Walter von Molo; 1930–33 war es Heinrich Mann; Präsident des Senats der Dichterakademie war Ludwig Fulda.

2 K. f. D. K. = *Kampfbund für Deutsche Kultur*, am 19. 12. 1928 von Alfred Rosenberg in München gegründet, mit dem Ziel, «gegen die kulturzersetzenden Bestrebungen des Liberalismus» anzukämpfen. Im Mai 1933 wurde der K. f. D. K. als offizielle Kulturorganisation der NSDAP anerkannt. Reichsorganisationsleiter wurde Hans Hinkel, siehe: *Die Bildenden Künste im Dritten Reich* (Ullstein Buch 33030), S. 145 f; Landesleiter für Berlin war Erich Kochanowski; Sitz des *Kampfbundes* das Berliner Schloß; 1934 ging der K. f. D. K. in der *NS-Kulturgemeinde* auf, siehe a. a. O., S. 118 f.

Der Fall Heinrich Mann

Heinrich Mann, Romancier, Novellist und Essayist, 1871—1950; seine *Gesammelten Werke* erschienen in zwölf Einzelbänden, 1916—1925; als er 1933 aus Deutschland fliehen mußte, ging er über die Tschechoslowakei nach Frankreich und verbrachte dort acht Exiljahre; 1940 gelangte er über die Pyrenäen nach Spanien und floh von dort in die Vereinigten Staaten, wo er sich in Los Angeles niederließ.

Der neue Kulturwille

In: *Deutsche Zeitung* vom 15. 2. 1933, gekürzt.

Im überfüllten Auditorium maximum der Berliner Universität sprach auf Einladung des Nationalsozialistischen Deutschen Studentenbundes der Reichskommissar für das preußische Kultusministerium, Dr. Rust[1], über das Thema «Der nationalsozialistische Kulturwille» und legte die Gedanken dar, die ihn bei der Ausübung seines Amtes leiteten.

Nicht der Mensch sei das Maß aller Dinge, sondern die Nation. Kultur könne immer nur dann wirklich echt sein, wenn sie aus der Eigenart komme. Ein deutsches Kulturleben könne daher nicht auf wesensfremden Elementen aufgebaut werden.

Dr. Rust ging dann auf den von dem Präsidenten der Dichter-Akademie, Heinrich Mann, unterzeichneten Aufruf ein[2], der die liberalistische Schlagwortdemagogie feierte und die falsche Freiheit des Wortes pries, und erklärte, er werde diesem Skandal ein Ende bereiten, doch bitte er um Geduld.[3]

1 Bernhard Rust, 1883–1944; ab März 1925 Gauleiter der NSDAP in Hannover-Braunschweig; am 4. 2. 1933 zum kommissarischen preußischen Kultusminister ernannt; am 22. 4. 1933 als Minister bestätigt und am 30. 4. 1933 außerdem zum Reichsminister für Wissenschaft, Erziehung und Volksbildung ernannt.

2 Heinrich Mann hatte den Aufruf *Dringender Appell* mit unterzeichnet, der den am 5. 3. 1933 bevorstehenden Wahlen galt – übrigens die letzten Reichstagswahlen mit mehreren Parteien – und ein Zusammengehen von SPD und KPD forderte, «mindestens jedoch in der Form von Listenverbindung». Es hieß im Aufruf: «Sorgen wir dafür, daß nicht die Trägheit der Natur und die Feigheit des Herzens uns in die Barbarei versinken lassen.» Archiv der Preußischen Akademie der Künste.

3 Das Berliner *8-Uhr-Abendblatt* vom 15. 2. 1933 übte heftige Kritik an der Rede von Rust und tadelte sogar den Rektor der Universität, den Strafrechtler Prof. Dr. O. W. Eduard Kohlrausch, weil er überhaupt eine «parteipolitische Kundgebung» in den Hallen der Alma Mater genehmigt hatte und ihr auch noch selbst präsidierte; das Blatt schrieb: «Herr Kohlrausch ist als Repräsentant der heute von den Nationalsozialisten wild bekämpften liberalen Strafrechts-

Ein Protokoll

In: Archiv der Preußischen Akademie der Künste, gekürzt.

Verhandelt in der Preußischen Akademie der Künste, Sitzung der Gesamtakademie am Mittwoch den 15. Februar 1933.

Anwesend unter dem Vorsitz des   Berlin, den 15. Februar 1933
Herrn Präsidenten von Schillings [1]   Beginn der Sitzung: 8 Uhr

Der Präsident führt das neue Mitglied der Abteilung für Musik, Herrn Butting [2], in die Akademie ein.

Er erklärt dann die Veranlassung zur heutigen außerordentlichen Sitzung der Gesamtakademie: Ein in der Öffentlichkeit erschienener Aufruf zur Bildung einer einheitlichen Front der SPD und KPD ist von 2 Mitgliedern der Akademie mitunterzeichnet worden, von Käthe Kollwitz [3] und Heinrich Mann.

Der Präsident verliest diesen Aufruf. Er berichtet dann eingehend über seine heutige Aussprache mit Herrn Reichskommissar Rust, der für die Haltung der beiden Mitunterzeichner des Aufrufs die ganze Akademie verantwortlich machen will und zuerst an die Auflösung der Akademie, dann an eine Aufhebung der Dichterakademie dachte. Der Präsident hat dem Herrn Reichskommissar erklärt, daß er einer solchen Maßnahme natürlich nicht zustimmen könne. Für das Verhalten zweier Mitglieder könne nicht die ganze Akademie oder eine Abteilung derselben zur Verantwortung gezogen werden.

Der Präsident betont die Vertraulichkeit der heutigen Sitzung. Diese Vertraulichkeit wird gemäß § 23 der Satzung einstimmig besonders beschlossen.

In der Besprechung mit dem Herrn Reichskommissar hat der Präsi-

lehre an die Berliner Universität gekommen; er hat bisher stets Wert darauf gelegt, als geistiger Erbe seines unerreichbaren großen Lehrers Franz von Liszt zu gelten, eines Mannes von wahrhaft freier und humaner Gesinnung. Nun hat er uns seine wahren Überzeugungen verraten. Schade, daß sein Bekennermut sich erst so spät enthüllte!»

1 Es folgen dreiundfünfzig Namen anwesender Akademiemitglieder; Prof. Max von Schillings, Komponist, 1868–1933; ab 1932 Präsident der Preußischen Akademie der Künste; er führte nach Hitlers Machtergreifung die Säuberung der Akademie durch, ausführlich darüber in: *Die Bildenden Künste im Dritten Reich* (Ullstein Buch 33030). Zum Dank für diese Gleichschaltungs- und «Entjudungsaktivitäten» wurde er am 27. 4. 1933 pompös mit Ehrenwachen von SA und SS begraben. Wilhelm Raupp: *Max von Schillings – Der Kampf eines deutschen Künstlers*, Hamburg: 1935, S. 304.

2 Max Butting, Komponist, * 1888.

3 Käthe Kollwitz, Graphikerin und Bildhauerin, 1867–1945.

dent weiter geltend gemacht, daß er zugeben müsse, daß das Vorgehen der genannten beiden Mitglieder nicht mit ihrer Stellung in der Akademie vereinbar sei. Die beiden Mitglieder müßten daher aus dem Kreis der Akademie ausscheiden. Er sagte dem Herrn Reichskommissar zu, mit größter Beschleunigung möglichst noch am heutigen Tage, eine Sitzung der Gesamtakademie einzuberufen.

Um 3/4 10 Uhr trifft Heinrich Mann ein. Der Präsident spricht zunächst in seinem Dienstzimmer mit ihm, nur in Gegenwart des Herrn Loerke [1].

Nach einer kurzen persönlichen Aussprache eröffnet der Präsident die Sitzung wieder und gibt bekannt, daß Herr Heinrich Mann sein Amt als Vorsitzender der Dichterabteilung niederlegt und auf seine Mitgliedschaft verzichtet. – Heinrich Mann erkennt an, daß der Präsident nicht anders handeln konnte, da er an das Wohl und Bestehen des Ganzen denken müsse. Er habe seinen Entschluß gefaßt, um der Akademie aus einer schweren Lage herauszuhelfen.

Dr. Döblin [2] spricht sein Bedauern darüber aus, daß aus der Versammlung heraus kein Einspruch dagegen erhoben wurde, daß Heinrich Mann in dieser Weise zu seinem Entschluß beeinflußt wurde. Er hält auch das Verhalten des Präsidenten nicht für richtig. Heinrich Mann hätte hier vor dem Plenum der Akademie frei seine Meinung sagen müssen. Die Abteilung für Dichtung werde ihre Entschlüsse zu dieser Angelegenheit in einer besonderen Sitzung fassen.

1 Oskar Loerke, Schriftsteller (Roman, Novelle und Lyrik), 1884–1941; er war damals Dritter Ständiger Sekretär der Akademie, wurde aber am 18. 3. 1933 entlassen und notierte dazu: «Mein Amt bei der Akademie ist mir abgenommen worden. So hart die wirtschaftlichen Folgen sind, das Schlimmere war die Entehrung. Kein Erlaß des Ministeriums, nur ein Telefongespräch»; «Ich fühlte mich verachtet wie ein Stück Dreck»; «Ich solle das Entlassungsgesuch einreichen! Welche Begründung? Gleichschaltung, wie das neue schöne Wort heißt. Ich antwortete, ich dächte nicht daran, diese Begründung zu wählen, und lehnte jederlei Eingeständnis einer Schuld oder einer Notwendigkeit, mich zu entfernen, ab.» Oskar Loerke: *Tagebücher 1903–1939*, Herausgeber Hermann Kasack, Heidelberg/Darmstadt 1955, S. 263, 265, 266; zwei Jahre vor seinem Tode schrieb Loerke u. a. in seinen *Letztwilligen Bitten für den Fall meines Todes*, er habe «nichts, was heilig ist auf Erden, verraten»; «Darum hätte ich am liebsten bei meinem Begräbnis nur Menschen, die mit meiner Weltanschauung übereinstimmen»; a. a. O., S. 345.

2 Dr. med. Alfred Döblin, Schriftsteller (Roman, Lyrik, Essay), 1878–1957; 1911–33 war er Kassenarzt für innere und Nervenkrankheiten und schrieb «in der Unfallstation, bei Nachtwachen, zwischen 2 Konsultationen, auf der Treppe, beim Krankenbesuch»; siehe auch: *Alfred Döblin – im Buch – zu Haus – auf der Straße*, Selbstdarstellung mit einer Studie von O. Loerke, Berlin 1928; am 28. 2. 1933 flüchtete Döblin aus Deutschland; eine Teilbiographie seiner Werke vermittelt G. Stünzel in: *Jahrbuch der Akademie der Wissenschaften und der Literatur*, Mainz 1957.

Der Präsident entgegnet, daß er, um Heinrich Mann eine unangenehme Situation zu ersparen, mit ihm persönlich gesprochen habe.

Dr. Döblin verlangt nochmalige Befragung des Herrn Heinrich Mann. Dies wird von der Versammlung abgelehnt. Der Präsident betont, daß es bei der klaren Antwort des Herrn Heinrich Mann, wie er sie soeben mitgeteilt habe, sein Bewenden behalten müsse.

Der Präsident befragte die anwesenden Dichter wegen der von ihnen beabsichtigten Stellungnahme.

Dr. Fulda[1] erwiderte, daß eine Stellungnahme der anwesenden Mitglieder der Dichterabteilung augenblicklich nicht möglich sei, weil nur ein Teil der Abteilung zugegen ist. Die Mitglieder bedauern Heinrich Manns Rücktritt sehr und werden in einer besonderen Sitzung dazu Stellung nehmen. Heinrich Mann hat nur das getan, wozu jeder Staatsbürger berechtigt ist. Gegen die Akademie hat Heinrich Mann nicht verstoßen.

Auf eine Frage des Präsidenten wird beschlossen, daß die Akademie keine Veröffentlichung über die heute besprochenen Vorgänge an die Presse versendet.

Poelzig dankt dem Präsidenten besonders dafür, daß er die Versammlung vor einer Abstimmung bewahrt hat, die im Grunde genommen völlig unmöglich gewesen wäre, denn in diesem Hause handele es sich nur um Kunst, nicht um Politik.

Schluß der Sitzung: Gegen 11 Uhr.

V. g. u. Max v. Schillings   Dr. Amersdorffer[2]

Befehlsgemäß

Aus dem Archiv der Preußischen Akademie der Künste. Obwohl die Sitzung der Akademie durch einstimmigen Beschluß ausdrücklich für «vertraulich» erklärt wurde, brachte die gesamte Berliner Presse am nächsten Tage, dem 16. 2. 1933, alles, oft sogar wörtlich. Es konnte nicht einwandfrei festgestellt werden, welches Akademiemitglied der Presse so detaillierte Auskünfte erteilt hatte, siehe Oskar Loerke: *Tagebücher 1903–1939*, Heidelberg/Darmstadt 1955, S. 262; Rudolf G. Binding zufolge soll es Alfred Döblin «durch wirklich leichtfertige Geschwätzigkeit» verursacht haben, R. G. Binding: *Die Briefe*, Hamburg 1957, S. 177; der allgemeine Tenor der Presse war gegen Heinrich Mann: «Jetzt geschieht nun endlich die Säuberung», in: *Berliner Illustrierte Nachtausgabe* vom 16. 2. 1933; «Wir können ein Gefühl der Genugtuung darüber nicht

1 Ludwig Fulda, 1862–1939; Lustspieldichter und Übersetzer von Molière, Beaumarchais, Ibsen, Shakespeare u. a.

2 Dr. Alexander Amersdorffer, Erster Ständiger Sekretär und Senator der Preußischen Akademie der Künste.

unterdrücken, daß unserem Kampf gegen Heinrich Mann endlich Erfolg beschieden ist», in: *Berliner Börsenzeitung* vom 16. 2. 1933; «Es ist so, als ob man sich ein lästiges Staubkorn aus dem Auge gewischt hätte – weiter nichts», in: *Berliner Lokal-Anzeiger* vom 16. 2. 1933; «Wir haben keinen Zweifel darüber gelassen, daß ein Schrifttum, dessen Exponent ein Heinrich Mann ist, seine Rolle im deutschen Geistesleben der Gegenwart und Zukunft ausgespielt haben muß», in: *Deutsche Tageszeitung* vom 16. 2. 1933; «Wenn überhaupt die Dichterakademie fortgeführt werden soll, so muß durch eine neue Spitzenvertretung mit den Dichtern des Volkstums ein radikaler Richtungswechsel erfolgen», in: *Deutsche Zeitung* vom 16. 2. 1933; «Sein [Heinrich Manns] Können stand in keinem Verhältnis zu dem Namen, den ihm eine geschäftstüchtige jüdische Reklame verschafft hatte», in: *Der Reichsbote* vom 17. 2. 1933; «Wenn auch das Ausscheiden von Käthe Kollwitz zu bedauern ist, so kann man doch die Tatsache nur mit Genugtuung begrüßen, daß Heinrich Mann den Präsidentenstuhl der Dichterakademie für einen Würdigeren freimacht, der nicht wie er die Geister des Untergangs und des Verfalls, sondern des Aufbaus und der Erneuerung repräsentiert», in: *Tägliche Rundschau* vom 17. 2. 1933; «Mit einer Beschränkung der Meinungsfreiheit hat dieser selbstverständliche Akt der Selbsthilfe nicht das mindeste zu tun», in: *Der Tag* vom 17. 2. 1933; «Es wird naturgemäß bei diesen Austritten nicht bleiben. Das ist auch kein Unglück, wenn man dafür nunmehr in diese erlauchte Runde diejenigen holt, die heute wirklich den lebendigen Geist des Landes vertreten», in: *Deutsche Allgemeine Zeitung* vom 17. 2. 1933; «Es ist ein Kapitel nationaler Schande, daß dieser Mann jemals Präsident einer preußischen Dichterakademie sein konnte», in: *Kreuzzeitung* vom 19. 2. 1933.

Erwähnenswert ist jedoch, daß einige Zeitungen sehr scharf gegen die erzwungenen Austritte der Akademiemitglieder protestierten. So die *Vossische Zeitung* am 16. 3. 1933, das *Berliner Tageblatt* am 18. 3. 1933 und besonders die *Frankfurter Zeitung* am 18. 3. 1933, die sich in einem langen, sehr streitsüchtig geschriebenen Aufsatz *Die Gazetten* in einer gründlichen Analyse mit der neuen Situation auseinandersetzte. Andere Zeitungen, wie der *Montag Morgen* vom 20. 3. 1933, *Berliner Volkszeitung* vom 22. 2. 1933 u. a., warteten wohl auf einen solidarischen Austritt oder doch öffentlichen Protest der übrigen Akademiemitglieder. Noch am 16. 2. schrieb z. B. das *Berliner Tageblatt*: «Es ist kaum ein Zweifel, daß Mitglieder gegen das Vorgehen Rusts und wohl auch gegen das Verhalten Max von Schillings' protestieren werden. Ob weitere Austritte aus der Akademie erfolgen werden, steht heute noch nicht fest»; nun, das geschah niemals. Als einziger erklärte weder ein Dichter noch ein Schriftsteller, sondern ein Stadtbaurat noch auf der Sitzung der Akademie der Künste selbst am 15. 2. 1933 seinen Austritt. Es war der Dr.-Ing. Martin Wagner, der als Kompromiß auf der Sitzung eine Abstimmung darüber verlangte, ob die Handlungsweise des Akademiepräsidenten den beiden ausgeschlossenen Mitgliedern gegenüber «ein Verstoß gegen das Taktgefühl war». Gottfried Benn erklärte daraufhin, «daß dieser Antrag die Sachlage verschiebe. Es handele sich lediglich darum, ob der Präsident richtig gehandelt habe, und dies sei der Fall.» Protokoll im Archiv der Preußischen Akademie der Künste. Am 28. 3. 1931 hatte jedoch Benn gerade Heinrich Mann noch wie folgt charakterisiert: «Ich sehe ihn am tiefsten beleuchtet, für Jahrhunderte beleuchtet, in dem Flaubert-Nietzscheschen Licht. Ich feiere also in ihm die Kunst; ich feiere in ihm die erregende Dichtung der Zeit, lyrisch-phänomenal und episch, von der gleichen primären Evidenz wie bei Conrad und Hamsun, die entfaltetste deutsche Sprachdichtung, die wir seit Anfang des Jahrhunderts sahen.» Siehe Gottfried Benns Rede auf Heinrich Mann, gehalten am 28. 3. 1931 auf dem Bankett des *Schutzverbandes deutscher Schriftsteller* zu Ehren von Heinrich Manns sechzigstem Geburtstag in: *Frühe Prosa und Reden*, eingeleitet von Max Bense, Wiesbaden 1950, S. 220–221.

An den   Preußische Akademie der Künste
Herrn Minister für Wissenschaft   Berlin W 8, Pariser Platz 4
Kunst und Volksbildung   den 16. Februar 1933
Berlin W 8   *J. Nr. 141*

Betr.: Austritt von Mitgliedern aus der Akademie der Künste.
Unter Bezugnahme auf die mir gestern gewährte Unterredung berichte ich, daß der Schriftsteller Heinrich Mann und die Graphikerin und Bildhauerin Frau Professor Käthe Kollwitz ihren Austritt aus der Akademie erklärt haben. Im Verlauf der Aussprache in der gestern Abend stattgehabten Sitzung der Gesamtakademie hat auch der Architekt Stadtbaurat Wagner seinen Austritt aus der Akademie erklärt.

Der Präsident
i. A.
Max von Schillings [1]

[1] Noch im Juni und Juli 1933 waren verschiedene Behörden Berlins mit dem von Heinrich Mann mit unterzeichneten Aufruf beschäftigt, wie aus zwei Briefen der Preußischen Akademie der Künste vom 21. Juni und 3. Juli 1933 hervorgeht. Sie sind an die Presse- und Propagandastelle der Stadt Berlin gerichtet. Archiv der Preußischen Akademie der Künste.

Neuordnung der Dichterakademie

Sämtliche hier veröffentlichten Briefe und Hinweise ohne Quellenangabe stammen aus dem Archiv der Preußischen Akademie der Künste.

Der vertrauliche Brief

Sofortige Entschlüsse

Dieser Brief wurde an einunddreißig ordentliche Mitglieder, beamtete Senatoren und Wahlsenatoren der *Abteilung für Dichtung* in der *Preußischen Akademie der Künste* versandt.

Preußische Akademie der Künste
Berlin W 8, Pariser Platz 4
den 14. März 1933

Abteilung für Dichtung   *Vertraulich!*

Sehr geehrter Herr Kollege,
die Sitzung vom 13. d. Mts. unter Teilnahme des unterzeichneten Präsidenten (Tagesordnung «Stellungnahme zu lebenswichtigen Fragen der Abteilung»), zu der Sie eingeladen waren, hat zu folgendem Ergebnis geführt:

In Anbetracht der Lage müssen von der Abteilung sofortige Entschlüsse gefaßt werden. Die Abteilung unternimmt den Versuch, sich aus sich selbst heraus neu zu organisieren; sie sieht sich gezwungen, allen Mitgliedern die anliegenden Fragen vorzulegen und bittet um sofortige Beantwortung ausschließlich mit ja oder nein und Ihre Unterschrift. Die Antwort muß spätestens am 21. März bei der Akademie eingetroffen sein.

Mit kollegialem Gruß
Max von Schillings

Ja oder Nein

Vertraulich!
Sind Sie bereit, unter Anerkennung der veränderten geschichtlichen Lage weiter Ihre Person der Preußischen Akademie der Künste zur Verfügung zu stellen? Eine Bejahung dieser Frage schließt die öffentliche politische Betätigung gegen die Regierung aus und verpflichtet Sie zu einer loyalen Mitarbeit an den satzungsgemäß der Akademie zufallenden nationalen kulturellen Aufgaben im Sinne der veränderten geschichtlichen Lage.

Ja   Nein
(Nichtzutreffendes bitte zu durchstreichen)

Name: Ort und Datum:

Die freiwillig Ausgeschiedenen

Laut *Übersicht über die ausgeschiedenen Mitglieder der Preußischen Akademie der Künste* gab es bei den «Dichtern» – über bildende Künstler und Musiker siehe *Die bildenden Künste im Dritten Reich* (Ullstein Buch 33030) und *Musik im Dritten Reich* (Ullstein Buch 33032) – die beiden Rubriken «Freiwillig ausgeschieden» und «Durch Mitteilung der Akademie von der Mitgliedschaft ausgeschlossen nach mündlicher Anweisung des Herrn Ministers (für Wissenschaft, Erziehung und Volksbildung) an den Präsidenten von Schillings». Letztere war noch unterteilt, denn da gab es die Bezeichnung «Jude», darunter fielen sechs der elf, und bei Alfred Mombert stand «Halbjude». Weder die Briefe der freiwillig Ausgeschiedenen noch die der Ausgeschlossenen an die Akademie befinden sich im Archiv, sondern lediglich die darauf folgenden Antworten der Akademie.

Thomas Mann

Thomas Mann, 1875–1955, dieser größte deutsche Romancier der ersten Hälfte des 20. Jahrhunderts war auch einer der beachtlichsten kulturpolitischen Essayisten; 1929 erhielt er den Nobelpreis für Literatur, «hauptsächlich für seinen großen Roman ‹Die Buddenbrooks›, welcher im Laufe der Jahre eine stets wachsende Anerkennung als ein klassisches Werk der zeitgenössischen Literatur gefunden hat» – Victor Junk: *Die Nobelpreisträger*, Wien/Leipzig 1930, S. 256; schon damals bezeichnete der *Völkische Beobachter* Thomas Mann als Schriftsteller «zweiten Ranges» und nannte ihn «Literat der Demokratie», in: *Völkischer Beobachter* vom 15. 11. und 21. 11. 1929, ebenso am 28. 8. 1930; 1933–39 lebte Thomas Mann in der Schweiz, emigrierte dann in die USA, wo er u. a. zwei Jahre an der Princeton University Gastprofessor war; 1944 wurde er amerikanischer Staatsbürger; immerhin bemühte sich die NS-Regierung schon 1933 über verschiedene Mittelsmänner, Thomas Mann zur Rückkehr nach Deutschland zu bewegen; über diese Bemühungen – auch via Gestapo – siehe Viktor Mann: *Wir waren Fünf – Bildnis der Familie Mann*, Konstanz 1949, S. 552–555; namhafte deutsche Schriftsteller versuchten ebenfalls, Mann zurückzuholen; «Ich glaube mich zu erinnern, daß ich im Jahre 1933 in der Schweiz von Binding einen Brief erhielt, in dem er mich beschwor, nach Deutschland zurückzukehren, um unter dem neuen Regime dem Lande zu dienen. Dazu war ich nicht bereit»; Thomas Mann in einem Brief vom 22. 1. 1955 in: *Das war Binding*, Herausgeber L. F. Barthel, Wien 1955, S. 171–172; «Ich kann mir das Leben in dem Deutschland wie es heute ist, nicht vorstellen, und Heimkehr ins Alte ist unmöglich, weil eben das Alte nicht mehr besteht», schrieb Thomas Mann am 28. 6. 1933, in Thomas Mann – Robert Faesi: *Briefwechsel*, Zürich 1962, S. 23; «Was mich persönlich angeht, so trifft mich der Vorwurf nicht, daß ich Deutschland verlassen hätte. Ich bin daraus verstoßen worden. Beschimpft, angeprangert und ausgeplündert von den fremden Eroberern *meines* Landes, denn ich bin ein älterer und besserer Deutscher als diese», Thomas Mann in einem Brief am 19. 11. 1933 in *Thomas Mann an Ernst Bertram: Briefe aus den Jahren 1910–1955*, Pfullingen 1960, S. 178; nach seiner Ausbürgerung ist Thomas Mann 1936 der ihm 1919 von der Universität Bonn verliehene Dr. h. c. aberkannt worden; den entsprechenden Brief unterzeichnete am 19. 12. 1936 Prof. Dr. Karl Julius Obenauer, doch die Harvard University, USA, ernannte den «Wahrer der großen deutschen Kultur» ebenfalls zum Dr. h. c.; die gleiche Auszeichnung ließen ihm die Universitäten Princeton, Yale, Rutges, Hobart und Oxford angedeihen; Thomas Mann antwortete dem Dekan der Philosophischen Fakultät in Bonn auf die Aberkennung der Ehrendoktorwürde aus Küßnacht-Zürich, Neujahr 1936/37, u. a. wie folgt: «In diesen vier Jahren eines Exils, das freiwillig zu nennen wohl eine Beschönigung wäre, da ich, in Deutschland verblieben oder dorthin zurückgekehrt, wahrscheinlich nicht mehr am Leben wäre, hat die sonderbare Schicksalsirrtümlichkeit meiner Lage nie aufgehört, mir Gedanken zu machen. Ich habe es mir nicht träumen lassen, es ist mir nicht an der Wiege gesungen worden, daß ich meine höheren Tage als Emigrant, zu Hause enteignet und verfemt, in tief notwendigem Protest verbringen würde. Ein deutscher Schriftsteller, an Verantwortung gewöhnt durch die Sprache, ein Deutscher, dessen Patriotismus – vielleicht naiverweise – in dem Glauben an die unvergleichliche moralische Wichtigkeit dessen äußert, was in Deutschland geschieht, – und sollte schweigen, ganz schweigen zu all dem unsühnbar Schlechten, was in meinem Lande an Körpern, Seelen und Geistern, an Recht und Wahrheit, an Menschen und an Menschen täglich begangen wurde und wird? Zu der furchtbaren Gefahr, die dies menschenverderberische, in unsäglicher Unwissenheit über das, was die Weltglocke geschlagen hat, lebende Regime für den Erdteil bedeutet? Es war nicht möglich.» Im gleichen Brief steht der folgende prophetische Satz: «Sinn und Zweck des nationalsozialistischen Staatssystems ist einzig der, und kann nur dieser sein: das deutsche Volk unter unerbittlicher Ausschaltung, Niederhaltung, Austilgung jeder störenden Gegenregung für den ‹kommenden Krieg› in Form zu bringen.» Thomas Mann: *Gesammelte Werke*, Frankfurt a. M. 1960, Band 12, S. 785–792; in diesem Zusammenhang interessante autobiographische Einzelheiten finden sich in seinem *Lebenslauf 1936*, ebd. Band 11, S. 450 f; im Zusammenhang mit dem nachstehenden Brief aus dem Jahre 1933 ist Thomas Manns Rede anläßlich der Gründung der Dichterakademie, ebd. Band 10, S. 211–215, der Aufmerksamkeit wert; seine kulturpolitische Einstellung kommt deutlich in den Schriften und Aufsätzen zum Ausdruck, die hauptsächlich in den Bänden 11 und 12 der *Gesammelten Werke*, a. a. O., enthalten sind.

Preußische Akademie der Künste
Berlin W 8, Pariser Platz 4
22. März 1933

Sehr verehrter Herr Professor [1],
ich bestätige Ihnen den Eingang Ihres eingeschriebenen Briefes vom 17. ds. Mts. aus Lenzerheide. Ich muß aus ihm ersehen, daß Sie nicht gesinnt sind, weiter der Akademie anzugehören. Eine Stellungnahme zu Ihrem Entschluß steht mir bei der Entschiedenheit Ihrer Absage nicht zu. Ich möchte aber Ihren Abschied sich nicht vollziehen lassen, ohne Ihnen meinen Dank für Ihre Zugehörigkeit zur Akademie und Ihre Tätigkeit als Senator auszusprechen.

In vorzüglicher Hochachtung
Ihr ganz ergebener
Max von Schillings

Alfred Döblin

Herrn
Dr. Alfred Döblin
Zürich Hochstr. 37 Pension

Preußische Akademie der Künste
Berlin W 8, Pariser Platz 4
22. März 1933

Sehr geehrter Herr Doktor,
auf Ihre beiden Briefe vom 17. und 18. ds. Mts. erwidere ich Ihnen, daß ich Ihren Austritt aus der Abteilung für Dichtung hiermit zur Kenntnis nehme. Ihren im ersten Brief gestellten Antrag, eine Resolution in der von Ihnen vorgeschlagenen Form der Abteilung vorzulegen, ist in Anbetracht der Lage nicht möglich gewesen.

In vorzüglicher Hochachtung
ergebenst Schillings

Ricarda Huch

Hier sei zunächst der Tochter Ricarda Huchs, Frau Marietta Böhm, vielmals gedankt, die die Genehmigung erteilte, diese Briefe zu veröffentlichen; Ricarda Huch, Dichterin, Erzählerin, Historikerin, 1864–1947, seit 1926 Mitglied der Preußischen Akademie der Künste; 1931 erhielt sie den Goethe-Preis der Stadt Frankfurt am Main; Thomas Mann nannte sie die «Erste Frau Deutschlands», Thomas Mann: *Gesammelte Werke*, a. a. O., Band 10, S. 429, und schrieb, «sie *ist* Geist, denn sie ist in ihrem Wesen Sinn, Bewußtsein, Einheit, Absicht», ebd. S. 431.

[1] Thomas Mann war seit 1926 Professor h. c. des Lübecker Senats, deshalb hier die Anrede.

a) Maßgebend sind künstlerische Leistungen

Dieser in Heidelberg geschriebene, nicht datierte Brief ist die Antwort auf das Schreiben von Professor von Schillings. Wahrscheinlich schrieb Ricarda Huch ihn am 18. 3. 1933.

An den
Präsidenten der Akademie der Künste
zu Berlin.

In Erwiderung Ihres Schreibens vom 14. März bestreite ich Ihre Kompetenz, mir eine Frage von so unübersehbaren Konsequenzen vorzulegen, und lehne infolgedessen ab, sie zu beantworten. Die Mitglieder der Akademie werden nach Wortlaut der Statuten zur Ehrung und Anerkennung ihrer Leistungen berufen, ohne daß ein politisches Bekenntnis von ihnen gefordert würde. Ich bin, seit ich der Akademie angehöre, stets mit Nachdruck dafür eingetreten, daß bei der Wahl der Mitglieder nichts anderes maßgebend sein darf als ihre künstlerischen Leistungen und die Bedeutung ihrer Persönlichkeit. Daran werde ich auch künftig festhalten.

Ricarda Huch

b) Das Recht der freien Meinungsäußerung

Heidelberg, 24. März 1933

Sehr geehrter Herr Präsident,
aus Ihrem Schreiben vom 22. März schließe ich, daß Sie meine Ablehnung, die mir vorgelegte Frage zu unterzeichnen, so aufzufassen gedenken, als hätte ich sie mit Ja beantwortet. Ich kann aber dieses Ja um so weniger aussprechen, als ich verschiedene der inzwischen vorgenommenen Handlungen der neuen Regierung aufs schärfste mißbillige.

Sie zweifeln nicht, davon überzeugt mich Ihr Brief, daß ich an dem nationalen Aufschwung von Herzen teilnehme; aber auf das Recht der freien Meinungsäußerung will ich nicht verzichten, und das täte ich durch eine Erklärung, wie die ist, welche ich zu unterzeichnen aufgefordert wurde. Ich nehme an, daß ich durch diese Feststellung automatisch aus der Akademie ausgeschieden bin. Übrigens müßte ich darauf gefaßt sein (erlauben Sie, daß ich den ernsten Gegenstand durch einen Scherz würze), wenn ich in dieser Form in der Akademie bliebe, mein Leben im Zuchthause zu beschließen «als in einen nationalen Verband eingeschlichen».

Ricarda Huch

c) «Nicht mein Deutschtum»

Heidelberg, 9. April 1933

Sehr geehrter Herr Präsident,
lassen Sie mich zuerst danken für das warme Interesse, das Sie an meinem Verbleiben in der Akademie nehmen. Es liegt mir daran, Ihnen ver-

ständlich zu machen, warum ich Ihrem Wunsche nicht entsprechen kann. Daß ein Deutscher deutsch empfindet, möchte ich fast für selbstverständlich halten; aber was deutsch ist, und wie Deutschtum sich bestätigen soll, darüber gibt es verschiedene Meinungen. Was die jetzige Regierung als nationale Gesinnung vorschreibt, ist nicht mein Deutschtum. Die Zentralisierung, den Zwang, die brutalen Methoden, die Diffamierung Andersdenkender, das prahlerische Selbstlob halte ich für undeutsch und unheilvoll. Bei einer so sehr von der staatlich vorgeschriebenen Meinung abweichenden Auffassung halte ich es für unmöglich, in einer staatlichen Akademie zu bleiben. Sie sagen, die mir von der Akademie vorgelegte Erklärung werde mich nicht an der freien Meinungsäußerung hindern. Abgesehen davon, daß eine «loyale Mitarbeit an den satzungsgemäß der Akademie zufallenden nationalen und kulturellen Aufgaben im Sinne der veränderten geschichtlichen Lage» eine Übereinstimmung mit dem Programm der Regierung erfordert, die bei mir nicht vorhanden ist, so würde ich keine Zeitung oder Zeitschrift finden, die eine oppositionelle Meinung abdruckte. Da bliebe das Recht der freien Meinungsäußerung in der Theorie stecken.

Sie erwähnen die Herren Heinrich Mann und Dr. Döblin. Es ist wahr, daß ich mit Herrn Heinrich Mann nicht übereinstimme, mit Herrn Döblin tat ich es nicht immer, aber doch in manchen Dingen. Jedenfalls möchte ich wünschen, daß alle nicht-jüdischen Deutschen so gewissenhaft suchten, das Richtige zu erkennen und zu tun, so offen, ehrlich und anständig wären, wie ich ihn immer gefunden habe. Meiner Ansicht nach konnte er angesichts der Judenhetze nicht anders handeln, als er getan hat. Daß mein Verlassen der Akademie keine Sympathiekundgebung für die genannten Herren ist, trotz der besonderen Achtung und Sympathie, die ich für Herrn Dr. Döblin empfinde, wird jeder wissen, der mich persönlich oder aus meinen Büchern kennt.

Hiermit erkläre ich meinen Austritt aus der Akademie.

Ricarda Huch[1]

---

1 Fast zwanzig Jahre später schrieb Alfred Döblin am 14. Juni 1950 Walter von Molo zum siebzigsten Geburtstag unter anderem folgendes: «Es kam das Jahr 1933. Wir wurden auseinandergerissen. Ich weiß nicht, wie Ihr Euch fühltet, die Ihr zurückbliebt. Ich weiß, einige von Euch jubelten, sie gingen mit fliegenden Fahnen zum Feind über, der sie dann und wann mit Fußtritten bedachte. Eine einzige Stimme tönte aus Ihrem Kreis noch zu mir herüber: die Stimme von Ricarda Huch, einer herrlichen Frau, Sie wissen es selbst, Molo, mit Kraft, Geist und Mut, Ihr werdet niemals ihresgleichen sehen.» Marie Baum: *Leuchtende Spur – Das Leben Ricarda Huchs*, Tübingen 1950, S. 345.

Franz Werfel

Franz Werfel, Romancier und Lyriker, 1890–1945, einer der bedeutendsten Dichter des deutschen Expressionismus; seine Romane erzielten Millionenauflagen; 1938 emigrierte er aus Wien nach Frankreich und 1940 von dort nach den USA. Über die dramatischen Phasen seiner Flucht siehe ausführlich Alma Mahler-Werfel: *Mein Leben*, Frankfurt a. M. 1960, S. 269 f.

Herrn	Preußische Akademie der Künste
Franz Werfel	Berlin W 8, Pariser Platz 4
Breitenstein a. d. Südbahn	27. März 1933

Sehr geehrter Herr Kollege,
zur Ergänzung der Personalnotizen unserer Mitglieder ist die Feststellung der Staatsangehörigkeit erwünscht. Ich wäre Ihnen deshalb dankbar, wenn Sie uns möglichst umgehend mitteilen würden, welche Staatsangehörigkeit Sie besitzen.

Ihr sehr ergebener	Mit kollegialem Gruß
Dr. med. Gottfried Benn	Amersdorffer
beauftragt mit der kommissarischen	
Leitung der Abteilung für Dichtung	

Geltende Grundsätze

Sehr ähnliche Briefe erhielten am 5. 5. 1933 Leonhard Frank, Georg Kaiser, Bernhard Kellermann, Alfred Mombert, René Schickele, Fritz von Unruh; am 7. 5. 1933 Ludwig Fulda; am 8. 5. 1933 Rudolf Pannwitz und Jakob Wassermann. Die einzige Ausnahme bei den Ausgeschlossenen – sowohl textlich als auch im Monat – war Alfons Paquet, denn er wurde schon am 22. 3. 1933 ausgeschlossen. Die Briefe wurden stets per Einschreiben verschickt, auch die Einlieferungsscheine befinden sich im Archiv der Preußischen Akademie der Künste; am 14. 5. 1933 schrieb Alfred Mombert an Rudolf G. Binding: «Ich las, daß wir ‹14 Mann› aus der Preußischen Akademie ‹ausgeschieden› sind. *Diese* Loslösung halte ich entschieden für die beste. Sie ist eindeutig und man wird in künftigen Zeiten nicht daran deuteln können»; Alfred Mombert: *Briefe aus den Jahren 1893 bis 1942*, Heidelberg/Darmstadt 1961, S. 108.

Hier ein paar kurze biographische Angaben über die Ausgeschlossenen:

Leonhard Frank, 1882–1961, erhielt 1914 für seine Prosawerke den Fontane-Preis und 1920 den Kleist-Preis; 1927 wurde er Mitglied der Akademie der Künste; 1933 emigrierte er in die Schweiz, 1937 nach Frankreich und 1940 über Portugal nach den USA; seine *Gesammelten Werke* erschienen 1957 in sechs Bänden und seine erzählenden Werke 1959 in fünf Bänden.

Georg Kaiser, Dramatiker, Romancier, Lyriker, 1878–1945; 1933 wurden seine sämtlichen Stücke für die deutschen Bühnen verboten; 1938 emigrierte er in die Schweiz; über seine Werke siehe Wolfgang Paulsen: *Georg Kaiser – Die Perspektiven seines Werkes – Mit einem Anhang: Das dichterische und essayistische Werk Georg Kaisers – Eine historisch-kritische Bibliographie*, Tübingen 1960.

Bernhard Kellermann, Romancier, 1879–1951; seine Romane sind in alle Kultursprachen übersetzt worden, einige von ihnen erzielten Massenauflagen.

Alfred Mombert, Dichter, 1872–1942; 1940 holte man ihn mit seiner Schwester aus der Heidelberger Wohnung; zuerst auf Lastwagen, dann in einen Güterzug verladen, kam er mit anderen Juden ins Konzentrationslager Gurs in Südfrankreich. Da sich einige Freunde – darunter Hans Carossa – für ihn einsetzten, gelangte er 1941 in die Schweiz, wo er 1942 starb. Siehe A. Mombert, a. a. O., S. 256 f.

Rudolf Pannwitz, Dichter und Philosoph, * 1881.

Alfons Paquet, Schriftsteller, hauptsächlich Reisebeschreibungen, aber auch Drama und Gedichte, 1881–1944; siehe *Bibliographie Alfons Paquet*, Frankfurt a. M. 1950, S. 190–192; seine Aufnahme in die Reichsschrifttumskammer wurde abgelehnt; 1935 ist er im Zug verhaftet worden und saß dann im Gestapogefängnis der Prinz-Albrecht-Straße.

René Schickele, Romancier, Essayist, Lyriker, 1883–1940; seine *Gesammelten Werke* erschienen 1960 in drei Bänden.

Fritz von Unruh, Dramatiker und Romancier, * 1885; er bekam den Kleist-Preis 1914, den Bodmer-Preis 1917, den Grillparzer-Preis 1922, den Schiller-Preis 1926; 1939 wurde er ausgebürgert und flüchtete nach Frankreich; 1940 interniert, konnte er sich jedoch bald in die USA retten.

Jakob Wassermann, Romancier, 1873–1934; seine *Gesammelten Werke* erschienen 1944–48 in sieben Bänden in Stockholm.

Einschreiben!
Herrn   Preußische Akademie der Künste
Franz Werfel   Berlin W 8, Pariser Platz 4
Breitenstein a. d. Südbahn   den 5. Mai 1933

Sehr geehrter Herr Werfel,
nach an maßgebender amtlicher Stelle eingeholten Informationen muß ich Ihnen leider mitteilen, daß Sie nach den für die Neuordnung der kulturellen staatlichen Institute Preußens geltenden Grundsätzen künftig nicht mehr zu den Mitgliedern der Abteilung für Dichtung gezählt werden können.

In größter Hochachtung
Der Präsident
Schillings

Hier ist der Einlieferungsschein aufgeheftet:
Einlieferungsschein
Gegenstand Brief Nr. 755 x

Einschreiben
Empfänger Franz Werfel
Bestimmungsort Breitenstein a. d. Südbahn
Stempel: Berlin NW
– 6. 5.33 12–13
Postannahme
Unterschrift: Baum

Intermezzo

Vorfrühlingswetter

Rettungsaktion für Dichtersektion, in: *Deutsche Kultur-Wacht* 1933, Heft 7,
S. 17, gekürzt. Es ist verständlich, daß die beschämende Haltung der Mitglieder der Dichterakademie bei dem erzwungenen Ausscheiden oder Ausschließen
ihrer langjährigen Kollegen, ihr stillschweigendes Hinnehmen Ironie und Scha-
denfreude bei den «alten Kämpfern» hervorriefen. Die Sorgen der in der Akademie Verbliebenen erstreckten sich nämlich darauf, einige Dichter mit natio-
nalsozialistisch-chauvinistischen oder gar NS-Renommee zu finden, damit diese
nach der «Nationalen Revolution» das eigene Weiterverbleiben in der Akademie gewissermaßen rechtfertigten. Die *Deutsche Kultur-Wacht – Organ des
Kampfbundes für Deutsche Kultur –* illustriert diese ganze Atmosphäre hier
recht eindeutig und wahrheitsgetreu; ähnlich schrieb übrigens auch Dr. Wilhelm Stapel in der von ihm redigierten Zeitschrift *Deutsches Volkstum,* März
1933, S. 17: «Als Heinrich Mann von der Akademie verwiesen wurde, wäre es
moralisch notwendig gewesen, daß die, die ihn zu ihrem Vorsitzenden gewählt
hatten, mit ihm unter Protest aus der Akademie ausgetreten wären. Mit Hohn
haben wir davon Kenntnis genommen, daß die Herren sich entschlossen haben,
den Fall ‹unpolitisch› zu behandeln und in der Akademie zu beharren»; siehe
auch *Die Ausgeschiedenen* in: *Völkischer Beobachter* vom 9. 5. 1933.
Inzwischen planten sowohl die aus «liberalistischer» Zeit in der Dichterakademie Zurückgebliebenen wie auch die Emporkömmlinge – die neuen Kandida-
ten für die Akademiemitgliedschaft –, Stefan George zum Präsidenten der Akademie zu machen, was seine guten Gründe hatte.
Stefan George, Lyriker, 1868–1933, sammelte seit Beginn der neunziger Jahre einen schöngeistigen Kreis um sich und gründete 1892 die *Blätter für die
Kunst.* Georges *Gesammelte Werke* erschienen 1927–1934 in achtzehn Bänden.
Er gehörte zu den Dichtern, die vom NS-Regime mißbraucht wurden. Allerdings überging die NS-Literaturkritik den größten Teil seines schöpferischen
Lebens, weil es u. a. im Widerspruch zur NS-«Weltanschauung» stand, fast
ganz mit Stillschweigen und klammerte sich dafür an die 1928 erschienenen
Gedichte in *Das Neue Reich,* Gedichte des Jahres 1917 wie *Der Krieg* oder aus
1921 wie *An die Toten, Einem jungen Führer im Ersten Weltkrieg* u. a. Siehe
hierzu Dr. Fritz Lübbe und Dr. Heinrich Fr. Lohrmann: *Deutsche Dichtung in
Vergangenheit und Gegenwart,* Hannover 1940, S. 197: «Kurz vor dem Kriege

aber wandelte sich sein [Stefan Georges] Leben. Er schaute weiter als andere und fand den Weg zum Reich. In dem Gedichtband ‹Im Kriege› beugte er sich in Ehrfurcht vor dem Heldentum der Front. 1928 entstand das Werk ‹Das Neue Reich›. Wie ein Seher seines Volkes schaut er zurück und voraus. Aus Entehrung, Not und Gemeinschaft steigt ein hartes Geschlecht empor. Der Führer aber schreitet mitten aus dieser heldischen Jugend zu Tat und Werk.» Siehe auch Herbert Müllenbach: *Kleine Einführung in die deutsche Dichtung der Gegenwart*, Berlin/Leipzig/München 1934, S. 5–8; Hellmuth Langenbucher: *Volkhafte Dichtung der Zeit*, 1937, S. 439–441: «Nun wird sein Schaffen, das bisher mehr von ideellen Kräften getragen war, immer spürbarer aus der Kraft seiner *blutmäßigen* Bindungen genährt»; «sein rassisch-volksmäßiges Bluterbe hat all den Versuchungen seines aristokratischen Geistes und seiner differenzierten Seele erfolgreich widerstanden»; Franz Koch: *Geschichte Deutscher Dichtung*, Hamburg 1937/38, S. 287–292: «Es bedurfte rassisch ungebrochener Persönlichkeiten, wie Stefan George und Rilke sie besaßen, um diesen Ästhetismus zu überwinden»; Christian Jenssen: *Deutsche Dichtung der Gegenwart*, Leipzig/Berlin 1936, S. 13–14; A. F. C. Vilmar und J. Rohr: *Geschichte der Deutschen National-Literatur*, Berlin 1936, S. 432; Walther Linden: *Geschichte der deutschen Literatur*, Leipzig 1937, S. 426; zum besseren Verständnis des NS-Standpunktes und des Zwielichts um Stefan George siehe auch folgende Aufsätze: *Um Stefan George* in: *Deutsche Zukunft* vom 23. 9. 1934; Karl Julius Obenauer: *Stefan George und das Dritte Reich* in: *Münchener Neueste Nachrichten* vom 7. 4. 1935 und vom 14. 4. 1935; Walther Linden: *Das Geschichtsbild der Georgeschule* in: *Die Westmark*, Heft 11, August 1935; Dr. Wilhelm Meridies: *Künder des Neuen Reiches* in: *Frankfurter Volksblatt* vom 4. 12. 1937; Wolfgang Schwarz: *Gruß an den Dichter Stefan George* in: *Schlesische Tageszeitung* vom 10. 6. 1938; Paul Wittko: *Stefan George* in: *Königsberger Tageblatt* vom 10. 6. 1938; Edward Jaime-Liebig: *Was war uns Stefan George* in: *Münchener Neueste Nachrichten* vom 12. 6. 1938.

So wird verständlich, weshalb Stefan Georges Kandidatur als neuer Präsident der Dichterakademie aktuell wurde. Es wäre ein Kompromiß für alle gewesen.

Aber Stefan George emigrierte schon 1933 in die Schweiz, wo er auch noch im gleichen Jahre starb, nicht ohne daß Goebbels verschiedene Versuche, ihn nach Deutschland zurückzuholen, unternommen hätte. Sie schlugen jedoch alle fehl. In einer NS-Anweisung vom 9. 7. 1943 steht, daß Stefan George «lediglich als zeitbedingte Einzelpersönlichkeit» gewürdigt werden solle. «Der George-Kreis» – hieß es da weiter – «ist nicht zu berühren» – Dietrich Strothmann: *Nationalsozialistische Literaturpolitik*, Bonn 1960, S. 299.

Nach dem Vorfrühlingsgewitter, das über der Dichtersektion der Preußischen Akademie der Künste niederging und den morschen Ast Heinrich Mann wegfegte, drohte der genannten Einrichtung eine grundstürzende Umgestaltung. Ihre bisherigen Parteigänger finden, daß das Verhalten der Sektion bei diesem Anlaß nicht gerade «antik römisch» gewirkt habe; sie hatten sich vielmehr ein eindrucksvolles und pompöses Gesamt-Harakiri nach japanischem Vorbild gewünscht und bescheinigen, daß das Dasein der Sektion «bisher recht blaß und nutzlos» gewesen sei – trotz der geschwollenen Redensarten Heinrich Manns, als er die Präsidentschaft übernahm.

Also: Staat ist mit der Gesellschaft nicht zu machen; aber: man muß sie retten. Man kann nicht wissen, ob und wann und wie man die Sache wieder einmal brauchen kann. Vielleicht – neue Winddrehung – Auferweckung des lieben international-liberal-pazifistisch-defaitistischen Ungeistes – Lasset uns hoffen! (Raunen sie sich in die Ohren.) Aber heute? Heute muß man sich auf die richtige Seite legen, indem man eine «nationale und konservative Mehrheit» (Mehrheit!) fingert. Nicht soll sie etwa an Weltanschauungskämpfen teilnehmen, beileibe nicht; nur «in geeigneten Augenblicken die Solidarität der geistig Schaffenden verwirklichen». Hm, hm – Solidarität. Wem gegenüber denn? Na schön. Was ist zu tun? Die Sektion soll sich schnellstens selbsttätig ergänzen.

Ohne Präsidenten geht es nicht: «Auch die Freiheit muß ihren Herrn haben. Ohne Oberhaupt gingen Rom und Sparta zugrunde.» Und «ein feiner, politischer Kopf muß das sein». – «Wenn sich's hoffen ließe – träumen ließe –. Aber ich fürchte, er wird es nicht tun.» – Hier muß das scheinbar Unmögliche möglich gemacht werden: «Ohne Stefan George sind wir Leib ohne Seele.» – «Es ist alles aufzuwenden, um Stefan George selbst zum Eintritt zu bewegen. Es muß dem Dichter vorgestellt werden, daß jetzt wie niemals zuvor eine innere Solidarität und Autorität der geistig Schaffenden nötig ist, damit die Tagespolitik (!) nicht alles unter sich begräbt; und daß kein anderer als er im heutigen (!) nationalen Deutschland diese Würde repräsentieren kann. Er ist sofort zum Präsidenten zu küren.» Und Karl Moor wird verkünden: «Ja, bei dem tausendarmigen Tod! So wahr meine Seele lebt, ich bin euer Hauptmann!» Solchermaßen erstklassig geführt, wird sich die nunmehr national-konservativ drapierte preußische Dichtersektion seitwärts in die «böhmischen Wälder» schlagen und von dort aus die «Solidarität der geistig Schaffenden» gegen die schändlichen Werkler der Tagespolitik zum Abschluß bringen. «Vortreffliche Pläne!» – «Moritz, du bist ein großer Mann! – oder es hat ein blindes Schwein eine Eichel gefunden . . .»

Der Parteigenosse Nathanael Jünger

Nathanael Jünger, Pseudonym von Pfarrer Dr. Dietrich-Johann Rump, Schriftsteller, *1871.

handschriftlich: Oberamtsanwalt Kurt v. Schwanbach
Eingang/Näheres folgt. A.   Berlin NW 21,
                            Turmstr. 4 v. 3 Tr. den 10. April

Sehr geehrter Herr Parteigenosse Hinkel [1]!
In diesen Tagen las ich, daß die Akademie für Dichtkunst vor dem Abschluß stehe, soweit ihre Neugestaltung in Frage kommt. Ich möchte daher Ihre Aufmerksamkeit lenken auf den Parteigenossen Nathanael Jünger, mit bürgerlichem Namen: Pfarrer Lic. Dr. Rump, Pfarrer der Heiligegeist-Kirchengemeinde hier in Berlin, der Führer der «Deutschen Christen» [2] auf der Stadtsynode, auf der er uns so überaus wirksam eingeführt und vertreten hat (am Donnerstag voriger Woche) [3]. Ich lege Ihnen einige Drucksachen über ihn bei, die Ihnen ein Urteil ermöglichen und zwar:
1.) einige Werturteile über seine Bücher.
   Dabei lenke ich Ihre besondere Aufmerksamkeit auf seinen deutschvölkischen Roman «Volk in Gefahr», den er bereits 1920 veröffentlicht hat. Es ist der zweifellos beste Roman deutscher Zunge auf diesem Gebiete. Das Buch zeigt mit souveräner Beherrschung des wissenschaftlichen Materials in ungewöhnlich eindrucksvoller Weise die ungeheuren Schäden, die in der allgemeinen Verjudung liegen.
2.) eine Übersicht über seine Romane, die freilich nur bis zur «Revanche» reicht.
3.) zwei Artikel, die der «Reichsbote» zu seinem 60. Geburtstag brachte, – aus Amerika und aus Holland. Erwähnen möchte ich, daß der literarische Berater der Akademie in Stockholm, die den literarischen Nobelpreis bestimmt, Professor Fredrik Wulff, Professor an der Universität Lund, Nathanael Jünger wiederholt, so noch kurz vor seinem Tode (Januar 1931) für den literarischen Nobelpreis vorgeschlagen hat (zusam-

1 Hans Hinkel, 1901–60, seit dem 30. 1. 1933 Staatskommissar im Preußischen Ministerium für Wissenschaft, Kunst und Volksbildung.
   2 *Deutsche Christen*, aus dem Nationalsozialismus entstandene Richtung der deutschen evangelischen Kirche; schon 1931 betätigten sich die *Evangelischen Nationalsozialisten*. – «Wir stehen auf dem Boden des positiven Christentums und bekennen uns zu einem *artgemäßen* Christenglauben, wie er deutschem Luthergeist und heldischer Frömmigkeit entspricht.»
   3 Die erste Reichstagung der Deutschen Christen fand am 4. und 5. April 1933 statt. Auf ihr wandte sich der erste Reichspfarrer Joachim Hossenfelder gegen die bisherigen Kirchenbehörden.

men mit einer spanischen Dichterin), wiederum ein Beweis, daß er sich internationales Ansehen erworben hat. Dabei geht er still und bescheiden seinen Weg, tut in einem aufreibenden Großstadtpfarramte hier in Berlin, wie ich aus nächster Nachbarschaft beobachten kann, Tag für Tag seine ernste Pflicht, abhold allem Trara in der Öffentlichkeit.

Ich bitte, ihn nach Möglichkeit hineinzunehmen als einen bewußt christlichen, bewußt völkischen und bewußt vaterländischen Dichter. Mit ihm wäre auch ein Vertreter der Kirche vorhanden, was mir bedeutsam erscheint angesichts des Umstands, daß unsere Bewegung unter dem Namen der «Glaubensbewegung Deutscher Christen» bestimmenden Einfluß erstrebt.

Mit Hitler Heil und deutschchristlichem Gruß

Ihr ergebenster Schwanbach
Ältester der St.-Johannis-Kirchengemeinde (Moabit)

Die neue Akademie

Die neuernannten Mitglieder

In: *Münchener Zeitung* vom 8. 5. 1933.

Nunmehr ist es, wie der preußische Kultusminister Rust heute vor einem Kreis von Pressevertretern im Rahmen grundsätzlicher Ausführungen über die Kulturpolitik der neuen Regierung mitteilte, zu einer völligen Neuordnung der Dichterakademie, der Abteilung 3 der Preußischen Akademie der Künste, gekommen.

Der Kultusminister hat die folgenden Dichter in die Dichterakademie berufen: Werner Beumelburg, Hans Friedrich Blunck, Hans Carossa, Peter Dörfler, Paul Ernst, Friedrich Griese, Hans Grimm, Hanns Johst, Kolbenheyer, Agnes Miegel, Börries von Münchhausen, Wilhelm Schäfer, Emil Strauß und Will Vesper.

Über die Auswahl weiterer Persönlichkeiten des deutschen Schrifttums wird die neugeformte Abteilung 3 der Akademie nunmehr selbst entscheiden können. Es ist also schon in allernächster Zeit, wenn die erste konstituierende Sitzung stattgefunden hat, mit weiteren Berufungen zu rechnen. Kultusminister Rust wies auf die große Aufgabe hin, die der Dichtung gerade in diesen Tagen, da der patriotische Kitsch sich in den Vordergrund zu drängen scheint, gestellt ist.

Stefan George ist nicht aufgefordert worden, weil er es bisher stets abgelehnt hat, sich zur Verfügung zu stellen. Man hofft aber, eine Form zu finden, in der die Verbundenheit des neuen Deutschlands mit Stefan George klar zum Ausdruck gebracht werden kann.

Ein volksbewußter und artgerechter Lebenskörper

In: *Neckarzeitung*, Heilbronn, vom 10. 6. 1933.

Am 7. und 8. Juni tagte in Berlin die erneuerte Abteilung für Dichtung an der Preußischen Akademie der Künste. Kultusminister Rust als Kurator und Max von Schillings als Präsident der Gesamtakademie eröffneten die Gründungsversammlung. Kultusminister Rust sicherte der Abteilung für Dichtung bei ihrem weiteren Ausbau und Aufbau volle Selbständigkeit zu. Die Abteilung für Dichtung vereint in sich die deutschen Dichter aller Volksstämme. Aus dem betont außervölkischen Zustande ihrer früheren Zusammensetzung ist sie zu einem volksbewußten und artgerechten Lebenskörper umgebaut worden. Daher darf und will sie auch in ihrer Entwicklung der lebendigen Entwicklung des Reiches Ausdruck verleihen und erklärt sich unter Wahrung der bisherigen Rechtsgrundlagen reichszuständig als die Deutsche Akademie der Dichtung. Die nächsten Arbeiten der Deutschen Akademie der Dichtung werden ihrer organisatorischen und rechtlichen Durchführung gewidmet sein.

Die neugewählten Mitglieder

In: *Stuttgarter Neuestes Tageblatt* vom 10. 6. 1933.

In die Akademie der Dichtung sind berufen worden: Hermann Claudius, Gustav Frenssen, Enrica von Handel-Manzzetti, Rudolf Huch, Ernst Jünger [1], Isolde Kurz, Heinrich Lersch, Johannes Schlaf, Joseph Magnus Wehner. Ferner wurde die Berufung einer ständigen Kammer der Beiräte der Dichtung beschlossen.

Das Telegramm

In: *Crossener Tageblatt* vom 10. 6. 1933.

Über die Atmosphäre in der neuen Dichterakademie notierte Oskar Loerke am 9. Juni in *Tagebücher 1903–1939*, a. a. O., S. 275–276: «Mittwoch vormittag konstituierende Sitzung der ‹Dichter›-Akademieabteilung. Feierlicher Beginn: Kultusminister Rust, der Präsident. Als die Herrschaften sich selbst überlassen waren, wurde es unangenehm. Die guten Alten triumphieren. Emil Strauß, Hermann Stehr. Sie fühlen sich jetzt würdig und wichtig. Man hat ihnen auch Senatsstellen gegeben. Im übrigen waren die Herren Nationalisten sehr unter sich. Schäfer, immer zu hysterischen Wutausbrüchen neigend, brüllend, schwarzer Alberich. Das tückische aufgeblasene breiige Nichts Kolbenheyer, stundenlang

---

1 Ernst Jünger lehnte diese Berufung brieflich strikt ab, die Behörden wollten das Schreiben jedoch nicht veröffentlichen. Siehe S. 37 f.

redend. Eitle Diktatoren, die sehr bald mit den Neuen zusammenstießen. Haß auf die ‹Berliner›. Beleidigungen. Zum Teil die alten ‹Berliner Existenzen› (Schäfer). Die alten Mitglieder wurden absolut ausgeschaltet, außer mir: Stukken, Molo, Scholz, Benn, Seidel, Halbe. Zu Vorsitzenden haben sie gemacht Johst, stellvertretend Blunck, zum Sekretär den ‹sympathischen› Nationalsozialisten Werner Beumelburg. Der beste unter den Neuen ist Hans Grimm. Ein Mensch, ein Dichter. Durch die hohlen, üblen Radaubrüder Schäfer und Kolbenheyer geriet die Sitzung auf ein unwahrscheinlich schäbiges Niveau. Nicht zu verachten ist auch die rücksichtslose Strammheit Will Vespers. Sieben Kommissionen hat man eingesetzt. Die sollen ungefähr alles machen. Ich gratuliere zur Arbeit und zu den Konfliktmöglichkeiten. Ich fühle mich in dieser Gesellschaft als Luft.» Und weiter schreibt Loerke, S. 278: «Ja, aus der Akademie wurde nach den jüngsten Vorgängen ein Sängerkränzchen, ein Friseurverein. Aber die Herren Kolbenheyer und Schäfer sollen anrichten, was ihres Geistes ist!»

Berlin, 9. Juni. Die Deutsche Akademie der Dichtung richtete an Kultusminister Rust folgendes Telegramm: «Die Deutsche Akademie der Dichtung dankt am Tage ihrer Erneuerung dem Herrn Kultusminister als ihrem Kurator für allen vergangenen und zukünftigen Beistand bei der Vertretung der Interessen der Akademie und des gesamten deutschen Schrifttums. gez. Der Vorsitzende Hanns Johst.»

Die neue Leitung

In: *Hartungsche Zeitung*, Königsberg, vom 10. 6. 1933.

Zum 1. Vorsitzenden der Deutschen Akademie der Dichtung wurde gewählt Hanns Johst, zum 2. Vorsitzenden Hans Friedrich Blunck, zum Schriftführer Werner Beumelburg. Zu Senatoren wurden bestimmt: Werner Beumelburg, Hans Friedrich Blunck, Hans Grimm, Hanns Johst, Erwin Guido Kolbenheyer, Agnes Miegel, Börries von Münchhausen, Wilhelm Schaefer, Hermann Stehr und Emil Strauß. Durch ihre innere und äußere Neugestaltung hofft die Akademie der Deutschen Dichtung ihrem Volke besser und wirksamer die Erlebniswerte zu wahren, zu steigern und zu vermitteln, die das deutsche Volk zu seinem Wiederaufbau aus den Werken der Meister seines Schrifttums schöpfen kann.

Anhang: Ernst Jünger

Die folgenden vier Dokumente stammen aus dem Archiv der Preußischen Akademie der Künste.

Ernst Jünger, Schriftsteller (Roman, Erzählung, Essay), *1895.

Ernst Jünger lehnt die Berufung ab

An die Deutsche	Ernst Jünger
Akademie der	G 9 Albrecht 3860
Dichtung	Berlin-Steglitz, den 16. 11. 33
Berlin	Hohenzollernstr. 6 pt.

Ich beehre mich, Ihnen mitzuteilen, daß ich die Wahl in die Deutsche Akademie der Dichtung nicht annehmen kann. Die Eigenart meiner Arbeit liegt in ihrem wesentlich soldatischen Charakter, den ich durch akademische Bindungen nicht beeinträchtigen will. Im besonderen fühle ich mich verpflichtet, meine Anschauungen über das Verhältnis zwischen Rüstung und Kultur, die ich im 59. Kapitel meines Werkes über den Arbeiter[1] niedergelegt habe, auch in meiner persönlichen Haltung zum Ausdruck zu bringen. Ich bitte Sie daher, meine Ablehnung als ein Opfer aufzufassen, das mir meine Teilnahme an der deutschen Mobilmachung auferlegt, in deren Dienst ich seit 1914 tätig bin.

Mit der Versicherung, daß ich bereits in der Tatsache, daß Sie an mich gedacht haben, eine hohe Auszeichnung erblicke,

Ihr sehr ergebener
Ernst Jünger

An den Herrn Minister

An den	
Herrn Minister für Wissenschaft,	Deutsche Akademie der Dichtung
Kunst und Volksbildung	den 18. November 1933
Berlin W 8, Unter den Linden 4	J. Nr. 1232

Ich gestatte mir dem Ministerium in der Anlage Kenntnis zu geben von einem Schriftwechsel mit Herrn Ernst Jünger und bitte ergebenst zu

---

1 *Der Arbeiter* erschien 1932; auf die Anfrage, um welchen Passus es sich da gehandelt habe, antwortete Ernst Jünger dem Herausgeber im Schreiben vom 14. 1. 1963, es habe sich um die anstehend zitierte Stelle gehandelt: «Wir leben in einer Welt, die auf der einen Seite durchaus einer Werkstätte, auf der anderen durchaus einem Museum gleicht. Der Unterschied, den diese beiden Landschaften stellen, ist der, daß niemand gezwungen ist, in einer Werkstätte mehr als eben eine Werkstätte zu sehen, während in der musealen Landschaft eine Erbauungsstimmung herrscht, die groteske Formen angenommen hat.»

veranlassen, daß Herr Jünger von der Liste der in die Akademie neu-
zuberufenden Dichter gestrichen wird.

Im Auftrage
Unterschrift

«Ich werde dem Kurator
eine entsprechende Mitteilung machen»

Herrn | Deutsche Akademie der Dichtung
Ernst Jünger | den 18. November 1933
Berlin-Steglitz, Hohenzollernstr. 6 pt. *J. Nr. 1232*

Sehr geehrter Herr Jünger,
ich habe von Ihrem Schreiben vom 16. d. Mts. an die Akademie Kenntnis genommen. Eine Ablehnung Ihrer Berufung in die Deutsche Akademie der Dichtung wäre erst in Frage gekommen, sobald der Kurator der
Akademie diese Berufung Ihnen amtlich mitgeteilt hätte. Ich werde dem
Kurator eine entsprechende Mitteilung machen und bin Ihnen dankbar,
daß Sie mich in die Lage versetzen, eine Ihnen unerwünschte Berufung
zu verhindern.

Der Präsident
der Deutschen Akademie der Dichtung
Im Auftrage
Werner Beumelburg

«Wie etwa die Haussuchung in meinen Räumen»

Ernst Jünger
Stempel: 20. Nov. 1933   G 9 Albrecht 3860
handschriftlich: Am. Ble.   Berlin-Steglitz, den 18. 11. 33
z. d. A.   Hohenzollernstr. 6 pt.

Sehr geehrter Herr Beumelburg!
Ihr Schreiben vom heutigen Tage erhielt ich mit bestem Dank und sehe
dadurch die Lage zu meiner Zufriedenheit geklärt. Ich möchte nochmals
betonen, daß ich dem Institut der Akademie mit der allergrößten Hochachtung gegenüberstehe, und daß der Hinweis auf mein Schrifttum in
meinem vorigen Briefe lediglich in der Bedeutung eines für meine persönliche Lebensführung gültigen Grundsatzes aufzufassen ist.
    Zum Formalen möchte ich bemerken, daß ich mich zu meinem Briefe
natürlich erst berechtigt fühlte, nachdem ich unter einem amtlichen Aufrufe der Akademie genannt worden war. Ich habe bei dieser Gelegen-

heit meinen Namen mit besonderer Freude zur Verfügung gestellt, – einmal des ausgezeichneten Anlasses wegen, dann aber auch, um zu betonen, daß ich zur positiven Mitarbeit am neuen Staate, ungeachtet mancher persönlichen Verärgerung, wie etwa der Haussuchung, die in meinen Räumen stattgefunden hat, durchaus entschlossen bin. Ich bin überzeugt, daß dies auch auf meine eigene Weise möglich ist und schreibe Ihnen diese Zeilen frei von der Leber weg.

Mit kameradschaftlicher Hochachtung
als Ihr ergebener
Ernst Jünger [1]

Die Fragebogen

Die Erklärung

Wilhelm Schmidtbonn, Deckname für Schmidt, Dramaturg, Novellist, Romancier, Lyriker, *1876; alle Mitglieder der Preußischen Akademie der Künste mußten schriftliche Erklärungen dieser Art abgeben.

Ich versichere hiermit dienstlich: Mir sind trotz sorgfältiger Prüfung keine Umstände bekannt, welche die Annahme rechtfertigen könnten, daß ich von nichtarischen Eltern oder Großeltern abstamme; insbesondere hat keiner meiner Eltern- oder Großelternteile zu irgend einer Zeit der jüdischen Religion angehört. Ich bin mir bewußt, daß ich mich dienststraflicher Verfolgung mit dem Ziel auf Dienstentlassung aussetze, wenn diese Erklärung nicht der Wahrheit entspricht.

Ascona, den 2. September 1933
Vor- und Zuname: Wilhelm Schmidtbonn
Dienststellung: Mitglied der Deutschen Akademie der Dichtung. Empfänger des staatl. Ehrensoldes.

---

1 Die strikte Ablehnung, Mitglied der neuen Akademie zu werden, enttäuschte auch einige deutsche, sogenannte konservative Kreise und war in ihren Augen fast eine unkameradschaftliche Handlung. Auch dieser rein psychologische Moment, der Jünger – wenn man so sagen will – hätte erpressen können, muß hier in Betracht gezogen werden. Für die große Enttäuschung gerade der genannten Kreise ist ein Brief Hans Grimms vom 22. 6. 1934 an Ernst Jünger sehr aufschlußreich und bezeichnend; er befindet sich in Jüngers Archiv.

Unbeeinflußt, obwohl doch wahrscheinlich beeindruckt von allen diesen Umständen, ging Ernst Jünger seinen eigenen Weg weiter.

Fragebogen

zur Durchführung des Gesetzes zur Wiederherstellung
des Berufsbeamtentums vom 7. April 1933

(Reichsgesetzbl. I S. 175)

1. Name .... *Schlaf*

   Vornamen .... *Johannes*

   Wohnort und Wohnung .... *Weimar, Hoher Weg 4 I*

   Geburtsort, -tag, -monat und -jahr .... *Querfurt 21. Juni 1862*

   Konfession (auch frühere Konfession) .... *evangelisch*

2. Amtsbezeichnung .... *Schriftsteller*

3. § 2 des Gesetzes:

   a) Wann sind Sie in das Beamtenverhältnis eingetreten? — *—*

      Durch Ernennung zum — *—*

      falls seit 9. November 1918:

   b) Haben Sie die für Ihre Laufbahn vorgeschriebene oder übliche Vorbildung*) — *Universität 1884 – 1888*

      oder

   c) sonstige Eignung*) besessen?

*) Vorbildung und Eignung sind kurz zu begründen

Erste Seite des Fragebogens von Johannes Schlaf

Die genauen Daten

Alle Mitglieder der Preußischen Akademie der Künste mußten den *Fragebogen zur Durchführung des Gesetzes zur Wiederherstellung des Berufsbeamtentums vom 7. April 1933* ausfüllen; im Gesetz, *RGBl.* 1933, I, S. 175, lautet der § 1: «Zur Wiederherstellung eines nationalen Berufsbeamtentums und zur Vereinfachung der Verwaltung können Beamte nach Maßgabe der folgenden Bestimmungen aus dem Amt entlassen werden, auch wenn die nach dem geltenden Recht hierfür erforderlichen Voraussetzungen nicht vorliegen.» § 3 besagt: «Beamte, die nicht arischer Abstammung sind, sind in den Ruhestand zu versetzen.» Das Gesetz fand auch bei Beamten und Angestellten, die der SPD angehörten, Anwendung, siehe: *Ministerialblatt für die Preußische innere Verwaltung,* 1933, Teil I, S. 887.

An den Herrn Stellvertretenden Präsidenten   Ascona/Schweiz
der Preuß. Akademie der Künste   Via Collina
Herrn Prof. August Kraus [1] *Berlin*   2. Sept. 1933

Sehr verehrter Herr Präsident,
in Beantwortung Ihres Schreibens vom 21/9 sende ich Ihnen anbei den, soweit möglich, ausgefüllten Fragebogen und die Versicherung zurück. Ich habe einen Schwager veranlaßt, in Bonn aus den Kirchenbüchern die genauen Daten der Großeltern mütterlicherseits festzustellen und werde diese Angaben noch nachliefern.

> Mit dem Ausdruck meiner ausgezeichneten Hochachtung
> Wilhelm Schmidtbonn
> Mitglied der Abteilung für Dichtung

---

1 Prof. August Kraus, Bildhauer, * 1868, war seit Juli 1926 Stellvertretender Präsident der Akademie; in seiner Biographie gab er ausdrücklich «arische Abstammung» an.

Das Heine-Denkmal in Frankfurt a. M.

Das Heine-Denkmal in Frankfurt a. M. ist 1913 von dem Bildhauer Georg Kolbe, 1877–1947, geschaffen worden; über Kolbe siehe: *Die bildenden Künste im Dritten Reich* (Ullstein Buch 33030); in der Nacht vom 26. zum 27. 4. 1933 wurde das Heine-Denkmal umgeworfen, doch die Frankfurter Zeitungen brachten nur wenige Zeilen darüber. Georg Kolbe schreibt in seinen Notizen 1931–1935: «Gestern haben sie mein Heine-Denkmal in Frankfurt/Main gestürzt. Wahrhaftig keine große Tat. Natürlich galt es dem ‹Juden› Heine. Daß man dabei unflätig vorging und auch meine Arbeit respektlos besudelte, das soll wohl die Strafe sein, daß ich mich dazu hergab, einem ‹Juden› ein Denkmal zu arbeiten.» Georg Kolbe: *Auf Wegen der Kunst*, Berlin 1949, S. 31–32.

Der hessische Kultusminister

Die folgenden beiden Briefe stammen aus dem Stadtarchiv Frankfurt am Main. Prof. Dr. Ferdinand Werner, *1876, war 1933 hessischer Staats- und Ministerpräsident sowie Kultusminister; seit 1915 Führer der Deutschvölkischen Partei, ab 1918 des Deutschvölkischen Bundes; völkisches Mitglied des sechsgliedrigen Führungsstabes bei Gründung der Deutschnationalen Partei; Reichsführer der Deutschen Wanderer; Ehrenvorsitzender des Reichsbundes der Kinderreichen für Hessen-Nassau; Autor von: *Großmeister deutscher Lyrik*, 1934, und anderem mehr.

Dr. Werner
Staatspräsident und Minister
für Kultus und Bildungswesen
Darmstadt, den 10. 4. 33

Sehr geehrter Herr Oberbürgermeister,
Zwei Wünsche:
1. ...
2. Beseitigen Sie bitte das Heinedenkmal, gegen dessen Frankfurter Erstellung ich in stürmischen Versammlungen vor 20 Jahren vergebens kämpfte.

Dr. Werner

Der Oberbürgermeister

Ab März 1933 war Dr. jur. Fritz Krebs Oberbürgermeister von Frankfurt am Main; bereits ab 1922 für die NSDAP tätig, wurde er 1924 Ortsgruppenleiter von Frankfurt; ab 1933 auch Kreisleiter der NSDAP Groß-Frankfurt und Landesleiter des Kampfbundes für Deutsche Kultur Hessen und Hessen-Nassau.

Am 18. 5. 1933 wurde von Herrn beauftragten Oberbürgermeister berichtet:

Bezüglich des Heine-Denkmals darf ich annehmen, daß Sie durch die Presse davon unterrichtet sind, daß die Bronzefigur in der Nacht vom 26. zum 27. IV. 1933 gewaltsam von ihrem Sockel heruntergeworfen wurde. Die leicht beschädigte Plastik ist entfernt und im Keller des Völkermuseums gelagert worden.

Dr. Krebs

Prolog

«Wider den undeutschen Geist»

In: *Deutsche Kultur-Wacht*, 1933, Heft 9, S. 15.

Die Deutsche Studentenschaft (Hauptamt für Presse und Propaganda) veranstaltet vom 12. April bis 10. Mai 1933 einen Aufklärungsfeldzug «Wider den undeutschen Geist».

Der jüdische Geist, wie er sich in der Welthetze in seiner ganzen Hemmungslosigkeit offenbart und wie er bereits im deutschen Schrifttum seinen Niederschlag gefunden hat, muß ebenso wie der gesamte Liberalismus ausgemerzt werden. Die deutschen Studenten wollen aber nicht allein leeren Protest erheben, sie wollen bewußte Besinnung auf die volkseigenen Werte. Das kommt in den 12 Sätzen der Deutschen Studentenschaft, die ab 13. April zum öffentlichen Anschlag gelangen, klar zum Ausdruck:

1. Sprache und Schrifttum wurzeln im Volke. Das deutsche Volk trägt die Verantwortung dafür, daß seine Sprache und sein Schrifttum reiner und unverfälschter Ausdruck seines Volkstums sind.

2. Es klafft heute ein Widerspruch zwischen Schrifttum und deutschem Volkstum. Dieser Zustand ist eine Schmach.

3. Reinheit von Sprache und Schrifttum liegt an Dir! Dein Volk hat Dir die Sprache zur treuen Bewahrung übergeben.

4. Unser gefährlichster Widersacher ist der Jude und der, der ihm hörig ist.

5. Der Jude kann nur jüdisch denken. Schreibt er deutsch, dann lügt er. Der Deutsche, der deutsch schreibt, aber undeutsch denkt, ist ein Verräter. Der Student, der undeutsch spricht und schreibt, ist außerdem gedankenlos und wird seiner Aufgabe untreu.

6. Wir wollen die Lüge ausmerzen, wir wollen den Verrat brandmarken, wir wollen für den Studenten nicht Stätten der Gedankenlosigkeit, sondern der Zucht und der politischen Erziehung.

7. Wir wollen den Juden als Fremdling achten und wir wollen das Volkstum ernst nehmen. Wir fordern deshalb von der Zensur:

Jüdische Werke erscheinen in hebräischer Sprache. Erscheinen sie in deutsch, sind sie als Übersetzung zu kennzeichnen. Schärfstes Einschreiten gegen den Mißbrauch der deutschen Schrift. Deutsche Schrift steht nur Deutschen zur Verfügung. Der undeutsche Geist wird aus öffentlichen Büchereien ausgemerzt.

8. Wir fordern vom deutschen Studenten Wille und Fähigkeit zur selbständigen Erkenntnis und Entscheidung.

9. Wir fordern vom deutschen Studenten den Willen und die Fähigkeit zur Reinerhaltung der deutschen Sprache.

10. Wir fordern vom deutschen Studenten den Willen und die Fähigkeit zur Überwindung des jüdischen Intellektualismus und der damit verbundenen liberalen Verfallserscheinungen im deutschen Geistesleben.

11. Wir fordern die Auslese von Studenten und Professoren nach der Sicherheit des Denkens im deutschen Geiste.

12. Wir fordern die deutsche Hochschule als Hort des deutschen Volkstums und als Kampfstätte aus der Kraft des deutschen Geistes.

Zu Beginn der dritten Woche der vierwöchigen Gesamtaktion wird eine öffentliche Sammlung zersetzenden Schrifttums, gegen das sich der Kampf der Studentenschaft zunächst richtet, einsetzen. Jeder Student wird seine eigene Bücherei von allem Undeutschen, das durch Gedankenlosigkeit hineingelangt ist, säubern; jeder Student wird die Büchereien seiner Bekannten sichten, die Studentenschaften werden sich für die Reinigung öffentlicher Büchereien, die nicht lediglich der Sammlung jeglichen Schrifttums dienen, einsetzen.

An allen Hochschulen wird am 10. Mai 1933 das zersetzende Schrifttum den Flammen überantwortet. Die öffentliche Bekanntgabe von Sammelstellen, die sich an allen größeren Orten befinden, wird zu Beginn der Sammlung erfolgen.

Briefe an die Volksbüchereien

Bücher-Autodafé, in: *Frankfurter Zeitung* vom 7. 5. 1933, Auszug.

Berlin, 6. Mai. Der Kampfausschuß «Wider den deutschen Geist» der Deutschen Studentenschaft, Kreis X (Brandenburg), hat den Volksbüchereien dieser Tage ein Schreiben zugehen lassen, in dem es u. a. heißt:

«Der Kampfausschuß ersucht Sie hiermit, aus Ihrer Leihbücherei und aus dem Vertrieb all die Literatur zu entfernen, die Sie auf der anliegenden schwarzen Liste vermerkt finden. Damit dieses Schrifttum aber wirklich vernichtet wird, fordert der Kampfausschuß Sie auf, den als seinen Beauftragten in den nächsten Tagen bei Ihnen erscheinenden Studenten die ausgesonderten Bücher und Schriften zu überliefern, damit diese Bücher am 10. Mai auf dem Opernplatz öffentlich verbrannt werden können. Wir behalten uns vor, jene Büchereien, die unseren Kampf in der erbetenen Weise unterstützen, in einer besonderen Aktion als in völkischem Sinne zuverlässig und empfehlenswert bekanntzugeben.»

In Berlin

Der Rundfunk brachte eine groß aufgezogene Sendung *Verbrennung zersetzenden Schrifttums* über dieses Bücher-Autodafé, und im Programm hieß es: «Die Deutsche Studentenschaft Kreis X verbrennt anläßlich der Aktion des Kampfausschusses wider den undeutschen Geist Schriften und Bücher der Unmoral und Zersetzung. Ansage Carl Heinz Boese; Feuersprüche gesprochen von Hanskarl Leistritz; Beifall; Ankündigung der Ministerrede; Heilrufe; Ansprache Reichsminister für Volksaufklärung und Propaganda Paul Joseph Goebbels; *Volk ans Gewehr*, Marsch von Arno Pardun (Anfang sehr leise).» Siehe *Schallaufnahmen politischen Inhalts des Deutschen Rundfunks, 31. Januar 1933 bis 15. Januar 1935*, Berlin 1935, S. 51; *Volk ans Gewehr*, Text und Musik von Arno Pardun, erschienen im Verlag für deutsche Musik, o. J., Ausgabe für Klavier und Gesang. Zu diesem Marsch gab es u. a. folgenden Text:

> «Viele Jahre zogen dahin,
> geknechtet das Volk und betrogen.
> Verräter und Juden hatten Gewinn,
> sie forderten Opfer Legionen.
> Im Volk uns geboren,
> entstand uns ein Führer,
> gab Glauben und Hoffnung an Deutschland uns wieder.
> Volk ans Gewehr!»

Das Ende des vierten und letzten Verses lautet:

> «Für Hitler, für Freiheit, für Arbeit und Brot.
> Deutschland erwache! Juda den Tod!
> Volk ans Gewehr, Volk ans Gewehr!»

Zur Geschichte dieses Liedes siehe Hans Bajer: *Lieder machen Geschichte* in: *Die Musik*, Juni 1939, S. 595.

Professor Bäumlers Antrittsrede

Alfred Bäumler: *Macht und Geist*, in: *Vossische Zeitung* vom 11. 5. 1933.

Bäumler, * 1887; 1929 Professor für Philosophie und Pädagogik in Dresden; 1933 o. Professor für politische Pädagogik in Berlin; Amtsleiter des Amtes Wissenschaft beim «Beauftragten des Führers für die Überwachung der geistigen Schulung und Erziehung der NSDAP»; in einem Brief an den «Stellvertreter des Führers» Rudolf Heß schreibt Alfred Rosenberg am 3. 5. 1940: «Es ist immer der Wunsch gewesen, eine deutsche Geschichte neu zu schreiben. Die Arbeit führt eben Prof. Bäumler durch»; Dokument CXLIII – 366; in seiner Veröffentlichung *Alfred Rosenberg und der Mythus des 20. Jahrhunderts*, München 1943, schreibt Prof. Bäumler selbst u. a.: «Ohne Reflexion, nur geleitet von seinem Instinkt, hat Rosenberg das Gestaltdenken in das politische und geschichtliche Erkennen eingeführt»; S. 13. «Man wird später in Rosenberg einmal einen der größten deutschen Erzieher gegen die Halbheit verehren»; S. 107.

Der neuernannte Ordinarius für politische Pädagogik, Prof. Alfred Bäumler, hielt gestern an der Berliner Universität seine Antrittsvorlesung [1]. Das Auditorium war schon lange vor Beginn überfüllt, und die Mehrzahl der Studenten war in SA-Uniform erschienen. Hinter dem Katheder hatte eine Fahnenabordnung von drei SA-Leuten mit einer Hakenkreuzfahne Aufstellung gefunden.

Professor Bäumler betonte einleitend, daß die Revolution, die durch den Tag von Potsdam und den Tag der nationalen Arbeit festlich gekrönt worden sei, sich an zwei Orten nur langsam durchsetzen werde, und zwar in der Hochschule und in der Wirtschaft. Die Arbeiter, Bauern und Studenten würden aber die Vollstrecker dieser Revolution sein. Eine Hochschule, die im Jahre der Revolution nur von Geist und Idee wisse, aber nichts von Adolf Hitler und Horst Wessel [2], müsse als unpolitisch bezeichnet werden und verkörpere ein anderes Denksystem, nämlich des eines bildlosen Idealismus. Die Nationalsozialisten aber wüßten um die Symbole und sie wüßten um die Wirklichkeit eines Führers und um die Wirklichkeit einer Fahne.

Dem Typus des Gebildeten, den die bisherige Philosophie geschaffen habe, setzte Professor Bäumler den Typus des Soldaten gegenüber. Der Soldat habe früher als ungeistig gegolten, und man habe nicht erkannt, daß das Heer ein integrierender Bestandteil der Volkserziehung gewesen sei. Nicht die idealistisch-humanistische Philosophie habe die Schlachten des Weltkrieges gewonnen, sondern die stumme Philosophie des Heeres. Das Ziel der neuen Philosophie sei die Überwindung der falschen Antithese Geist-Macht.

1 Die Vorlesung war *Hochschule, Wissenschaft und Staat* überschrieben.

2 Horst Wessel, * 1907, wurde 1926 NSDAP-Mitglied, nachdem er als Schüler und Student gescheitert war und sich mit der Familie, sein Vater war Pfarrer, überworfen hatte. Am 14. 1. 1930 wurde er in der Wohnung seiner Freundin Erna Jaenicke in der Ostberliner Frankfurter Straße 28 – er lebte bei der ihren Beruf immer noch ausübenden Prostituierten – erschossen. Die NSDAP feierte ihn als Helden und Verfasser des später so berühmten *Horst-Wessel-Liedes*, das bei feierlichen Anlässen neben dem Deutschlandlied gesungen wurde. Verschiedenen Versionen zufolge war «Wessels Ermordung mindestens zusätzlich durch einen Zuhälterstreit motiviert»; s. Bracher-Sauer-Schulz: *Die nationalsozialistische Machtergreifung*, Köln und Opladen 1960, S. 847.

«Im Gleichschritt, marsch»

Die öffentliche Verbrennung der geächteten Schriften, in: *Deutsche Allgemeine Zeitung* vom 12. 5. 1933, gekürzt.

Die studentische Kundgebung gegen das mit Bann belegte Schrifttum gestaltete sich zu einer Massendemonstration. Alle Bevölkerungskreise schienen daran teilzunehmen. Trotz des strömenden Regens kamen vor dem Studentenhaus in der Oranienburgerstraße riesige Zuschauerscharen zusammen. Die Möbeltransportautos mit den Büchern der auf die schwarze Liste gesetzten Schriftsteller waren mit verschiedenen Plakaten versehen. Von 9 bis 10 Uhr fand im Studentenhaus die Verteilung der Fackeln statt. Um Punkt 10 Uhr erklang dann das Kommando des SA-Führers «Stillgestanden. Im Gleichschritt marsch!» Unter dem Vorantritt einer Musikkapelle setzte sich der Zug in Richtung Oranienburger Tor in Bewegung. Eine ununterbrochene Menschenkette bildete zu beiden Seiten das Spalier.

Auf dem Kaiser-Franz-Joseph-Platz, zwischen der Staatsoper und dem Aulagelände, sammelten sich bereits um 8 Uhr die Zuschauer, so daß um 9 Uhr der für den Verbrennungsakt bestimmten Raum von dichten Menschenmassen umstellt war. In der Mitte des Platzes hatten die Studenten einen großen Holzstoß aufgeschichtet. Sieben Scheinwerfer standen bereit, um bei Beginn des Aktes eine Tageshelle zu verbreiten. Bis zum Brandenburger Tor sah man Menschenmassen in Bewegung, so daß der Eindruck eines Volksfestes hervorgerufen wurde.

Die Sprechchöre hallten weit durch die Straßen und lockten von allen Seiten Neugierige herbei. In dem Zuge wurde auch der Kopf einer Büste des Gründers und Leiters des Sexualwissenschaftlichen Instituts Magnus Hirschfeld[1] mitgeführt. Der Kopf stammte aus dem Institut, wo er von der Büste entfernt worden war. Ein SA-Mann trug ihn weithin sichtbar auf einem Stock.

Der symbolische Akt

Wider den undeutschen Geist, in: *General-Anzeiger für Bonn und Umgegend* vom 11. 5. 1933, gekürzt.

Nach Beendigung der von den Studenten begeistert aufgenommenen ersten Vorlesung von Prof. Bäumler in der Universität sammelten sich die Studenten zum größten Teil in Braunhemden auf dem Hegel-Platz.

---

1 Magnus Hirschfeld, 1868–1935; berühmt waren sein vierbändiges Werk *Sexualpathologie*, Berlin 1916–20, und seine fünfbändige *Geschlechtskunde*, Berlin 1926–30; 1918 gründete Hirschfeld das *Institut für Sexualwissenschaft* in Berlin, das die Preußische Regierung 1919 als *Dr.-Magnus-Hirschfeld-Stiftung* übernahm; 1921 leitete Hirschfeld in Berlin den ersten Kongreß für Sexualreform, dem weitere folgten.

Cand. phil. Fritz Hippler[1], Kreisleiter des NSDStB[2], hielt vor dem Studentenhaus eine kurze Ansprache, nach der sich, von den Studenten eskortiert, die Wagen mit den zu verbrennenden Büchern in Bewegung setzten. Von Fackeln begleitet, ging der Zug unter Gesang durch die Straßen zum Brandenburger Tor und die Linden entlang nach dem Opernplatz.

Um 11 Uhr trafen die ersten des Zuges im Braunhemd und Couleur, an deren Spitze der neue Ordinarius für politische Pädagogik in Berlin, Prof. Dr. Alfred Bäumler, marschierte, auf dem Opernplatz ein. Sie marschierten auf dem weiten Platz auf und warfen ihre Fackeln in den in der Mitte errichteten Scheiterhaufen. Von den Wagen, die das undeutsche Schriftmaterial bis zum Opernplatz in die Nähe des Scheiterhaufens gebracht hatten, bildete sich eine lange Kette von Studenten, und von Hand zu Hand gingen die Bücher, die dann dem Feuer überantwortet wurden. Unter dem Jubel der Menge wurden um 11.20 Uhr die ersten Bücher der mehr als 20 000, die heute auf diesem Scheiterhaufen als symbolischer Akt verbrannt werden, in die Flammen geworfen.

Die Rufer

In: *Neuköllner Tageblatt* vom 12. 5. 1933.

Während der Verbrennung der Bücher spielten SA- und SS-Kapellen vaterländische Weisen und Marschlieder, bis neun Vertreter der Studentenschaft, denen die Werke nach einzelnen Gebieten zugeteilt waren, mit markanten Worten die Bücher des undeutschen Geistes dem Feuer übergaben.

1. *Rufer:* Gegen Klassenkampf und Materialismus, für Volksgemeinschaft und idealistische Lebenshaltung! Ich übergebe der Flamme die Schriften von Marx und Kautsky.

2. *Rufer:* Gegen Dekadenz und moralischen Verfall! Für Zucht und Sitte in Familie und Staat! Ich übergebe der Flamme die Schriften von Heinrich Mann, Ernst Glaeser und Erich Kästner.

1 Fritz Hippler, später Dr. Fritz Hippler, * 1909; NSDAP-Nr. 62 133; SS-Nr. 284 122; wurde Reichsfilmintendant, Ministerialdirigent und Leiter der Abteilung *Film* im Reichsministerium für Volksaufklärung und Propaganda; Verfasser des 1940 gedrehten Films *Der ewige Jude*; ausführlich über ihn in: *Theater und Film im Dritten Reich* (Ullstein Buch 33031).

2 NSDStB = *Nationalsozialistischer Deutscher Studentenbund;* 1926 in München gegründet; bis 1932 von Baldur von Schirach geleitet; auf dem 19. Deutschen Studententag in Graz, 1931, errang der NSDStB die Mehrheit in der *Allgemeinen Deutschen Studentenschaft*, und auf dem folgenden Studententag in Königsberg, 1932, wurde dann bereits die Durchführung des nationalsozialistischen Führerprinzips beschlossen.

3. *Rufer:* Gegen Gesinnungslumperei und politischen Verrat, für Hingabe an Volk und Staat! Ich übergebe der Flamme die Schriften von Friedrich Wilhelm Förster.

4. *Rufer:* Gegen seelenzerfasernde Überschätzung des Trieblebens, für den Adel der menschlichen Seele! Ich übergebe der Flamme die Schriften des Sigmund Freud.

5. *Rufer:* Gegen Verfälschung unserer Geschichte und Herabwürdigung ihrer großen Gestalten, für Ehrfurcht vor unserer Vergangenheit! Ich übergebe der Flamme die Schriften von Emil Ludwig und Werner Hegemann.

6. *Rufer:* Gegen volksfremden Journalismus demokratisch-jüdischer Prägung, für verantwortungsbewußte Mitarbeit am Werk des nationalen Aufbaus! Ich übergebe der Flamme die Schriften von Theodor Wolff und Georg Bernhard.

7. *Rufer:* Gegen literarischen Verrat am Soldaten des Weltkrieges, für Erziehung des Volkes im Geist der Wahrhaftigkeit! Ich übergebe der Flamme die Schriften von Erich Maria Remarque.

8. *Rufer:* Gegen dünkelhafte Verhunzung der deutschen Sprache, für Pflege des kostbarsten Gutes unseres Volkes! Ich übergebe der Flamme die Schriften von Alfred Kerr.

9. *Rufer:* Gegen Frechheit und Anmaßung, für Achtung und Ehrfurcht vor dem unsterblichen deutschen Volksgeist! Verschlinge, Flamme, auch die Schriften der Tucholsky und Ossietzky!

Der Phönix eines deutschen Geistes

Dr. J. Goebbels an die Studenten nach dem Autodafé über *Undeutsches Schrifttum* in: *Deutsche Kultur-Wacht*, 1933, S. 13, gekürzt.

Es gibt keine Revolutionen, die nur die Wirtschaft oder nur die Politik oder nur das Kulturleben reformierten oder umstürzten. Revolutionen sind neue Weltanschauungen. Darüber sind wir geistigen Menschen uns klar: machtpolitische Revolutionen müssen geistig vorbereitet werden. An ihrem Anfang steht die Idee, und erst wenn die Idee sich mit der Macht vermählt, dann wird daraus das historische Wunder der Umwälzung emporsteigen. Ihr jungen Studenten seid Träger, Vorkämpfer und Verfechter der jungen revolutionären Idee dieses Staates gewesen, und so, wie ihr in der Vergangenheit das Recht hattet, den deutschen Staat, den Unstaat zu berennen und niederzuwerfen, so wie ihr das Recht hattet, den falschen Autoritäten dieses Unstaates euren Respekt und eure Achtung zu versagen, so habt ihr jetzt die Pflicht, in den Staat hineinzugehen, den Staat zu tragen und der Autorität dieses Staates neuen Glanz, neue Würde und neue Gestaltung zu verleihen.

Ein Revolutionär muß alles können. Er muß ebenso groß sein im Niederreißen der Unwerte wie im Aufbauen der Werte. Wenn ihr Studenten euch das Recht nehmt, den geistigen Unflat in die Flammen hineinzuwerfen, dann müßt ihr auch die Pflicht auf euch nehmen, an die Stelle dieses Unrates einem wirklich deutschen Geist die Gasse freizumachen. Und deshalb tut ihr auch gut daran, um diese mitternächtliche Stunde den Ungeist der Vergangenheit den Flammen anzuvertrauen. Das ist eine starke, große und symbolische Handlung, eine Handlung, die vor aller Welt dokumentieren soll, hier sinkt die geistige Grundlage der Novemberrepublik zu Boden; aber aus diesen Trümmern wird sich siegreich erheben der Phönix eines neuen Geistes, eines Geistes, den wir tragen, den wir fördern und dem wir das entscheidende Gesicht geben und die entscheidenden Züge aufprägen. Und so bitte ich euch denn, meine Kommilitonen, hinter das Reich und hinter seine neuen Autoritäten zu treten. So bitte ich euch, diese Fahnen der Arbeit und der Pflicht und der Verantwortung zu weihen.

Der gesunde Geist

Lügengerüchte, in: *Kölner Tageblatt* vom 12. 5. 1933.

Berlin, 12. Mai. Drahtb.
Die Pressestelle des Kreises 10 der Deutschen Studentenschaft teilt mit: Es laufen Gerüchte umher und haben auch in die Presse Eingang gefunden, daß auf dem Scheiterhaufen auf dem Opernplatz in der Mittwochnacht auch ausländische – englische und französische – Bücher verbrannt worden seien.

Der Kreis 10 (Berlin-Brandenburg) erklärt dazu, daß diese Gerüchte unwahr sind. Es wurden nur deutsche Bücher vernichtet. Alle andersartigen Gerüchte sind Lügen und dienen nur dazu, notwendige Arbeiten und den gesunden Geist der Studentenaktion «wider den undeutschen Geist» im In- und Auslande zu entwürdigen.

Im Reich

Bonn

Flamme empor!, in: *General-Anzeiger für Bonn und Umgegend* vom 11. 5. 1933, gekürzt. «Auf Anordnung des neuen Rektors Prof. Dr. Pietrusky ist die Rede, die Kultusminister Dr. Rust vor den Studierenden der Universität Berlin gehalten hat, am Samstag in der Universität Bonn durch Lautsprecher für Dozenten und Studierende übertragen worden. Zum erstenmal sind in dieser

Weise die Mittel des Rundfunks an der Universität Bonn eingesetzt worden. Der neue Rektor will damit die Verbundenheit auch der Bonner Hochschule mit der neuen nationalen Führung der Hochschulen in Berlin zum Ausdruck bringen und die Ausführungen des Kultusministers in aller Lebendigkeit und rednerischen Frische den Angehörigen der Bonner Universität übermitteln», in: *Deutsche Reichszeitung – Aus Bonn – Stadt und Land* vom 8. 5. 1933. – «Freitag, den 5. Mai, hatte die Deutsche Studentenschaft im Rahmen der angekündigten Aktion ‹wider den undeutschen Geist› zu einem Vortrag im Auditorium Maximum der Bonner Universität geladen. Schon vor Beginn des Vortrages mußte der Saal wegen Überfüllung gesperrt werden. Der Führer der Bonner Studentenschaft, Schlevogt, eröffnete den Abend. Nach der Begrüßung des Herrn Rektors und der Herren Professoren stellte der Führer der Studentenschaft fest, daß der Hörsaal noch selten eine so zahlreiche Hörerschaft gefaßt habe. Dies sei ihm Beweis dafür, daß auch die Bonner Kommilitonen der Aktion der Deutschen Studentenschaft regstes Interesse entgegenbrächten», in: *Westdeutscher Beobachter / Bonner Beobachter*, vom 11. 5. 1933.

Der Himmel hielt seine Schleusen nicht geschlossen. Der dauernd niedergehende Regen tat sicherlich der Versammlung und Kundgebung großen Abbruch und insbesondere waren es die gerade vor dem Kundgebungsbeginn einsetzenden heftigen Regenschauer, die manchen, der an der Feier der Studentenschaft teilnehmen wollte, doch noch zu Hause hielten. Und doch: es war eine eindrucksvolle und imposante Feier, in deren Mittelpunkt die lodernde Flamme des Scheiterhaufens hochschoß, die die Schriften verzehrte, die in Widerspruch stehen zum deutschen Empfinden und zum deutschen Geist. Der Führer der Studentenschaft, Walter Schlevogt, wies darauf in einführenden Worten hin: es sei die vornehmste Aufgabe der Studentenschaft, Literatur und Kunst von allem Undeutschen zu säubern. Man stehe in einer Revolution, die aber erst begonnen habe. So sei auch mit dem flammenden Feuer nicht die Aktion gegen den undeutschen Geist vollbracht, sondern erst eingeleitet. Ihr Ziel sei die Ausrottung aller undeutschen Geistesproduktion. Prof. Naumann [1] betonte, daß die Studentenschaft heute nicht das verbrenne, was sie ehedem angebetet, sondern das, was sie bedrohte und verführte. Man verwerfe, was verwirre, und verfeme, was verführe. Gewiß: irren sei menschlich; aber die undeutschen Schriften seien nicht aus dem Irrtum geboren, sondern dem unreinen Geist. Dank sei der Studentenschaft zu sagen, weil sie so schnell zugegriffen habe. Sie schüttele impulsiv das Fremde ab. Nicht nur das Fremde, sondern sie beseitige die Fortsetzung des Krieges gegen Deutschland, der mit fremdem Geist

1 Prof. Dr. Hans Naumann, deutsche und nordische Sprachwissenschaft, *1886; 1919 a. o. Prof. der Universität Jena; 1921 o. Prof. Frankfurt am Main; 1931 o. Prof. Bonn; 1934–35 Rektor dort; Autor von: *Deutsche Dichtung der Gegenwart*, 1923; *Germanischer Schicksalsglaube*, 1934; *Germanisches Gefolgschaftswesen*, 1939; u. a. m.

weitergeführt worden sei. Die Wissenschaft möge sich auch weiterhin mit dieser Art von Geistesproduktion beschäftigen. Aber das Gefährliche müsse dem lebendigen Volk vorenthalten bleiben. Auch aus dem eigenen Herzen sei das Fremde und Unreine zu bannen. Dazu habe jeder Gelegenheit, denn niemandes Herz könne diesen Frühlingssturm nicht miterleben, der so hinreißend schön gewesen sei. Allzu große Menschlichkeit könne nur das Brausen dieses Sturms dämmen. Rücksichtslos sei also der Kampf. Man wolle keine Literaten mehr, sondern verantwortliche Dichtung, die aus der Kühnheit des Geistes und der Schönheit alles Deutschen geboren sei. Völkische Aktivität in Dichtung und Kunst sei die Sehnsucht des deutschen Menschen.

Während die Menge das Horst-Wessel-Lied anstimmte, stand unten auf dem Markt mitten in dem Fahnenwald der Korporationen, die übrigens eine schwarz-weiß-rote Flagge mit der Aufschrift «Deutsch die Saar» in ihre Mitte genommen hatten, der Scheiterhaufen in hohen Flammen. Bücher und Zeitungen, Zeitschriften und Broschüren flogen in die prasselnde Glut, daß die Funken weit über die dunkle Menschenmenge dahinstoben. Dann krachte der Scheiterhaufen zusammen. Die Holzscheite, leuchtend und glühend, fielen auseinander, die Asche der Bücher hob sich in dunkler Wolke empor, schwebte durch den milchigen Lichtkegel der Scheinwerfer und zerstob in der Nacht.

Frankfurt am Main

Die Verbrennungen im Reich, in: *Frankfurter Zeitung* vom 12. 5. 1933.

In Frankfurt a. M. leitete Universitätsprofessor Fricke den Akt ein, der auf dem historischen Römerberg vor dem Rathaus vollzogen wurde. Ein Wagen mit der Bücherfracht, die symbolisch verbrannt werden sollte, wurde von zwei Ochsen auf den Verbrennungsplatz gezogen. Die Verbrennung schloß mit der Absingung des Horst-Wessel-Liedes.

Göttingen

Burschen heraus!, in: *Göttinger Tageblatt* vom 11. 5. 1933, gekürzt.

Auch in Göttingen kam es gestern zu einer eindrucksvollen Kundgebung der akademischen Jugend, die hinsichtlich Ausführung und Beteiligung ein ungemein imposantes Schauspiel bot.

Die Kundgebung der Göttinger Studentenschaft nahm ihren Anfang im Auditorium maximum, das bei dem starken Andrang nur eine kleine Zahl der Teilnehmer fassen konnte. Der neu gewählte Rektor der

Universität, Prof. Neumann [1], ließ es sich nicht nehmen, die einleitenden Worte zu sprechen, und brachte zum Ausdruck, daß es im Kampfe wider den undeutschen Geist mit einer symbolhaften Handlung allein noch nicht getan sei. Vielmehr gelte es in jedem einzelnen Falle die Frage zu stellen und zu prüfen, was schädlich und undeutsch sei. Immer wieder wären wir in den letzten Jahren dem schädlichen Einfluß des zersetzenden Literatentums verfallen, ohne daß eine kraftvolle Gegenwirkung erfolgte. Remarque [2] sei von Tausenden gelesen und gekauft worden, ohne daß alle die, die es besser wissen konnten und mußten, ihre warnende Stimme erhoben. So bilde die heutige Aktion keine abschließende Handlung, sondern stelle erst die Aufgabe: den Weg zur Verwirklichung des Deutschen Geistes zu finden. Durch Kämpfen und Arbeiten wollen wir unserem Volke helfen, sein Wachstum zu erfüllen und seine Eigenart zu vollenden.

Sodann nahm Privatdozent Dr. Fricke [3] das Wort, um in längerer, formvollendeter und geistvoller Rede Sinn und Bedeutung der Kundgebung zu deuten. Er wies darauf hin, daß nunmehr die nationale Revolution in ihr entscheidendes schöpferisches Stadium getreten sei.

1 Prof. Dr. Friedrich Neumann, deutsche Literatur und Sprache, * 1889; 1921 Privatdozent Göttingen; 1921–26 Professor in Leipzig; ab 1927 in Göttingen; ab Mai 1933 Rektor dort; Autor von: *Deutsche Dichtung und deutsche Wirklichkeit*, 1933, u. a. m.; «Das deutsche Volk entfaltet sich in der nationalsozialistischen Bewegung als eine politische Tatsache aus den germanisch-deutschen Grundkräften des deutschen Lebens heraus. Diese germanisch-deutschen Grundkräfte erzeugen den Rassestil. So ist in der Zusammengehörigkeit von Führer und Gefolgschaft eine politisch-gestaltende Kraft germanisch-deutscher Art wirksam, durch die deutsches Volk geschaffen wird»; Friedrich Neumann in: *Volk und Hochschule im Umbruch*, Herausgeber Prof. Dr. Artur Schürmann, Oldenburg/Berlin 1937, S. 77.

2 Erich Maria Remarque, Schriftsteller, * 1898; sein Kriegsroman *Im Westen nichts Neues*, 1929, war ein Welterfolg und wurde bald nach dem Erscheinen zum roten Tuch für die Nationalsozialisten sowie andere «völkische» Gruppen; als der gleichnamige Film im Dezember 1930 im Berliner Mozartsaal anlief, organisierte die NSDAP Krawalle, die Vorführung mußte abgebrochen werden; am 11. 12. 1930 verbot die Filmprüfstelle den Film für ganz Deutschland, siehe: H. Heiber: *Joseph Goebbels*, Berlin 1962, S. 95 f; 1933 wurde Remarque ausgebürgert. – «Weder *Der Krieg*, die von Barbusses *Le Feu* beeinflußte Tagebuchreportage des ehemaligen sächsischen Oberstleutnants Vieth von Goltzenau, der sich später als Kommunist Ludwig Renn nannte, noch *Im Westen nichts Neues*, die von privater Sentimentalität entwirklichte Rührgeschichte E. M. Remarques, die zu einem peinlichen Erfolg auch im Ausland aufgetrieben wurde, hatten etwas von der entscheidenden Erkenntnis», Paul Fechter: *Geschichte der deutschen Literatur*, Berlin 1941, S. 752.

3 Dr. Lic. theol. Gerhard Fricke, deutsche Literatur und Geistesgeschichte, * 1901, Direktor des Instituts für Literatur und Theaterwissenschaft; Mitherausgeber der *Zeitschrift für Deutschkunde*.

Als Symbol des Kampfeswillens gegen alle Kräfte des Zerfalles loderten heute in allen Universitätsstädten die Flammen empor, um den Schmutz und Unrat zu vernichten, der das geistige Leben unserer Nation zu ersticken drohte. Ein dreifaches sei es, was uns an diesem Abend heute beseelt: Das Gefühl der Schuld, der Besinnung und der Verpflichtung. Wir seien es gewesen, die Schuld hätten, daß heute dieser Akt der Vernichtung noch nötig sei. Als sich der undeutsche Geist ausbreitete, hätten wir nicht den Mut gehabt, diese öffentliche Gefahr beim Namen zu nennen, sondern flüchteten in die Geschichte und kehrten der Gegenwart den Rücken. Wir hatten den Instinkt für die Maßstäbe von Gut und Böse verloren. So sei undeutscher Geist tonangebend geworden. Schreibselige Judengenossen von dem Schlage eines Tucholsky [1] hätten mit der Technik eines virtuosenhaften Literatentums alles, was dem deutschen Empfinden heilig und unantastbar erschien, ins Lächerliche gezogen. Die Gemeinheit sei von diesen Literaten zum Grundsatz erhoben worden und die deutsche Sprache zu dem Instrument ihrer Gesinnungslosigkeit herabgewürdigt worden.

Nur einen kleinen Teil der akademischen Jugend, die ihr Glaubensbekenntnis zum deutschen Geist durch eine Protestaktion gegen alles Undeutsche ablegt, hat das Auditorium maximum fassen können. Während der sinndeutenden Rede Dr. Frickes herrscht draußen, um das Hörsaalgebäude herum, ein fast lebensgefährliches Drängen und Treiben. Am Nikolausberger Weg ordnen sich die studentischen Gruppen und Korporationen zum Fackelzug.

Ein Trompetensignal gibt das Zeichen zum Beginn des Fackelzuges, die SS-Kapelle intoniert einen Marsch, und unter Vorantritt der Hakenkreuzfahne des Sturmes 4/82, des Studentensturmes, zieht die akademische Jugend Göttingens durch die Straßen der Innenstadt hinauf zum Platz vor der Albanischule. Hier ist schon in den Nachmittagsstunden der Scheiterhaufen errichtet worden.

Unter den Klängen des Deutschland- und Horst-Wessel-Liedes leert sich der Platz beim letzten aufflackernden Schein der Flammen.

---

1 Kurt Tucholsky, Schriftsteller, 1890–1935, Selbstmord in der Emigration; *Gesammelte Werke*, 3 Bände, Reinbek 1960–61; einer der bekanntesten Publizisten der Weimarer Republik; eine Zeitlang Herausgeber der *Weltbühne*, die später von Carl von Ossietzky übernommen wurde; «Dieser Schriftsteller Kurt Tucholsky ist durch seine rege Produktion zum Typus des völlig glaubens- und grundsatzlosen Literaten geworden, der alle üblen Charaktereigenschaften des jüdischen Journalismus in sich vereinigt und zur höchsten Vollendung entwickelt hat», in: *Die Juden in Deutschland*, München 1939, S. 234; siehe: *Kurt Tucholsky in Selbstzeugnissen und Bilddokumenten*, Reinbek 1959, S. 123 f, sowie Kurt Tucholsky: *Ausgewählte Briefe 1913–1935*, Reinbek 1962.

Hamburg

Studentenschaft im Kampf wider den undeutschen Geist, in: *Hamburger Tageblatt* vom 16. 5. 1933, gekürzt.

Menschenmassen umstanden im weiten Bogen den Scheiterhaufen, den gestern abend die Hamburger Studentenschaft am Kaiser-Friedrich-Ufer aufgetürmt hatte. Miterleben wollten sie alle die Verbrennung jener Schriften, die Jahrzehntelang unser Volk vergifteten. Sturm 6/76, der ausschließlich aus Studenten besteht, war vollzählig vom Appell im Studentenhaus angerückt, ebenso waren die Hochschulgruppen des Stahlhelms und die Chargierten der Korporationen erschienen.

Gegen 23 Uhr loderte prasselnd die Flamme empor. Brausend erklang das Lied der studentischen Jugend: Burschen heraus!

Höher schlug die Flamme, Buch um Buch aus jener undeutschen Sphäre wurde zerrissen und vernichtet. Dann sprach der Gründer des Nationalsozialistischen Deutschen Studentenbundes in Hamburg, Pg. Assessor Wolf Meyer-Christian [1]. Der alte studentische Brauch, durch Feuer den Ungeist ehrloser Jahre zu zerstören, läßt auch heute die studentische Jugend diese Schriften geistiger Fäulnis verbrennen. Dieses Feuer soll, nachdem unser Führer, der Reichskanzler Adolf Hitler das Reich politisch erobert hat, nun allen undeutschen Geist entfernen, um im Kampf voran die erwachten Studenten, den Ideen des neuen Deutschland den Weg zu bahnen: im Geiste Horst Wessels, des Kämpfervorbildes für alle deutschen Studenten.

Unter den Klängen seines Liedes wurde die Gaufahne des Roten Frontkämpferbundes in die Flammen geschleudert: Nicht mehr die Internationale der Proletarier, sondern der Zusammenschluß von Arbeiter und Student in ein Volk soll fortan die Parole sein.

---

1 Dr. Wolf Meyer-Christian gehörte zu den fanatischsten Antisemiten im Dritten Reich; am 13. 6. 1944, als die Juden im Hitler-Europa schon fast liquidiert waren, schrieb er an den Stellvertretenden Pressechef der Reichsregierung, Helmut Sündermann, und legte ihm ein Memorandum: *Die Behandlung der Judenfrage in der deutschen Presse* vor. Die Hauptsorge des damaligen Oberleutnants Meyer-Christian war, wie man weiterhin eine antijüdische Propaganda betreiben konnte, wo kaum noch Juden zu sehen waren. «Junge zwanzigjährige Offiziere erklären auf Befragen», klagt Meyer-Christian besorgt, «daß sie noch nie mit Bewußtsein einen Juden gesehen haben. Sie bringen daher der Judenfrage kein oder nur geringes Interesse entgegen.» Deshalb kommt er mit konkreten Vorschlägen, wie man von nun an gegen einen Scheinfeind Propaganda betreiben müsse; siehe L. Poliakov – J. Wulf: *Das Dritte Reich und seine Denker*, Berlin 1959, S. 461–468; siehe auch Wolf Meyer-Christian: *Englisch-jüdische Allianz*, Berlin 1941; in Übersetzungen Rom 1941 und Prag 1942.

Köln

Machtvolle Kölner Universitätskundgebung, in: *Kölner Tageblatt* vom 18. 5. 1933, gekürzt.

Sehr aufschlußreich für die Einstellung mancher deutscher Wissenschaftler zur Bücherverbrennung sind zwei Briefe vom 7. und 8. 5. 1933 des in Köln wohnenden Literarhistorikers Prof. Dr. Ernst Bertram, der ein Freund von Thomas Mann und des Literaturwissenschaftlers Friedrich Gundolf war: «Am Mittwoch ist nun die große feierliche Verbrennung der undeutschen Literatur vor dem Gefallenen-Denkmal der Universität. Man ist der Meinung, daß ich dabei nicht fehlen dürfte. Zu meinem Kummer wird auch Thomas Mann verbrannt, ich habe noch mit großer Mühe verhindert, daß Gundolf auf die Liste kam, er soll auch aus der Studentenbücherei verschwinden, worüber ich lange Besprechungen hatte. Ich kann nicht das Einzelne berichten. Ursprünglich hatte man viel weitergehende Absichten. Den ‹Schandpfahl›, auf dem man die jüdischen Bücher (auch Gundolf) spießen wollte, haben wir noch verhindert. So, glaube ich, wird die unvermeidliche Kundgebung jetzt würdig verlaufen ... Es ist gelungen ... die beabsichtigte Verbrennung von Gundolf und Thomas Mann hier zu verhindern, hatte drei lange Besprechungen. Ich kann also dem feierlichen ‹Auto da Fee› beiwohnen.» *Thomas Mann an Ernst Bertram – Briefe aus den Jahren 1910–1955*, Pfullingen 1960, S. 277.

Im *Stadt-Anzeiger für Köln und Umgebung* vom 11. 5. 1933 erschien unter der Überschrift *Unbegründete Gerüchte* folgende Berichtigung:

«Rektor und Senat sowie die Studentenschaft Köln geben folgende Mitteilung bekannt:

Um unbegründeten Gerüchten entgegenzutreten, wird amtlich darauf hingewiesen: Zwischen Rektor und Senat der Universität einerseits und der Studentenschaft andererseits herrscht nach wie vor völlige Einmütigkeit. Die Verlegung der Kundgebung vom 10. Mai wider den undeutschen Geist erfolgte gemäß Vereinbarung des Führers der Studentenschaft mit dem Rektor aus technischen Gründen. Der Führer der Studentenschaft glaubte, diese Veranstaltung unter freiem Himmel, besonders wegen der geladenen Ehrengäste, nicht bei strömendem Regen abhalten zu können.

Köln, 10. Mai 1933
Für Rektor und Senat:
Prof. Dr. Geldmacher, Dekan, Pressestelle der Universität
Für die Studentenschaft:
Wallraf, Amt für Werbung und Aufklärung,
Müller, Führer der Studentenschaft Köln».

Köln, den 18. Mai: Am Mittwochabend begann vor der Kölner Universität die große Kundgebung des Nationalsozialistischen Deutschen Studentenbundes wider den undeutschen Geist mit einem Aufmarsch der Wehrverbände und Korporationen. Um 21 Uhr empfingen Rektor und Senat die Führer der Deutschen Studentenschaft und des NSDStB im Senatssaal zu einer Erklärung des Studentenführers. Vor der Universität, wo neben Wehrverbänden und Korporationen die gesamte Studentenschaft und eine tausendköpfige Menschenmenge standen, wurde die

Kundgebung im Senatssaal durch Lautsprecher den Hörern übermittelt. Der Sprecher der Studentenschaft wies darauf hin, daß die deutsche Hochschule der vergangenen Zeit aus dem Leben des Volkes sich selbst ausgeschaltet hätte, an dem Suchen der jungen Generation vorbeigegangen sei. Mit der nationalen Erhebung aber sei es anders geworden. Gerade die Kölner Universität habe als erste deutsche Hochschule ein Beispiel gegeben, als sie Männer des neuen nationalen Wollens zu Rektor und Senat berief.

Rektor Leupold[1] betonte in seiner Erwiderung, daß die gewaltige Sprache der deutschen Geschichte dieser Tage alle Deutschen zur Einigkeit aufrufe, die Hochschullehrer wollten in die Hand ihrer Studenten einschlagen und ihnen nicht nur Führer im geistigen Ringen, sondern in ihrer vaterländischen und völkischen Sehnsucht sein.

Rektor, Senat und Studentenführer begaben sich dann hinaus auf den Platz vor der Universität, auf dem ein Scheiterhaufen flammte. Während die undeutschen Bücher von Studenten in das Feuer geworfen wurden, sprach der Studentenführer in markiger Rede aus, daß diese Verbrennung keine Inquisition, aber einen Flammenprotest gegen den Geist hetzerischer Volksverführer und salonbolschewistischer Intellektueller bedeute. Dann ergriff der Staatskommissar der Universität, Hauptschriftleiter Dr. Winkelnkemper[2] das Wort, während am Mittelbau der Universität die Flaggenhissung der schwarz-weiß-roten Fahne und des Hakenkreuzbanners vollzogen wurde. Dieser Tag, an dem der junge deutsche Reichskanzler in furchtbarer Stunde die ungeheure Anklage des entrechteten und wehrlos gemachten Volkes in die Welt schleuderte, sei ein Wendepunkt der deutschen Geschichte. Hitler, der große Volksführer, sei übergegangen zum Angriff auf den Fluch des Abendlandes. Er habe heute vielleicht mit seiner großen und klugen staatsmännischen Tat das Rheinland, das deutsche Schicksalsland, vor neuen schweren Bedrückungen gerettet. Wenn dieses leidenschaftliche Bekenntnis einer Volksjugend, die keine Furcht kenne, dieser Ruf zu Freiheit und Gleichberechtigung nicht gehört werde, wenn wieder fremde Hände sich am Rheinland vergreifen wollten, dann werde das nur zur Friedlosigkeit der ganzen Welt führen. Deutschland aber wolle nur Frieden, Freiheit und Gerechtigkeit. Mit einem Gruß an die neue Gemeinschaft der Hochschullehrer und Studenten im Namen des Staates schloß Dr. Winkelnkemper seine anfeuernde und begeisternde Rede, der das Horst-Wessel-Lied folgte.

1 Prof. Dr. med. Ernst Leupold, Allgemeine Pathologie und Pathologische Anatomie, *1884; 1932 Dekan der Medizinischen Fakultät an der Universität Köln; ab April 1933 ihr Rektor.

2 Dr. Peter Winkelnkemper, Hauptschriftleiter des *Westdeutschen Beobachters*.

Dann schloß sich eine Totenehrung an. Das Ehrenmal umloderten mächtige Flammenfanale, während die Studentenführer im braunen und im grauen Rock einen Kranz niederlegten und Dr. Winkelnkemper an den deutschen Idealismus, das heilige Vermächtnis der 400 Toten der nationalen Revolution und der zwei Millionen Gefallenen des Weltkrieges mahnte. Dann folgte die Vereidigung einer großen Zahl neuer Kameraden des Nationalsozialistischen Deutschen Studentenbundes auf die SA und den Führer Hitler. Rektor Prof. Leupold rief der Studentenschaft zu, daß nun der Anfang des neuen deutschen Werkes im schöpferischen Geiste getan sei, und es gelte, darauf weiter zu bauen. Ein Vorbeimarsch vor den Führern und ein Fackelzug zum Horst-Wessel-Platz schlossen die mächtige Kundgebung.

München

Landesarchiv der Landeshauptstadt München.

Die Stadtchronik meldet über den 10. 5. 1933 folgendes:

19.45 Uhr: Akademische Feier der NS-Revolution in der Universität. Ansprache der Rektoren Geh. Rat Prof. Dr. Leo Ritter von Zumbusch [1] und Prof. Dr. Schachner [2] (TH) zur Übergabe des von der Bayerischen Staatsregierung gegebenen Studentenrechts an die Führer der Studentenschaft. Rede des Leiters des Kreises VII (Bayern) der deutschen Studentenschaft cand. jur. Gengenbach, (Treuegelöbnis). Festrede des Kultusministers Hans Schemm [3] über die Entwicklung und Umwandlung des vergangenen Maschinen- und Verstandeszeitalters in ein «Seelen-, Gemüts- und Rassenzeitalter». Appell an das Verantwortungsbewußtsein. Gesang der Nationalen Lieder. 22.30 Uhr Fackelzug der gesamten Studentenschaft vorbei an der mit einer roten Flammenkette geschmückten Feldherrnhalle zur öffentlichen Feier auf dem mit Flaggen und girlandenbekränzten Pylonen festlich ausgestatteten Königsplatz. In Anlehnung an das «Wartburgfest» Verbrennung von volkszersetzenden

1 Prof. Dr. Leo Ritter von Zumbusch, * 1874, Direktor der Dermatologischen Klinik und Poliklinik in München; ab 1913 Professor an der Universität München.

2 Prof. Dr. Richard Schachner, 1873–1936.

3 Hans Schemm, 1891–1935, ein wegen Sittlichkeitsverfehlungen entlassener Volksschullehrer; Gründer des Nationalsozialistischen Lehrerbundes, 1929; ab Dezember 1932 Gauleiter des Gaues Bayerische Ostmark der NSDAP; Bearbeiter schulpolitischer und pädagogischer Fragen für die NSDAP; ab 16. 3. 1933 Bayerischer Kultusminister; Herausgeber und Verfasser der *Nationalsozialistischen Lehrerzeitung* und von: *Mutter und Genossin*; siehe auch Gertrud Kahl-Furthmann: *Hans Schemm spricht*, Bayreuth 1935.

Schriften kommunistischer, marxistischer, pazifistischer Haltung (vielfach aus jüdischer Feder stammend) als Symbol der Abkehr vom undeutschen Geist. Festrede des Ältesten der deutschen Studentenschaft, Kurt Ellersieck (Totengedenken, Kameradschaft, Bekenntnis zur deutschen Kultur).

Nürnberg

Wider den undeutschen Geist, in: *Fränkischer Kurier* vom 11. 5. 1933, gekürzt.

Die vom Aktionsausschuß gegen Schund und Schmutz am Mittwoch abend veranstaltete Kundgebung nahm unter ungeheurer Beteiligung der Bevölkerung ihren programmäßigen Verlauf. Die am Propagandamarsch teilnehmenden Verbände, SA, Hitlerjugend, Hitlermädels, Studentenschaft, NSBO und SS nahmen auf dem Wöhrder Hauptmarkt ab 7 Uhr mit der Standarte «Franken» und vielen Wimpeln und Hakenkreuzfahnen Aufstellung und marschierten sodann unter klingendem Spiel und dem Gesang nationalsozialistischer Sturmlieder durch die von dichten Menschenmauern umsäumten Hauptstraßen zum Adolf-Hitler-Platz, wo bereits eine unübersehbare Menschenmenge wartete. Hier war in der Mitte des Platzes ein großer Scheiterhaufen errichtet worden, der späterhin zur Vernichtung der vielen, auf Lastwagen herbeigeschafften marxistischen, volkszersetzenden und undeutschen Schriften, Broschüren und Bücher diente. Schriftsteller Hagemeyer [1] vom Kampfbund für deutsche Kultur erklärte, daß in tausenden von Städten Deutschlands zu dieser Stunde das Feuer brenne, um den Rest des Marxismus zu besetigen. In Millionen Herzen flamme das Bekenntnis auf: Wir wollen frei sein von einer Knechtschaft und von dem undeutschen Geist, der das deutsche Schrifttum beherrscht hat. Der Kampf der nationalen Revolution müsse dem deutschen Dichter die Bahn frei machen. Er übergab ein Werk Emil Ludwigs, der eigentlich Kohn heißt und heute noch in der Schweiz gegen den deutschen Nationalsozialismus kämpfe, den Flammen.

Der Vertreter der Studentenschaft erinnerte daran, daß schon einmal deutsche Studenten vor einem solchen Scheiterhaufen standen, als sie die Bannbulle gegen Dr. Martin Luther verbrannten. Der deutsche Student fühle sich schicksalsverbunden mit dem deutschen Arbeiter. Er übergebe die Werke eines Karl Marx und seiner Anhänger dem Scheiterhaufen. Reichstagsabgeordneter Karl Holz [2] bezeichnete das Ereignis als einen

---

1 Hans Hagemeyer, *1899, schrieb hauptsächlich über Kulturpolitik und Weltanschauung; Leiter des Hauptamtes Schrifttumspflege im Amt Rosenberg.

2 Karl Holz, *1895; seit 1925 NSDAP-Mitglied; Schriftleiter der antisemitischen Kampfzeitung *Der Stürmer*, deren Herausgeber Julius Streicher war.

symbolischen Akt. Die Nationalsozialisten wüßten, welch eine gewaltige Macht im Buche liege, sie wüßten, das deutsche Volk wäre nie so weit gekommen, wenn nicht der Jude den Geist des deutschen Volkes vergiftet hätte. Alle Schande, aller Jammer, alles Elend wäre nie über Deutschland gekommen, wenn diese Schriften nicht im deutschen Volk vertrieben worden wären. «Wir schwören es bei diesen Flammen: Wir werden nicht ruhen, bis das letzte volkszersetzende und landesverräterische Buch den Flammen übergeben ist. In Deutschland soll für die Zukunft keiner mehr ein Buch schreiben, der nicht schreibt für Deutschlands Freiheit, Größe und Ehre!» Daß dieser Schwur gehalten werde, dafür sorgten die, die um diesen Feuerstoß ständen, und Volkskanzler Adolf Hitler. Mit einem Sieg-Heil auf Adolf Hitler und das deutsche Vaterland und dem Horst-Wessel-Lied wurde die Kundgebung geschlossen.

Würzburg

Der Scheiterhaufen für undeutsches Schrifttum, in: *Würzburger General-Anzeiger* vom 11. 5. 1933, gekürzt.

Vor dem Platzschen Garten formierte sich gestern abend kurz nach 10 Uhr unter Vorantritt der Art.-Kapelle, je einer Gruppe SA und Stahlhelm ein Zug der Studenten, der zum Residenzplatz marschierte. Nach einem Musikstück loderten die Flammen aus dem stattlichen Scheiterhaufen, auf dem rassefremde, marxistische, bolschewistische und sonstige Zersetzungs- und Schundliteratur verbrannt wurde. Ein Symbol der neuen Zeit.

«Eine neue Zeit ist angebrochen!» So begann Dr. Ilg [1] seine Ansprache. «Umwälzungen von ungeheurem Ausmaße auf allen Gebieten deutschen Lebens führen zu einer vollständigen Umgestaltung deutschen Daseins. Ein Deutschland der Einheit und Geschlossenheit ist errichtet. Das Werk Bismarcks hat seine Krönung erfahren. Ein einfacher Mann aus dem Volke hat das Werk geschaffen. All die gelehrten Bücher, die von den bisherigen sogenannten geistigen Führern Deutschlands geschrieben wurden, um dem deutschen Volk eine Form zu geben, die seinem Wesen gerecht würde, haben nichts erreicht. Sie konnten nichts erreichen, denn all diesen gelehrten Schriften fehlte die lebendige Kraft, die nur aus der Verbindung mit der Seele des deutschen Volkes erwachsen kann. All diese Männer, die in anerzogener Überheblichkeit glaubten, auf Grund ihres Universitätsstudiums ein Reservat auf die geistige Führung Deutschlands zu haben, mußten erkennen, daß das Entschei-

1 Dr. jur. Alfons Ilg, Ältester der Studentenschaft.

dende nicht die akademische Bildung, sondern der lebendige Wille ist. Ein einfacher Mann aus dem Volke, der Sohn eines unbekannten Geschlechts, der keine akademische Prüfung abgelegt, der keinen akademischen Grad erworben hat, hat sich als der wahre Führer gezeigt, hat die Begriffe vom Führertum desjenigen, der eine kleinere oder größere Anzahl von Prüfungen mit mehr oder weniger Erfolg an den Hohen Schulen Deutschlands abgelegt hat, über den Haufen geworfen. «Nur ein Anstreichergeselle», so hat man uns nationalsozialistischen Akademikern gesagt, wenn wir mit all unserm Sein und Können für diesen Mann eintraten, wenn wir für ihn und mit ihm kämpften. Nur ein Anstreichergeselle, mit diesem Wort sprach sich das Akademikertum sein eigenes Urteil, offenbarte es, daß es nicht mehr würdig war, als das geistige Führertum zu gelten. Jawohl, nur ein Anstreichergeselle, nur ein einfacher Mann aus dem Volke ist es, dessen Wille allein heute in Deutschland gilt, dessen Kraft das ganze deutsche Volk umformt, und wir jungen Akademiker sind froh darüber, denn nur so ist es möglich, daß sich das Volk seine Universität wieder zurückholt, nur so kann das deutsche Akademikertum wieder aus seiner volksfremden Vereinsamung herausgerissen werden, nur so kann die Universität wieder Trägerin deutschbewußten Lebens werden.

Es sind leere Worte, wenn der Student «Heil Hitler» ruft, wenn er erklärt, er stehe felsenfest hinter dem Führer und hinter der Freiheit, hinter dem deutschen Volk. Der Student muß seinen Worten auch die Tat folgen lassen, will er vor sich und seinem Volke bestehen können.[1]

Nachklang

Das erwachte Gewissen

Will Vesper in: *Die neue Literatur*, 1933, S. 366; siehe auch Rolf Meckler: *Nationales Schrifttum und deutsche Revolution* in: *Leipziger Neueste Nachrichten* vom 11. 5. 1933: «Gemeinsam mit den größten Universitäten Berlin und München säubert darum gegenwärtig auch die Leipziger Hochschule ihre Büchereien», und: *Undeutsches Schrifttum*, dort am 14. 5. 1933; Fredrik Böök-Lund: *Hitlers Deutschland von außen*, herausgegeben von der Deutschen Akademie, München 1934, S. 31–36.

1 Über die Zustände an den Universitäten Deutschlands siehe Léon Poliakov – Joseph Wulf: *Das Dritte Reich und seine Denker*, Berlin 1959, S. 71–129, und Karl Reinhardt: *Die Krise des Helden*, München 1962, S. 153–166; über den Widerstand der Professoren gegen den anmaßenden und pöbelhaften Einfluß der Nationalsozialisten an den Universitäten schreibt Prof. Dr. Karl Reinhardt, S. 154–155: «Meines Wissens ist in der entscheidenden Zeit niemals auch nur ein Versuch in dieser Richtung gemacht worden. Organisierter Widerstand wurde von Anfang an auf das schärfste bekämpft.»

Wie die Presse meldet, erklärt sich «Der Vorstand des Börsenvereins der Deutschen Buchhändler» mit der Reichsleitung des Kampfbundes für deutsche Kultur und der Zentralstelle für das deutsche Bibliothekwesen darin einig, daß die zwölf Schriftsteller Lion Feuchtwanger, Ernst Glaeser, Arthur Holitscher, Alfred Kerr, Egon Erwin Kisch, Emil Ludwig, Heinrich Mann, Ernst Ottwald, Theodor Plievier, Erich Maria Remarque, Kurt Tucholsky (alias Theobald Tiger, Peter Panter, Ignaz Wrobel, Kaspar Hauser), Arnold Zweig für das deutsche Ansehen als schädigend zu erachten sind. Der Vorstand erwartet, daß der Buchhandel die Werke dieser Schriftsteller nicht weiter verbreitet.

Der Vorstand des Börsenvereins für den Buchhandel mache aber den Buchhändlern die Umschaltung nicht zu leicht. Es ist nicht damit getan, daß man zwölf Sündenböcke, die ohnedies niemand mehr kauft, in die Wüste schickt und die andere deutschfeindliche und kulturbolschewistische Literatur verhökert! Es bedarf einer ernsten und gewissenhaften, und nicht von heute auf morgen zu erledigenden gründlichen Prüfung des gesamten deutschen und antideutschen Schrifttums der letzten 15 Jahre, einer ehrlichen Reinigung auch des gesamten Buchhandels. Wenn dabei manche Buchhändler feststellen müssen, daß ihr Lager im wesentlichen aus literarischer Schundliteratur besteht, so darf uns das nicht davon abhalten, den deutschen Buchhandel immer wieder zum rücksichtslosesten Kampf gegen den Kulturbolschewismus zu zwingen.

Man regt sich jetzt mancherorts darüber auf, daß die Studenten bei ihren Verbrennungen der Schundliteratur nicht immer die Richtigen ins Feuer geworfen hätten. Das mag sein. Die Absicht der Studenten aber war gut und richtig. Für eine bessere Aufklärung ist die deutsche Jugend immer zu haben. Wer hat sie ihr aber bisher gegeben? Die Universitätsprofessoren nicht. Die deutsche Presse erst recht nicht, und der deutsche Buchhandel im großen und ganzen gesehen schon gar nicht! Aber Jugend und Volk sind erwacht und werden sobald nicht wieder einschlafen. Jeder Buchhändler halte sein Lager und sein Schaufenster so, daß er vor dem erwachten Gewissen des Volkes und vor der Sehnsucht der Jugend nach Sauberkeit und nationaler Würde bestehen kann, dann werden Volk und Jugend ihm wieder die hohe Achtung entgegenbringen, die der echte deutsche Buchhandel immer verdient. Wer sich aber auch künftig gegen Volk und Jugend versündigt, beklage sich nicht, wenn er von den Empörten zu seinem Schaden zur Verantwortung gezogen wird.

Das Börsenblatt gibt bekannt

Die Schwarze Liste, in: *Münchener Neueste Nachrichten* vom 18. 5. 1933, gekürzt.

Das Börsenblatt für den Deutschen Buchhandel vom 16. Mai 1933 veröffentlicht die erste amtliche Schwarze Liste von Büchern, die bei der Säuberung der öffentlichen Büchereien auszumerzen sind. Die Maßstäbe, nach denen die Listen angefertigt wurden, sind literaturpolitischer Natur. Für sie gilt die fundamentale, für jede politische Entscheidung notwendige Vorfrage: Wer ist der eigentliche Feind? Gegen wen richtet sich der Kampf? Die Antwort gibt eine grundsätzlich gehaltene Erklärung, die vom Preußischen Ministerium für Wissenschaft, Kunst und Volksbildung anerkannt und für die staatlichen Büchereiberatungsstellen auf dem Lande verbindlich erklärt worden ist. In dieser Erklärung heißt es: «Der Kampf richtet sich gegen die Zersetzungserscheinungen unserer artgebundenen Denk- und Lebensform, d. h. gegen die Asphaltliteratur, die vorwiegend für den großstädtischen Menschen geschrieben ist, um ihn in seiner Beziehungslosigkeit zur Umwelt, zum Volk und zu jeder Gemeinschaft zu bestärken und völlig zu entwurzeln. Es ist die Literatur des intellektuellen Nihilismus.» Diese Literaturgattung hat vorwiegend, jedoch nicht nur jüdische Vertreter. Nicht jeder russische Schriftsteller ist Kulturbolschewist. Dostojewsky und Tolstoi gehören nicht auf den Index (ohne Dostojewsky kein Moeller van den Bruck[1]!) Neuanschaffungen von Russen sind nicht nötig, ebensowenig wie alle neuen Russen vernichtet zu werden brauchen.

Es empfiehlt sich, grundsätzlich von jedem, auch dem gefährlichsten Buch je ein Exemplar in den großen Stadt-, Haupt- und Studienbüchereien für die kommende Auseinandersetzung mit den Asphaltliteraten und Marxisten im Giftschrank zu behalten.

Die für die Ausleihe gesperrten Bücher sind am praktischsten in drei Gruppen einzuteilen:

Gruppe 1 fällt der Vernichtung (Autodafé) anheim, z. B. Remarque.
Gruppe 2 kommt in den Giftschrank, z. B. Lenin, Marx.
Gruppe 3 enthält die zweifelhaften Fälle, die eingehend zu prüfen sind, ob später zu Gruppe 1 oder 2 gehörig, z. B. Traven.

Die vorliegende Liste nennt alle Bücher und alle Autoren, die bei der Säuberung der Volksbüchereien entfernt werden können. Ob sie alle ausgemerzt werden müssen, hängt davon ab, wie weit die Lücken durch gute Neuanschaffungen ausgefüllt werden. Unbedingt auszumerzen sind

1 Arthur Moeller van den Bruck, 1876–1925 durch Selbstmord, Autor von: *Das Dritte Reich*, u. a. m.

die mit x) versehenen Autoren[1], deren Bücher bei den in diesen Tagen veranstalteten Verbrennungen die Hauptrolle gespielt haben.

Die Selbstsicherheit der Revolutionäre

Werner Schlegel: *Dichter auf dem Scheiterhaufen*, Berlin 1934, S. 18–19.
   Werner Schlegel, * 1900, Autor von: *Sinn und Gestaltung der großen deutschen Revolution*, 1933, und: *Wir Sachsen*, 1935; siehe auch Hans W. Hagen: *Deutsche Dichtung und Entscheidung der Gegenwart*, Dortmund/Berlin 1938, S. 11–12.

Die Verbrennung von Werken deutscher und nichtdeutscher Dichter und Denker in den Tagen der nationalen Revolution durch die deutsche Studentenschaft hat im Inland anfangs manches Kopfschütteln bei den alten Generationen hervorgerufen, im Ausland aber einen Sturm der Entrüstung entfacht, der von interessierten Kreisen zur Verstärkung der Greuelpropaganda gegen Deutschland geschickt ausgenutzt wurde. Das Kopfschütteln der Alten ließ uns unberührt; denn zu welcher Zeit hätten nicht die Alten über das Ungestüm der Jungen den Kopf geschüttelt? Aber die Vermischung des zu erwartenden kulturellen Protestes mit durchsichtigen politischen Absichten durch das Ausland erschwerte eine deutsche Stellungnahme. Eine Rechtfertigung oder eine Begründung einer revolutionären Tat der Zeit, eines geschichtlichen Geschehnisses ist nur möglich bei geltend gemachten sachlichen Einwänden der Gegner. Sie ist sinnlos gegenüber einer voreingenommenen, vom Haß diktierten Stellungnahme. Haß läßt sich nur übertrumpfen durch stärkeren Haß. Es ist zugleich eine Stärke und eine Schwäche des deutschen Volkscharakters, im Hassen eine Ausdauer aufbringen zu können. Der deutsche Mensch ist schneller als Anhänger, als Liebender zu gewinnen, denn als Gegner oder Hassender. Nirgendwo konnte der Weltfriedensgedanke, die Völkerbundsidee, der Glaube an die Internationale so viel Anhänger finden wie in Deutschland.

Die Greuelpropaganda gegen das neue nationalsozialistische Deutschland hat beträchtlich nachgelassen. Damit ist für uns der Zeitpunkt gekommen, nunmehr zu den gegen die Bücherverbrennungen geltend gemachten Einwänden Stellung nehmen zu können.

Dieses lange Warten könnte mißdeutet werden. Es soll deshalb hier eindeutig festgestellt werden, daß dieses Abwarten nicht etwa mit Schwäche oder einem langen Suchen nach einer nachträglichen Begrün-

---

1 Dann folgt die Liste der zwölf Autoren. Bei manchen Schriftstellern ist nur ein bestimmtes Buch verboten, manche figurieren ohne ihre Bücher, dann sind alle gemeint; bei den Autoren der dritten Gruppe steht oft: «Alles, außer . . .», z. B. bei Erich Kästner: «Alles, außer ‹Emil›».

dung zu bewerten ist, sondern daß es das Ergebnis der Selbstsicherheit der jungen Revolutionäre ist, die von der Richtigkeit und der Schicksalhaftigkeit ihres Wollens und Tuns voll überzeugt gewesen sind.[1]

O. M. Graf: «Verbrennt mich!»

Titel von Grafs Aufsatz in: *Volksstimme*, Saarbrücken, vom 15. 5. 1933.
Oskar Maria Graf, Schriftsteller (Roman, Lyrik), * 1894.

Während meiner zufälligen Abwesenheit aus München erschien die Polizei in meiner dortigen Wohnung, um mich zu verhaften. Sie beschlagnahmte einen großen Teil unwiederbringlicher Manuskripte, mühsam zusammengetragenes Quellenstudienmaterial, meine sämtlichen Geschäftspapiere und einen großen Teil meiner Bücher. Das alles harrt nun der wahrscheinlichen Verbrennung. Ich habe also mein Heim, meine Arbeit und – was vielleicht am schlimmsten ist – die heimatliche Erde verlassen müssen, um dem Konzentrationslager zu entgehen. Die schönste Überraschung aber ist mir erst jetzt zuteil geworden. Laut «Berliner Börsencourier» stehe ich auf der weißen Autorenliste des neuen Deutschland, und alle meine Bücher, mit Ausnahme meines Hauptwerkes «Wir sind Gefangene», werden empfohlen! Ich bin also dazu berufen, einer der Exponenten des «neuen» deutschen Geistes zu sein! Vergebens frage ich mich, womit ich diese Schmach verdient habe.

Das Dritte Reich hat fast das ganze deutsche Schrifttum von Bedeutung ausgestoßen, hat sich losgesagt von der wirklichen deutschen Dichtung, hat die größte Zahl ihrer wesentlichsten Schriftsteller ins Exil gejagt und das Erscheinen ihrer Werke in Deutschland unmöglich gemacht. Die Ahnungslosigkeit einiger wichtigtuerischer Konjunkturschreiber und der hemmungslose Vandalismus der augenblicklich herrschenden Gewalthaber versuchen all das, was von unserer Dichtung und Kunst Weltgeltung hat, auszurotten und den Begriff «deutsch» durch engstirnigen Nationalismus zu ersetzen. Ein Nationalismus, auf dessen Eingebung selbst die geringste freiheitliche Regung unterdrückt wird, ein Nationalismus, auf dessen Befehl alle meine aufrechten sozialistischen Genossen verfolgt, eingekerkert, ermordet oder aus Verzweiflung in den Freitod getrieben werden!

Und die Vertreter dieses barbarischen Nationalismus, der mit Deutsch-

---

1 Auch andere deutsche Schriftsteller nahmen zur Bücherverbrennung ähnlich Stellung. So schrieb z. B. Dr. Wilhelm Stapel in seinem Buch: *Die literarische Vorherrschaft der Juden in Deutschland 1918–1933*, Hamburg 1937, S. 42, daß dieses Bücher-Autodafé «ein schönes und notwendiges Symbol der Loslösung von einem fremden Geiste» gewesen sei.

sein nichts, aber auch schon gar nichts zu tun hat, unterstehen sich, mich als einen ihrer «Geistigen» zu beanspruchen, mich auf ihre sogenannte weiße Liste zu setzen, die vor dem Weltgewissen nur eine schwarze Liste sein kann! Diese Unehre habe ich nicht verdient!

Nach meinem ganzen Leben und nach meinem ganzen Schreiben habe ich das Recht, zu verlangen, daß meine Bücher der reinen Flamme des Scheiterhaufens überantwortet werden und nicht in die blutigen Hände und die verdorbenen Hirne der braunen Mordbanden gelangen!

Verbrennt die Werke des deutschen Geistes! Er selber wird unauslöschlich sein, wie eure Schmach!

(Alle anständigen Zeitungen werden um Abdruck dieses Protestes ersucht.)

Oskar Maria Graf

Der PEN-Club

Vor dem Kongreß in Ragusa

Der Vorbote

Carl Haensel: *Für einen neuen deutschen PEN-Club* in: *Deutsche Allgemeine Zeitung* vom 17. 3. 1933, gekürzt.
Dr. jur. Carl Haensel, Schriftsteller (Roman, Lyrik), *1889.

Der Vorstand der deutschen Gruppe des PEN-Clubs ist zurückgetreten. Was nun?

Bei jedem Gespräch über den PEN-Club empfiehlt es sich zunächst einmal, um unvermeidliche Wortwitze abzubiegen, daran zu erinnern, daß die drei Buchstaben Abkürzungen der englischen Worte «poets, essayists, novellists» sind. Der Club ist 1922 gegründet worden, und zwar von Engländern. Galsworthy[1] war der Pol in blasserer Erscheinungen Flucht. Sein Grundgedanke war, die führenden Schriftsteller aller Kulturvölker zusammenzuführen, um die damals noch blühende Kriegslüge zu zerstören.

Es ist ein äußerlich merkwürdiges Zusammentreffen, daß mit Galsworthys Tod im deutschen PEN-Club eine bereits lange vorbereitete Krise ausgebrochen ist, die zu einer notwendig gewordenen Bereinigung des deutschen PEN-Clubs führen muß. Denn im deutschen PEN-Club hatten sich in führende Stellungen Persönlichkeiten gedrängt, die den Verständigungsgedanken ihrerseits schwer mißverstanden, den stilleren, wenn auch gewichtigeren Teil des Vorstands in den Hintergrund drängten und Maßregeln trafen, die mit würdevoller Vertretung des deutschen Volkes unvereinbar sind.

Bei der außerordentlichen Bedeutung, die dem PEN-Club als Vertreter des deutschen Geistes gegenüber den führenden Schriftstellern der anderen Völker zukommt, ist ein völliger Bruch mit der letzten Vergangenheit und den sie repräsentierenden Persönlichkeiten unvermeidlich

---

1 John Galsworthy, englischer Schriftsteller, 1867–1933, wurde international berühmt durch seine *Forsyte Saga*.

68

und eine Neubesetzung des gesamten Vorstandes mit Männern unerläßlich, die wissen, daß nur der ein Volk nach außen vertreten kann, der bis in die Tiefen, mit dem eigenen Volkstum verwurzelt, gedrungen und von seinen Säften bis in die letzte Pore durchzogen ist. Diesen Zustand herzustellen, ist die unerläßliche dringende Aufgabe der nächsten Wochen, weil im Mai bereits der diesjährige Kongreß des PEN-Clubs in Ragusa (Dubrovnik) stattfindet, und seine Beschickung vorbereitet werden muß.

Die Generalversammlung am 23. April

Dieses Protokoll ist gekürzt.

> PEN-Club, Deutsche Gruppe
> Berlin-Friedenau, Gutsmuthstr. 10
> Tel. Wagner (H 8) 0778

Protokoll
der Fortsetzung der ordentlichen Generalversammlung
am 23. April 1933 im Haus der Presse, Tiergartenstr. 16

Tagesordnung:
1) Aufnahme neuer Mitglieder
2) Kommissionsberichte
3) Neuwahl des Vorstandes und Ausschusses, gegebenenfalls auch Satzungsänderung durch Vermehrung der Vorsitzenden und Ernennung von Ehrenvorsitzenden
4) Verschiedenes

Fedor von Zobeltitz [1] eröffnet die Sitzung, begrüßt die Anwesenden, fragt, ob alle Anwesenden Mitglieder des PEN-Clubs, resp. neu angemeldete Mitglieder seien.

Alle Anwesenden sind Mitglieder oder neu angemeldete Mitglieder.

Dr. Haensel gibt kurzen Geschäftsbericht über die Arbeit in den wenigen Tagen seit der Generalversammlung am 9. April. Er weist darauf hin, daß die G. V. am 9. April nicht geschlossen, sondern unterbrochen wurde, und daß die heutige Tagung die Fortsetzung der Tagung am 9. April sei. Am 20. April habe der PEN-Club ein Glückwunschtelegramm an den Reichskanzler gesandt.

v. Zobeltitz: Aufnahme von neuen Mitgliedern. Es ist zulässig infol-

---

1 Fedor von Zobeltitz, Schriftsteller (Gesellschaftsroman, historische Erzählung, Lustspiel), 1857–1940; Vorsitzender der Gesellschaft der Bibliophilen; Herausgeber von: *Zeitschrift für Bücherfreunde* und *Neudrucke literarischer Seltenheiten*.

ge der Anerkenntnis der G. V. vom 9. April zu Beginn der G. V. neue Mitglieder vorzuschlagen, zu wählen und sie in der G. V. stimmberechtigt sein zu lassen. Es sind vorgeschlagen worden die Herren: Stoffregen, Amelung, Schirach, Naso, Steguweit, D'Azur, Schauwecker, Mekkel, Orlovius, Weinbrenner, Bronnen.

v. Schmidt-Pauli[1]: Meine Freunde und ich begrüßen diese Anregung sehr und möchten diesen Vorschlag trotz schwerer Bedenken stützen, Bedenken, die sich vor allem dahin richten, daß eine G. V. nicht dazu stattfinden kann, daß eine Reihe neuer Mitglieder vorgeschlagen wird. Die neue Lage berechtigt aber, von Pedanterie abzusehen. Außerdem ist es bedauerlicherweise früher nationalgesinnten Schriftstellern sehr erschwert worden, in den PEN-Club einzutreten, und es ist daher zu begrüßen, daß ein nationaler Aufschwung im PEN-Club stattfinden soll. Wir wollen nun nicht Opposition machen, wir wollen dasselbe, wir wollen das neue nationale Deutschland möglichst einig und auch damit den PEN-Club. Wir wollen eine Arbeit leisten im Sinne Adolf Hitlers, und wir sind überzeugt, daß es nicht im Sinne Hitlers wäre, wenn wir uns mit kleinlichen persönlichen Intrigen abgeben. Das schließt natürlich nicht aus, daß wir über einzelne Personen sprechen müssen, daß Unterschiede in der Bewertung einzelner Personen bezüglich ihrer Eignung zu bestimmten Zwecken im PEN-Club erwogen werden müssen. Wir müssen aber einen dicken Strich unter die unliebsamen Vorgänge der letzten Generalversammlung machen. Wir stützen die eben vorgeschlagenen Namen. Ich schlage noch einige andere Namen vor, die vom Kampfbund für deutsche Kultur, dem Referenten für Schrifttum, Herrn Kochanowski, durchgeprüft sind: Arenhövel, Hermann Bethge, Wulf Bley, Busch, Dietrich, Kochanowski, Koehn, Dr. von Leers, Dr. Schloesser vom Völkischen Beobachter, Stoffregen, Hans Heyk, Arno Schickedanz. Ich beantrage, durch Akklamation die Herren der Liste 1 und 2 aufzunehmen. v. Zobeltitz stimmt ab. Antrag ist einstimmig angenommen. Die neuen Mitglieder sind berechtigt, bei den Neuwahlen des Vorstandes und Ausschusses mitzustimmen. Punkt 2 der Tagesordnung: Kommissionsberichte.

Hans-Caspar v. Zobeltitz[2]: Ende der vorigen Sitzung wurde beschlossen, Herrn Fedor von Zobeltitz und Herrn Dr. Haensel als kommissarischen Vorstand das Recht zu geben, eine Zehner-Kommission zu bestimmen, um die beiden Listen, die für den Vorstand in der letzten G. V. vorgelegt waren, in Übereinstimmung zu bringen. Folgende Zehner-Kommission ist zusammengetreten: Den Vorsitz hatte Fedor von

1 Edgar von Schmidt-Pauli, Schriftsteller *1881; Autor von: *Die Männer um Hitler*, 1932; *Hitlers Kampf um die Macht*, 1932; *Adolf Hitler – ein Weg aus eigener Kraft*, 1933; u. a. m.

2 Hans-Caspar von Zobeltitz, Schriftsteller (Lyrik und Feuilleton), 1883–1940.

70

Zobeltitz, außerdem Haensel, Richter, Mantau, Ewers, Jahn, Kuhn, Hartmann, Müller-Clemm, meine Person. Ehrenvorsitzende: Fedor v. Zobeltitz, Walter Bloem. Drei Vorsitzende: Beumelburg, Hans Hinkel, Hanns Johst. Schriftführer Dr. Haensel, Stellvertreter W. G. Hartmann, Schatzmeister Hans Richter, Stellvertreter Frhr. von Grote. Diese Liste ist von der Kommission aufgestellt worden. Ich übergebe sie nunmehr dem Herrn Vorsitzenden, um in den nächsten Punkt eintreten zu können.

Haensel: Die Liste hat zur Voraussetzung, daß die Satzungen im § 10 geändert werden müssen. Ich schlage vor: Die ordentliche Hauptversammlung wählt drei gleichberechtigte und zwei Ehrenvorsitzende.

Müller-Jabusch [1]: Es läßt sich ermöglichen, einen Ausdruck zu finden, den man mit der Satzungsänderung verankern kann. Er bittet ferner, die Herren von Zobeltitz und Bloem nicht nur auf ein Jahr als Ehrenvorsitzende zu wählen. Man möge die Satzung so ändern, daß die Ehrenmitglieder im Falle der Behinderung des Vorsitzenden den Vorsitz führen. Praktisch so, daß v. Zobeltitz und Bloem die sind, die im Falle der Verhinderung mit Rat und Tat zur Seite stehen.

Kochanowski [2] teilt mit, daß er hier im Auftrag von Hinkel [3] und Johst seine Ansicht äußere. Es ist unmöglich, wenn Johst und Hinkel Vorsitzende seien, daß eine Änderung der maßgebenden §§ in dieser Form gefaßt wird. Die Herren Johst und Hinkel werden sich keinen Rat zumuten lassen. Der PEN-Club ist ein wichtiges Instrument im ganzen Staatsgefüge. Und wenn hier ein neuer Vorstand gewählt wird, so ist es selbstverständlich, daß dieser es sich zur Pflicht macht, den PEN-Club ganz besonders im Interesse des Staates zu verwalten.

Wulf Bley [4]: Wir wollen nicht in Vereinskram verfallen. Wenn eine große Zahl von nationalen Schriftstellern hier versammelt ist, so ist das ein Beweis dafür, daß der PEN-Club früher nur einen Teil des deutschen Schrifttums darstellte. Wir wollen heute nicht über Satzungsänderungen sprechen, sondern dem deutschen Schrifttum gegenüber den anderen Schriftstellern des Auslandes eine autorisierte Vertretung schaffen. Wir

1 Maximilian Müller-Jabusch, Schriftsteller, 1889–1961.

2 Erich Kochanowski, *4. 7. 1904, Berliner Landesleiter des *Kampfbundes für Deutsche Kultur*, NSDAP-Nr. 892 453, SS-Nr. 291 371.

3 Es ist charakteristisch, daß Hans Hinkels einzige Qualifikation, Mitglied des PEN-Clubs zu werden, in folgendem bestand: seit 1928 Schriftleiter im nationalsozialistischen *Kampfverlag Berlin*, wo die Organe der NSDAP erschienen; seit 1. 10. 1930 in der Berliner Schriftleitung des *Völkischen Beobachters*; 1933 veröffentlichte er zusammen mit Wulf Bley: *Kabinett Hitler*.

4 Wulf Bley, Schriftsteller (Bühnendichtung, Roman) und Journalist, *1890; SA-Sturmführer und SA-Rundfunkmann, Sturmabteilung 9; Bley schreibt in der Broschüre *Deutsche Nationalerziehung und Rundfunk-Neubau*, Berlin o. J., über Intellektuelle als «artfremde bzw. artentfremdete Verbildete und Wurzellose»; ebd. S. 8.

wollen eine klare und eindeutige Führung und Eingliederung des deutschen Schrifttums. Es ist wichtig, andere Dinge zu ändern als Satzungen. Entweder eine Führung schaffen, zu der man Vertrauen hat, oder einen Vorstand, zu dem man kein Vertrauen hat.

Elster[1] ist für Ablehnung des Antrages, weil vor der Annahme gewarnt werden muß. Der PEN-Club hat sich geleitet nach den bisherigen Satzungen. Es ist Tatsache, daß, wenn die Ehrenvorsitzenden Sitz und Stimme bekommen, sich eine andere Schwergewichtsverteilung ergibt. Ehrenmitglieder können doch ohne weiteres in den Ausschuß gewählt werden.

Kochanowski: Die Ehrung kann in der Form erwidert werden, daß der § 5 «Ehrenmitglieder können an den Ausschuß- und Vorstandssitzungen teilnehmen» als Zusatz die Worte: «Die Ehrenmitglieder haben im Vorstand Sitz» erhält.

handschriftlich: Müller-Jabusch zieht die Worte «und Stimme» zurück.

H. C. v. Zobeltitz verliest nochmals seine Vorstandsliste.

Schmidt-Pauli: Ich bin beauftragt, dem Vorschlag zu widersprechen. Ich habe einen Gegenvorschlag zu machen. Herr Kochanowski hat erklärt, daß er im Namen von Johst und Hinkel spricht. Diese Herren haben gewünscht, daß folgende Liste vorgelesen wird: Vorsitzende: Hinkel, Johst, Schloesser. Schriftführer: v. Leers, v. Schmidt-Pauli. Schatzmeister: Elster, Kochanowski. Elster ist vollkommen gerechtfertigt. Warum soll man ihn nicht wiederwählen? Ich bin ferner beauftragt zu erklären: Falls diesem Vorschlag nicht zugestimmt wird, haben die zu wählenden Vorsitzenden und alle Kampfbundmitglieder bis zu einer weiteren Mitgliederversammlung kein Interesse an den Vorgängen im PEN-Club.

Kochanowski: Es geht beim PEN-Club nicht um innerdeutsche Verhältnisse, sondern um unsere Weltgeltung. Der Kampfbund im Auftrag von Adolf Hitler ringt um die tiefsten Dinge des Deutschtums. Wenn ich hier im Auftrage von Rosenberg und Johst spreche, so bedeutet das wohl mehr, als wenn ich nur als Einzelperson sprechen würde. Wenn wir uns für den PEN-Club einsetzen, so geschieht das für Deutschland. Wir wollen gewiß keine eindeutig nationalsozialistische Liste durchbringen. Wir haben als Bindeglied zu Elster auch Schmidt-Pauli in den Vorstand gesetzt. Ich muß erklären, daß wir nur einem Vorstand in dieser Zusammensetzung zustimmen werden. Ich stelle hiermit den Antrag, die Vorstandsliste, die von Schmidt-Pauli verlesen wurde, zur Abstimmung zu bringen. Falls diese nicht angenommen wird, so ist es

---

1 Dr. Hanns Martin Elster, Pseudonym Hans Bruneck, Schriftsteller (Literaturgeschichte, Kulturgeschichte, Militärgeschichte) und Verleger, *1888; Schriftleiter von: *Das Dritte Reich*, 1933–34, und der *NS-Beamtenzeitung*.

selbstverständlich, daß wir auf keinen Fall einem anderen Vorschlag zustimmen werden.

H. C. v. Zobeltitz: Ich mache den Vorschlag, daß wir unter Ausschluß von mir und von Schmidt-Pauli die Sitzung auf 20 Minuten vertagen.

Bley: Zur Geschäftsordnung. Wir müssen um 7.30 Uhr über den Ausgang der Sitzung berichten. Das Hineingehen von Schmidt-Pauli und Elster in den Vorstand wird als notwendig gewünscht. Der Antrag auf Vertagung wird abgelehnt.

Kochanowski: Ich muß auf unserem Gesamtvorschlag bestehen. Wenn irgendwelche Bedenken gegen den einen oder anderen Herren bestehen, so sind wir gewohnt, diese Bedenken zu meistern. Ich muß erklären, daß, wenn Hinkel und Johst zu Vorsitzenden ernannt sind, diese Herren nicht bedingungslos in den PEN-Club hineingehen, sondern sie maßen sich an, die neue Führung zu bestimmen. Alle Bedenken seien von den Herren Hinkel, Johst und Rosenberg in Betracht gezogen worden und er habe das Vertrauen zu den neuen Vorsitzenden, daß der neue Vorstand unter ihrer Führung vollständig im Sinne unserer neuen Reichsführung arbeite.

v. Grote [1]: Bevor abgestimmt wird über eine neue Liste, muß abgestimmt werden, ob die Versammlung vertagt werden soll.

v. Leers [2] bittet, Antrag auf Vertagung abzulehnen und in die Abstimmung über die Liste 2 einzutreten.

Haensel: Wir müssen zuerst abstimmen über den Antrag Grote auf Vertagung der G. V. zwecks Rücksprache mit den Herren, die die neue Liste vorgelegt haben.

---

1 Hans Henning Freiherr von Grote, Schriftsteller (Roman, Lyrik); Herausgeber von *Deutschlands Erwachen*, 1933.

2 Johann von Leers, Schriftsteller, *1902; Autor von: *Reichskanzler Adolf Hitler*, 1933; *Kurzgefaßte Geschichte des Nationalsozialismus*, 1933; *14 Jahre Judenrepublik*, 1933; *Juden sehen dich an*, 1933; *Geschichte auf rassischer Grundlage*, 1934; *Blut und Rasse in der Gesetzgebung*, 1938; *Arteigenes Recht und Unterricht*, 1938; *Die geschichtlichen Grundlagen des Nationalsozialismus*, 1938; u. a. m.; Mitverfasser von: *Die Kriminalität des Judentums*; Mai 1936 SS-Untersturmführer; November 1936 SS-Obersturmführer; Januar 1938 SS-Hauptsturmführer; April 1939 SS-Sturmbannführer; in seinem handschriftlichen Lebenslauf schreibt er am 22. 6. 1936 u. a.: «Am 1. 8. 1929 schloß ich mich der NSDAP an; ich habe seither als Redner in vielen Versammlungen, als Schriftleiter und Schriftsteller für die NSDAP, in der ich meine Lebensaufgabe auf dem Gebiet der deutschen Geschichte im Sinne von Blut und Boden gefunden habe, gekämpft. Eine besonders beglückende Anerkennung meiner Arbeit auf diesem Gebiet ist mir, daß mich der Reichsführer-SS, ungeachtet dessen, daß ich gesundheitlich immer etwas kränklich war und bin, mit Rücksicht auf meinen Einsatz auf diesem Gebiete, in die SS aufgenommen hat, daß ich mit meinen Kräften hier für den Führer und die Bewegung noch besser wirken zu können hoffen darf.» Lebenslauf im Besitz des Herausgebers.

73

Der Antrag auf Vertagung wird mit Stimmenmehrheit abgelehnt. Die Liste wird einstimmig gewählt.

Kochanowski liest die Ausschußliste vor, die durch Akklamation gleichfalls einstimmig angenommen wird.

Der neue Vorstand wird beauftragt und ermächtigt, die Vorbereitungen des Kongresses in Ragusa einzuleiten und zu treffen. Kochanowski spricht den Dank an die Versammlung aus.

Herr von Zobeltitz dankt der Versammlung und schließt sie um 9 Uhr.

gez.: Dr. v. Leers   gez.: E. v. Schmidt-Pauli

«Der unabhängige Schriftsteller und die Presse»

Der Brief ist gekürzt; die fehlenden Punkte behandeln rein technische Dinge, wie Reise, Hotel, Geld, usw.

An das
Comité préparatoire de XIe congrès
international des PEN-Clubs
Zagreb Opaticka 9   den 3. Mai 1933

Sehr verehrte Herren!
Gestern sandte ich Ihnen in Ergänzung unseres Telegramms vom 29. April ein zweites Telegramm mit folgendem Inhalt: «Deutscher PEN-Club ergänzt Telegramm vom 29. April. Teilnehmer sind: Hanns Johst und Frau, Hans Hinkel und Frau, Rainer Schloesser, Erich Kochanowski, Edgar von Schmidt-Pauli, Hanns Martin Elster und Frau, Ludwig Wolde, Friedrich Kurt Benndorf, Theodor Berkes und Frau. Außer Berkes und Frau sowie Benndorf wählen alle Dampfer Triest am 23. Mai und wohnen auf dem Schiff. Offizielle Delegierte sind: Elster und Kochanowski. Brief folgt.»

3. Die Teilnehmer werden heute noch von mir aufgefordert, gemäß Ihrer Mitteilung vom 14. April so schnell wie möglich einige Daten über ihr Leben und ihre Werke an Sie abgehen zu lassen. Meine Daten liegen hier bei.

4. Melde ich hierdurch für das Thema «L'écrivain indépendant et la presse» (Der unabhängige Schriftsteller und die Presse) als Berichterstatter Herrn Hans Hinkel an.[1]

6. Unsere beiden offiziellen Delegierten sind der Unterzeichnete und Herr Erich Kochanowski. Ich spreche Ihnen, sehr verehrte Herren, auch

---

1 Später beauftragte der deutsche PEN-Club Fritz Otto Busch, diesen Vortrag zu halten. Dazu kam es aber nicht, weil die offizielle deutsche Delegation den Kongreß in Ragusa verließ.

im Namen von Herrn Kochanowski, schon heute unsern herzlichsten Dank aus für die Gastfreundschaft, die Sie uns gütigerweise nach Ihrem Schreiben vom 6. Februar gewähren.

Meine Frau begleitet mich, und ich darf wohl die Bitte aussprechen, die notwendigen Scheine und Anweisungen für uns drei gemäß Ihrem Schreiben vom 6. Februar zu übersenden.

7. Ich darf auch zurückkommen auf dieses Schreiben vom 6. Februar und für Ihre freundliche Gastlichkeit bezüglich anderer distinguierter Mitglieder, die Sie als Ehrengäste eventuell aufnehmen wollen, danken. Hanns Johst, Hans Hinkel und Rainer Schloesser sind jetzt seit der Generalversammlung des PEN-Clubs Deutsche Gruppe vom 23. April die Vorsitzenden des deutschen PEN-Clubs und kommen für die Ehrenliste in Betracht. Ihre weiteren Nachrichten darüber darf ich erbitten.

Sollten deutsche Mitglieder unter Umgehung unserer Zentrale sich bei Ihnen unmittelbar angemeldet haben, so bitten wir höflichst, uns diese Anmeldungen doch sofort bekanntzugeben, damit wir wissen, welche deutschen Mitglieder wir noch in Dubrovnik antreffen.

Ich darf damit schließen, daß wir uns sehr auf den Kongreß in Dubrovnik freuen.

Mit aufrichtigen Empfehlungen
Ihr ganz ergebener
Hanns Martin Elster

Erfreulicherweise

Will Vesper in: *Die neue Literatur*, 1933, S. 365–366.

Will Vesper, Schriftsteller (Lyrik, Bühnendichtung, Novelle, Märchen, Roman), 1882–1962; ab 1923 Herausgeber der *Neuen Literatur*; einen Monat vor diesem Aufsatz – 10. 5. 1933 – war Vesper Hauptredner bei der Verbrennung «undeutschen» Schrifttums in Dresden, siehe: *Neuköllner Tageblatt* vom 12. 5. 1933; sein Name wird hier häufig erwähnt werden. Siehe auch Margareta Kreml: *Will Vespers Novellen*, Dissertation, Wien 1941.

Die deutsche Sektion des internationalen PEN-Clubs hat nun auch erfreulicherweise einen deutschen Vorstand bekommen, dem wir zur dringend nötigen gründlichen Säuberung des Klubs die notwendige Entschlossenheit und die richtige Erfahrung wünschen! Wenig Vertrauen in dieser Hinsicht gibt leider die Tatsache, daß man als Vertreter des deutschen Schrifttums zur internationalen Tagung des Klubs in Ragusa ausgerechnet Hanns Martin Elster und Schmidt-Pauli – zwei Herren, die wir längst gern in anderen, ihnen mehr liegenden Branchen tätig sähen – und einen auch uns völlig unbekannten Herrn Fritz Otto Busch [1]

---

1 Fritz Otto Busch, Pseudonym Peter Cornellissen, Schriftsteller (Seekriegsgeschichte, Feuilleton), *1890; Hauptschriftleiter von: *Die Kriegsmarine*.

entsandt hat. Der PEN-Club ist ein internationaler, freier Schriftsteller-bund. Wenn die deutschen Vertreter die deutschen Grenzen überschreiten, haben sie vor dem internationalen Forum allein die Autorität, die sie sich selbst durch überragende und allgemein anerkannte schriftstellerische Leistungen erworben haben – und gar keine andere! Sie müssen sich vor einer Auslese der Vertreter des Schrifttums aller europäischen Länder behaupten und werden in diesem Jahr als Vertreter des verfemten Deutschland einen doppelt heiklen Stand haben. Nur die eigene Leistung, die auch den Gegner zwingt, in ihnen Ebenbürtige zu achten, kann ihnen Gehör und Wirkung verschaffen. Es kämen also als Vertreter Deutschlands nur Männer von höchster politischer und kulturpolitischer Autorität, wie Rosenberg[1] oder Goebbels[2], in Frage, oder Männer höchster dichterischer Autorität, wie Stehr[3], Kolbenheyer oder Grimm[4]. Da aber sich im gegenwärtigen Augenblick keiner von diesen sich von dem Auftreten vor einem internationalen und zum größten Teil feindlichen Schriftstellertum das geringste Gute für Deutschland versprechen kann, so sollte es selbstverständlich sein, daß die deutsche Sektion in diesem Jahre der Zusammenkunft fernbliebe – besonders, da auch die befreundete italienische Sektion Ragusa meidet. Wir haben von dieser Fahrt nach Ragusa nichts als Peinlichkeiten zu erwarten.

Berichte

Hier folgen die internen Berichte der deutschen PEN-Club-Delegation über den Ragusa-Kongreß. Um die Einstellung den Deutschen gegenüber und deren Auftreten besser zu illustrieren, seien einige französische und englische Pressestimmen den Berichten vorangestellt, damit der Leser ein möglichst objektives Bild erhält.

1 Alfred Rosenberg, 1893–1946; 1918 erster Vortrag über die Judenfrage; 1919 Bekanntschaft mit Adolf Hitler; ab 1922 Hauptschriftleiter des *Völkischen Beobachters*; 1929 gründete er den *Kampfbund für Deutsche Kultur*; 1930 die *Nationalsozialistischen Monatshefte*; 1933–34 Leiter des Außenpolitischen Amtes der NSDAP und «Beauftragter des Führers für die gesamte weltanschauliche Schulung und Erziehung der NSDAP»; 1941–45 Reichsminister für die besetzten Ostgebiete.

2 Dr. Paul Joseph Goebbels, 1897–1945; ab 1925/26 Gaugeschäftsführer der NSDAP im Ruhrgebiet und Redakteur der *Nationalsozialistischen Briefe*; 1926 NSDAP-Gauleiter in Berlin; 1927 Herausgeber des *Angriff*; 1930 Reichspropagandaleiter der NSDAP; 1933 Reichsminister für Volksaufklärung und Propaganda.

3 Hermann Stehr, Schriftsteller (Roman, Novelle, Lyrik), 1864–1940.

4 Über Erwin Guido Kolbenheyer und Hans Grimm s. S. 107 f und 337 f.

Le Temps, Paris, vom 27. 5. 1933, gekürzt:

Der internationale PEN-Club-Kongreß wurde in Gegenwart der Delegierten aus 67 Ländern Donnerstag von den Jugoslawen eröffnet. Nach der Begrüßung durch den jugoslawischen PEN-Club-Präsidenten, Stefanowitch, und den stellvertretenden Kultusminister, erklärte der Romanschriftsteller Wells: «Die bisherigen Ideale des PEN-Club, eine weltweite geistige Gemeinschaft und das Ideal der Freiheit, werden in letzter Zeit überall von einer wahren ‹Besessenheit der Disziplin› bedroht. Der PEN-Club muß dagegen ankämpfen, um seine Ideale aufrechtzuerhalten. Wenn ihm dies nicht gelingt, werden mittelalterliche Zustände heraufbeschworen.»

Die eindeutige Anspielung auf die Methoden des Hitler-Regimes den deutschen Intellektuellen gegenüber wurde mit Beifall aufgenommen. Jules Romains sollte in der Nachmittagssitzung sprechen, weigerte sich jedoch es zu tun, bevor er nicht die offiziellen Vertreter des deutschen PEN-Clubs gehört hatte. Eine ähnliche Erklärung gab Ernst Toller ab, einer der vom Hitler-Regime vertriebenen Schriftsteller.

Als der österreichische Schriftsteller Jacob erschien, dessen Werke in Deutschland verbrannt worden waren, fragte ihn Elster vom deutschen PEN-Club: «Wann kommen denn die Österreicher?» Jacob entgegnete: «Weshalb sollten sie kommen, wenn man ihre Werke in Deutschland verbrennt?» Offenbar peinlich berührt, erklärten die Deutschen, nach solchen Worten wäre es ihnen unmöglich, die Unterhaltung fortzusetzen, und der Österreicher meinte: «Um so besser!»

Der PEN-Club in Palästina schickte dem Kongreß ein langes Telegramm, in dem es u. a. hieß: «Da die Deutschen in Dubrovnik sind, haben wir dort nichts zu suchen.» Außerdem enthielt das Telegramm eine Aufzählung der Gewalttaten gegen die Juden in Deutschland.

Le Temps, Paris, vom 29. 5. 1933:

Nach Schalom Asch sprach am Samstag der in seiner Heimat geächtete deutsche Schriftsteller Ernst Toller auf dem PEN-Club-Kongreß. Seine Rede richtete sich gegen die Maßnahmen, denen die deutschen Intellektuellen seitens des Hitler-Regimes ausgesetzt sind. Unter großem Beifall rechnete Toller mit der nationalsozialistischen Regierung ab und verlas eine Liste von Intellektuellen, die verhaftet, und von Schriftstellern, deren Werke verbrannt worden sind.

Emil Ludwig reichte dem Kongreß sein Austrittsgesuch ein. Er wollte der deutschen Sektion des PEN-Clubs nicht mehr angehören, nachdem diese widerspruchslos zugelassen hatte, daß man 10 000 deutsche Bürger einsperrte, pazifistische Intellektuelle verhaftete und die Erinnerungstafel an den niederträchtigen Walther Rathenau-Mord entfernte.

The Manchester Guardian vom 8. 6. 1933, gekürzt.

Wenn ein Schriftsteller-Treffen wie der 11. Internationale PEN-Club-Kongreß in Jugoslawien zum Schauplatz heftiger politischer Demonstrationen wurde, obwohl es sein Ziel ist, sich jeder Politik fernzuhalten, entbehrt das nicht einer gewissen Komik und Ironie. Eine Organisation, die für freien literarischen Meinungsaustausch eintritt, kann jedoch kaum übersehen, daß in Deutschland Bücher verbrannt werden und der größte Teil seiner großen Schriftsteller im Exil lebt.

Im Stadttheater Dubrovniks führte H. G. Wells den Vorsitz. Er hat John Galsworthy als Präsident des englischen PEN-Clubs und als Präsident der Welt-Föderation abgelöst. Im Hinblick auf Deutschland sah sich Wells der fast unlösbaren Aufgabe gegenüber, die Politik auszuschalten und die erregten Delegierten zu besänftigen, die darauf brannten, das Hitler-Regime anzugreifen; andererseits mußte er den deutschen Delegierten Gerechtigkeit widerfahren lassen.

Die Stürme, die der Antrag des amerikanischen Delegierten Dr. Henry Seidel Canby hervorrief, waren nichts im Vergleich zu denen, die der Annahme des Antrags folgten. Er besagte etwa, in Übersee würden chauvinistische Tendenzen spürbar, durch welche die Menschheit erniedrigt und zu Verfolgungen der Mitmenschen angeregt würde. Pflicht des Künstlers sei es jedoch, die Geistesfreiheit zu bewahren und die Menschheit nicht Beute von Bosheit, Unwissen und Angst werden zu lassen. Deshalb riefen die amerikanischen PEN-Club-Mitglieder alle im PEN-Club Vereinigten auf, die Grundsätze, auf denen die Organisation aufgebaut ist und die beim 5. Internationalen PEN-Club-Kongreß 1927 in Brüssel als Resolution der englischen, französischen, deutschen und belgischen Delegierten erneut eingebracht und einstimmig angenommen wurden, nochmals zu bestätigen. In jener Resolution heißt es u. a.: Trotz aller politischen und internationalen Umwälzungen sollte die Literatur, obwohl ursprünglich national, keine Grenzen kennen und Allgemeingut aller Völker bleiben. Das Erbe der Menschheit, die großen Kunstwerke, müssen unter allen Umständen – besonders in Kriegszeiten – über allen nationalen und politischen Interessen stehen. Jeder Angehörige des PEN-Club hat stets für gute Verständigung und Achtung der Nationen untereinander einzutreten. Der PEN-Club dient dem Verständnis und der Pflege freundschaftlicher Beziehungen zwischen Rassen und Völkern. Keinesfalls dürfen Chauvinismus, rassische Vorurteile und politische Böswilligkeit verteidigt oder gar propagiert werden!

An sich hätten die Deutschen nun ihre Einstellung darlegen können. Mehrere Delegierte taten sich jedoch zusammen und erstellten eine weit bestimmter formulierte Resolution. Diese wurde von den Deutschen als «von politischer Natur» abgelehnt. Nachdem sich die Verantwortlichen mit den Deutschen zusammengesetzt und alles so abgeändert hatten, daß jeder damit einverstanden sein konnte, weil die Resolution nur noch allgemeine Bedingungen enthielt, wenn sie auch auf die Bücherverbrennungen Bezug nahm, erklärten die deutschen Delegierten dem Präsidenten, sie würden diesen Antrag unterstützen, falls keinerlei Diskussion folge. Wells lehnte eine derartige Zusicherung ab, denn jedem – so meinte er – stehe ein Diskussionsrecht zu. Sofort erbat ein Delegierter die Erlaubnis, der deutschen Delegation zwei Fragen stellen zu dürfen: Hatte das deutsche PEN-Zentrum gegen die Mißhandlung deutscher Intellektueller und die Bücherverbrennung protestiert? Stimmte es, daß das Berliner PEN-Zentrum seinen Mitgliedern schriftlich mitgeteilt hatte, jeder mit kommunistischen oder «ähnlichen» Ansichten gehe seiner Mitgliedschaft verlustig. Die erste Satzung des PEN-Clubs, sich jeder Politik zu enthalten, wäre damit schon mißachtet worden.

Der deutsche Dichter und Dramatiker Ernst Toller, der begeistert begrüßt wurde, schlug vor, nach der Abstimmung zu sprechen. Wells wies nochmals darauf hin, daß er die Diskussion gestatte, die Fragen der englischen Delegation für zulässig halte und Toller gleich sprechen sollte, wenn er dies wünsche.

Sofort erklärte ein deutscher Delegierter, falls Toller spräche, würden die Deutschen die Resolution nicht unterstützen. Wells änderte seine Entscheidung deshalb jedoch nicht und verwies darauf, daß jeder das Recht habe zu sprechen. Man zollte dieser Erklärung großen Beifall.

Die Deutschen verließen den Saal, und die Versammlung debattierte lange über die Gründe dafür. Zweifellos sahen die deutschen Delegierten keine andere Möglichkeit, sich aus einer unangenehmen Lage zu befreien. *Auch einige schweizerische, österreichische und holländische Delegierte verließen nach den Deutschen zunächst den Saal, kehrten aber schon bald wieder auf ihre Plätze zurück.*

The Manchester Guardian vom 14. 6. 1933:

Alle, die heute abend zum PEN-Club-Essen erschienen, hofften auf einen ausführlichen Bericht über die Vorgänge bei der Konferenz in Dubrovnik. Der Sekretär Hermon Ould gab die offizielle Version über die Konferenz und das Verlassen der deutschen Delegation bekannt. Nach ihm ergriff sofort der jugoslawische Übersetzer von Galsworthy, Vidacovic, das Wort und erklärte lächelnd, «er habe einen völlig anderen Eindruck von den Geschehnissen gehabt». Ferner teilte er mit, die französische Delegation sei schon mit der Absicht gekommen, den Ausschluß der deutschen Gruppe zu verlangen. Die Deutschen wiederum nahmen an, Wells stehe auf ihrer Seite und spendeten ihm daher laufend Beifall. Die Franzosen aber ärgerten sich, weil Wells ihrem Antrag kein Gehör schenkte und den Deutschen sogar die Hand schüttelte.

Daily Telegraph vom 19. 6. 1933:

In seiner Ansprache als Präsident des Internationalen PEN-Club-Kongresses, einer Weltorganisation der Schriftsteller, sagte H. G. Wells bei der gestrigen Eröffnung in Edinburgh unter anderem: «Ich bin immer noch der gleichen Meinung, wie sie im vergangenen Jahr ausdrücklich geäußert wurde, daß Literatur, Wissenschaft und Kunst viel wichtiger sind als Politik. Wenn es sich vermeiden läßt, kümmern wir uns nicht um Politik. Was aber, falls Politiker und Politik, Armee und Polizei gegen uns aufstehen und sich erdreisten, Hand an Literatur oder Wissenschaft zu legen? Was tun, falls sie sich an Büchern vergreifen? Was, wenn sie auch die Wissenschaft angreifen? Kann der PEN-Club auch dann noch ruhig zuschauen und behaupten, er habe mit Politik nichts zu tun?»

Über den Bruch des PEN-Clubs mit dem PEN-Zentrum in Berlin sagte Wells: «Die Tatsachen liegen auf der Hand. Schriftsteller, die Juden, Kommunisten, Pazifisten oder Menschen sind, die gleich Platon oder Jesus Christus lediglich kommunistische Tendenzen zeigten, sind vom Berliner PEN-Zentrum hinausgeworfen oder ausgeschlossen worden. Der PEN-Club mußte also entweder mit seinen universalen Prinzipien oder mit Berlin brechen.

Möglicherweise gelingt es einigen deutschen Schriftstellergruppen im Exil, lokale PEN-Zentren ins Leben zu rufen, denen wir dann wenigstens zeitweilig einen Mittelpunkt in London oder Paris schaffen. Wir hoffen jedoch, über kurz oder lang Zustände zu erleben, die uns eine Zusammenarbeit mit dem wiederaufgebauten deutschen PEN-Club ermöglichen, wenn wieder alle Richtungen deutschen Denkens mit einem eigenen Zentrum auf deutschem Boden vorhanden sind.»

Am 24. Mai

Der Brief ist gekürzt. Die Tippfehler in diesen Berichten sind berichtigt.

Handschriftlich:
Abschrift fertigen für Pg.   Gravosa, den 24. Mai 1933 (Ragusa)
Hinkel, Johst, Schlösser [1] etc.   *Eingangsstempel:*
und Goebbels!   Eing. 29. Mai 1933 R. f. D. K.

Handschriftlich:
Abschrift an Johst, Schlösser, Bley, Stehr.
an Hinkel 8. 6. 33 – am 30. 5. 33 gegeben. Pk.

Lieber Pg. Kochanowski!
Während der Überfahrt von Triest nach Ragusa (Gravosa) haben wir
drei, unterstützt von dem PEN-Club-Mitglied Herrn Wolde [2], die äußerst animose Stimmung gegen Deutschland zu verbessern versucht.
Wir fanden folgende Situation vor: an Bord waren vertreten England,
Frankreich, Italien, Holland, Schweiz, Jugoslawien, Belgien, Südafrika,
Schottland, Jiddischer PEN-Club. Zunächst war alles gegen uns, und
zwar sehr ausgesprochen mit Ausnahme der Schweiz, Holland, Italien.
Es sah aus, als ob wir von vornherein auf den sofortigen Austritt zu-
steuern müßten. Durch fortgesetzte persönliche Gespräche mit einzelnen Mitgliedern der verschiedenen Delegationen gelang es ganz allmählich, die Situation etwas zu klären. Hierbei stellten wir fest, daß unser
Hauptgegner der frz. Vertreter, der Jude Benjamin Crémieux [3], und –
allerdings in anderer Art – der jiddische Vertreter Schalom Asch [4] waren. Der Franzose hetzte sowohl bei näheren Besprechungen zwischen
Mr. Wells [5], dem Präsidenten, und uns, wie auch bei allen anderen privaten Gelegenheiten. Seine Taktik ging dahin, uns die Idee des Austritts

---

1 Dr. Rainer Schlösser, Reichsdramaturg, *1899; ab 1924 Mitarbeiter in der
«völkischen» Presse; ab Oktober 1931 kulturpolitischer Schriftleiter im *Völkischen Beobachter*; ab Oktober 1933 Reichsdramaturg, Ministerialdirigent und
Leiter der Abteilung XII, Theater, im Reichsministerium für Volksaufklärung
und Propaganda; auf seine Anweisung hin wurde z. B. Molière im «Generalgouvernement» verboten, siehe: *Frank-Tagebücher* vom 9. 5. 1944, Blatt 2,
Dokument PS–2233; ausführlicher in: *Theater und Film im Dritten Reich*
(Ullstein Buch 33031).
2 Dr. jur. Ludwig Wolde, Schriftsteller (Erzählung), *1884.
3 Benjamin Crémieux, französischer Romancier und Essayist, *1888.
4 Schalom Asch, jiddischer Schriftsteller (Romane, Dramen, Erzählungen),
1880–1957; bedeutendster Romancier der modernen jiddischen Literatur, seine
Romane wurden in alle Weltsprachen übersetzt.
5 H. G. Wells, englischer Schriftsteller, 1866–1946, veröffentlichte ca. 100
Bände.

aufzuoktroyieren. Wir sahen als Hauptfrage die Vorbereitung der Sitzungen an, die eine ganze Reihe von Gefahrenmomenten in sich barg.

Auf unser Betreiben traten wir zunächst zu einer vertraulichen Besprechung mit den beiden Hauptvertretern Englands und den Franzosen zusammen. Hier hatten wir alle gegen uns. Die Herren beabsichtigten, Anträge mit direkter deutschfeindlicher Spitze durchzulassen. (Bücherverbrennung [1] und Judenfrage u. a.) Wir ließen keinen Zweifel darüber, daß wir, falls solche Anträge eingebracht würden, austreten müßten. Diese ernste Erklärung machte ebenso wie unsere weiter fortgesetzte Taktik der Einzelbearbeitung der Delegierten während der Fahrt sichtlichen Eindruck. In einer gemeinsamen Besprechung unter uns einigten wir uns auf die Taktik, zu der vom Präsidenten des PEN-Clubs erbetenen erneuerten Aussprache am Morgen des nächsten Tages, S. P. [2] und Wolde vorzuschicken, um damit das Terrain besser abtasten und die beiden Delegierten einstweilen unverbindlich in der Reserve halten zu können. Zu dieser Unterredung gelang es, zur Unterstützung den Italiener Marinetti [3] von der italienischen Delegation einzuschalten. Es konnte festgestellt werden, daß Wells wesentlich entgegenkommender eingestellt war und sich offensichtlich Mühe gab, einen Ausweg zwischen der Obstruktion des Franzosen und unserer vorgeschriebenen Haltung zu finden. Immerhin kam es noch zu keinem Ergebnis, und es wurde eine neue vertrauliche Sitzung am Abend desselben Tages im Hotel Imperial in Ragusa nach unserer Ankunft anberaumt. Die Zwischenzeit benutzten wir wieder, um getrennt weiter aufklärend unter den Mitgliedern der Delegationen zu wirken. Bei der abendlichen Sitzung fand sich der Kreis der Teilnehmer erweitert. Ferner nahmen nunmehr auch wir, die offiziellen Delegierten, an der Sitzung teil. Diese Besprechung nahm zunächst einen außerordentlich gefährlichen Verlauf, entwickelte sich dann aber trotz immer wiederholter Eingriffe des Franzosen durchaus zu einem Entgegenkommen im Hinblick auf unseren Standpunkt. Alle politischen Punkte, einschließlich der Judenfrage, wurden von Seiten des Präsidenten fallen gelassen. Auch über den besonders gefährlichen Punkt der Bücherverbrennung (der die Gemüter beinahe noch mehr erregte als die Judenfrage) wollte man offensichtlich hinweggleiten. Wells schlug vor, einen amerikanischen Antrag verallgemeinernden Inhalts, ohne auf Deutschland und die deutsche Politik besonders Bezug zu nehmen, zur Diskussion zu stellen.

Damit war folgendes erreicht:

1) ein Antrag mit feindlicher Spitze gegen Deutschland war abgebogen.

1 Verbrennung «undeutschen» Schrifttums am 10. 5. 1933; s. S. 44 f.

2 S. P. = Edgar von Schmidt-Pauli.

3 Filippo Tommaso Marinetti, italienischer Schriftsteller, 1878–1944; 1919 Begründer der radikalen Form des Expressionismus in Italien, der «Futurismus» genannt wurde; politisch Anhänger des Faschismus.

2) Der vorgesehene, von uns abgeänderte amerikanische Antrag enthielt selbst nach meiner Meinung nichts, das eine abrupte Ablehnung und damit einen sofortigen Austritt berechtigt hätte.

3) Wir haben uns im Gegenteil das Gesetz des Handelns freigehalten und können, falls das Exekutivkomitée im November auf diese Frage zurückkommen sollte, uns vorbehalten, weitere Schritte zu unternehmen.

4) Wir haben einen Sitz und Stimme im Exekutiv-Komitée neu für die deutsche Gruppe errungen.

Voraussetzung für die Zustimmung zum Vorschlage von Wells ist aber noch die Zusicherung seitens des Präsidenten, daß außer dem amerikanischen Antrag keinerlei Anträge, die irgendwie auf Deutschland bezogen werden könnten, zu Worte kommen dürfen. Mit der Herbeiführung dieser Zusicherung haben wir S. P. beauftragt. Von dem hierüber zu erwartenden Bericht werden wir weitere Entscheidungen abhängig machen und entsprechend berichten. Wie ich schon erwartet habe und wie aus diesem Bericht trotz seiner Kürze – ich schreibe dies nachts um 2 Uhr, nachdem wir gerade aus Ragusa von der Sitzung auf das in Gravosa liegende Schiff zurückgekehrt sind – hervorgeht, kann die Schwierigkeit unserer Situation infolge der völlig verzerrten Berichterstattung der uns feindlichen Presse und infolge der maßlosen Hetze der deutschen Emigranten, die sich unter anderem persönlich an den Franzosen wandten, gar nicht genug unterstrichen werden.

Nur durch äußerste Zähigkeit, Geduld und immer erneute Versuche, aufklärend zu wirken, ist es uns gelungen, die französische Falle zu vermeiden und den französischen Einfluß bei den anderen maßgebenden Delegierten abzuschwächen.

Eines ist sicher: wären wir nicht zum Kongreß erschienen und hätten wir nicht jede Gelegenheit an Bord des Schiffes ausnutzen können, so hätte sich der Kongreß zu einer einzigen schweren Anklage gegen Deutschland mit dem ganzen nach draußen hinwirkenden Echo zusammengeballt.

Fritz Otto Busch
E. von Schmidt-Pauli
Hanns Martin Elster

Am 26. Mai

Der Brief ist gekürzt.

Stempel: Eingegangen: 29. 5. 33 L 939   Triest, den 26. Mai 1933
Erledigt: K. W. 11/33   Dienstagmorgen

Lieber Pg Kochanowski!
In aller Eile gebe ich Ihnen (handschriftlich: evtl. für unsere Presse) das Manuskript meines Vortrages, den ich am zweiten Tag der Konferenz

zu halten habe. Daß seine Abfassung richtig ist, merkte ich zu meiner Freude heute morgen beim Frühstück bereits aus den Ausführungen einer holländischen Delegierten, Frau v. Ammersküller [1], die gerade *die* Frage stellte, die ich im Vortrag mich zu beantworten bemüht habe. Die Engländer steigen erst heute mittag auf das Boot, die anderen kommen in Ssusak (Fiume) dazu. (*handschriftlich:* Der jüdische PEN-Club – Schalom Asch – ist hier!)

Es herrschen die unglaublichsten Ansichten über unsere Bewegung, und ich denke, daß wir privatim und durch den Vortrag sehr Gutes im Sinne unserer Bewegung werden leisten können. Mit Ruhe, Liebenswürdigkeit und unter Innehaltung der besten Umgangsformen, die wir aufzuweisen haben, wird es bestimmt meiner Ansicht nach möglich sein, die meisten umzustimmen.

Schmidt-Pauli ist eine große Hilfe durch seine absolut sichere Art und seine Kenntnis der internationalen Umgangsformen, außerdem kennt er sehr viele persönlich. Elster ist m. E. schon rein äußerlich weniger geeignet und wird im Gespräch zu lebhaft, deutet mit dem ganzen Arm und wird zu laut, wenngleich er sonst gewiß zur rechten Zeit an Hand schneller Leitung gut zu gebrauchen ist. Ich glaube, daß es gerade auf die Auswahl auch äußerlich geeigneter Menschen zu diesen Delegationen sehr, sehr ankommt. Wir sind hier der Brennpunkt des Interesses, und ich bedaure nur, daß der deutsche Vortrag nicht schon am ersten Tage stattfindet. Wir werden hinter den Kulissen eine sehr umfangreiche und schwere Aufklärungsarbeit zu leisten haben, die aber Freude macht, weil die Leute ja an uns selbst sehen, daß wir nicht die Barbaren sind, für die sie uns tatsächlich an Hand der Greuelhetze *jetzt noch* halten. Die Wirkung dieser Hetze ist ganz ungeheuer und darf keinesfalls unterschätzt werden. Unser Hinfahren ist m. E. ganz außerordentlich wichtig gewesen und richtig zur Klärung gerade dieser Frage.

Verzeihen Sie die schlechte Schrift. Ich schreibe in rasender Eile und nur, damit Sie gleich Nachricht haben. Den Vortrag können Sie benutzen, wie Sie wollen, bitte nur je zwei Belege an meine Privatanschrift gehen lassen und Honorar an meine Bank: Commerz- und Privatbank, Berlin-Lichterfelde-Ost, (E), Jungfernstieg.

Es ist überaus falsch, bei diesen Gelegenheiten – wie Elster es machte – seine Frau mitzunehmen. Dies in Klammern!

Bitte telefonieren Sie meiner Frau, daß es uns ausgezeichnet geht, herrliches Wetter usw. usw. Nur eben keine Zeit zu Privatsachen, da wir eben dauernd richtigstellen und erklären müssen und keinerlei Zeit haben, uns etwa z. B. die Stadt Triest anzusehen!

Sagen Sie bitte Pg Hinkel, daß ich ihm nochmals für sein Vertrauen

---

[1] Jo van Ammers-Küller, international bekannt besonders durch ihre Familienroman-Serien wie *Die Frauen der Cornvelts*.

herzlich danke, und daß es ihn vielleicht freuen wird, wenn er erfährt, daß unser Hingehen m. E. unbedingt und unter allen Umständen das Richtige war. Elster meinte, es sei besser gewesen, zu mehreren zu erscheinen. Das ist *nicht* richtig. Ich halte gerade die geringe Zahl für jetzt zu diesem Zeitpunkt für absolut das einzig Mögliche und Richtige. Es ist wirklich erstaunlich, wie instinktsicher Pg Hinkel diese Dinge immer anfaßt, und ich versichere nochmals, daß ich mich ganz besonders freue – nachdem ich erst entsetzlich geschimpft habe! – daß man mir dies Vertrauen geschenkt hat. Sprachkenntnisse sind m. E. auch unbedingt conditio sine qua non hier und erleichtern uns alles sehr. Wir fahren heute p. m. weiter, und ich will versuchen, Ihnen auch, wenn ich irgendeinen Moment Zeit habe, eine kleine feuilletonistische Skizze der Reise zu geben, kann es aber nicht sicher versprechen.

Uns allen geht es gut. Nur die italienische Bahn machte Schwierigkeiten. Ich habe S. P. abgeteilt, diese zu beheben. Er ist zum Bahnhof gegangen deswegen. Typisch: Wir verhandelten eine Stunde mit dem sehr bockbeinigen Capostatione in Triest gestern, als wir um 11 Uhr nachts ankamen. Erst als die anderen weg waren und ich ihm in gebrochenem Italienisch (ich kann nur sehr, sehr wenig!) auseinandersetzte, daß wir doch – z. B. ich – von dem Fascismo Tedesco kämen zur Konferenz, da wurde er liebenswürdig und konnte auf einmal, wenn auch gebrochen, deutsch, nachdem er erst so getan hatte, als ob er nicht ein Wort verstünde!!! Wir schieden mit einem Gruß und Händedruck und als gute Freunde. Ich führe das lediglich als kleines typisches Beispiel an.

Mit herzlichem Gruß und Heil Hitler! stets Ihr getreuer

Fritz Otto Busch

Am 27. Mai

Dieser Brief ist gekürzt.

Ragusa-Gravosa, d. 27. Mai 1933
An Bord M. S. «Krajl Aleksander».

Bericht

Es empfiehlt sich, in zukünftigen Fällen einen Berichterstatter mitzugeben, da die Zeit der Delegierten derart ausgefüllt ist mit Besprechungen, Verhandlungen und immer wieder notwendig werdenden Überlegungen mit den einzelnen Herren der Delegation, daß beim besten Willen keine Zeit übrig bleibt, irgendwelche Presseberichte zu schreiben. Wir sind nie vor 12 h, meist erheblich später zu Bett gekommen und haben bis zu diesen Uhrzeiten untereinander oder mit den anderen Delegierten und Mitreisenden verhandelt oder aufklärend gewirkt.

Die ganze Atmosphäre war derart durch die Bücherverbrennung vergiftet und außerdem durch den Haß auf unsere jetzige Regierungsform vernebelt, daß es wirklich ganz außerordentlich schwer war, auch nur die einigermaßen Vernünftigen zu einem milderen und gerechteren Urteil über Deutschland zu bringen. Dieses Urteil wurde jedoch sofort wieder umgestoßen, sowie Toller [1] redete oder Telegramme der «Emigranten» ankamen und die Judenfrage (Leers Broschüre) aufs Tapet kamen. Ein Zustand wie bei Kriegsausbruch – anders ist es nicht zu bezeichnen. Im Laufe der einzelnen Unterredungen konnten wir noch dazu feststellen, daß sowohl die englische als auch die französische Delegation mit der bestimmten Absicht hergekommen waren, die deutsche Delegation auf eine Verletzung der PEN-Club-Grundsätze durch die deutsche Gruppe festzulegen und cum infamia aus dem PEN-Club auszuschließen.

In unserem letzten Bericht waren wir bei der Demarche Schmidt-Paulis bei Wells stehen geblieben. Wells hat nun S. P. erklärt. daß irgendein anderer Antrag in der ersten Arbeitssitzung nicht vorgesehen sei. Insbesondere könne der Antrag der Palästinagruppe deshalb nicht zur Diskussion gestellt werden, weil die Vertreter Palästinas nicht erschienen seien. Er gäbe uns den Rat, die Diskussion über den amerikanischen Antrag möglichst lange hinauszuziehen, damit schon aus Mangel an Zeit kein plötzlicher Antrag aus der Versammlung heraus gestellt werden könne, mit dem man immer rechnen müsse und dessen Besprechung schwer vermeidbar sei. Wells schien also einstweilen eine einigermaßen loyale Haltung einnehmen zu wollen.

Am Nachmittag des 25. Mai hatte noch eine Sitzung des Exekutiv-Komitées stattgefunden, in der neue Schwierigkeiten aufgetaucht waren. So wurde plötzlich die Ankunft Tollers bekannt, die eine ganz neue Konstellation schuf, weil behauptet wurde, Toller erschiene zwar nicht als unser Mitglied, aber auf Einladung der englischen Delegation. In der Sache Toller nahm Wells ebenfalls plötzlich, wie es schien – in Wirklichkeit hatte er, wie wir später erfuhren, den ganzen Theatercoup mit Toller schon in London vorbereitet – eine völlig intransigente Haltung ein. In dieser Sitzung hatte H. M. Elster sehr schwer zu kämpfen und sah sich auch einem sehr gefährlichen Gegner, nämlich dem Generalsekretär Ould [2] des PEN-Clubs gegenüber, der mit Wells zusammenspielte, während andererseits die Franzosen ihre vergifteten Pfeile im Köcher sammelten. Elster entledigte sich dieser Aufgabe, das muß ausdrücklich festgestellt werden, mit großer Zuverlässigkeit und Energie, wie er überhaupt hinter den Kulissen und in den sonstigen noch zahl-

1 Ernst Toller, Dramatiker, Lyriker und Erzähler, 1893–1939, Selbstmord in New York; 1933 verließ er Deutschland. Siehe über ihn die beiden Bücher von Willibrand: *Ernst Toller – Product of Two Revolutions*, New York 1941, und *Ernst Toller and His Ideology*, New York 1945.

2 Hermon Ould, englischer Dramatiker, 1886–1951; Londoner Korrespondent der deutschen Bühnenzeitschrift *Das Theater*.

reichen Besprechungen der Exekutivmitglieder untereinander gut gearbeitet hat. Eine gute Unterstützung fanden wir bei der Arbeit hinter den Kulissen ferner in dem PEN-Club-Mitglied Ludwig Wolde, der treu an unserer Seite mitgearbeitet hat.

Wir hatten untereinander verabredet, daß in den öffentlichen Sitzungen als Redner in erster Reihe S. P. vorgeschickt werden sollte, vor allem, weil er durch seine Sprachkenntnisse in der Lage war, seine Worte selbst auf englisch und französisch zu verdolmetschen, was bei den Erfahrungen mit den überaus schlechten offiziellen Übersetzern in den bisherigen Kongressen wichtig erschien und sich dann auch ausgezeichnet bewähren sollte. Ich selbst sollte und wollte mich für die Aufgabe derjenigen Erklärungen in der Reserve halten, die eine Entscheidung im positiven oder negativen Sinne herbeizuführen hatten. Nun zur ersten Sitzung:

Nach Erledigung einiger Formalien stellte der Präsident Wells die amerikanische Resolution zur Debatte. Kaum war das geschehen, als die Franzosen unter Führung von Crémieux und Romains[1] mit einem Überraschungsantrag vorstießen, dessen Inhalt nicht nur wir nicht kannten, sondern auch der Präsident Wells nicht. Gesprächsweise jedoch verlautete, daß der Antrag scharfe Spitzen gegen Deutschland enthielt. Schon der Umstand, daß die Staaten unter der Führung Frankreichs in der sich nun entspinnenden Geschäftsordnungsdebatte darauf bestanden, daß der Antrag noch vor Eintritt in die Debatte über den amerikanischen Antrag verlesen werden sollte, machte uns blitzartig die Situation klar. Infolgedessen griff auch S. P. sofort in die Debatte ein und stemmte sich gegen die Absicht der Franzosen, indem er in sehr geschickter Weise dem englischen Präsidenten sekundierte. Schließlich bestand Wells darauf, den amerikanischen Antrag zur Debatte zu stellen, mußte aber ankündigen, daß er nach Erledigung des amerikanischen Antrags auch die Diskussion über den noch zu verlesenden französischen Antrag freigeben wolle. Als erster Diskussionsredner zu dem amerikanischen Thema meldete sich S. P. zum Wort und führte aus: Er erklärte im Namen der deutschen Delegation, daß wir dem Antrag im großen und ganzen zustimmen könnten, da er nichts anderes enthielte als eine Unterstreichung der hohen und schönen Ziele des PEN-Clubs. Allein die Tatsache, daß wir hier erschienen seien, zeige, daß die deutsche Gruppe nach wie vor auf dem Boden des PEN-Club stünde. (Beifall bei den uns befreundeten Nationen, Zwischenrufe, auf die S. P. sich weigerte einzugehen). Wir seien im übrigen bereit, auf sachliche Fragen zu antworten, soweit sie nicht auf politisches Gebiet hinüberspielten, denn

1 Jules Romains, französischer Romancier, *1885; international berühmt durch seinen siebenundzwanzigbändigen Roman *Les Hommes de bonne volonté* und seine literarische Richtung «Unanimismus».

das Abgleiten auf dieses Gebiet verbietet sich nach den Regeln des PEN-Clubs selbst. S. P. drückte zum Schluß die Hoffnung aus, daß sich die Diskussion in dem kameradschaftlichen Sinne abspielen werde, in dem die deutsche Delegation hierher gekommen sei. Daraufhin wurde der amerikanische Antrag einstimmig angenommen.

Das war insofern ein deutscher Erfolg, als ein Beweis für unsere entgegenkommende Haltung erbracht wurde und bei vielen Teilnehmern, soweit sie nicht bösen Willens waren, einen guten Eindruck hinterließ. Dann erfolgte die Verlesung des französischen Antrags, dem noch weitere drei Staaten hinzutraten. Dieser Antrag war für uns völlig untragbar, und es trat an uns die Notwendigkeit einer raschen Entscheidung heran, was von unserer Seite zu geschehen hätte, falls die Diskussion über den Antrag tatsächlich eröffnet würde. Wir beschlossen, zunächst den Versuch zu machen, durch Widerspruch die Diskussion zu verhindern. Wenn das nicht half, wollte ich mich zu der Erklärung erheben, daß wir bei Eintritt den Saal verlassen würden. S. P. ergriff nun wiederholt das Wort und deutete auf die Absicht der offiziellen Delegierten hin. Die Erregung wurde sehr stark, weil alle spürten, um was es ging. Als nun auf immer wieder neuen Vorstoß der Franzosen Wells erklärte, die Diskussion zulassen zu wollen, erhob ich mich und gab unter atemloser Spannung des Saales die Erklärung ab, daß wir dann den Saal verlassen müßten. Absichtlich wurde von mir dabei im Dunkeln gelassen, was dieses Verlassen bedeutete. Abermals geriet der Kongreß in eine Geschäftsordnungsdebatte hinein, an deren Schluß Wells offensichtlich mit einer Spitze gegen die Franzosen eine Vertagung eintreten ließ zum Zweck der schriftlichen Vervielfältigung des so bedeutungsvollen Antrags. Als Crémieux zu uns gewandt herüberfragte, ob wir unter Umständen bereit seien, in eine gemeinsame private Beratung mit den Delegierten der 19 Staaten vor Beginn der Nachmittagssitzung zusammenzutreten, oder ob wir auch das ablehnen würden, interpretierte S. P. meine Erklärung nach rascher Verständigung mit uns dahin, daß wir dazu natürlich bereit seien, uns aber ebenso selbstverständlich unsere Stellungnahme vorbehalten müßten.

Diese Beratung fand um 3 h p. m. im Hotel Impérial zwischen uns vieren und den Vertretern der genannten Staaten statt.

Man unterbreitete uns den Text der motion [1]. Wir machten uns zunächst sofort an die Ausarbeitung eines Gegenvorschlags, den S. P. bei Eintritt in die Beratung dem französischen Entwurf entsprechend auf französisch verlas. Als erstes erreichten wir, daß das Wort motion in déclaration [2] verändert wurde. Ein Vorschlag, den S. P. mit besonderem Geschick vorbrachte und auf den die Franzosen, die überhaupt an sich

---

1 *motion* = Antrag.
2 *déclaration* = Erklärung.

über unsere Bereitwilligkeit zu verhandeln sehr erstaunt und sichtlich angenehm enttäuscht waren, eingingen. Der Unterschied zwischen beiden Worten dürfte auf der Hand liegen! Sodann gelang es, eine ganze Reihe von gefährlichen Punkten entweder zu streichen oder so zu verändern, daß die Spitzen gegen Deutschland abgebogen wurden, und die déclaration mehr allgemeinen Charakter erhielt. Lediglich die Erwähnung der Bücherverbrennung und der Absetzung einiger Professoren und anderer Männer geistigen Berufes von Ämtern wurde gestreift und war nicht zu vermeiden. Andererseits wurde verabredet, daß keine Diskussion, weder von Seiten Tollers noch von Seiten des Führers des Judentums, Schalom Asch, obgleich beider Reden bereits angekündigt waren, zugelassen werden sollte. Zu der Erklärung selbst sollten wir keine Stellung zu nehmen brauchen, indem wir uns der Stimme enthalten konnten. Damit hatten wir viel erreicht gegenüber der bedrohlichen Situation vom Vormittag. Denn auch die schärfste Erklärung hätten wir ja nicht verhindern können. Wir hätten nur die Möglichkeit gehabt, durch Verlassen des Saales tatsächlich einen Bruch herbeizuführen. Die feindliche Presse hätte ohne jeden Zweifel unseren Auszug aus dem Sitzungssaal als Flucht ausgelegt und die Angriffe breit aufgemacht, die ohne jede Erwiderung hätten bleiben müssen. Endlich war es uns also geglückt, ein wirklich gutes Einvernehmen, besonders mit den Franzosen zu erzielen. Allerdings mit einer Stunde Verspätung konnten wir mit unseren bisherigen Gegnern im Sitzungssaal erscheinen.

Hier empfing uns Wells nun plötzlich in ganz veränderter Haltung mit einer fast unverständlichen Überraschung, deren Aufklärung erst später durch den Umstand möglich wurde, daß Wells von vornherein und hinter unserem Rücken ein offensichtlich mit Toller abgekartetes Spiel inszeniert hatte, bei dem auch der Generalsekretär beteiligt war. Denn anstatt das Einvernehmen zu begrüßen, die Erklärung verlesen und ohne Diskussion zur Abstimmung bringen zu lassen, bestand Wells plötzlich auf einer Debatte über diese Erklärung.

Im Vorgefühl der großen Gefahr nahmen wir durch S. P. sofort Stellung gegen Wells, wobei wir von den Franzosen sehr loyal unterstützt wurden. Aber alles half nichts. Wir nahmen noch rasch mit den Franzosen und durch S. P. sogar mit Toller Fühlung, der sich zu unserem Erstaunen hier ebenfalls loyal verhielt und erklärte, für unseren inzwischen gestellten Antrag auf Vertagung eintreten zu wollen. Das geschah auch, indem Toller die Tribüne betrat – er wurde dabei charakteristischerweise von geradezu tosendem Beifall begrüßt – und die Erklärung abgab, daß er auf das Wort verzichten wolle, wenn er am folgenden Tage Gelegenheit zu Fragen an die deutsche Delegation erhielte. Daraufhin erklärte der Präsident, er könne Toller keine Gelegenheit zum Sprechen geben, wenn er nicht sofort das Wort ergreife. Toller machte sich zum Sprechen bereit.

In diesem Augenblick erhob ich die Hand, um zur Geschäftsordnung zu sprechen, was mir erst nach sehr energischem Auftreten und einem ganzen Hagel von Zwischenrufen seitens unserer Delegation gelang. In den allgemeinen Lärm hinein und unter unglaublicher Erregung der ganzen Versammlung – kaum jemand saß noch auf seinem Platze – erklärte ich nun folgendes:

Wenn Herrn Toller jetzt vom Präsidenten die Gelegenheit zu einer Rede gegeben wird, bedauert die deutsche Delegation, an den Verhandlungen nicht weiter teilnehmen zu können. Wir haben mit größter Mühe und unter Zurückhaltung eigener schwerster Bedenken mit den Vertretern von 19 Staaten eine Einigung zustande gebracht. Wir sind dabei, was ich durchaus anerkennen muß, von unseren französischen Freunden in loyaler Weise unterstützt worden, wofür ich besonders Herrn Jules Romains meinen Dank ausspreche. Wenn jetzt entgegen der Vereinbarung Herr Toller doch zu Worte kommt, muß ich mit meinen Freunden den Saal verlassen.

Inzwischen hatte sich auch noch der Generalsekretär Ould erhoben und stellte plötzlich entgegen jeder ordnungsgemäßen Geschäftsführung auf Anregung von Wells selbst zwei Fragen an die deutsche Delegation: 1) Hat der deutsche PEN-Club gegen die Bücherverbrennung protestiert? 2) Ist es wahr, daß der deutsche PEN-Club in einem Rundschreiben eine Anzahl von Mitgliedern wegen ihrer Zugehörigkeit zur kommunistischen Partei ausgeschlossen hat? Wenn das der Fall ist, würde der deutsche PEN-Club gegen die Regeln des PEN-Clubs verstoßen haben.

Sofort sprang S. P. auf und protestierte gegen diesen eklatanten Bruch der Geschäftsordnung. Er bat gleichzeitig nochmals eindringlich, die deutsche Delegation nicht in die Lage des Vormittags zu versetzen und sie zu zwingen, gemäß der eben abgegebenen Erklärung des offiziellen Delegierten Busch handeln zu müssen. Außerdem wies S. P. nochmals auf die Möglichkeit hin, die Fragen des Herrn Ould, falls sie am nächsten Tage ordnungsmäßig gestellt würden, zu beantworten.

Als nun Wells Toller trotzdem das Zeichen zum Beginn seiner Rede gab und Toller anfangen wollte, griff ich zum Zeichen des Aufbruchs nach meiner Mappe. Gleichzeitig erhoben sich meine deutschen Freunde, und bereits im Fortgehen rief S. P. mit ausgestrecktem Arm dem Präsidenten auf Englisch zu: «Wenn wir jetzt zu unserem Bedauern genötigt sind, den Saal zu verlassen, so haben Sie, Herr Präsident, die volle Verantwortung zu tragen.»

Unter ungeheurem Lärm, in den sich starker Beifall mischte, zum Teil für uns von unseren Freunden, in diesem Falle auch von den Franzosen, zum Teil aber auch aus Freude über unseren Abzug, verließen wir geschlossen, aber ganz ruhig den Saal.

Fortsetzung des Berichtes morgen.

Busch

Am 28. Mai

Der Bericht ist gekürzt.

Fortsetzung des Berichtes.
Ragusa, Sonntag, den 28. Mai 1933

Kaum hatten wir den Saal verlassen, um die Abfassung des Telegramms vorzunehmen, kamen uns nach: Frau von Urbanitzky [1], die Gründerin des österreichischen PEN-Clubs, die nicht nur unsere Demonstration unterstützte, sondern auch sofort ihr Mandat als Delegierte niederlegte. Dasselbe war der Fall bei der holländischen Delegierten Frau von Ammersküller. Auch der Präsident des Baseler PEN-Clubs, Herr Stickelberger [2], hatte den Saal mit uns verlassen, begleitet von dem Schweizer Wirz [3] und Hermann Burte [4]. Für die Vorgänge im Saal nach unserem

---

1 Grete von Urbanitzky-Passini, Schriftstellerin (Lyrik, Roman, kulturpolitische Aufsätze), * 1893; noch am 8. 4. 1933 schrieb sie nach monatelangem Aufenthalt in Berlin an den Londoner PEN-Club – Brief im Besitz des Herausgebers –: «Bei meinem Eintreffen in Wien war ich ganz bestürzt über die Haltung eines Teils unserer Presse, die eine wüste Greuelhetze gegen Deutschland angezettelt hatte und bewußt falsche Nachrichten über die Vorgänge im Reich brachte.» Weiter heißt es dann im Schreiben: «Ich stelle fest, sämtliche führenden Männer der nationalsozialistischen Partei, Politiker wie Schriftsteller und Sturmführer, erklärten mir, sie beabsichtigten in keiner Weise, Juden, die deutsche Staatsbürger sind, oder in Deutschland lebende Ausländer in ihren Rechten zu beschränken, oder gar, wie in vielen ausländischen Zeitungen zu lesen stand, deutsche Staatsbürger jüdischer Konfession zu verfolgen.» Nach dem Kongreß in Ragusa trat G. v. Urbanitzky wegen einer antideutschen Resolution des Wiener PEN-Clubs gleich anderen «völkischen» Schriftstellern aus ihm aus, siehe *Berliner Lokal-Anzeiger* vom 29. 6. 1933, Morgenausgabe; Ende September 1933 veranstaltete der deutsche PEN-Club in Berlin mit dem *Kampfbund für Deutsche Kultur*, der Dichterakademie sowie anderen Institutionen und Organisationen eine Solidaritätskundgebung für die österreichischen Gesinnungsgenossen, bei der G. v. Urbanitzky – damals schon Mitglied des deutschen PEN-Clubs – sprach, siehe ebd. am 29. 9. 1933; diese Aktivitäten bewahrten G. v. Urbanitzky jedoch später nicht davor, daß ihre Romane im Dritten Reich verboten wurden.

2 Dr. theol. h. c. Emanuel Stickelberger, Schriftsteller (Roman, Geschichte, Novelle), * 1884.

3 Otto Wirz, Schriftsteller (Roman, Novelle), 1877–1946.

4 Dr. Hermann Burte, Schriftsteller (Roman, Bühnendichtung, Lyrik, Malerei), * 1879; schon in seinem 1912 erschienenen Roman *Wiltfeber, der ewige Deutsche* klagt der Held, nach neunjähriger Abwesenheit in die Heimat zurückgekehrt: «Ich suchte meine Rassebrüder; da waren es Mischlinge siebenten Grades, bei denen jedes Blut das andere entartete» – zitiert nach Vilmar-Rohr, *Geschichte der deutschen National-Literatur*, Berlin 1936, S. 398–399; siehe auch

Weggang sind wir natürlich auf die Darstellung anderer angewiesen. Doch läßt sich infolge des Zusammenströmens der verschiedenen Aussagen folgendes einigermaßen präzise feststellen:

Toller sagte an diesem Tage nicht viel, sondern betonte, daß er lieber angesichts der deutschen Delegation hätte sprechen wollen. Er beschränkte sich daher auf einige Ausfälle gegen die Bücherverbrennung und seinen eigenen Ausschluß aus dem deutschen PEN-Club. Dann wurde trotz unseres Weggangs der Antrag der 21 Staaten angenommen, und zwar so, wie es zwischen ihnen und uns verabredet worden war. 14 Nationen, darunter die Franzosen selbst, enthielten sich aber jetzt der Stimme, um gegen Wells zu protestieren. So kam der Antrag mit 10 gegen 2 Stimmen durch. Außerdem wählte man Deutschland wieder in das Exekutiv-Komitée.

Endlich erschien am nächsten Morgen, Sonnabend, den 27. morgens, der Präsident des jugoslawischen PEN-Clubs, begleitet von seinem Generalsekretär, um uns zu überreden, den Sitzungen wieder beizuwohnen, und vor allem, um uns zu bitten, die jugoslawische Gastfreundschaft trotz des Vorfalles nicht auszuschlagen.

Wir betonten dagegen – auch allen Journalisten gegenüber –, daß es uns unmöglich sei, uns nochmals einer so unsachgemäßen Führung der Verhandlung auszusetzen. Andererseits wären wir Jugoslawien für die Gastfreundschaft dankbar.

Zur Lage hatten wir zu überlegen: zur Abgabe der uns mitgegebenen Erklärung und noch weniger zur Erklärung eines Austritts aus dem PEN-Club lag keine Veranlassung vor, weil der Kongreß selbst keinerlei politische Erklärung gegen Deutschland abgegeben hatte. Unsere Aktion durften wir daher nur auffassen lassen als einen Protest gegen die Geschäftsführung von Wells. Über einen etwaigen Austritt aus dem PEN-Club hatten überdies instruktionsgemäß nicht wir, sondern Berlin zu entscheiden. Da das Präsidium für die Arbeitssitzung am Sonnabend gewechselt hatte, hätten wir also logischerweise eigentlich an diesem Tage zur Arbeit zurückkommen müssen. Um daher keinen Anlaß zur Bemängelung eines formalen Fehlers zu geben, verfaßten wir folgendes kurze Schreiben an das Präsidium der Arbeitssitzung: «Sehr geehrter Herr Präsident! Wir haben uns zu unserem Bedauern veranlaßt gesehen, die gestrige Sitzung aus Protest gegen die Geschäftsführung zu verlassen. Unser Fernbleiben von der heutigen Sitzung bitten wir Sie hiermit höflichst entschuldigen zu wollen. Mit dem Ausdruck der vorzüglichen Hochachtung haben wir, sehr geehrter Herr Präsident, die Ehre zu sein, Ihre sehr ergebenen ... (folgen Unterschriften der beiden Delegierten Busch und Elster).

Prof. Dr. Fritz Löffler: *Hermann Burtes Sprachgewalt* in: *Jahrbuch der deutschen Sprache*, Leipzig 1941, S. 130 f.

Dieses Schreiben wurde von Herrn v. S. P. persönlich dem schottischen Präsidenten in der Sitzung selbst übergeben. Und zwar absichtlich zum Zwecke einer Demonstration im doppelten Sinne: der Betonung der von uns zu erwartenden Höflichkeit und der Unterstreichung, daß wir an den diesjährigen Sitzungen des PEN-Clubs nicht mehr teilzunehmen gedachten. Die Überreichung durch Herrn v. S. P. geschah, wie von allen möglichen Seiten versichert wurde, mit ausgesuchter Haltung. Der Eintritt S. P.'s in den Theatersaal war natürlich eine Sensation! Da er den Brief in der Hand hochhielt, wußte man sofort, daß wir keine Rückkehr beabsichtigten. Gerade das veranlaßte die rechte Seite des Saales, wo Holland, die Schweiz, Österreich, Ungarn, Italien zusammensaßen, zu einem demonstrativen Beifall, an dem sich auch die Franzosen beteiligten. S. P. ging auf die Bühne hinauf und gab den Brief in die Hände des schottischen Präsidenten mit einer Verbeugung ab, um dann sofort wieder den Saal zu verlassen. Unsere Demonstration machte nach den Aussagen aller unserer Freunde einen sehr starken Eindruck. Die Engländer versuchten ihre Verlegenheit durch Lächeln zu verbergen.

In weiterer logischer Verfolgung der Situation hat niemand von uns an dem offiziellen Bankett teilgenommen außer Herrn und Frau Elster, die wir baten, unser Nichterscheinen zu entschuldigen, und die wir als Ehepaar für geeignet hielten, das Gesellschaftliche gegenüber Jugoslawien zu betonen. Auch wir benahmen uns bis zu unserer Abreise, die wegen der miserablen Verbindungen nicht früher erfolgen konnte und der wir auch gar nicht den Charakter einer weiteren Demonstration geben wollten, allen Mitgliedern des Kongresses gegenüber gesellschaftlich betont höflich und korrekt.

In der Schlußsitzung am Sonnabendmorgen geschah nichts besonderes. Zwar hielt Toller entgegen der ausdrücklichen Versicherung von Wells am Tage zuvor, daß er keine Gelegenheit mehr haben werde, zu Worte zu kommen, und deshalb am Freitag das Wort ergreifen mußte, eine kurze Rede. Außer ihm sprach nur Schalom Asch mit tränenerstickter Stimme über die Verfolgung des Judentums durch Deutschland. Er hatte uns auch schon vorher zu mehreren Rücksprachen gebeten und brachte dabei in menschlich erschütternder Weise das Gefühl eines ganzen durch uns «beleidigten» Volkes zum Ausdruck. Er selbst macht einen durchaus anständigen Eindruck und betonte immer wieder, daß er nicht angreifen, sondern nur verteidigen wolle. Er entwarf allerdings ein sehr interessantes Bild von der ganzen fanatischen Geschlossenheit des Judentums der Welt in seinem jetzt auflodernden Haß und seinen weitverzweigten Abwehrmaßregeln. Wir versicherten unsererseits immer wieder, daß eine Beleidigung der Juden als Volk und als Religion weder für den deutschen PEN-Club noch für die deutsche Regierung in Frage gekommen sei oder in Frage komme. Alle Maßnahmen in Deutschland seien nichts anderes als lebensnotwendige Maßnahmen des deutschen Volkes, um die unberechtigte Vorherrschaft der Juden zu brechen und für die Zukunft abzuwehren.

Am 26. Mai   Busch
Bericht   Schmidt-Pauli
(Elster bereits nach Südserbien privatim abgereist)
Sonntag, 28. 5. 33, 1 Uhr mittags.

«Die geistige Freiheit für alle und alles ist jetzt gewährleistet»

Auszug aus der Rede: *Der freie Schriftsteller und die Presse*, die Fritz Otto Busch auf dem PEN-Club-Kongreß in Ragusa halten sollte, in: *Deutsche Kultur-Wacht*, 1933, Heft 11, S. 13.

Die verantwortungsbewußten Schriftsteller der Völker sollen ihr Bestes geben, und wir werden dasselbe tun. Die Welt befindet sich im Umsturz. In Deutschland lebt jetzt kein Schriftsteller mehr, der sich seiner Verantwortung gegenüber seinem Volk, seinem Staat und damit der Welt nicht voll bewußt ist.

Die nationale Revolution, in der sich mein Land befindet – glaube keiner, sie sei etwa beendet: wir stehen im Anfang der Kämpfe um unser Volkstum –, ist keine politische Revolution, sie ist eine geistige Umwälzung. Die Ideen der großen französischen Revolution sind bei uns überwunden, sie sind abgelöst durch die neuen Ideen unserer nationalen Revolution – die Welt muß sich damit abfinden.

Gerade die Aufgabe des PEN-Clubs, das wechselseitige Verständnis zu fördern, kommt unseren Bestrebungen entgegen – nichts ist uns erwünschter, weit werden wir die Tore aufreißen für die Erzeugnisse nationalen Schrifttums auch des Auslandes.

Nur der Kampf gibt schöpferisches Leben; die wundervollen frischen Kräfte dieses Lebens zu erkennen, umzuformen in die Sprache des Geistes, sie mitzuteilen und weiterzuleiten, ist die Aufgabe des freien Schriftstellers. Menschen, die uns, die geistigen Soldaten des neuen, nationalen Deutschland, nicht verstehen wollen, werden einwerfen: «Ihr knechtet die freie Willensmeinung, ihr begrabt die Freiheit!» Oh nein: jetzt erst ist die geistige Freiheit gewährleistet für alle und alles. Unser eigenes, volkhaftes Schrifttum war geknechtet, 14 Jahre lang, nun kann es sich endlich, endlich frei entfalten. Das Wesentliche muß Freiheit haben zum Besten der Nation, nicht das Unwesentliche, das ewige Verneinende, das Kleine und Schmutzige. Wir wollen auch im Geistigen Herren im eigenen Hause sein. Wäre es möglich zum Beispiel, daß ein Chinese, der in London in englischer Sprache schreibt, ungestraft gegen englisches Wesen hetzen dürfte?

Gerade Deutschland hat immer und überall mit Freuden das geistige Hochgut der anderen Völker bei sich aufgenommen. Ich erinnere daran, mit welchem Verständnis und welcher Begeisterung des großen Mussolini Dichtung, «Das Maifeld», bei uns bejubelt wurde!

Zweimal Hanns Martin Elster

Ein Professor aus Rumänien

<table>
<tr><td>Stempel:</td><td>PEN-Club – Deutsche Gruppe</td></tr>
<tr><td>Eing. 14. Juli 1933</td><td>Vorsitzende: Hans Hinkel, Hanns Johst,</td></tr>
<tr><td>K. f. D. K.</td><td>Rainer Schlösser</td></tr>
<tr><td></td><td>Schriftführer: Johann v. Leers,</td></tr>
<tr><td></td><td>Edgar v. Schmidt-Pauli</td></tr>
<tr><td></td><td>Schatzmeister: Hanns Martin Elster,</td></tr>
<tr><td></td><td>Erich Kochanowski</td></tr>
<tr><td></td><td>Büro Hanns Martin Elster</td></tr>
<tr><td>Herrn</td><td>Berlin-Lichterfelde, den 13. Juli 33</td></tr>
<tr><td>Erich Kochanowski</td><td>Devrientweg 10</td></tr>
<tr><td>Berlin W 9</td><td>Fernruf G 3 Lichterfelde 77 69</td></tr>
<tr><td>Linkstr. 29</td><td>Postscheckkonto Dr. Elster, Berlin 137 675</td></tr>
</table>

Lieber Herr Kochanowski!
Anbei gebe ich Ihnen mit der Bitte um Weiterleitung an Herrn Hinkel die Abschrift eines Briefes und meiner Antwort darauf. Der Brief stammt von Professor von Sân-Giorgiu, dem Professor für moderne Literatur an der Universität Bukarest. Prof. von Sân-Giorgiu hat sich auf dem Kongreß in Ragusa sehr an uns angeschlossen, insbesondere an mich. Er bekannte sich zum Nationalsozialismus, bewies auch seinen Antisemitismus wiederholt und zeigte auch in den Debatten und im gesellschaftlichen Treiben, daß er sich aufrecht auf unserer Seite hielt. Seine Kenntnis der deutschen Verhältnisse, der deutschen Literatur waren für mich erstaunlich. Ich gewann von ihm einen sympathischen Eindruck und bin der Meinung, daß man diesen Freund Deutschlands fördern solle, um umgekehrt auch in Bukarest in ihm einen Helfer für unsere Nationale Auslandspropaganda zu haben. Vielleicht wäre es am besten, wenn der PEN-Club ihm in einem der Wintermonate einen Abend einrichtete, an dem er als Vertreter der rumänischen Literatur uns einen Vortrag über die rumänische Gegenwartsliteratur oder über die Beziehungen der rumänischen zur deutschen Literatur hält. Im Anschluß daran könnte er vielleicht noch in dem einen oder anderen Kreise sprechen. Hier erinnere

ich an die Möglichkeiten an der Universität, im Kampfbund und dessen Ortsgruppen usw. Darf ich Sie nun bitten, auch Ihrerseits, falls Herr Hinkel es wünscht, Verbindung mit Prof. von Sân-Giorgiu brieflich aufzunehmen.

Mit herzlichem Dank im voraus und

Heil Hitler!
Ihr ergebener
Hanns Martin Elster

Ein Unbedenklichkeitszeugnis

Stempel:
207
Eing. 25. Okt. 1933
K. f. D. K.
Handschriftlich:
telef. abgesagt
auch für Pg Hinkel
25. 10. 33 Pk.

PEN-Club – Deutsche Gruppe
Vorsitzende: Hans Hinkel, Hanns Johst, Rainer Schlösser
Schriftführer: Johann v. Leers, Edgar v. Schmidt-Pauli
Schatzmeister: Hanns Martin Elster, Erich Kochanowski
Büro Hanns Martin Elster

Herrn
Erich Kochanowski
Charlottenburg 9
Machandelweg 15

Berlin-Lichterfelde, den 24. Oktober 1933
Devrientweg 10
Fernruf G 3 Lichterfelde 77 69
Postscheckkonto Dr. Elster Berlin 137 675

Lieber Herr Kochanowski!
Zuerst bitte ich Sie zusammen mit meiner Frau herzlich, am Donnerstag Nachmittag 5 Uhr den Tee bei uns trinken zu wollen. Frau von Ammers-Küller ist, wie ich schon telefonisch mitteilte, bei uns. Sie hat auch allerhand Wichtiges aus Holland zu erzählen. Meine Frau würde sich sehr freuen, wenn Sie auch Ihre Frau Gemahlin mitbringen würden. Bitte geben Sie mir doch telefonisch Nachricht, ob wir auf Ihr Kommen rechnen dürfen.

Ferner bitte ich, beifolgenden Brief eines Freundes von mir zu lesen. Es handelt sich um das PEN-Club-Mitglied Rechtsanwalt und Notar Manfred Goldberger, einen Mann von etwa 50 Jahren, den ich seit über 20 Jahren kenne und immer als unantastbar nationalen und anständigen Menschen festgestellt habe. Er war im Krieg an der Front, wurde auch Offizier und hat auch das Eiserne Kreuz. Er ist auch jetzt Rechtsanwalt und Notar geblieben. Er hat in den ganzen Jahren sparsam und wenig gedichtet, aber alles, was er geschaffen hat, war von der anständigsten Gesinnung getragen und durchdrungen von deutschem Geist. Er ist ein tiefer Verehrer von Stefan George. Er sagte mir nun, daß der Münchener Kampfbund einzelnen jüdischen Schriftstellern, die in unserem Sinne zuverlässig sind, Unbedenklichkeitszeugnisse ausstellt, damit sie auf Redaktionen keine Schwierigkeiten haben. Sollte das wirklich der Fall sein, so würde ich herzlich bitten, auch Herrn Goldberger auf seinen Schriftstellernamen Manfred Berger hin ein solches Unbedenklichkeitszeugnis von unserm Kampfbund zu geben. Ich kann jedenfalls im vollen Bewußtsein der Verantwortung für ihn bürgen und wäre Ihnen für diese Hilfe sehr dankbar.

Mit herzlichen Grüßen und Heil Hitler!
Ihr ergebener Hanns Martin Elster [1]

Diversa

Blunck an von Leers

Dr. jur. Hans Friedrich Blunck, Schriftsteller (Roman, Novelle, Geschichte, Märchen, Bühnendichtung), *1888; «Ein Künder der literarischen Gegenwart in ihren Ursprüngen. Das germanische Fühlen und Denken in seiner Bestimmung durch Blut und Geschichte sein Hauptthema» – Waldemar Oehlke: *Deutsche Literatur der Gegenwart*, Berlin 1942, S. 24–25; «Die schicksalbildenden Mächte gewinnen bei Hans Friedrich Blunck germanisch-heidnische Gestalt» – Vilmar-Rohr: *Geschichte der deutschen National-Literatur*, Berlin 1936, S. 416.

Hamburg, den 24. Julmond 1933

Lieber Herr v. Leers,
im Nachgang zu meinem Schreiben von gestern möchte ich, weil mein Name mit Ihren Plänen verbunden ist und ich aus früherer Arbeit im PEN-Club einige Erfahrungen sammelte, Sie noch bitten, was auch immer Sie unternehmen, mit dem Auswärtigen Amt enge Fühlung zu halten. Der PEN-Club oder seine Neugründung könnte einmal außenpolitisch viel bedeutsamer werden als die Dinge uns heute erscheinen, (schon liegt eine französische Anregung in dieser Richtung vor) und wir müssen in außenpolitischen Dingen jetzt höchste Disziplin wahren. Wir wissen dabei alle um unsere Ziele. Über die taktischen Wege aber hat zur Zeit die hohe Außenpolitik zu bestimmen, und ich bitte Sie, über die Frage, ob die Lösung von den alten PEN-Clubs weitergeführt werden

---

[1] Im *Angriff* vom 24. 11. 1933 wetterte H. M. Elster wiederum in einem Aufsatz: *Deutschlands Ruf an die nationalen Schriftsteller der Welt* heftig gegen die «Juden» und über den «Lügenfeldzug der Juden».

soll, – ich weiß über die Vorgänge in der Zwischenzeit nicht Bescheid [1] – oder ob eine Neugruppierung stattfinden soll und wie sie werbungsmäßig nach außen aufzutreten hat, nur in enger Fühlungnahme mit unserer politischen Vertretung zu handeln. Sie brauche ich nicht erst darauf aufmerksam zu machen, daß, wenn wir eine Neugründung unternehmen, sie nur begonnen werden darf, wenn wir unseres Erfolges sicher sind; unter keinen Umständen dürfen wir in den verschiedenen Ländern gegen die führenden Dichter der Völker gleichsam kleine Gegengruppen ins Leben rufen und damit zu unseren außenpolitischen Lasten auch noch die der Unfreundlichkeit in der Literatur auf uns nehmen (die Erfahrungen gehen dahin, daß alle Versuche, in Nachbarländern von einem fremden Zentrum aus Gruppen zu bilden in diesen Jahren scheitern). Wäre es nicht zweckmäßig, wenn Sie in einem kurzen Rundschreiben die Herren, die Sie zur Mitarbeit auffordern, über den Stand der Dinge eingehender unterrichteten?

Herzliche Grüße und Neujahrswünsche auch Ihrer lieben Frau von

Ihrem

Hans Friedrich Blunck

Rosenberg an Elster

An den PEN-Club
z. Hd. Herrn Hanns Martin Elster
Berlin-Lichterfelde Devrientweg 10   9. 8. 33

Sehr geehrter Herr!
Ich erhielt allerdings vor längerer Zeit eine Mitteilung, daß ich ohne mein Befragen in den PEN-Club gewählt worden sei. Ich bitte von einer Mitgliedschaft meinerseits Abstand nehmen zu wollen, da ich mich nicht in der Lage sehe, an den Bestrebungen des PEN-Clubs teilzunehmen.

Mit deutschem Gruß

Alfred Rosenberg

---

1 Damals wußte H. F. Blunck wohl über vieles nicht Bescheid. Er schreibt in seinen Nachkriegserinnerungen: «Dagegen entrüstete ich mich weniger über *Gerüchte* von Bücherverbrennungen, solche Dinge begleiten alle Revolutionen» – H. F. Blunck: *Unwegsame Zeiten – Lebensbericht*, Band 2, Mannheim 1952, S. 186.

Elster an Kochanowski

Herrn Erich Kochanowski
Berlin W 9
Linkstr. 29

Büro Hanns Martin Elster
Berlin-Lichterfelde, den 9. Nov. 33
Devrientweg 10

Sehr verehrter Herr Kochanowski!
Von einem österreichischen PEN-Club-Mitglied, das sich zur Zeit be-
suchsweise in Deutschland aufhält, erhalte ich den in Abschrift beigefügten Brief. Der Briefschreiber bittet mich besonders, seinen Namen
zu verschweigen, weil er wieder nach Österreich zurückkehren muß. Immerhin scheint mir der Brief doch so charakteristisch, daß ich ihn Ihnen
zur Kenntnis geben möchte.

Heil Hitler!
Ihr ergebener
Hanns Martin Elster [1]

Schlösser an von Leers

Diesem Schreiben ging ein Briefwechsel voraus, weil R. Schlösser als Vorstands-
mitglied des PEN-Clubs dem Generalsekretär desselben, J. v. Leers, am 24. 11.
1933 den Vorwurf gemacht hatte, er würde nicht genügend über die Zustände
informiert. Schlösser wies auch darauf hin, daß er noch Reichsdramaturg und
Präsidialrats-Mitglied der Reichstheaterkammer sei. v. Leers antwortete darauf
u. a. am 1. 12. 1933: «So darf ich bemerken, daß auch Sie nur ein einfacher
Soldat Adolf Hitlers sind wie wir alle, die irgendwelche Funktionen bekleiden,
und verbitte mir ein für allemal diese Methode des Pochens auf irgendwelche
Funktionen.» Am Schluß erklärt v. Leers, er empfinde solchen Stil «als bonzenhaft». In seinen Briefen redet v. Leers Rainer Schlösser mit «Werter Parteigenosse» an. Brief im Besitz des Herausgebers.

An
Herrn Dr. Johann von Leers
Berlin-Dahlem Goßlerstr. 17

Reichstheaterkammer
Der Reichsdramaturg
Berlin, den 6. Dezember 1933

Sehr geehrter Herr!
Auf meine höfl. Anfrage vom 24. 11. beliebten Sie mit einem mehr oder
minder groben Brief zu antworten, indem Sie Ihre «Empfindungen»
zum Ausdruck brachten. Das enthöbe mich ja wohl der Verpflichtung,

---

1 Dieser so charakteristische Brief des österreichischen PEN-Club-Mitglieds
vom 2. 11. 1933 beginnt mit den Worten: «Ja, jetzt darf ich auch Heil Hitler
schreiben und rufen und es grüßen überall, denn ich bin in Deutschland, in
Deutschland, in Deutschland.»

Ihre Ausführungen überhaupt zu erwidern, zumal ich von Anfang an mich mit Ihnen nicht über den guten nationalsozialistischen Ton in allen Lebenslagen unterhalten, sondern lediglich mit Ihnen als Geschäftsführer des PEN-Clubs auseinandersetzen wollte. Indessen: da auch ich in der Lage bin, Ihnen als Parteigenosse zweckentsprechende Ermahnungen zukommen zu lassen, will ich Ihnen dieselben doch nicht vorenthalten haben! Mein Rat geht kurz und bündig dahin: Gebärden Sie sich nicht als nationalsozialistischer Kato gegenüber Parteigenossen, die an Bescheidenheit und Zurückhaltung mit Ihnen durchaus konkurrenzfähig sein dürften. Kommt doch sonst nichts anderes heraus, als daß Sie etwas «bonzenhaft» nennen, was minder rasch Urteilende mit größerem Recht als echt nationalsozialistisch gehandelt bezeichnen, wenn ich nämlich meine, auf Sie anscheinend aufreizend wirkenden Funktionen erwähnte, so geschah das, weil ich mich als Person, als Parteigenosse, nie in den Vordergrund zu stellen pflege, im Gegenteil nötigenfalls immer nur die Tätigkeit, welcher ich nach Weisung meines Führers gerecht zu werden habe. Nötig war das aber im vorliegenden Falle. Was mir als Schriftleiter etwa gleichgültig sein durfte, darf es mir jetzt, in Rücksicht auf mein Ministerium, gemäß dem Führerprinzip unter Umständen ganz und gar nicht sein. Ich betone in diesem Zusammenhang, daß ich beispielsweise nie darüber ins Bild gesetzt wurde, was der PEN-Club in der Londoner Frage unternehmen wollte und unternommen hat. Es ist vollkommen ausgeschlossen, daß ich das gutheißen kann. Nicht erst aus Pressenotizen darf ich ersehen, was mit meinem Einverständnis geschehen sein soll.

Ich betone, daß ich Ihnen das nicht mitteile, um mich vor Ihnen zu rechtfertigen, da ich «Temperamentsausbrüchen» grundsätzlich mit Gelassenheit begegne. Nur als Parteigenosse, werter Pg Leers, glaubte ich Ihnen sagen zu sollen, daß außer Ihnen auch andere Nationalsozialisten lautere Motive für ihr Tun und Lassen kennen. Hiermit halte ich die Möglichkeit gemeinsamer Erörterungen zwischen uns für erschöpft.

Heil Hitler!

Dr. Schlösser

Das Ende

In: *Völkischer Beobachter* vom 1. 3. 1934.

An die Schriftsteller aller Länder!
Aufruf der «Union Nationaler Schriftsteller»
   Die gesamte deutsche Schriftstellerschaft, ihre Standesorganisation wie ihre dichterische Repräsentanz, eingeschlossen die aus der zweihundertjährigen ruhmreichen Preußischen Akademie der Künste hervorge-

gangene Deutsche Akademie der Dichtung, billigt den am 8. November 1933 in London vollzogenen Austritt der Deutschen aus dem PEN-Club.

Die deutsche Schriftstellerschaft hat mit äußerster Erbitterung davon Kenntnis genommen, daß auf der Sitzung des internationalen Exekutivkomitees in London der Klub von der deutschen Gruppe die Aufnahme kommunistischer Mitglieder verlangte in einem Augenblick, als die kommunistischen Literaten vom Ausland her eine fanatische Verleumdungspropaganda gegen das Deutsche Reich vor aller Welt entfesselten, während das Komitee es ohne weiteres duldete, daß eine andere Gruppe des Klubs aus Deutschland geflüchtete Schriftsteller zu Ehrenmitgliedern ernannte, deren Beleidigungen, Haß und Lügen gegen ihr ehemaliges Vaterland notorisch, durch zahllose Zitate belegbar und vor ganz Europa offenkundig waren.

Das heißt nach Auffassung der deutschen Schriftstellerschaft eine Gesinnung krönen, ja sie vor dem Forum der ganzen weißen Rasse feiern, die in ihren Folgen den Rang und die Zukunft dieser Rasse für immer vernichtet. Die deutsche Schriftstellerschaft ist der Meinung, daß in dem gefährdeten Zustand, in dem sich die abendländische Kultur befindet, keine geistige Neuordnung Europas sich verwirklichen, kein Stil sich bilden, keine Literatur so aufgelösten Elementen mehr entsteigen, ja überhaupt keine Geschichte diesem Erdteil mehr beschieden sein kann, wenn nicht der hohe Begriff des Vaterlandes als genealogischer Tatbestand, moralisches Erbe, sprachliches Mysterium den obersten verantwortungsfordernden Begriff der Zukunft bildet.

Die kulturelle Persönlichkeit des Vaterlandes, diese disziplinäre Vorstellung, das ist unser Begriff. Nichts vermochte die vergangene Epoche antinationaler Formulierungen gegen seinen historisch beglaubigten Rang und seinen heroischen Glanz zu setzen, er durchbricht vor unseren Augen aufs neue die Epoche. Wer sich heute gegen ihn stellt, zeigt, daß er den neuerwachten europäischen Formwillen nicht besitzt, von keinem geschichtsbildenden Instinkt geleitet wird, – er enthüllt sich als der Abenteurer unter den Völkern.

Die kulturelle Persönlichkeit des Vaterlandes – das ist unser Programm. Nicht die Auflösung des Begriffes, sondern seine Sicherung, die Sicherung aller der großen und kleinen Vaterländer nebeneinander, ihr Ausströmen in die Kunst, in die Sittlichkeit notwendig erwachsender Formen – das ist die Richtung unserer Gesinnung, die auf nichts weiter zielt als auf die vertiefte Ehre der Völker und die Sammlung zu einer neuen menschlichen Gemeinschaft.

Die deutsche Schriftstellerschaft richtet daher an die Schriftsteller aller anderen Länder die Bitte, von nun an nicht mehr den Haßausbrüchen einer zum Absterben verurteilten Emigrantenliteratur zu glauben, sondern aus uns die Stimme der deutschen Geschichte zu vernehmen. Wir sind das Erbe und die Tradition jenes Reiches, das seit tausend Jahren den Begriff und die Leistung Europas kämpfend miterschuf. Wir sind die deutschen Schriftsteller. Und wir tun hiermit den Schritt, die Schriftsteller der anderen Länder aufzufordern, unsere Anschauungen nachzuprüfen und uns wissen zu lassen, ob sie bereit sind, mit uns an die Gründung der Union Nationaler Schriftsteller zu gehen. Wollen Sie mitarbeiten, so lautet unsere direkte Frage, am Aufbau einer neuen menschlichen Gemeinschaft aller unserer, von der äußeren wie inneren Auflösung gleichermaßen bedrohten Vaterländer?

Auf dieser Grundlage werden Sie uns zu jeder Freundschaft bereit finden und zu jeder kameradschaftlichen Zusammenarbeit am Aufbau der Union.

Hanns Johst, Präsident
Gottfried Benn, Vizepräsident [1]

Zuschriften an das Generalsekretariat der Union Nationaler Schriftsteller, Berlin-Friedenau, Guthsmuthsstr. 10. Fernsprecher: H 8, Wagner 07 78.

---

1 Hans Hinkels Vorschlag ging ursprünglich dahin, daß Rudolf G. Binding den Aufruf mit Hanns Johst zusammen unterzeichnen sollte. Binding lehnte jedoch ab, da er wußte, daß Johann von Leers eigentlich mit unterzeichnen sollte. Am 7. 1. 1934 schrieb Binding darüber im Brief an Hinkel: «Nun ist es aber beinahe eine unmögliche Situation, daß wir, indem Sie selbst den Vorsitz der ‹Union› aus vornehmsten sachlichen Motiven ablehnen oder niederlegen werden, dem Ausland Herrn von Leers als Schriftführer der neuen ‹Union› oder nur als Unterzeichner des Aufrufs mit allen unseren Namen präsentieren. Ich habe nichts gegen Herrn von Leers; aber das Ausland, bei dem wir Anklang mit unserem Aufruf, ja sogar Widerstand gegen die laue Internationalität des PEN-Clubverbandes erhoffen, hat allerhand gegen diesen Namen. Seine beiden Bücher ‹Juden raus!› und ‹Juden sehen dich an!› können wir im Inland beurteilen und im Rahmen der ersten Buchveröffentlichungen über Rasse und Blut an den Ort stellen, wohin sie gehören oder sie sogar (wenn wir wollen) aus diesem Rahmen ausschalten. Im Ausland ist dies nicht möglich.» Rudolf Binding: *Briefe*, Herausgeber L. F. Barthel, Hamburg 1957, S. 237.

Bekenntnisse

Sechs Bekenntnisse zum neuen Deutschland: R. G. Binding, E. G. Kolbenheyer,
Die Kölnische Zeitung, W. von Scholz, O. Wirz und R. Fabre-Luce antworten
Romain Rolland, Hamburg 1933.

Romain Rolland schreibt

Es handelt sich um einen Brief Romain Rollands an die *Kölnische Zeitung*.
Romain Rolland, französischer Schriftsteller, 1866–1944; 1915 erhielt er den
Nobelpreis für Literatur in Anbetracht des «hohen Idealismus seiner schrift-
stellerischen Tätigkeit» und «der vom tiefen Empfinden zeugenden wahrhaf-
tigen und reichen Menschendarstellung» – Victor Junk: *Die Nobelpreisträger*,
Wien/Leipzig 1930, S. 227; zwei politische Ereignisse bestimmten Romain
Rollands Entwicklung ausschlaggebend: Der Dreyfus-Prozeß und der Erste
Weltkrieg.

Herr Chefredakteur,
man teilt mir die Zeilen mit, welche die «Kölnische Zeitung» mir in der
Randnote Ihrer Ausgabe vom 9. 5. (Nr. 251) gewidmet hat.

Es ist wahr, daß ich Deutschland liebe und daß ich es beharrlich gegen
Ungerechtigkeiten und Verständnislosigkeit des Auslandes verteidigt habe. Aber das Deutschland, das ich liebe und das meinen Geist befruchtet
hat, ist das Deutschland der großen Weltbürger – derer, «die das Glück
und das Unglück der andern Völker wie ihr eigenes nachempfunden haben» – derer, die an der Vereinigung der Völker und der Geister gearbeitet haben.

Dieses Deutschland ist mit Füßen getreten, mit Blut befleckt und verhöhnt durch seine «nationalen» Regierenden von heute, durch das
Deutschland des Hakenkreuzes, das die freien Geister, die Europäer, die
Pazifisten, die Juden, die Sozialisten, die Kommunisten von sich weist,
welche die Internationale der Arbeit gründen wollen. Sehen Sie denn
nicht, daß dieses national-faschistische Deutschland der schlimmste Feind
des wahren Deutschland ist, daß es dieses verleugnet? Eine solche Politik
ist ein Verbrechen nicht nur gegen den menschlichen Geist, sondern auch
gegen Ihre eigene Nation. Sie entziehen ihr einen großen Teil ihrer Ener-
gien, Sie nehmen ihr die Hochachtung ihrer besten Freunde in der Welt.
Ihre Führer haben das Kunststück fertiggebracht, die Nationalisten und

Internationalisten aller Länder gegen Sie zusammenzuschließen. Sie wollen das nicht sehen. Sie ziehen es vor, von einer Verschwörung gegen Deutschland zu sprechen. Aber Sie, Sie selbst, Sie allein haben sich doch gegen sich selbst verschworen!

Ich habe das Unrecht kundgetan, dessen Opfer Deutschland nach dem Sieg von 1918 geworden ist. Ich habe die Revision der Verträge von Versailles gefordert, die durch Gewalt auferlegt worden sind. Ich habe die Rechtsgleichheit für Deutschland und alle anderen Völker verlangt. Aber glauben Sie, daß ich das verlangt habe zugunsten einer schlimmeren Ungerechtigkeit, eines Deutschlands, das selbst die Gleichheit der menschlichen Rassen und aller Menschenrechte, die un heilig sind, verletzt? Die hartnäckigsten Gegner der Vertragsrevision konnten nicht überwältigender gegen Deutschland wirken, als Sie, Sie selbst, es getan haben. Die Zukunft wird Sie – zu spät! – über Ihren mörderischen Irrtum aufklären, dessen einzige Entschuldigung das Fieber der Verzweiflung ist, in das die Blindheit und Härte Ihrer Sieger von Versailles Ihr Volk gestürzt haben.

Ich werde, Ihnen zum Trotz und gegen Sie, meine Zuneigung zu Deutschland bewahren, zu dem wahren Deutschland, das die Gewalttaten und Irrungen des Hitlerschen Faschismus entehren. Und ich werde mit meiner Arbeit fortfahren, wie ich es mein ganzes Leben getan habe, nicht für den Egoismus einer einzelnen Nation, sondern für alle Nationen zusammen, für die Internationale der Geister und der Völker.

Romain Rolland

P. S. Sie behandeln die Anklagen der ausländischen Presse gegen den Hitlerschen Faschismus als Verleumdung. Wir haben ein ganzes Bündel Zeugnisse der Verfemten, scheußlicher Greueltaten von Braunhemden, die keine amtliche Erklärung bestraft oder mißbilligt hat. Aber sprechen wir hier nicht davon! Uns genügen die amtlichen Texte. Wollen Sie die eigenen Erklärungen Ihrer Führer – Hitler, Göring, Goebbels – verleugnen, die veröffentlicht und durch den Rundfunk verbreitet worden sind, ihre Aufreizungen zur Gewalt, ihre Verkündungen des Rassismus (racisme), der andere Rassen, wie die Juden, verletzen muß, diesen Modergeruch eines seit langem für den Westen verflossenen Mittelalters? Leugnen Sie die Autodafés der Gedanken, die kindlichen Scheiterhaufen von in der ganzen Welt verbreiteten Büchern? Leugnen Sie die freche Eindrängung der Politik in die Akademien und Universitäten? Glauben Sie denn nicht, daß der große Bannstrahl der Wissenschaft und Kunst schwerer wiegt auf der Waage der Weltmeinung als die lächerlichen Exkommunikationen Ihrer Inquisitoren?

R. R.

Rudolf G. Binding

Sechs Bekenntnisse, a. a. O., S. 14–20, Auszüge; Rudolf Georg Binding, Lyriker, Novellist, Essayist, 1867–1938; «Für jeden Dichter ist heute seine Stellung zur nationalen Revolution bezeichnend. Binding hat nie einer Partei angehört. Aber er hat die Kräfte gepflegt und bewahrt, die das neue Deutschland mit haben schaffen helfen. Und es ist kein Unterschied zwischen dem Rufer, der 1924 die deutsche Jugend vor den Toten des Weltkriegs beschwor, und dem Anwalt, der im Sommer 1933 Romain Rollands Angriff auf das neue Deutschland mit dem politischen Bekenntnis zurückwies» – Albert Soergel: *Dichter aus deutschem Volkstum*, Leipzig 1935, S. 36–37; «Ich schrieb bei einer früheren Gelegenheit von einem ‹Binding-Deutschen›, als sei Binding eine besondere und vorbildliche Art von deutschem Menschen. Je länger ich es bedenke, desto mehr bin ich dessen gewiß» – L. F. Barthel: *Rudolf Binding* in: *Völkische Kultur*, 1934, S. 297; siehe auch die Dissertation von Klara Röttger: *Die männliche Haltung in der Lyrik Rudolf G. Bindings*, Münster 1943.

Im Mai 1933 notierte Thomas Mann: *Leiden an Deutschland – Tagebücher*, Los Angeles 1946, S. 17: «In der Rundschau die Rede Bindings erstaunlich durch wohl obligatorischen Kotau vor dem ‹Führer›. Wie sieht es aus in diesem Menschen? Man wäre, kehrte man zurück, ein Fremder, der sich nicht zu benehmen wüßte»; nun, die Frage Thomas Manns, wie es in solch einem Menschen wohl aussehe, beantworten *Die Briefe* von R. G. Binding, Herausgeber L. F. Barthel, Hamburg 1957. Hinzu kommt wohl auch noch eine gewisse Korruption des Geistes, was jedoch in einem totalitären Staat für die meisten fast unumgänglich und also daher kaum vermeidbar gewesen sein dürfte. Im Brief vom 8. 6. 1933 schreibt auch Binding an Thomas Mann den Satz: «Von hier gibt es kein zurück.» Am 6. 4. 1933 schrieb Binding an den von der Akademie bereits ausgeschlossenen Alfons Paquet, die Akademie habe «*nicht* über die Freiheit politischer Äußerungen» zu wachen; andererseits läßt sich Bindings Brief an den *Reichsverband Deutscher Schriftsteller* vom 30. 10. 1933 entnehmen, daß er das Treuegelöbnis Hitler gegenüber bestimmter Begleiterscheinungen wegen nicht unterzeichnen wollte; in einem Brief an das Preußische Ministerium für Wissenschaft, Kunst und Volksbildung vom 29. 11. 1933 entschuldigt Binding sich hingegen, weil er Robert Musil für die Harry-Kreismann-Stiftung vorgeschlagen hatte, und meint: «Ich beeile mich, Ihnen mitzuteilen, daß ich feststellen werde, ob Musil jüdischer Abkunft ist, und daß ich in diesem Falle in kürzester Zeit einen anderen Namen unterbreiten werde.» Binding schlug dann auch Ina Seidel vor; am 19. 12. 1933 setzte Binding sich dann jedoch in einem Schreiben an den Präsidenten des Deutschen Europäischen Kulturbundes für die Juden ein, und am 1. 6. 1934 schrieb er schließlich an Dr. Heinrich Simon, den Besitzer der *Frankfurter Zeitung*, wehmütig darüber, daß dieser Deutschland zu verlassen gezwungen war. Nach dem Tode von Max Liebermann schrieb Binding im Februar 1935 rührend an dessen Witwe, aber zwei Jahre später – am 17. 6. 1937 – hob er dem Reichsjugendführer Baldur von Schirach gegenüber ausgiebig seine positive Einstellung zum Dritten Reich hervor und meinte u. a.: «Es dürfte Ihnen nicht unbekannt sein, daß ich als einer der ersten – mit sehr wenigen – aus dem damals allein der Welt gegenüber unbefangen erscheinenden Kreise Romain Rollands Angriffe auf den Nationalsozialismus zurückwies, daß ich es war, der die ‹Religion der Wehrhaftigkeit› schon 1915 forderte und voraussah, daß ich, fast als einziger, gegen eine Flut von Entrüstung über mich, Remarques ‹Im Westen nichts Neues› herunterriß, daß ich überall jegliches elende literarische Artistentum jener Zeit bekämpfte»; weitere Briefe siehe in *Das war Binding*, Herausgeber L. F. Barthel, Wien 1955.

Vielleicht lassen sich Bindings innere Widersprüche und sein ganzes Verhalten durch den nachstehenden Ausspruch erklären: «Du bist nur mit Freien frei!» – R. G. Binding: *Das innere Reich*, April 1934, S. 8.

Ich antworte Romain Rolland und antworte damit der Welt. Romain Rolland hat, berufener als viele zu Schmerz und Anklage, in einer Auseinandersetzung mit diesem Blatt (der Kölnischen Zeitung) diejenigen Vorwürfe, Anklagen und auch Fragen an uns gerichtet, die die ganze Welt an uns richtet. Keine fehlt bei ihm und keine hat die Welt mehr als er. So darf zu seinen Händen die Antwort eines Deutschen gehen. Die Aufgabe ist gestellt und dadurch geadelt, daß Romain Rolland die Anklage erhebt.

Indes: ist es Anklage? – Klage ist es. – Klage um ein geliebtes zerstörtes Ideal, das er und die Welt sich von Deutschland gemacht haben, das er sich noch mehr von *seinem* Deutschen gemacht hat. Sein Deutscher, dieser Welt-Deutscher, der in Paris immerhin leben kann, Jean Christophe [1], ist nun zerstört?

Was wollen Sie, Romain Rolland? Was willst du, Welt? Nicht ein Ideal gilt es zu lieben, sondern Menschen von Fleisch und Blut, liebenswerte und unliebenswerte, hoch und niedrig, glückliche und unglückliche, wenn man eine Nation lieben will. Ringende Menschen, verzweifelte Menschen, mutige Menschen, auch unerbittliche Menschen, beginnende Menschen, törichte Menschen, begeisterte Menschen, fanatisierte, aufflammende Menschen gilt es zu begreifen, wenn man eine unter einem Anruf sich erhebende Nation begreifen will.

Ein Volk gilt es zu begreifen, das in einer Verfassung lebte, aus der heraus zweihundertvierundzwanzigtausendneunhundert Menschen – Menschen, die zusammen eine große Stadt bevölkern würden – seit dem Frieden von Versailles sich dieses Leben genommen haben. (Meinen Sie, meint die Welt, daß die anderen sechzig Millionen dieses Volkes das Leben erträglich gefunden haben, weil sie sich nicht umbrachten?) Führer gilt es zu begreifen – nicht Spartakisten, meuternde Matrosen, Leute der Straße, politische Hochstapler und Lückenbüßer. Und diese Leute können Sie, kann die Welt nicht mit Inquisitoren vergleichen. Inquisitoren waren nie Führer einer Nation. Denn ich muß Sie, Romain Rolland, als

---

1 Romain Rollands großer Roman *Jean Christophe* erschien 1904–12; darin bemühte er sich um eine Verständigung deutscher mit französischer Wesensart. «Wir sind die beiden Flügel des Abendlandes, zerbricht der eine, so ist der Flug des anderen gebrochen.»

den hinreichenden Repräsentanten des geistigen Europa, an den Bann-strahl erinnern, den Sie als solcher an uns alle gerichtet verkünden, in-dem Sie uns schreiben: «Glauben Sie denn nicht, daß der große Bann-strahl der Wissenschaft und Kunst schwerer wiegt auf der Waage der Weltmeinung als die lächerlichen Exkommunikationen Ihrer Inquisito-ren?»

Vor diesem Geschehen, wie wir es an uns erfuhren, – und ich bin völ-lig unverdächtig, denn ich habe der Bewegung nie angehört –, vor dieser Einung aus der Kraft, Deutschland zu wollen, verstummt alles. Deutsch-land – dieses Deutschland – ist geboren worden aus der wütenden Sehn-sucht, aus der inneren Besessenheit, aus den blutigen Wehen, Deutsch-land zu wollen: um jeden Preis, um den Preis jedes Untergangs. Davor versinkt jede Anklage. Wir verleugnen nichts, noch verleugnen unsere Führer – die Sie nennen (obgleich die Bewegung nur noch den einen so nennt) – irgend etwas, was Sie aufzählen. Wir leugnen nicht «die eige-nen Erklärungen, die Aufreizungen zu Gewalt» (wie Sie es verstehen), «die Verkündungen des Rassismus (racisme; der andere Rassen, wie die Juden, verletzen muß; die Autodafés der Gedanken, die kindlichen Scheiterhaufen von Büchern, die Eindrängung» (wie Sie meinen) «der Politik in die Akademien und Universitäten» – wir leugnen nicht Aus-wanderungen und Verfemungen. Aber alles das, so furchtbar es ausse-hen und so entscheidend es den Einzelnen oder viele treffen mag, sind Randerscheinungen, die die eigentliche Souveränität, den Kern, die Wahr-heit des Geschehens gar nicht mehr anrühren. Bis zu dieser müssen die Menschen vordringen, ehe sie Begleit- und Folgegeschehen aburteilen und abwerten.

Ebensowenig, Herr Rolland – wenn Sie ein Freund des wirklichen Deutschland sind – können Sie die Deutschen konstruieren und zurecht-ziehen, die Sie lieben; und noch weniger können Sie auf eigene Faust aussuchen, welches – weil sie Ihnen gefallen oder «Ihren Geist befruch-tet haben» – die wahren Deutschen sind. Wenn Sie fragen, ob wir «nicht einsehen, daß das national-faschistische Deutschland der schlimmste Feind des wahren Deutschland ist und dieses verleugnet» (sic!), so sieht es fast so aus, als ob Sie Adolf Hitler und der ganzen Nation erst bei-bringen müßten, was eigentlich deutsch sei. Goethe, den Sie – wie schon einmal in der Auseinandersetzung mit Gerhart Hauptmann – auch hier als einen der großen Weltbürger anführen, «die das Glück und das Un-glück der andern Völker wie ihr eigenes nachempfunden haben» (was ich von jedem großen Dichter ohne weiteres annehme), ist so verflucht deutsch wie Göring oder Goebbels oder der SA-Mann Müller oder ich – obgleich wir recht verschieden sind.

Das deutsche Volk kann nichts dazu, daß Sie und die Welt seine große Sehnsucht nicht erkannten – die Sehnsucht seiner Jünglinge und Män-ner, die Sehnsucht selbst seiner Knaben: Mann sein zu dürfen und deutsch sein zu dürfen. Diese Sehnsucht ist nicht kriegerisch, sondern wehrhaft. Diese Sehnsucht ist nicht politisch, sondern natürlich. Diese Sehnsucht ist nicht eitel, sondern männlich. Diese Sehnsucht ist nicht äußerlich, sondern innerlich – und wer sie ins Äußerliche zieht, der schändet sie. Diese Sehnsucht der Wehrhaftigkeit ist nicht einmal für Deutschland allein ersehnt, sondern für die ganze Welt.

Die Welt kann diese Revolution in ihren Tiefen gar nicht religiös genug auffassen: mit Umzügen und Zeichen, mit Fahnen und Treuegelübden, mit Märtyrern und Fanatikern bei groß und klein bis zu den Kindern, mit Verkündungen und Verheißungen, mit einem unverrückbaren Glauben und einem tödlichen Ernst des Volkes. O, wir wissen sehr wohl um die Äußerlichkeiten, um den billigen Patriotismus, um den eitlen Uniform- und Ordensdünkel, um das Abgleiten in das Abgegriffene und Hergeholte des Kitsches. Auch die Führer wissen davon; denn sie sind nicht blind.[1]

Erwin Guido Kolbenheyer

Sechs Bekenntnisse, a. a. O., S. 29, Auszüge. Erwin Guido Kolbenheyer, Schriftsteller (Roman, Drama, Philosophie, Essay), 1878–1962.

In seiner Schrift: *Bauhütte*, Neubearbeitung, München 1940, S. 426, sagt Kolbenheyer: «Das Grundproblem der Gegenwart ist, über den rationalistischen Individualismus hinweg die *Ordnungsform* zu erfassen, die das Individuum aus seinem monadischen Kerker befreit.»

Über Kolbenheyers *Paracelsus*-Trilogie schreibt Alfred Rosenberg: «Glaubt jemand etwa, ein Kolbenheyer hätte sein großes Werk aus artistischem Wohlgefallen heraus geschrieben? Wer das glaubt, hat nicht nur diesen Roman nicht erfaßt, er hat germanische Kunst in ihrem Wesen überhaupt nicht von ferne geahnt» – in: *Der Mythus des 20. Jahrhunderts*, München 1935, S. 441; «Für Kolbenheyer ist der Zwiespalt, der mit dem Christentum über die Deutschen kam, fast aus dem Wesen der Germanen geboren: er sieht in ihnen die eigentlich heidnischen Menschen, denen die eigenen Götter entschwinden, die fremden trotz allem Ringen nicht nahekommen konnten» – in Paul Fechter: *Geschichte der deutschen Literatur*, Berlin 1941, S. 729; «Aus Kolbenheyers Bemühen um die metaphysische Grundlegung einer neuen Gemeinschaft wird es verständlich, daß gerade dieser Dichter dem Ideengut der neuen Zeit nahesteht» – in H. Müllenbach: *Kleine Einführung in die deutsche Dichtung der Gegen-*

1 Am 19. 12. 1933 schrieb Binding in einem Brief: «Was mich betrifft, so beruht mein ganzes Ansehen im Ausland und meine Wirkung, die ganze Glaubhaftigkeit meiner Stimme und meines Wortes darauf, daß ich betonen darf und betone: ich habe nie der nationalsozialistischen Partei angehört. In dieser sehr starken Position ist es mir erlaubt als unverdächtiger Zeuge *für* den Nationalsozialismus und das neue Deutschland einzutreten» – R. G. Binding: *Die Briefe*, Hamburg 1957, S. 231.

wart, Berlin 1934, S. 39; «In den zahlreichen Aufsätzen, die Kolbenheyer in der Abwehr der auf die Zersetzung des kulturellen Lebens unseres Volkes gerichteten Kräfte und im Aufzeigen der Möglichkeiten, das deutsche Kultur- und Kunstleben wieder auf den einzig tragfähigen Boden der eigenen Art zu stellen, verfaßte, zeigt er nur die praktischen Folgerungen aus seiner weltanschaulichen Haltung» – in H. Langenbucher: *Volkhafte Dichtung der Zeit*, Berlin 1937, S. 39; «Kolbenheyer fordert, daß die Dichtkunst in besonderem Maße in den großen Anpassungskampf der weißen Rasse eingesetzt wird» – in Dr. Franz Westhoff: *E. G. Kolbenheyers Paracelsus-Trilogie* in: *Neue Deutsche Forschungen*, Berlin 1937, S. 34; siehe auch Albert Soergel: *Dichter aus deutschem Volkstum*, Leipzig 1935, S. 75–80, sowie Heinz Kindermann: *Kampf um die deutsche Lebensform*, Wien 1941, S. 13 und 204, und Herbert Seidler: *Kolbenheyer über die Dichtkunst* in: *Dichtung und Volk*, 1941, S. 310. – Selbstverständlich wurden Kolbenheyers Bücher auch vom Dritten Reich gefördert und deshalb gut abgesetzt. So hat Kolbenheyer beispielsweise für das Jahr 1941 dem Finanzamt hundertzwanzigtausend Mark zahlen müssen – laut Brief Kolbenheyers an das Präsidium der Reichskulturkammer vom 5. 5. 1942, in dem er sich für Steuererleichterungen zugunsten «prominenter Künstler» einsetzt. Der Brief befindet sich im Besitz des Herausgebers.

Sie fordern mich auf, zu einem Brief Stellung zu nehmen, in welchem der französische Schriftsteller Romain Rolland das nationale Deutschland in unverantwortlicher Weise herabsetzt und beschnödet. Trotz etlicher Bedenken will ich nicht zurückstehen, weil ich meine, es könnte nützlich sein, wenn mit Herrn Rolland ein Teil der geistigen Öffentlichkeit Frankreichs – sprechen wir doch nicht gleich von «Welt»! – einige unpathetische Argumente zu hören bekäme.

Zunächst der Brief des Herrn Rolland. Er ist eine Geste, in leidenschaftlicher, unbesonnener Form vorgetragen. Die Form ist fehlerhaft: sie läßt leider den Schluß zu, daß der Affekt des Briefschreibers weniger aus einem empörten Herzen als aus der Dienstwilligkeit eines Ruhmesverpflichteten stammt. Es ist Herrn Rolland der psychologische Fehler eines Postskripts unterlaufen, das Einblick in die Art der Entstehung seines bedauernswerten Schreibens und auch in seine geistige Lage eröffnet. Das wenig kluge P. S. schwächt das weltverantwortliche Pathos des Briefes zur Emphase und macht zu einer taktlosen Entgleisung, was aus der tiefen Inbrunst für eine große Idee menschlich wertvoll hätte erscheinen können. Ich will hier nicht einmal von krasser Unlauterkeit des Gefühls sprechen. Herr Rolland ist Franzose, er glaubt in der Sekunde einer Geste an deren Lauterkeit.

Was ist nun unter der verfänglichen Nachschrift zu lesen?

Zunächst: Herr Rolland hat seinen Brief unter dem Eindruck geschrieben, den ihm ein «ganzes Bündel Zeugnisse der Verfemten, scheußlicher Greueltaten von Braunhemden» machte. Wer sind die ohne weiteres gültigen Zeugen? Es sind die «freien Geister», die «Europäer» Deutschlands: «Pazifisten, Juden, Sozialisten, Kommunisten» (ich zitiere nach einer Übersetzung des Briefes). Aber Herr Rolland will von dem Inhalt des Bündels weiter nicht sprechen. «Amtliche Texte genügen» ihm, das nationale Deutschland des «Verbrechens nicht nur gegen den menschlichen Geist, sondern auch gegen die eigene Nation» zu bezichtigen und es mit Blutschuld zu beladen. Auch von den «amtlichen Texten» zieht Herr Rolland vor zu schweigen. Er stellt lieber Fragen an den Chefredakteur der Kölnischen Zeitung. Ob die Verkündung eines Rassismus die Juden nicht verletzen müsse? Ob dieser Rassismus nicht modriges Mittelalter sei, das der Westen längst überwunden habe? – Es wäre interessant zu wissen, was Herr Rolland unter dem Rassismus des modrigen Mittelalters versteht. Und sehr aufklärend wäre es, wenn man über den Inhalt dieser üblen Wortbildung «racisme» nähere Mitteilungen erhielte. Gibt es doch kaum ein Volk der Erde, in dem Rassenschutz und Rassenliebe stärker ausgebildet sind als im Judentum. Was versteht Herr Rolland unter Rassismus, der die Juden verletzten müßte? Erst wenn darüber klare Definition gegeben wird und man den Inhalt dieser Wortbildung an den Verhältnissen der Wirklichkeit zu prüfen vermag, wird man die Frage des Herrn Rolland ernst nehmen können.

Eine weitere Frage des P. S.: Ob die «kindischen Autodafés der Gedanken», die Bücherscheiterhaufen zu leugnen seien? Man mag über symbolische Handlungen dieser Art denken wie man will, sie sind nicht jedermanns Geschmack, aber Herr Rolland lese die Namen der Autoren, die Titel ihrer etwas radikal abgelehnten Bücher! Nicht nur Deutschland, Europa, die ganze zivilisierte Welt wird nach dem «Autodafé dieser Gedanken» auf voller Kulturhöhe bestehen, sei's auch, daß die Autoren und Verleger der verbannten «Gedanken» eine beträchtliche Tüchtigkeit bewiesen haben, die Herrn Rolland als beweiskräftig für den Inhalt der Gedanken zu nehmen scheint. Die Bibliotheken, Verlage und Sortimente Deutschlands sind wohlerhalten und ohne Einbuße ihres Kulturwertes geblieben.

Die nächste Frage: «Leugnen Sie das freche Eindringen der Politik in Akademien und Universitäten?» Was weiß Herr Rolland von den deutschen Akademien und Universitäten? Was weiß er vor allem davon, wie es früher um die «Politik» der Akademien und Universitäten gestanden hat? Es scheinen in seinen Ohren die Berichte jener so unpolitischen «freien Geister» und «Europäer» zu summen, die ihm in außerordentlich kurzer Zeit und so dringlich ein Bündel Zeugnisse haben zukommen lassen, daß Herrn Rolland nicht Gelegenheit blieb, das Bündel auf seinen Wahrheitsgehalt nachzuprüfen.

Auch rhetorische Fragen können die Mängel einer Urteilsschöpfung nicht verstecken. Hätte doch Herr Rolland dieses P. S. nicht geschrieben! Man hätte dem Pathos seines Briefes glauben können. Er wird nach dieser sehr beflissenen Kundgebung sich nicht mehr darauf berufen können, daß er den europäischen Wahnsinn der Verträge von Versailles, den er. nur Unrecht an Deutschland nennt, bekämpft habe. Da Herr Rolland entweder nicht fähig oder nicht willens ist, die volksbiologischen, also naturhaften Beweggründe, die unerhörte Disziplin der nationalen Revolution in Deutschland und deren evolutionelle Bedeutung für Europa zu erwägen, kann auch in seiner Kundgebung gegen Versailles kaum mehr als literarisches Pathos erblickt werden, eine Beurteilung, die der Wirkung entsprechen würde, welche Herrn Rollands Bemühungen auf die französischen Politiker ausgeübt haben. Welch eine Taktlosigkeit und Anmaßung und welch eine Lächerlichkeit zugleich, wenn ein in Deutschland hochgeförderter französischer Literat dem deutschen Volke vorhält, er habe den Versailler Wahnsinn nicht für ein Deutschland bekämpft, das sich seinem Geschmack zuwider entwickle, oder, wie Herr Rolland das ausdrückt, «die Gleichheit der menschlichen Rassen und aller (!) Menschenrechte, die uns heilig sind, verletzt».

Wilhelm von Scholz

Sechs Bekenntnisse, a. a. O., S. 27–29, gekürzt. Dr. phil. Wilhelm von Scholz, Schriftsteller (Drama, Lyrik, Roman, Erzählung), *1874; die Bibliographie nennt über hundert Titel.

Sie wünschen, daß ich auch noch zu dem Brief Romain Rollands, mit dem er gegen das neue Deutschland eiferte, das Wort ergreife. Ich tue es gern; aus innerem Bedürfnis mehr als aus sachlicher Notwendigkeit. Denn: nehmen wir hier nicht eine zwar öffentliche, ihrem Wesen nach aber doch durchaus private Äußerung über ihr Maß wichtig? Ich sage das mit aller Hochachtung nicht nur für den Schriftsteller Rolland, sondern auch für den Mann, den Verstehen wesentlicher schöpferischer Züge des deutschen Geistes insoweit zu einem Freund Deutschlands gemacht hatte, daß er es nicht grundsätzlich verkannte, daß er mit einer für einen Franzosen achtungswerten Sachlichkeit sich bisher bemüht hatte, deutschem Wesen gerecht zu werden. Dennoch: was ist bei der begonnenen Entwicklung, die den zertretenen Stolz unseres Vaterlandes zuallererst in der Aufrichtung der deutschen Seele, in dem einheitlichen Zusammenschluß des gesamten deutschen Volkskörpers, in der innig, nahe, heimatlich, gegen die Unbill der Welt gemeinsam und tröstlich gefühlten, liebenden Verbundenheit wiederherstellt, was ist da eine an sich achtenswerte fremde Einzelstimme?

Daß wir sie hören, gut! Daß wir ihr antworten, doch fast nicht mehr als eine Höflichkeit. Deutschland kann allen solchen erstaunten, verdutzten, aus dem verwaschenen und verschwommenen Weltanschauen des Zeitalters, das lange vor dem Krieg begann, heraustönenden Lauten der Verblüffung dieselbe Zurückweisung entgegenrufen, die ich (in meiner Neudichtung von Calderons Leben ein Traum) für Sigismund fand:

«Nicht Worte sprechen soll, wer Taten spricht!» Die Rechtfertigung dessen, was das Jahr 1933 in Deutschland sichtbar einleitete, wird allein von der Geschichte gegeben werden. Ich handle durchaus im Gefühl des Mich-Überhebens, wenn ich mich bemühe, eine gewaltige Volksbewegung, die so bis ins Herz Leben, Dasein, Wirklichkeit ist, noch mit Gründen gegen andere Gründe zu verteidigen.

Wie schnell hat doch Herr Rolland sein Urteil bei der Hand! Rolland ist älter, erfahrener, europäischer als ich. Er steht länger in dem Austausch zwischen den Geistern der Nationen – der, wie ich fürchte, freilich immer und überall, bei seltensten Ausnahmen, zu einer höflichen Oberflächlichkeit verurteilt ist. Da wundere ich mich, daß ich erkenne und er offenbar nicht erkennt: bei der Umwandlung in Deutschland handelt es sich um etwas, das nicht seit Versailles, nicht erst seit Gründung des Reichs, um etwas, das länger als seit den Befreiungskriegen, vielleicht seit den Zeiten der Hohenstaufen Traum und Sehnsucht dieses großen, guten, edlen, tausendmal mißhandelten Volkes war und nun zum erstenmal unter der Not des zwanzigsten Jahrhunderts aus dem Traum in einen Wirklichkeitsmorgen erwacht. Sehnsucht ist Wille geworden, Wille Tat; die Sehnsucht, der Wille, die Tat: daß wir das Volk endlich werden, das wir seit Anbeginn sind!

Ist es, frage ich Herrn Rolland, bei einer so aus dem geschichtlich durch die Jahrhunderte unmöglich zu verkennenden tiefsten Wesen des deutschen Volkes endlich sichtbar hervortretenden Bewegung nicht etwas rasch geurteilt, wenn man nach wenigen Monaten ihres Hervorgetretenseins schon ihren Wert, ihre Zukunft, ihre Gefahren zu beurteilen unternimmt? Wenn man ein Absprechen herleiten will aus Einzelzügen der Bewegung, die vielleicht nach dem von Göring gebrauchten Wort zu den Spänen gehören, die eben fliegen müssen, wo gehobelt wird? Nein, Herr Rolland, selbst die Erfahrungen eines erfüllten bald siebzigjährigen Lebens reichen nicht hin, um einer solchen Erscheinung im Völkergeschehen sofort gerecht werden zu können. Zumal dann nicht, wenn diese Erscheinung trotz einer vorangegangenen Bewegung wie dem italienischen Faschismus, den man ihr ähnlich glaubt, so völlig den Geist der abgelaufenen Jahrzehnte widerspricht. Und zumal wenn der Urteilende, der in dieser abgelaufenen Epoche der Redensarten mehr als der Taten wurzelt, in sich die Elemente gar nicht besitzt und besitzen kann, die Bewegung in Deutschland zu verstehen. Wir Deutschen, die wir im Jahrtausend wurzeln, verstehen sie; auch die von uns, die unpolitische Leute, Stille im Land, Dichter und Künstler sind. Wir fühlen sie. Wir würden sie als einen Frühling und einen gebieterischen neuen Lebensdrang fühlen, selbst wenn wir in der tiefsten Einsamkeit säßen und keine Zeitung läsen. Jeder von uns! Mag dieses oder jenes Einzelne nicht nach aller Sinne sein, wer hat ein Recht, in diesem Fortreißen noch an Einzelnes zu denken! Es geht um das Ganze! Wir sagen: Ja!

Das Treuegelöbnis

1933 gehörte es in Deutschland zum guten Ton, Treuegelöbnisse vor Hitler abzulegen. Die Entwicklung war dabei normalerweise folgende: zunächst wurde die Institution «gesäubert» und gleichgeschaltet, dann erst durfte man sich das Treuegelöbnis erlauben. Im Oktober 1933 gelobten «88 deutsche Schriftsteller durch ihre Unterschrift dem Reichskanzler Adolf Hitler» die Treue. In dem Schriftstück heißt es u. a.: «Das Bewußtsein der Kraft und der wiedergewonnenen Einigkeit, die tiefe Überzeugung von unseren Aufgaben zum Wiederaufbau des Reiches, veranlassen uns, in dieser ernsten Stunde vor Ihnen, Herr Reichskanzler, das Gelöbnis treuester Gefolgschaft feierlichst abzulegen»; die nachstehenden Namen werden nur aus rein dokumentarischen Gründen genannt. Das Schriftstück ist kaum sehr glaubwürdig, denn einige unterzeichneten lediglich, um ihre Verleger auf diese Weise zu schützen, siehe Oskar Loerke: *Tagebücher 1903–1939*, Heidelberg/Darmstadt 1955, S. 349; Otto Flake: *Es wird Abend*, Gütersloh 1960, S. 448 f; auch R. G. Binding protestierte in einem Brief vom 30. 10. 1933 an den *Reichsverband Deutscher Schriftsteller* dagegen, daß sein Name zu Unrecht unter dem Treuegelöbnis stehe – R. G. Binding: *Die Briefe*, Hamburg 1957, S. 216–217; ebenso bestätigen die beiden folgenden Briefe einwandfrei, daß die Unterschriften von Parteifunktionären ohne Wissen der Betreffenden veranlaßt wurden.

Unter dem Treuegelöbnis standen die folgenden Namen: Friedrich Arenhövel, Gottfried Benn, Werner Beumelburg, Rudolf G. Binding, Walter Bloem, Hans Fr. Blunck, Max Karl Böttcher, Rudolf Brandt, Arnolt Bronnen, Otto Brües, Alfred Brust, Karl Bulcke, Hermann Claudius, Hans Martin Cremer, Marie Diers, Peter Dörfler, Max Dreyer, Franz Dülberg, Ferdinand Eckardt, Richard Euringer, Ludwig Fink, Otto Flake, Hans Franck, Gustav Frenssen, Heinrich von Gleichen-Rußwurm, Friedrich Griese, Max Grube, Johannes Günther, Carl Haensel, Max Halbe, Ilse Hamel, Agnes Harder, Karl Heinl, Hans Ludwig Held, Friedrich W. Herzog, Rudolf Herzog, Paul Oskar Höcker, Rudolf Huch, Hans von Hülsen, Bruno W. Jahn, Hanns Johst, Max Jungnickel, Hans Knudsen, Ruth Köhler-Irrgang, Gustav Kohne, Karl Lange, Johannes von Leers, Heinrich Lersch, Heinrich Lilienfein, Oskar Loerke, Gerhard Menzel, Herybert Menzel, Alfred Richard Meyer, Agnes Miegel, Walter von Molo, Georg Mühlen-Schulte, Fritz Müller-Partenkirchen, Börries von Münchhausen, Eckart von Naso, Helene von Nostiz-Wallwitz, Josef Ponten, Rudolf Presber, Arthur Rehbein, Ilse Reicke, Hans Richter, Franz Schauwecker, Johannes Schlaf, Anton Schnack, Friedrich Schnack, Richard Schneider-Edenkoben, Wilhelm von Scholz, Lothar Schreier, Gustav Schroer, Wilhelm Schussen, Ina Seidel, Willy Seidel, Heinrich Sohnrey,

Dietrich Speckmann, Heinz Steguweit, Lulu von Strauß und Torney, Eduard Stucken, Will Vesper, Magnus Wehner, Leo Weißmantel, Bruno E. Werner, Heinrich Zerkaulen, Hans-Caspar von Zobeltitz.

Nach: *Schleswig-Holsteinische Zeitung* vom 26. 10. 1933.

Der kollegiale Anstand

Stempel:
225 Eing. 28. Okt. 1933
K. f. D. K.

	Dr. Hanns Martin Elster
Herrn	Berlin-Lichterfelde-Ost
Erich Kochanowski	Devrientweg 10, den 27. 10. 1933
Berlin W 9	Fernspr.: G 3 Lichterfelde 77 69
Linkstr. 29	Postscheckkonto: Dr. Elster Berlin 137 675

Sehr verehrter Herr Kochanowski!
Ich erlaube mir, da verschiedene schriftliche und telefonische Beschwerden wegen des Treugelöbnisses deutscher Schriftsteller, das der Reichsverband Deutscher Schriftsteller inszeniert hat, einlaufen, beifolgendes Schreiben, das ich an den Reichsverband gerichtet habe, zur Kenntnis zu geben. Ich bitte Sie höflichst um Unterstützung in dieser Angelegenheit.

Der kollegiale Anstand verlangt doch einfach, daß jedem anständigen deutschen Schriftsteller Gelegenheit geboten wird, zu dem Treugelöbnis Stellung zu nehmen.

Sollte der Reichsverband meinen Antrag ablehnen, so möchte ich fragen, ob wir nicht innerhalb des PEN-Clubs von uns eine entsprechende Aktion unter allen Schriftstellern durchführen?

Mit deutschem Gruß und Heil Hitler!
Ihr ergebener Hanns Martin Elster

Die nationalsozialistische Gesinnung

Der *Reichsverband Deutscher Schriftsteller*, an den dieser Brief gerichtet ist, wurde am 9. 6. 1933 gegründet und war bis zum 30. 9. 1935 Fachverband in der Reichsschrifttumskammer laut der ersten Verordnung zur Durchführung des Reichskulturkammergesetzes vom 1. 11. 1933; er war Nachfolger des am 11. 3. 1933 aufgelösten *Schutzverbandes Deutscher Schriftsteller*; dem neuen Vorstand gehörten an: Hanns Heinz Ewers, Götz Otto Stoffregen, Herybert Menzel, Will Vesper. Mit Wirkung vom 30. 9. 1935 ist auch dieser Verband wieder aufgelöst worden; die Schriftsteller wurden unmittelbar Mitglieder der Reichsschrifttumskammer.

An den Reichsverband
Deutscher Schriftsteller e. V.
Berlin W 50
Nürnbergerstr. 8

Stempel:
225 Eing. 28. Okt. 1933
K. f. D. K.
Berlin, den 27. 10. 1933

Sehr geehrte Herren!
Bei mir laufen verschiedene Proteste wegen des von Ihnen veranstalteten Treuegelöbnisses deutscher Schriftsteller ein. Nicht daß diese Proteste sich gegen das Treuegelöbnis selbst richten, sondern vielmehr gegen die Willkür, mit der für dieses Treuegelöbnis unter den deutschen Schriftstellern anscheinend zur Unterschrift aufgefordert wurde. Die betreffenden Protestierenden haben sämtlich keine Aufforderung zur Rückäußerung über dies Treuegelöbnis erhalten. Der Unterzeichnete ebenfalls nicht. Ich will aber meine Nicht-Aufforderung nicht zur Debatte stellen, da ich mein Treuegelöbnis als Schriftsteller und Mensch längst mit meiner Zugehörigkeit zur NSDAP, zum deutschen Kampfbund und mit meiner Mitarbeit an den großen nationalsozialistischen Zeitungen und Verlagen abgelegt habe. Trotzdem verlangt gerade die nationalsozialistische Gesinnung, daß keine Auswahl der Kollegen bei einem Treuegelöbnis für den Führer nach irgendwelchen Maßstäben oder subjektiven Gesichtspunkten erfolgt. Infolgedessen richte ich an den Herrn Reichsführer des Reichsverbandes Deutscher Schriftsteller und den Vorstand die Bitte, das Treuegelöbnis jetzt sämtlichen Mitgliedern des Reichsverbandes zur Unterschrift vorzulegen und die dann gesammelten Unterschriften genauso zu veröffentlichen, wie die der 88 Namen. Die Veröffentlichung der 88 Namen wirkt insofern ungerecht, als sie den Eindruck erwecken kann, daß diejenigen Schriftsteller, die nicht in der Namensliste genannt sind, nicht zu dem Treuegelöbnis und zum Führer stehen. Dieser ungerechte Eindruck läßt sich nur beseitigen, wenn jetzt sämtliche Mitglieder des Reichsverbandes sich zu dem Treuegelöbnis mit ihrer Unterschrift öffentlich zu äußern vermögen. Ich hoffe also, daß mein Antrag als sachlich und gerecht empfunden und zur Durchführung gebracht wird. Ich sage im voraus dafür meinen besten Dank.

Mit deutschem Gruß und Heil Hitler!
Ihr ergebener Hanns Martin Elster

Prosa

Wie R. C. Muschler Nationalsozialist wurde

R. C. Muschler: *Ein deutscher Weg*, herausgegeben und eingeleitet von E. A. Dreyer, Leipzig 1933, S. 23–30, Auszüge. Dr. phil. Reinhold Conrad Muschler,

Schriftsteller (Roman, Novelle, Essay), *1882; er schrieb auch Biographisches über Hitler und Göring, siehe R. C. Muschler: *Das deutsche Führerbuch – Sieger aus eigener Kraft*, Berlin 1933.

Über Hitler: «Und so stieg er denn eines Tages die breiten Treppen am Schillerplatz (in Wien) hoch, eine Mappe mit Zeichnungen unter dem Arm. Die Akademieprofessoren beäugten seine Arbeiten. Hm, nicht übel, aber mehr für die Architektur geeignet.

Am nächsten Tage meldete er sich in der Anstalt für die Baumeister und breitete seine Blätter aus. Hm – wo haben Sie eigentlich gelernt?

Gelernt? Nirgends! Das hatte er sich selbst zurecht gesucht und gefunden.

Was, Sie haben keine Prüfung gemacht?

Und damit war alles aus. Was sollten den Herren vom heiligen Bürokratius Talente, wenn kein Examen sie bestätigt hatte. Der Malertraum hatte seinen Abschluß gefunden. Vielleicht war das alles sehr gut und mußte so sein. Zu dem Bau, den Adolf Hitler aufrichten mußte, kann man keine Prüfungen machen. Jedenfalls hat er sich später auch ohne Examen als Architekt gut bewährt» – a. a. O., S. 261.

Über Göring: «Es gibt viele, die da sagen, Hermann Göring sei eitel. Es ist gut, auch an solche Dinge heranzugehen, nur bei ganz Kleinen darf man nicht daran rühren, weil sie sonst umfallen. Hermann Göring hält auf sein Äußeres. Hermann Göring ist eitel? Darauf antwortet Johann Wolfgang Goethe, der in den Paralipomena zum Faust 1788 sagt:

Wenn du von außen ausgestattet bist,
So wird sich alles zu dir drängen;
Ein Kerl, der nicht ein wenig eitel ist,
Der mag sich auf der Stelle hängen!

So kennt Hermann Göring keine Eitelkeit» – a. a. O., S. 247.

«Ich war immer ein Enthusiast der Landschaft und hatte die deutschen Gegenden schon als Junge zusammen mit meinem Freunde, einem treu ergebenen Foxterrier, genau studiert und naturwissenschaftliche Sammlungen aller Gebiete zusammengestellt, ohne im Analysieren hängenzubleiben oder beim Suchen nach den Einzelheiten den Blick auf den Zauber der Natur zu verlieren. Dieses unausrottbare Gefühl der Bodenständigkeit und Blutgemeinsamkeit mit deutschem Wesen ist in mir so unbezwinglich, daß mir anders geartete Menschen nie verständlich waren und ich bei ihren Worten eben an leere Worte glaubte. Ich lebte still meinem Schaffen. Der Weltkrieg riß plötzlich alles auseinander. Ich sah, daß der Nationalismus das Bezwingende im Leben der Völker ist, und fand damit meine früheren Meinungen bestätigt. Aber ich bemerkte auch, daß es Schichten gab, die im einfachen Menschen etwas Minderwertiges sahen, etwas, das man zwar brauchte, aber das man, wie Pferde in Bergwerken, nach der Leistung in dunkle Ställe sperrte und ihm als Gnade sein Futter vorwarf. Das riß mich hoch, empörte mich und zerstörte mir tiefen Glauben. Immer noch verkehrte ich mit Arbeitern, denen Wissen ein Bedürfnis war und mit denen zusammen zu sein und die Probleme des Lebens zu erörtern Freude bedeutete. Auch bei ihnen herrschte Unzufriedenheit über den Kastengeist. Ich hörte verblüfft wiederholt die Frage: «Wie können Sie als studierter Mann mit uns einfachen Männern der Hand so freundschaftlich verkehren?»[1] Das verstand ich nicht. Was bewies mein Doktortitel anderes, als daß ich an einem bestimmten Tage die an mich gerichteten Fragen hatte beantworten müssen? Die Leistung begann doch erst nach diesem Examen, das weniger bedeutete, viel weniger als eine Meisterprüfung!

Ich habe mit diesem Fragenkomplex selbständig Jahr um Jahr gerungen und fand eines Tages ein Buch, das mich erschütterte wie kaum ein anderes zuvor: Hitlers Bekenntnis: Mein Kampf. Gegen dieses Werk hatte ich mich gewehrt wie gegen den Führer selbst. Vielleicht ist es gut, das einmal offen zu bekennen allen denen gegenüber, die mit einem einfachen «Augen rechts» heute zu Tausenden ins Lager dieses größten Gläubigen aller Zeiten hinüberwechseln. In meinem Ringen mit der Marxistischen Weltanschauung, die mich vom ersten Beginn anekelte, der ich aber – das ist mein Verknüpftsein mit deutschem Wesen! – «gerecht» werden wollte, statt einfach dieses «Artfremde» beiseitezustoßen, hatte ich von dem «Führer» und seiner Partei gehört. An diesem Begriff wuchs mein erster Widerstand. Nur keiner Partei angehören!

Schärfer aber begann ich zuzusehen, als ich die gesamte marxistische Literatur aller Länder durchgearbeitet hatte und nie, in keinem einzigen Werke auch nur einmal den Begriff Vaterland gefunden hatte. Da erkannte ich endlich den Begriff «Intellektualismus» und bezeichnete ihn als «Geist ohne Heimat». Immer mehr hörte ich von Adolf Hitler und den Seinen. Ich blieb skeptisch, seit ich die Redner und Reden der Linken gehört und gelesen. Wieder so ein Intellektualist, fürchtete ich. Den Worten vom Arbeiter, der zum Licht geführt werden sollte, glaubte ich nicht. Ich hatte sie zu oft vernommen. Seltsame Gerüchte liefen um über diesen seltsamen fanatischen Mann der Wahrheit. Kurzum: ich war des Verführtwerdens satt und wollte mir meinen festen deutschen Standpunkt nicht rauben lassen. Das klingt heute lächerlich, aber es soll gesagt sein, denn es mag manch anderem auch so ergangen sein. Gipfel wollen mühsam errungen werden.

Eines Tages kam ich mit dem Hohen Kommissar für Danzig, Manfredi Graf Gravina [2], in Danzig zusammen. Wir fanden uns und wurden

1 Auch «studierte Männer» waren nicht immer freundlich zu Muschler. Als er vor dem Ersten Weltkrieg im Botanischen Museum in Berlin-Dahlem tätig war, wurde er entlassen. Einzelheiten darüber im Aufsatz des berühmten Afrikaforschers Georg Schweinfurth: *Dr. Reno Muschlers Fälschungen* in: *Verhandlungen des Botanischen Vereins der Provinz Brandenburg*, LVI, Jahrgang 1914, S. 170–175, auch als Sonderdruck erschienen. Siehe auch den Beschluß der Strafkammer 1 des Landgerichts II, dort abgedruckt auf S. 205.

2 Graf Manfredo Gravina, von 1929–32 Hoher Kommissar des Völkerbundes in Danzig.

in kurzer Zeit Freunde. Mein Deutschtum, meine Bewunderung für Mussolini, dessen Gott-Glaube ans Vaterland aus einem Vasallen-Italien einen Staat im Licht geschaffen hatte, berührten den Grafen. «Sie haben Hitler», sagte er. Ich horchte auf. Wir kamen ins Gespräch, in Diskussion und in Kämpfe. «Hitler ist die Erfüllung dessen, was Sie wollen, Freund Muschler.»

Ich kam zurück, hatte ums Leben zu kämpfen und kam vor Ekel am Marxismus nicht aus einem törichten Vorurteil gegen die «Partei» der NSDAP heraus. So sehr hatte mich das Gezänk in Deutschland abgestoßen. Dann fiel mir meine Unlogik auf, die Marxisten zu studieren und Hitlers «Kampf» nicht in die Hand zu nehmen. Schnell entschlossen kaufte ich das – wie soll ich es nennen? – Buch? Das ist nichts! – dieses Bekenntnis eines Messias. Las und las. Las wieder, verstand, fand meine von Jugend an erlebten Selbstverständlichkeiten und war endlich befreit. Es hatte Sinn zu leben. Sofort wollte ich der «Partei» beitreten und ... schämte mich. Zehn Jahre und länger hatte diese Gemeinschaft der Gläubigen gekämpft, sie stand vor dem Sieg, da sollte ich nun kommen und sagen: Nehmt mich auf. Das kam mir erbärmlich vor. Aber der Sieg fiel noch nicht ins Licht, neue Gemeinheiten wühlten hoch, und diese größte Volksbewegung aller Zeiten sollte zugeschüttet werden. Das endlich war für mich Anlaß, um Öffnen der Tore zu bitten. Ich lernte die Nationalsozialisten kennen, saß zwischen ihnen und wurde in dieser Gemeinschaft so froh und jung, daß ich es kaum begreifen konnte. Unser Ortsgruppenführer Rolf Berger ist die Vereinigung all dessen, was ich von Jugend an als Glauben in mir getragen: Deutscher, Kämpfer, Gläubiger und Mensch! Und so sind sie alle. Mögen da Redefetzen knallig herumfliegen, mag mancher Satz einem um die Ohren hauen, es ist gesund, die Sentiments schwinden, man wird Mensch, in erster Linie Mensch und damit deutscher Mensch. So wurde ich Nationalsozialist, kam in den Kampfbund, den Hans Hinkel als Kämpfer und Organisator aufgebaut und mit übermenschlicher Kraft zusammenhält – 10 000 Künstler in Raison bringen, das ist eine Leistung! – und bin jetzt eigentlich so weit wie einst als Jüngling, nur mit dem Unterschied, nun zu wissen, daß es etwas anderes gibt als dieses selbstverständliche Deutschsein, und daß es nur eines geben darf: das reine, echte deutsche Wesen, befreit von allen fremden marxistischen Elementen jeder Art. Aus dem Erkennen der Gefahren des Intellektualismus wurde der bewußte Kämpfer für deutsche Art. Nun erst konnte ich vergleichen und verstehen. Trotzki, Lenin und Stalin und die Novembergrotesken bei uns waren im Höchstfall Rhetoriker; Mussolini und Hitler sind Redner der Seele, weil sie prophetisches Wissen haben, aus dem ihr aufbauender und deshalb mitreißender Glaube wächst. Die Männer, die mit der Popularität beginnen, wie die Empörerchen vom 9. November, sind bald die bestgehaßtesten. Volksgeist kann nur aus unerschütterlichem Glauben kommen.

Hitler ist kein Lokalpolitiker, sondern zum Führertum berufen. Ihn konnte nicht 14jährige Unterdrückung zu Boden zwingen, weil sein Blick die Zukunft offen und sein Glaube das Gelingen als Ziel sah. Als einst die Demokratie Sokrates zum Tode verurteilte, hat sie in Wahrheit nicht ihn, sondern sich selbst gerichtet. Man hat dem Führer oft genug den Giftbecher gereicht, aber er war immun gegen Fremdes und blieb der aufrechte Kämpfer. Die Bonzen glaubten mit Süßigkeiten die Massen gut zu stimmen. Daran verdarb das Volk. Hitler ist Seelenarzt und weiß, daß eine Krankheit nur mit der richtigen Arznei zu bezwingen ist. Heilmittel sind bitter, aber sie führen zur Gesundung. Das war und ist Adolf Hitlers Prinzip. Wessen der Gegner Seele voll war, dessen lief ihre Tinte über; dennoch vermochten sie nicht, das Licht des Führers zu schwärzen, weil alles in ihm klar, wahr und einfach ist. Mein größtes Erlebnis ist die Lehre Adolf Hitlers, weil er die Erfüllung dessen ist, was der Urdeutsche, der mit seinem Blut der Rasse und mit seiner Seele dem Boden angehört, als Glauben und Gewißheit in sich trägt. Den alten Machthabern ging es wie den Astronomen: sie fanden stets neue Gebiete ihrer Unwissenheit, aber sie gaben sich keine Mühe, die Lücken auszufüllen. Für Hitler handelt es sich weniger darum, neue Wahrheiten zu bringen, als alte Dummheiten auszumerzen. Und eine dieser Torheiten besteht darin, als heißestes Bemühen den Wunsch in sich zu tragen, vor allem den anderen Nationen und Rassen gerecht zu werden. Das kann man nur dann, wenn man sich selbst zu sich bekennt und wenn der Deutsche erst einmal deutsch ist mit Leib und Seele. Ich war es immer, aber dieser Gerechtigkeitsdusel hat mir viel Zeit und Kraft geraubt. So kämpfte ich jahrelang um Hitler. Zwar ist mein Finden zu ihm für mich etwas Gottgeschenktes, aber man kann sich diesen Umweg sparen. Das sei für die einen gesagt. Für jene aber, die heute ohne Wissen um den seelischen Wert des Führers, ohne Ahnung vom Ziel seiner Empfindungswelt und ohne die Macht seines Glaubens zu ihm hinüberzutreten, sei mein Weg als der entschieden richtigere und gesündere offen bekannt, denn besitzen kann man nur, was man erworben.

Die Öffentlichkeit ist müde

Hanns Johsts Besprechung von Otto Dietrichs Buch: *Mit Hitler in die Macht*, München 1933, in: *Deutsche Presse 1933*, S. 298.

Dr. rer. pol. Otto Dietrich, *1897, Reichspressechef; ausführlicher über ihn in: *Presse und Funk im Dritten Reich* (Ullstein Buch 33028).

Den stärksten Eindruck auf dem Büchermarkt vermittelte mir dieses Jahr ein politischer Bericht, der ohne literarischen Ehrgeiz schlicht und klar persönliche Erlebnisse niederschrieb und der diese Niederschrift «Mit Hitler in die Macht» betitelte. Otto Dietrich ist der Mann, der seine leidenschaftliche Liebe zu Adolf Hitler, seinen Führer, hier in knappen, brennenden Abschnitten veröffentlichte. Das Jahr 1933 steht im Zeichen der deutschen Revolution, und das vorliegende Buch ist für mich die unmittelbarste Veröffentlichung aus dem Kreis derer um Hitler. Die Liebe und Verehrung eines Jüngers spricht aus jeder Zeile, und nachdem die Öffentlichkeit literarisch mit Psychologismen und Naturalismen ermüdet wurde, ist es das gesunde Zeichen dieser Zeit, wie sich hier ein männlicher Geist und eine fähige Feder ganz selbstlos in den Dienst vom Bekenntnis seines Glaubens stellt. Das Porträt Adolf Hitlers wuchs aus rapsodischem Grund, aus klugen Sätzen heraus, und gerade für Fernstehende erhält das Gesicht dieses Mannes wundervoll persönliche Züge. Wir erleben noch einmal den Kampf, die Gefahren, die Unwahrscheinlichkeiten, das fast Märchenhafte dieser Steigerung eines Mannes zum Staatsmann, diese Entwicklung einer Privatperson zur historischen Persönlichkeit. Wir erleben Einsamkeit, und wir erleben den Rausch der Liebe eines Volkes. Als Lesende marschieren und fliegen wir mit Hitler in die Macht.

Die mythische Blutsverbundenheit

Johann von Leers: *Adolf Hitler*, Leipzig 1933, S. 59–62, gekürzt.

Was der Bewegung die unbedingte Hingabe an den Führer in den Reihen der Bewegung schuf, ist das Empfinden, daß die Treue von unten durch die Treue von oben erwidert wird. Wer einmal die erschütternde Stunde erlebt hat, als Adolf Hitler im Berliner Sportpalast, gerade zurückgekehrt aus dem Oldenburger Wahlkampf, todmüde, zu den Massen sprach – als jeder erkannte, daß der Führer selbst bis zur körperlichen Erschöpfung sich einsetzte für die gemeinsame Idee – der war innerlich gepackt und gelobte sich, nun auch von sich das Letzte herzugeben – für Deutschland!

Dahinter aber steht mehr – es ist wie eine mythische Blutsverbundenheit der Kämpfer mit dem Führer –, so mögen in Urzeiten die Krieger der wandernden nordischen Völker ihren Herzögen zugejubelt haben, so mögen sie mit seinem Namen, den heut ein namenloses Steinzeit-Grab deckt, sich dem Tod entgegengeworfen haben. Das ist es, was diese Bewegung so eigenartig und für den Fernstehenden fast unverständlich macht – wie sie sich mit dem Namen des Führers grüßen, so sterben sie mit seinem Namen auf den Lippen. Am schönsten ist dieses Empfinden einmal ausgesprochen worden in der fast einzigen literarischen Sammlung, die der Nationalsozialismus bisher hervorbrachte, im «Unbekannten SA-Mann»: «Ihr seid viel tausend hinter mir – und Ihr seid ich und ich bin Ihr! – Ich habe keinen Gedanken gelebt, – der nicht in Euren Herzen gebebt. – Und forme ich Worte, so weiß ich keins, – das nicht mit Eurem Wollen eins. – Denn ich bin Ihr, und Ihr seid ich, – und wir alle glauben, Deutschland, an Dich!»

«Dem Führer und dem Dichter»

Hans Naumanns Widmung in seinem Buch: *Wandlung und Erfüllung – Reden und Aufsätze zur germanisch-deutschen Geistesgeschichte*, Stuttgart 1933.

Dem Führer, an dessen Person sich die fremde tote Gestalt vom «unbekannten Soldaten» gewandelt hat zum lebendigen Erwecker der Nation: leibhaft steht nun neben dem bekanntesten Soldaten des Weltkriegs der «unbekannte» an der Spitze des neuen Reiches.

Dem Dichter, in dessen Werk sich die fremde vornehme Zucht der «Kunst als Selbstzweck» gewandelt hat zu Erziehung und Dienst an der Nation, zu Pflicht und Verantwortung, zu Richteramt und Sehertum: der geistige Gründer des neuen Reichs ist in ihm erstanden und vorangegangen.

Ihnen beiden, in geheimnisvoller Weise zueinander gehörig, Führern zu geschichtlichem Willen und zu heroischer Haltung aus dem Sumpfe jenes Ungeists, der die Gesinnung an die Materie band; ihnen beiden, in denen sich die germanische Idee von Führertum und Gefolgschaft endlich aufs neue erfüllte, wünscht dies Buch, welches von so adligen Dingen handelt, daß es mit geheimem Untertitel am liebsten «adlige Wissenschaft» heißen möchte, eine freudige Gabe des Dankes für ihr Erscheinen zu sein.

Bonn a. Rh., den 21. März 1933, am Tage von Potsdam.

Lyrik

Diese Gedichtsauswahl bekannter und unbekannter Autoren gehört zum Jahr 1933, dem Thema des Kapitels. Sie ist alphabetisch geordnet.

Heinrich Anacker

Des Volkes Aufbruch – Gedichte zum Werden der Nation von 1914 bis 1933, gesammelt und geordnet von Franz Schmass, Osterwiede 1933, S. 28 und 31.

Heinrich Anacker, Lyriker, *1901, über sich selbst: «1922 lernte ich als Student in Wien die Bewegung kennen. Dem Erlebnis in den braunen Kolonnen entsprangen meine zwei SA-Gedicht-Bände ‹Die Trommel› und ‹Die Fanfare›» – in Herbert Böhme: *Rufe in das Reich*, Berlin 1934, S. 365; «Anackers Be-

deutung als Vorkämpfer einer bedingungslos dem Wir verpflichteten Dichtkunst dürfte heute nur noch von denen bestritten werden, die für die neue Ge-
meinschaftskunst überhaupt kein Verständnis haben» – in Hellmuth Langenbucher: *Dichtung der jungen Mannschaft*, Hamburg 1935, S. 52; «Anacker ist
am besten, wo er das starke Erleben packender Augenblicke und hinreißender
Kampfgefühle zu gestalten vermag» – in Walther Linden: *Die völkische Lyrik
unserer Zeit* in: *Zeitschrift für Deutschkunde*, 1935, S. 451; «Ein Mahner und
Prophet!» – in Paul Gerhard Dippel: *Heinrich Anacker*, Berlin 1937, S. 3;
«Wollte man Anackers Gedichte aus seinen Sammlungen herausnehmen und
datieren, so ergebe sich beinahe eine poetische Chronik der NSDAP» – in Waldemar Oehlke: *Deutsche Literatur der Gegenwart*, Berlin 1942, S. 60; «Reine
Lyrik des Wanderns und des Draußens, romantischer Stimmung und Empfindung im Sinn der ewigen Lyrik» – in Paul Fechter: *Geschichte der deutschen
Literatur*, Berlin 1941, S. 767.

Adolf Hitler im Rundfunk

Einst mußten wir weit durch die Gaue ziehn,
um nur einmal den Führer zu hören.
Nun dringt seine Stimme überall hin,
aufrüttelnd in heißem Beschwören.

Von Deutschland spricht er, von Deutschland allein,
von Zielen, die ferne schienen;
und er mahnt uns, Vollender des Werkes zu sein
in friderizianischem Dienen.

Millionen hören ihn, ernst und still,
in tiefergriffenem Lauschen –
Und es geht durch das Volk, das frei sein will,
wie ein heiliges Frühlingsrauschen!

Wir alle tragen im Herzen dein Bild

Wir alle tragen im Herzen dein Bild.
Wir alle heben dich auf den Schild.
Du gingst uns voran in leidvollen Jahren;
du gingst uns voran in Sturm und Gefahren.
Wir schleppten die Ketten in Elend und Fron,
wir werkten um kärglichen Hungerlohn,
wir wußten kaum noch, was Freude ist –
da hast du die Fahne der Freiheit gehißt,
und senktest der Hoffnung belebenden Schein
in die müden, die blutenden Seelen hinein.
Wir folgten dir blind und in stürmischem Drang.
Nun braust von den Alpen zum Meer unser Sang.
Wir lachen der Sorgen, wir lachen der Not:
Heil Hitler, dem Führer zu Freiheit und Brot.

Aenne Bender

Aenne Bender: *Wir grüßen Dich, Führer!*, München 1933, S. 3, gekürzt.
Aenne Bender, *1891.

Dem Führer Deutschlands!

Wir grüßen Dich, Führer, aus tiefster Not,
Die jemals ein Volk empfunden.
Wir haben durch Dich an Freiheit und Brot
Den Glauben wiedergefunden.

Wir wissen: Du zwingst mit stahlhartem Blick
Und Willen die Schicksalswende!
Drum legen wir Deutschland und unser Geschick
Vertrauend in Deine Hände.

Hans Friedrich Blunck

H. Fr. Blunck: *Deutsche Schicksalsgedichte*, Oldenburg 1935, S. 63, gekürzt.

30. 1. 1933

Und als das Wort gefallen war
Vom neuen Führer, scholl es von Berg zu Deich,
Da schlug der Rauch aus gewaltigem Fackelzug,
Da kreisten die Wolken in feierlich schwerem Flug
Hoch über Hauptstadt und Reich.

Vergessen war die vergebliche Zeit;
Volk sang vor der Allmacht: Herr, Herr, unser Schicksal wend's!
Und fordert Gericht und sah den Himmel in Bränden,
Und war's von den eigenen Fackeln das rote Blenden,
So war's auch, als lockten die Feuer zum Völkerlenz.

Alice Försterling

Alice Försterling: *Hitler-Gedichte*, Berlin 1933, S. 5, gekürzt; über Hitlers Geburtsstadt Braunau siehe auch Albert Reich: *Aus Adolf Hitlers Heimat*, München 1933, und A. Ehelius: *Aus Hitlers Jugendland und Jugendzeit*, München 1933.

Braunau

In Braunau, da ist er geboren,
Da trat er ins Leben ein,
Er, der für die Heimat erkoren,
Der unser Befreier sollt' sein.
Drum zieht es voll Sehnsucht mich hin
Nach Braunau, nach Braunau am Inn.

Du Braunau, Gott hat dich erlesen,
Durch dich wurde er uns geschenkt,
Hier wurde reindeutsches Wesen
In jungfrisches Herze gesenkt;
Drum Deutscher, lenk stets deinen Sinn
Nach Braunau, nach Braunau am Inn.

Lucia Jägau

In: *Nationalsozialistischer Liederschatz*, Band 1, *Sturm- und Kampf-Liederbuch*,
Berlin 1933, S. 3–4, gekürzt.

Freiheitshymne an Adolf Hitler

Dem deutschen Führer unser Herz!
Es schlägt für ihn in Freud und Schmerz!
Heil Hitler! Unser Freiheitsheld!
Wir kämpfen, wie es Dir gefällt!

Du deutsches Volk bist stark und gut!
Du deutsches Volk hast deutschen Mut!
Schwörest den Treueid vor Gott dem Herrn!
Schwörest den Treueid vor Gott dem Herrn!

Der Tag ist da, die Freiheit winkt!
Die alten, deutschen Lieder singt!
Mit Gott! Gebt Hitler alle Macht!
Er kämpft für uns und hält die Wacht!

Hanns Johst

Hanns Johst: *Maske und Gesicht*, München 1933, S. 208–209, gekürzt.

Dem Führer

Eine Faust zertrümmert Träume,
Unwürdig deines Schlafes, schlummerndes Deutschland!
Ein Wort sprang auf – stolz, klar und frei –
Wurde Sprache, Gesetz und Macht.
Sprengte der Bedenken verängstete Räume,
Und ein Volk, von deinem Gesicht überlichtet, erwacht!

Und aus der Tiefe steigt es empor,
Und immer höher treibt es der Chor
Dem Segen des Führers entgegen.
Und Führer und Himmel sind ein Gesicht.
Im Glockenstuhl schwingt das beseelte Erz,
Das deutsche Herz dröhnt im jungen Licht!

Und Volk und Führer sind vermählt.
Das Dritte Reich versteint, gestählt,
Steht festgefügt im Morgenglanz,
Umbaut als köstliche Monstranz
Dein glücklichstes Lächeln, mein Führer!

Arthur Junne

Dem Führer Preis und Ruhm – Neues Volkslied, Text und Musik von Arthur Junne, Selbstverlag Berlin; im Besitz des Herausgebers befindet sich ein Exemplar mit der handschriftlichen Widmung: «Unterzeichneter erlaubt sich, Herrn Staatskommissar H. Hinkel dieses neue Volkslied zu überreichen. Heil Hitler! A. Junne, Oktober 1933.»

Dem Führer Preis und Ruhm!

Wie reich ist doch der Schatz der Lieder,
Die alten Weisen klingen wieder,
Sehr häufig reih'n sich Neue ein,
Dabei möcht auch ich gern sein;
Geh' hin mein Lied, ich gab Dir diesen Namen,
Stolz kannst Du sein, wenn in hundert Jahren
Man singt «Dem Führer Preis und Ruhm».
Das werden alle Deutschen tun!

Wolfram Krupka

Wolfram Krupka: *Fanal-Gedichte*, Berlin 1933, S. 11.

Krupka war Schriftsteller (Drama, Lyrik, Prosa), * 1905; ab 1940 Landesleiter der Reichsschrifttumskammer im Wartheland; er veröffentlichte auch: *Das brennende Herz*, Mühlhausen 1937; siehe auch das Gedicht: *Der Führer*, a. a. O., S. 53.

Adolf Hitler

Du stehst mit hellen Augen treu auf Wacht.
Du führst uns stark und kühn von Schlacht zu Schlacht.
Von Sieg zu Sieg die Banner um dich wehn.
Du wußtest: Deutschland darf nicht untergehn!
Bist schlicht und treu, bist darum groß und echt.
Bist Führer einem ringenden Geschlecht.
Tust Gottes Werk – und weiter willst du nichts.
Tust Gottes Werk im Anbruch neuen Lichts.
Du bist von gleicher Art, von gleichem Blut.
Darum verstehst du deine Deutschen gut.
Millionen deutscher Menschen auf dich sehn,
Die wissen: Deutschland wird nicht untergehn.

Camilla Mayer-Bennthsow

Camilla Mayer-Bennthsow: *Hitler-Gedichte*, Berlin 1933, S. 6, gekürzt.

SA marschiert, und allen stolz voran
«Hitler der Große»,
Hitler, der größte Mann.

Nun komme, was da wolle,
Wir folgen alle still,
Deutschland hat seinen Führer,
Der weiß schon, was er will.

Und was er will
Das tut er zum Segen für die Zeit,
«Adolf Hitler der Große» –
In alle Ewigkeit.

Herybert Menzel

Herybert Menzel: *Im Marschschritt der SA*, Berlin/Leipzig 1933, S. 47, gekürzt.

Herybert Menzel, Lyriker, *1906; in seinem «Personalfragebogen für die Anlegung der SA-Personalakte» vom 4. 11. 1938 gibt er an: «Meine Bücher ‹Im Marschschritt der SA› und ‹Gedichte der Kameradschaft› wie die Kantate ‹Ewig lebt die SA› enthalten meine politischen Gedichte»; in der von Will Vesper herausgegebenen *Neuen Literatur* schreibt Menzel, August 1936, S. 440, im Aufsatz *Herkunft und Heimat* u. a.: «Bis die Trommel lauter dröhnte, bis die Fanfaren gläubiger klangen, bis der innerpolitische Kampf auch bei uns Opfer forderte. Da sahen und hörten wir den Führer, da erkannten wir ihn. Da erkannten wir uns und unsern Weg, und wir folgten. Und wir waren gerettet. Ganz gleich, was uns geschah. Wir hatten den Führer! Wir fanden uns in seiner Gefolgschaft zusammen, wir marschierten für die Bewegung. Die Bewegung wuchs. Wir wuchsen mit ihr, wir erstarkten an ihr, sie trieb uns voran wie wir sie.»

«Herybert Menzel ist tief von seinem Erlebnis besessen und darum völlig frei von jedem äußeren Zwang zum Schreiben» – in H. Langenbucher: *Volkhafte Dichtung der Zeit*, Berlin 1937, S. 462; «Neue Wege beschreitet er in seinen Kantaten, die als Funksendungen der H.J. seinen Namen weit bekanntmachten» – in Karl Köhler: *Einführung in das Schrifttum der Gegenwart*, Dresden 1937, S. 73; «Trommler in der großen namenlosen Armee des Führers» – in Arno Mulot: *Die deutsche Dichtung unserer Zeit*, Teil 2, 1. Buch, *Das Reich in der deutschen Dichtung unserer Zeit*, Stuttgart 1940, S. 85.

Der Führer kommt

Im Stadion Millionengewimmel.
Und Fahnen stehn wie ein Wald.
Sie blicken alle zum Himmel.
Nun kommt der Führer bald.

Der Führer! Ja, Gott erhörte
Gepeinigten Volkes Gebet.
Wie haben wir argvoll Betörte
Ihn brünstig uns erfleht!

Still, still. Nun summt es. Der Flieger!
Aufjubelt Millionenschar.
Der Eine! Der Held! Der Sieger!
O Deutschlands neuer Aar!

Herbert Molenaar

Das Manuskript befindet sich im Besitz des Herausgebers.

Herbert Müller-Molenaar, Lyriker, Regisseur, Schauspieler und Vortrags-künstler, *1886; Leiter des Sprechchors der SA-Brigade 32 und des Gausprech-chors der NSDAP Berlin; Autor von: *Schwert und Flamme – Kampfgedichte und Sprechchöre*, 1933; *Der Freiheit entgegen! – Ein deutsches Buch von Kampf und Liebe*, 1934; u. a. m. Über den eifrigen Herbert Molenaar gibt es den folgenden Brief des Reichspostministers, Berlin W 66, vom 14. 1. 1936 mit dem Zeichen I 1022–1 P Abw Bfb 129 an den Geschäftsführer der Reichskul-turkammer, Hans Hinkel, MdR, Berlin W 8, als Antwort auf ein Schreiben vom 28. 8. 1935 mit dem Betreff: Anzeige Müller-Molenaar: «Der von dem Parteige-nossen Obertruppführer Herbert Müller-Molenaar gegen die Postassistentin Gertrud Janke gehegte Verdacht der Spionage hat sich nicht begründen lassen. Auch die Geheime Staatspolizei hat Anhaltspunkte nicht gefunden. Ebensowe-nig sind Handlungen der Janke gegen die nationalsozialistische Bewegung und abfällige Äußerungen über deren Träger nachgewiesen worden. Das Gesetz zur Wiederherstellung des Berufsbeamtentums bot auch bei strenger Auslegung keine Handhabe, die Janke aus dem Dienst zu entfernen.

Es hat sich indes herausgestellt, daß sie zu Zeiten, in denen sie krank und dienstunfähig geschrieben war, als Vortragskünstlerin aufgetreten ist. Diese Verfehlung wird verfolgt.

Im Auftrag: Orth»

Den spät Bekehrten

Mißachtet ja die alten Kämpfer nicht,
Ihr Jungen, die Ihr augenblicks gekommen,
gefahrlos, da der Führer übernommen
mit starker Hand des Reiches Macht und Pflicht.

Mißachtet ja die alten Kämpfer nicht!
Wißt, ihre Herzen waren früh entglommen,
zur Zeit als Euch sein Bildnis noch verschwommen
und blaß erschien, obwohl es klar und licht!

Seht, diese Männer tragen sein Gesicht,
denn ihre Nacken wuchteten Gewichte,
von denen schon ein Bruchteil Euch zerbricht!

Ihr Flammengeist schuf um die Weltgeschichte,
erweckte unserm Volke weite Sicht,
und, glaubt, ihr Opfer kündet Gottgerichte!

Leopold von Schenkendorf

In: *Feierabend*, 1933, Heft 8, S. 2; herausgegeben von der Leitung des Unterrichtswesens im NS-Arbeitsdienst.

Leopold von Schenkendorf, *1909; «Von Jugend auf befaßte er sich mit Dichtung und Komposition, schrieb viele Verse und Lieder für die Bewegung und ist heute Führer der Motorstaffel IV/M 30» – in Herbert Böhme: *Rufe in das Reich*, Berlin 1934, S. 382; Autor von: *Kampf ums Dritte Reich*, Dresden 1933, und *Der Staat der Arbeit und des Friedens*, Dresden 1934.

An den Führer

Führe uns!
In deinen Händen
liegt das Schicksal von Millionen,
die in deinem Herzen wohnen,
denen du ein Glaube bist. –
Gott hat dir die Kraft gegeben,
einzig deinem Volk zu lenken,
das für dich der Pulsschlag ist!

Friedel Schlitzberger

Adolf Hitler – von Gott Deutschland gesandt, Gedichte von Friedel Schlitzberger, Stolberg i. H. 1933, S. 6.

Ganz im Banne des edlen Führers

Wer einmal in Hitlers Augen geschaut,
der hat Vertrauen auf ihn gebaut,
so leuchtet seine Seele.

Wer einmal nur seinen Worten gelauscht,
der ist in festem Banne, – berauscht.
So hehr klingt seine Stimme.

Doch wessen Hand seine Hand gedrückt,
der bleibt zeitlebens innig beglückt.
So herzlich ist sein Fühlen.

Albert Sergel

In: *Des Volkes Aufbruch*, Osterwiede 1933, S. 31, gekürzt.
   Dr. phil. Albert Sergel war Schriftsteller (Lyrik, Feuilleton, Bühnendichtung, Literaturgeschichte), 1876–1946; Autor von: *Hitler-Frühling*, Hildesheim 1933.

An den Führer

Du hast das Feuer angefacht,
das durch die schicksalsdunkle Nacht
aufbricht von Bergeshöhen:
Es leuchtet alle Herzen aus.
Durch Deutschland geht in Sturmesgebraus
das Hitler-Auferstehen.

Verschwunden ist der Spuk der Nacht –
Sieg-Heil! Ganz Deutschland ist erwacht.
Nun führ uns, Führer, weiter!
Und hinter dir dein treues Heer:
SA – SS – und um sie her
wir alle deine Streiter.

Will Vesper

In: *Des Volkes Aufbruch*, Osterwiede 1933, S. 31.
   Über Will Vespers Roman *Das harte Geschlecht* schreibt Dr. Albert Soergel, nicht zu verwechseln mit Dr. Albert Sergel, dem Verfasser des letzten Gedichts *An den Führer*, in seinem Buche: *Dichter aus deutschem Volkstum*, Leipzig 1935, S. 144, u. a.: «Aus diesem Stoffe ist ein Werk geformt, dessen Mittelpunkt der germanische Führermensch ist, ein Mensch mit allen zum Führen notwendigen Eigenschaften: Kraft, List, Beharrlichkeit und Zähigkeit, die unerschütterlich auf die Stunde der blitzschnellen Tat auch einmal lange warten kann. Ihn umgibt ein hartes Geschlecht, das von jedem tägliche Bewährung in täglicher Gefahr fordert, das in enger Bluts- und Schicksalsgemeinschaft Gleichgestimmter lebt und über einer germanischen Heimaterde und einem nordischen Heimatmeere einen germanischen Himmel wölbt.»

Dem Führer

So gelte denn wieder
Urväter Sitte:
Es steigt der Führer
aus Volkes Mitte.

Sie kannten vor Zeiten
nicht Krone noch Thron.
Es führte die Männer
ihr tüchtigster Sohn.

So schuf ihm sein Wirken
Würde und Stand.
Der vor dem Heer herzog
ward Herzog genannt.

Herzog des Reiches,
wie wir es meinen,
bist du schon lange
im Herzen der Deinen.

Nur eigene Tat
gab ihm die Weihe,
und Gottes Gnad!

Der Fall Gottfried Benn

Dr. med. Gottfried Benn, Lyriker und Schriftsteller, 1886–1956, einer der bedeutendsten deutschen Dichter der ersten Hälfte des zwanzigsten Jahrhunderts; 1927 schrieb er in seinem Essay *Kunst und Staat*, in: *Gesammelte Prosa*, Potsdam 1938, über Kunst: «Darum, wo immer man sie vermutet, sollte man sie schützen.» Nach der Machtergreifung Hitlers tat Benn genau das Gegenteil. Selbstverständlich nahmen die neuen Herren anfangs seine politische und ideologische Mitarbeit mit Freuden hin, obwohl ihnen nichts so zuwider sein mußte wie Benns Poesie. Kurz zusammengefaßt verlief Benns Schicksal im Dritten Reich wie folgt:

Am 20. 4. 1933 fand die Uraufführung von Hanns Johsts *Schlageter* statt, den er Hitler in «liebender Verehrung und unwandelbarer Treue» gewidmet hatte. Sie wurde deshalb fast zu einem Staatsakt. Einer der Helden sprach zudem noch den berühmten Satz: «Wenn ich Kultur höre, entsichere ich meinen Browning.» Gottfried Benn wurde dazu von «Kommissar Rust als persönlicher Gast geladen, ebenso zu einem Bierabend», siehe Oskar Loerke, *Tagebücher 1903–1939*, S. 271. Die Atmosphäre widerte den Dichter jedoch nicht an, vielmehr sprach er vier Tage später im Rundfunk über *Der neue Staat und die Intellektuellen*, veröffentlicht in: *Berliner Börsenzeitung* vom 25. 4. 1933. In dieser Rede gab es Begriffe und Sätze wie: «Wo die Geschichte spricht, haben die Personen zu schweigen» – «Es ist die konkrete Formel der neuen Staatsidee» – «Welch intellektueller Defekt, welch moralisches Manko, nicht in dem Blick der Gegenseite über die kulturelle Leistung hinaus, nicht in ihrem großen Gefühl für Opferbereitschaft und Verlust des Ich an das Totale, den Staat, die Rasse, das Immanente, nicht in ihrer Wendung vom Ökonomischen zum mythischen Kollektiv, in diesem allem nicht das anthropologisch Tiefere zu sehen! Von diesen Intellektuellen und ihren Namen spreche ich nicht.» Und es heißt in der Rede weiter: «Die Intellektuellen sagen nun, dies sei der Sieg des Niederen, die edleren Geister seien immer auf der anderen Seite zu sehen. Was sollten aber die Maßstäbe für edel und niedrig sein? Für den Denkenden gibt es seit Nietzsche nur *einen* Maßstab für das geschichtlich Echte: sein Erscheinen als die neue Variante, als die reale konstitutionelle Novität, also kurz gesagt als der neue Typ, und der, muß man sagen, ist da.» Oder: «Sie läßt nicht abstimmen, sondern sie schickt den neuen biologischen Typ vor.» Und: «Wir sehen die beiden großen Phantome der bürgerlichen Ära, die geschichtslose Qualität und die wertindifferente Geistesfreiheit in ihrem sinkenden Zauber über der zerfallenden europäischen Demokratie.»

Eines sei schon hier hervorgehoben: 1933 hat kein anderer deutscher Intellektueller den NS-Jargon in so gewählter Sprache und so vornehmen Definitionen formuliert.

Drei Tage nach der erwähnten Rundfunkansprache hielt Benn die Totenrede für Max von Schillings, veröffentlicht in: *Der neue Staat und die Intellektuellen*, Stuttgart/Berlin 1933, S. 41 f. Über die letzten Gespräche mit dem Präsidenten der Preußischen Akademie der Künste, *der viele seiner Kollegen gerade hinausgeworfen hatte*, sagte Benn: «Es waren keine privaten und persönlichen Dinge, die zwischen uns zur Sprache kamen, sondern immer nur jene geistigen und *weltanschaulichen* Fragen, die uns alle seit Beginn des Jahres so tief durchwühlten.» Er fährt ganz unmißverständlich fort: «Was für eine grandiose, was für eine rätselhafte deutsche Bewegung hatte sich hochgekämpft und trug uns nun alle, eine politische Bewegung, aber eine, die von einem neuen deutschen Menschen sprach, eine Bewegung, die nach Macht strebte, aber um diese Macht zu innerer Züchtigung und moralischer Restauration anzusetzen.» Gottfried Benn steigerte sich in dieser Hymne weiter zu den Worten: «Nein, noch rätselhafter: eine Revolution, deren Thesen die Probleme der Kunst, die feinsten formalen Vibrationen des Dichterischen mit der gleichen Wucht, mit dem gleichen Ernst umschloß, wie die Probleme des Wirtschaftlichen und des Materiellen, ja es schien jene geheimnisvolle Beziehung zwischen dem Staat und dem Genius, von der die Geburt der Tragödie spricht, sichtbar zu werden, diese wunderbare große Hieroglyphe, *sie* erblickte das Verstorbene und fühlte sie am deutschen Himmel angekündigt und erklingen.»

Die Funktionäre konnten also zufrieden sein!

Drei Tage später, am 30. 4. 1933, erschien im *Berliner Tageblatt* Benns Aufsatz *Deutscher Arbeit zur Ehre*. In ihm ging es um den *Nationalen Feiertag des Deutschen Volkes*, den Goebbels groß aufzuziehen gedachte; er wollte den traditionellen Ersten Mai der deutschen Arbeiter zur einmaligen NS-Schau umwandeln – zwölf Einzelfelder mit je sechzigtausend Mann sowie dreitausendfünfhundert Hakenkreuzfahnen, die den Versammlungsplatz einrahmten; Flugzeuge mit Hakenkreuzfahnen neben dem Luftschiff *Graf Zeppelin* kreuzten über dem Gelände. Benn erklärte nach dem Kriege zwar, die Überschrift des Aufsatzes stamme vom der Redaktion, aber auch die Formulierung ist recht eindeutig, denn da steht beispielsweise: «Der Bund einer neu entstehenden Gemeinschaft», «das äußerste Erstaunen über die Vollkommenheit, mit der bei diesem Aufbruch der nationalen Macht gewisse geistige Probleme für ihn [den Künstler nämlich] versinken», usw.

Am 9. 5. 1933 – also einen Tag vor der Verbrennung «undeutschen» Schrifttums – schrieb Klaus Mann als «Bewunderer seiner Schriften» in Le Lavandou an Gottfried Benn und fragte u. a.: «Was konnte Sie dahin bringen, Ihren Namen, der uns der Inbegriff des höchsten Niveaus und einer fanatischen Reinheit gewesen ist, denen zur Verfügung zu stellen, deren Niveaulosigkeit absolut beispiellos in der europäischen Geschichte ist und von deren moralischer Unreinheit sich die Welt mit Abscheu abwendet?», siehe G. Benn: *Doppelleben – Zwei Darstellungen*, Wiesbaden 1950, S. 84–88. Benns Antwort darauf erschien *nach* dem öffentlichen Bücherautodafé in seiner noch 1933 gedruckten Schrift *Der neue Staat und die Intellektuellen*, S. 24–36. Sie schließt mit den Worten: «Plötzlich öffnen sich Gefahren, plötzlich verdichtet sich die Gemeinschaft, und jeder muß einzeln hervortreten, auch der Literat, und sich entscheiden: Privatliebhaberei oder Richtung auf den Staat. Ich entscheide mich für das letztere und muß es für diesen Staat hinnehmen, wenn Sie mir von Ihrer Küste aus zurufen: Leben Sie wohl!»

Benn war kurze Zeit sogar derartig für «diesen Staat», daß er in typischer NS-Manier für etwas eintrat, was später zu der berüchtigten Euthanasie führen sollte. In diesem Zusammenhang sei hier an die Veröffentlichung des Gesetzes *Zur Verhütung erbkranken Nachwuchses* erinnert, das am 14. 7. 1933 herauskam. Bald darauf erschienen unzählige Bücher, und die Presse veröffentlichte laufend Aufsätze, die eine Ausmerzung der physisch Minderwertigen forderten; siehe hierzu Joseph Wulf: *Martin Bormann – Hitlers Schatten*, Gütersloh 1962, S. 71–78. Der Arzt und Dichter Gottfried Benn nahm zu diesem vieldiskutierten Zeitproblem ausgiebig Stellung. Im Essay *Geist und Seele künftiger Geschlechter*, in: *Die Woche* vom 23. 9. 1933, schreibt er u. a.: «Verhältnismäßig einfach liegt bei dem Züchtungsproblem die Frage, wovon sich das Volk entlasten muß, um einer geschlossenen Zukunft entgegenzugehen»; oder er meint: «Daß diese Reinigung des Volkskörpers nicht nur aus Gründen der Rasse-Ertüchtigung, sondern auch aus volkswirtschaftlichen Gründen erfolgen muß, wird einem klar, wenn man hört [natürlich nur in der ausgesprochenen NS-Presse!], daß in Deutschland die an sich viel zu geringe Kinderzahl heute nur von den Schwachsinnigen erreicht wird, und der meistens auch wieder schwachsinnige Nachwuchs kostet dem Staat enorme Summen.» So drückten sich Hitler, Reichsinnenminister Frick und sämtliche NS-Wissenschaftler aus, auch Fritz Lenz (Rassenhygiene), den Benn in besagtem Essay als «grundlegenden Forscher» bezeichnet. Er fuhr fort: «Es ist sehr bedeutungsvoll, sich darüber zu orientieren, unter welchen Gesichtspunkten die deutsche Eugenik, und sie vertritt ganz ausgesprochen die neue deutsche Weltanschauung, den deutschen Typ züchten will»; «Es soll offenbar eine Gruppe staatlich ganz besonders wünschenswerter und subventionierter Ehen herausgesondert werden, die das wertvollste Erbmaterial des Volkes hüten und weiterführen.» Sehr ähnlich stand es im Dritten Reich in *Odal*, dem Organ des Reichsbauernführers Richard Walter Darré zu lesen oder später in den Statuten von Himmlers *Lebensborn*.

Ganz konnte sich ein Dichter vom Format Gottfried Benns jedoch nicht verleugnen. Am 5. 11. 1933 erschien daher in *Deutsche Zukunft* sein Aufsatz: *Bekenntnis zum Expressionismus*; Benn, der Autor von *Morgue und andere Gedichte*, 1912!, tritt darin *für* viele im Dritten Reich verfemte Künstler ein. Dabei bedient er sich lediglich einiger Wendungen, die wahrscheinlich zu den Kompromissen jedes Dichters im totalitären Staat gehören – «Das Maß an Interesse, das die Führung des neuen Deutschlands den Fragen der Kunst entgegenbringt, ist außerordentlich. Ihre ersten Geister sind es, die sich darüber unterhalten»; ähnliche Konzessionen machte Benn in der *Antwort auf eine Umfrage*, die er im *Börsenblatt für den Deutschen Buchhandel* am 6. 1. 1934 veröffentlichte, um sich darin mit «volksfremdem Schrifttum» zu befassen. Dort steht ein Satz, den Benn selbst wohl oft bereut hat, sobald er ebenfalls ein Ausgestoßener geworden war: nämlich: «Was die Zukunft angeht, so erscheint es mir selbstverständlich, daß kein Buch in Deutschland erscheinen darf, das den neuen Staat verächtlich macht.» Vielleicht gingen ihm die Augen bereits auf, als sein Vorgesetzter, der Dichter-Funktionär Hanns Johst, ihm kurzerhand verbot, die beabsichtigte Rede auf Stefan George zu halten. Da George als *Emigrant* am 14. 12. 1933 in Minusio bei Locarno gestorben war, wäre eine offizielle Trauerfeier für ihn im Dritten Reich gleichbedeutend mit einem Buch gewesen, «das den neuen Staat verächtlich macht». Immerhin durfte Benn seine Rede drucken lassen, in: *Die Literatur*, 1934, S. 377–382, und G. Benn: *Kunst und Macht*, Stuttgart/Berlin 1934. Doch selbst dafür mußte er seinen Tribut entrichten, indem er Alfred Rosenbergs ästhetische Deutung zitierte und als dichterische Metapher folgenden Satz einflocht: «Dieser Geist ist ungeheuer allgemein, produktiv und pädagogisch, nur so ist es zu erklären, daß sein Axiom in der Kunst Georges wie ein Kolonnenschritt der braunen Bataillone als *ein* Kommando lebt.»

Oskar Loerke notierte am 9. 6. 1933 in: *Tagebücher 1903–1939*, S. 276, Benn habe ihm nach den Neuwahlen in der Dichterakademie verzweifelt gesagt: «Diese Wahlen, diese Menschen!» Jedenfalls zwangen «diese Menschen» Benn dazu, sich reaktivieren zu lassen und die innere Emigration im militärärztlichen Versorgungswesen zu suchen. Sie streuten auch Gerüchte aus, er sei jüdischer Abstammung, und sowohl das *Schwarze Korps* wie der *Völkische Beobachter*, beide am 7. 5. 1936, griffen ihn heftig an. Seine Gedichte bezeichneten sie u. a. als Ferkeleien. Benn mag schon am 11. 5. 1936 ziemlich mutlos gewesen sein, denn da meinte er in einem Brief: «Was daraus wird, ist noch nicht zu übersehen. Gutes kann nicht viel herauskommen. Entweder legt mich die SS um, oder ich muß doch hier leben [aus der Wehrmacht]. Eine tolle Lage! Wo halten wir eigentlich? Furtwängler dirigiert nicht mehr. Hindemith ist in Ankara. Poelzig geht nach Ankara. Ein Buch über Barlach wurde verboten. Ich bin ein öffentliches Ferkel», siehe G. Benn: *Briefe*, Wiesbaden 1957, S. 70–71.

Am 18. 3. 1938 teilte der Präsident der Reichsschrifttumskammer Benn schriftlich mit, im Einvernehmen mit dem Reichsminister für Volksaufklärung und Propaganda erfolge sein Ausschluß aus der Kammer. In dem Brief heißt es wörtlich: «Auf Grund dieses Beschlusses verlieren Sie das Recht zu jeder weiteren Berufsausübung innerhalb des Zuständigkeitsbereichs der Reichsschrifttumskammer», siehe: *Doppelleben*, a. a. O., 122–123; unterzeichnet war das Schreiben vom Geschäftsführer der Kammer, Wilhelm Ihde, der früher ein kleiner Mitarbeiter an nationalsozialistischen Provinzblättern war. Und solch ein Mann sprach nun Gottfried Benn gesetzlich das Recht ab, sich weiter als Schriftsteller zu betätigen! Die *Kleine Einführung in die deutsche Dichtung der Gegenwart* von Herbert Müllenbach, Berlin 1934, S. 30, erwähnt Benn lediglich in *einer* Zeile und nur mit anderen Namen zusammen; in der *Geschichte der deutschen Dichtung* von Franz Koch, Hamburg 1937/38, sowie in der *Geschichte der deutschen Literatur* von Paul Fechter, Berlin 1941, wird Benn überhaupt nicht genannt. Zusammenfassend kann man hier nur das wiederholen, was Dieter Wellershoff, der Herausgeber von Benns *Gesammelten Werken*, 4 Bände, Wiesbaden 1959–61, in: *Gottfried Benn – Phänotyp dieser Stunde*, Berlin 1958, S. 156, sagt: «Benns Verhalten war keine Notwendigkeit. Er hätte sich anders entscheiden können. Er hatte genügend Anlaß zu erwarten, daß sich angesichts der politischen Vorgänge in ihm eine bessere Einsicht gegen seine ideologischen Dispositionen und Tendenzen durchsetzen würde. Daß dies nicht geschah, genauer, daß dies erst so spät und *nicht ohne den nachhelfenden oder gar auslösenden Druck der herrschenden Gewalt geschah*, darf man sein moralisches Versagen nennen.»

J. F. Lehmann-Verlag an Benn

Über den J. F. Lehmann-Verlag schreibt *Volk und Rasse*, 1940, S. 137–138, folgendes: «Am 1. September d. J. begeht der Verlag, in dem unsere Zeitschrift erscheint, sein 50jähriges Jubiläum. Sein Begründer – Julius Friedrich Lehmann – hat ihn im Jahre 1890 zunächst von der medizinischen Seite her begonnen.

In einer Zeit der geistigen und völkischen Verflachung wandte sich J. F. Lehmann bald dem ‹Kampf ums Deutschtum› zu, einem Kampf, den er bis zu seinem Tode mit leidenschaftlichem Idealismus und eiserner Zielstrebigkeit geführt hat. Seine Bücher und Schriften waren scharfe Waffen im völkischen Freiheitskampf gegen den Liberalismus der Zeit vor dem Weltkriege und gegen die darauf folgende schwarz-rot-goldene Systemzeit. Vor dem Weltkrieg wirkten in starkem Maße seine im Auftrag des Alldeutschen Verbandes herausgegebenen Streit- und Aufklärungsschriften. 1917 gründete er die von besten Kräften des nationalen Deutschlands herausgegebene Zeitschrift *Deutschlands Erneuerung*. Schon früh setzte er sich für die heute verwirklichten Forderungen der Rassenhygiene ein und bahnte ihnen den Weg durch eine große Anzahl Schriften. 1922 erschien das unter seiner geistigen und materiellen Förderung geschriebene berühmte Buch von Prof. H. F. K. Günther, ‹Rassenkunde des deutschen Volkes›, von dem der Siegeszug des Rassengedankens in Deutschland seinen Ausgang nahm und auf das sich dann die große Rassenpolitische Abteilung des Verlags, in der mehr als hundert der verschiedenartigsten Veröffentlichungen, darunter Wandtafeln, Lichtbildervorträge, anthropologische Hilfsmittel usw., erschienen, aufbaute.

Seit 1905 erschien hier das ‹Archiv für Rassen- und Gesellschaftsbiologie›, das Organ der damals gegründeten ‹Deutschen Gesellschaft für Rassenhygiene›, seit 1925 ‹Volk und Rasse›. J. F. Lehmann wurde noch kurz vor seinem Tode vom Führer durch die Verleihung des Adlerschildes und des Goldenen Parteiabzeichens geehrt. Seine Nachfolger führen den Verlag in seinem Geiste weiter. Sie setzen ihre Kraft auf den verschiedensten alten und neuen Gebieten ein, von denen unter anderem noch die Naturwissenschaft, die Seelenkunde und die militärischen Schriften zu vermerken sind. Der Verlag hat seine Arbeit immer als Dienst am Deutschtum aufgefaßt und will diesen Weg auch in Zukunft einhalten. Die Schriftleitung der ‹Volk und Rasse› gedenkt bei dieser Gelegenheit dankbar der guten Zusammenarbeit und spricht den Wunsch für ein weiteres Gedeihen des Verlages aus.» Siehe auch *Volk und Rasse* 1934, S. 370, anläßlich des siebzigsten Geburtstages von J. F. Lehmann. Hitler bildete sich eifrig mittels der Bücher des J. F. Lehmann-Verlages; dieser schickte sie ihm stets mit überschwenglichen Widmungen wie etwa: «Herrn Hitler als Dank für seine Aufklärungsarbeit am deutschen Volke freundlichst zugeeignet»; oder bei der Übersendung von Paul de Lagardes Werken: «Den Propheten des Dritten Reiches und seinem Schöpfer zugeeignet»; und: «Dem alten Propheten des deutschen Volkes widmet seinem Nachfolger treulichst J. F. Lehmann» – in Reginald H. Phelps: *Die Hitler-Bibliothek* in: *Deutsche Rundschau*, 1954, S. 926 und 928; am 8. 12. 1931 schrieb J. F. Lehmann u. a. an Hitler: «Beifolgend gestatte ich mir, Ihnen wieder einige Werke meines Verlages zu senden, die Ihnen zeigen, daß ich in meiner national-erzieherischen Arbeit ständig weiterfahre. Da die Nationalsozialisten heute fast allein die schärfere Tonart vertreten, ist es ganz naturgemäß, daß auch mein Verlag, der seit 40 Jahren als alldeutscher Verlag stets als Vertreter der schärferen Tonart galt, auch im heutigen Kampf wiederum die tatkräftigsten Elemente anzieht und mit ihnen im vordersten Schützengraben ficht. Die Mehrzahl meiner Mitarbeiter ist sachte vom nationalen oder deutschnationalen Lager in das nationalsozialistische hinübergeglitten. Auch ich stehe, wie Ihnen bekannt, seit 10 Jahren innerlich mehr auf diesem Boden, da auf ihm die größere Tatkraft entwickelt wird. Darum habe ich die Bewegung auch all die Zeit kräftigst unterstützt. Da der größte Teil der geistigen Blüte meines Verlages heute im nationalsozialistischen Lager steht, möchte auch ich mich formell der Partei anschließen, da ich es nicht für richtig halte, mit meinem Verlag für die Partei zu arbeiten, persönlich aber einer anderen Partei anzugehören» – in J. F. Lehmann: *Ein Leben im Kampf für Deutschland, Lebenslauf und Briefe*, Herausgeber Melanie Lehmann, München 1935, S. 265.

Es kam zu dem folgenden Schriftwechsel, nachdem im J. F. Lehmann-Verlag 1937 von Wolfgang Willrich *Die Säuberung des Kunsttempels – Eine kunstpolitische Kampfschrift zur Gesundung deutscher Kunst im Geiste nordischer Art* erschienen war. Über Wolfgang Willrich, seine Malerei und Aktivitäten hinsichtlich der «entarteten Kunst» ausführlich in: *Die Bildenden Künste im Dritten Reich* (Ullstein Buch 33030), S. 389 f u. a. O. In Willrichs Buch wird Benn als Kulturbolschewist bezeichnet; siehe auch G. Benn: *Gesammelte Werke*, Wiesbaden 1959–61, Band IV, S. 98–102.

Herrn	J. F. Lehmann's Verlag,
Oberstabsarzt Dr. G. Benn	München, Paul Heysestr. 26
Berlin-Wilmersdorf	14. August 1937
Kaiserallee 28 b. v. Zeschau	Dr. L/H

Von Frau Willrich höre ich, daß ihr Mann wohl nicht vor dem 17. von seiner Reise, auf der er unerreichbar ist, zurückkehren wird. Ich verstehe durchaus, daß Sie einen raschen Entscheid haben möchten, bitte aber auch um Ihr Verständnis dafür, daß der Verleger nicht seinem Autor in den Rücken fallen kann. Es ist deshalb durchaus unzweckmäßig, in derartigen Dingen mit Terminstellungen zu arbeiten. Sie sehen aus meinen wiederholten Zuschriften, daß ich alles tue, um die Angelegenheit so rasch wie möglich zu klären. So habe ich auch die Zwischenzeit benutzt, um mir aus eigener Anschauung ein Urteil zu bilden. Ich habe mir von der Bayrischen Staatsbibliothek Ihre Werke: «Fleisch», die Gedichte im Band «Menschheitsdämmerung», «Das moderne Ich» und «Nach dem Nihilismus»[1] bestellt. Sie werden sich meine Überraschung vorstellen

1 *Fleisch – Gesammelte Lyrik* erschien 1917; die Anthologie *Menschheitsdämmerung – Symphonie jüngster Dichtung*, Herausgeber Kurt Pinthus, erschien 1920, Neuausg. Hamburg 1959 u. d. T. *Menschheitsdämmerung – Ein Dokument des Expressionismus*; Kurt Pinthus, * 1886; Lektor im Kurt Wolff- und Rowohlt-Verlag; 1933 emigrierte er. *Das moderne Ich – Essay* erschien 1920; *Nach dem Nihilismus – Essays*, erschien 1932.

können, als ich erfuhr, daß ich diese Bücher nur mit Genehmigung der zuständigen Parteistelle ausgefolgt erhalten könne und daß sie an das große Publikum nicht ausgegeben werden. Diese Genehmigung habe ich erhalten und verstehe nun auch diese Maßnahme der Büchereiverwaltung. Sie finden in der Anlage auf einigen Blättern eine Anzahl Stellen zusammengestellt, die den von Herrn Willrich erhobenen Vorwurf des Kulturbolschewismus ohne weiteres bestätigen. Der Vorwurf wird weiter dadurch bekräftigt, daß Ihre Werke in engster Gemeinschaft veröffentlicht sind mit den bekanntesten und berüchtigsten Namen der ehemals in Deutschland lebenden Kulturbolschewisten, wie sie sich um die «Aktion» und um Kurt Pinthus gruppieren [1]: Heinrich Mann, Franz Werfel, Karl Sternheim, Theodor Däubler, Paul Adler, Max Brod, Albert Ehrenstein und Max Hermann-Neisse.[2]

In diesem Zusammenhang möchte ich vor allem all die Bemerkungen zurückweisen, die Sie sich als für mich kränkend und beleidigend ausgedacht haben. Ausdrücke wie: «methodisch skrupelloser und geistig verantwortungsbarer Dilettantismus, ungesäuberte Begrifflichkeit, blickfeldbeschränkte Differenzierungsfeindschaft, weitgehende Fahrlässigkeit durch Verbreitung von Verleumdungen» in Bezug auf Herrn Willrich und mich, sind in Ihrer Lage wirklich nicht am Platze. Ich kann nur sagen, daß ich stolz bin, daß ich aus gesundem Instinkt heraus von diesen Veröffentlichungen weder bei ihrem Erscheinen noch späterhin Kenntnis genommen habe. Sie werden niemand überzeugen können, daß diese Veröffentlichungen etwas mit deutscher Kultur zu tun haben.

Sie behaupten nun, Sie seien in Ihrer Ehre als Sanitätsoffizier beleidigt worden. Ich persönlich ersah erst aus Ihrem Brief, daß Sie heute wieder aktiver Sanitätsoffizier der Wehrmacht sind. Auch Herr Willrich dürfte davon nichts gewußt haben. Jedenfalls hat er Sie nicht in dieser Eigenschaft angegriffen und auch nicht beabsichtigt, Sie in Ihrer dienstlichen Stellung zu treffen, sonst hätte er gewiß auch hier kein Blatt vor den Mund genommen. Im übrigen bleibt es Ihrer vorgesetzten Stelle überlassen, zu entscheiden, wie weit Sie etwa selbst durch die Gedichte, die Sie als aktiver Sanitätsoffizier während des Krieges 1917 in der «Aktion» veröffentlicht haben, damals die Ehre des Sanitätsoffiziers gefährdeten.

Zurückweisen muß ich auch Ihre Behauptung einer Verleumdung.

1 Es handelt sich um den Kreis, der dem Expressionismus huldigte; *Die Aktion* wurde 1911 von dem Schriftsteller Franz Pfemfert gegründet.

2 Theodor Däubler, Lyriker, 1876–1934; siehe Hanns Ulbricht: *Theodor Däubler – Eine Einführung in sein Werk und eine Auswahl*, Wiesbaden 1951; Albert Ehrenstein, Kritiker und Lyriker, 1886–1950; Paul Adler, Lyriker und Novellist, 1878–1946; Carl Sternheim, Dramatiker, 1878–1942; Dr. Max Brod (Roman, Lyrik und Kulturphilosophie), * 1884, auch bekannt als Nachlaßverwalter und Biograph von Franz Kafka; Max Herrmann-Neisse, Lyriker, 1886–1941.

Verleumdung setzt immer eine Behauptung wider besseres Wissen voraus. Es ist unerhört, Herrn Willrich vorzuwerfen, daß er Sie wider besseres Wissen des Kulturbolschewismus beschuldigt oder gar, daß ich wider besseres Wissen diese Beschuldigung verbreitet hätte. Mein Wissen über Sie war nicht sehr umfassend. Herr Willrich hat aber Ihre Bücher gekannt und war daher in der Lage, auf Grund eigenen Wissens die Behauptung, daß Sie Kulturbolschewist gewesen seien, aufzustellen.

Sie versuchen nun in Ihrem Brief vom 10. ds., Ihren Leistungen aus der Kriegs- und Nachkriegszeit Positives aus späteren Jahren gegenüberzustellen. Leider geben Sie die Quelle für Ihre Auseinandersetzungen mit einigen bolschewistischen Schriftstellern nicht an. Die mit Tretjakow [1] habe ich in dem Band «Nach dem Nihilismus» gefunden. Sie ist so in der Sprache Ihrer Gegner gehalten und so aus dem Gesichtspunkt des Intellektualismus gesehen, daß sie für unsereinen kaum genießbar ist. Als kämpferisch kann ich sie nicht empfinden. Diese literarischen Auseinandersetzungen können aber auch deshalb in meinen Augen das Vorhergegangene umsoweniger auslöschen, als Sie es doch noch im Jahre 1931 fertiggebracht haben, eine Rede zu Heinrich Manns 60. Geburtstag zu halten. Wer das 1931 tat, der mag 1933 eine Rundfunkrede gegen die literarischen Emigranten halten, zu denen der gleiche Heinrich Mann gehört, «der uns alle schuf». Sie geben dabei selbst zu, daß Sie es verstanden, sich in der Sprache dieser Emigranten und innerhalb ihrer Problematik auszudrücken. Ich wäre darauf nicht stolz.

Über den Futurismus will ich mich hier nicht auseinandersetzen. Offensichtlich wird er von sehr maßgebenden Parteistellen heute ebenso abgelehnt, wie andere Richtungen der entarteten Kunst. In der hiesigen Ausstellung scheint kein Unterschied gemacht zu sein. Dadurch, daß 1934 ein Italiener versucht hat, uns für den Futurismus zu gewinnen, wird er für Deutschland nicht artgemäßer und nicht verständlicher als vorher.

Ihren Aufsatz über die Erschießung von Edith Cavell [2] kenne ich seit seinem Erscheinen. Es versteht sich ja für einen deutschen Sanitätsoffizier wohl von selbst, daß er für den Standpunkt der deutschen Regierung eintritt, zumal, wenn er, wie Sie, so ausgezeichnet Gelegenheit hat, aufklärend zu wirken. Auch das schließt aber den Vorwurf des Kulturbolschewismus nicht aus, denn es ist durchaus möglich, daß sich jemand in allgemeinen nationalpolitischen Dingen im Wesentlichen richtig verhält und trotzdem kulturpolitisch eine ganz andere Linie einhält.

[1] Sergej M. Tretjakow, russischer Dichter und Journalist, * 1892, gehörte der futuristischen Gruppe *Tvorčestvo*, 1919–21, an.

[2] Edith Cavell, englische Krankenpflegerin, seit 1907 in Brüssel tätig, wo sie während der deutschen Besetzung im Ersten Weltkrieg standrechtlich erschossen wurde.

Nach diesen Feststellungen habe ich mich mit Ihrer Forderung auseinanderzusetzen:

daß ich bedauern soll, eine Veröffentlichung gebracht zu haben, die sich mit Ihrer Person befaßt und den Rahmen der literarischen Kritik verlassend persönliche Beleidigungen enthält und

daß ich in einer etwaigen neuen Auflage die Seiten, die Sie betreffen, soweit sie persönliche Beleidigungen enthalten, fortlassen werde.

Bedauern kann ich lediglich aus menschlichen Gründen, wenn Ihnen aus der Veröffentlichung Herrn Willrichs Schwierigkeiten in dienstlicher Beziehung erwachsen sollten. Ich darf aber doch wohl annehmen, daß Ihre Behörde Sie als Arzt und Offizier angestellt und dabei bewußt über Ihre literarische und kulturpolitische Vergangenheit hinweggesehen hat, also kann Ihnen aus dieser Veröffentlichung doch kein dienstlicher Nachteil erwachsen. Beleidigungen sind in den Äußerungen von Herrn Willrich nicht enthalten. Der Ausdruck Kulturbolschewist ist für den Verfasser der oben genannten Bücher und für den Lobredner Heinrich Manns, für den Weggenossen all der vielen entwurzelten Literaten so wenig eine Beleidigung, wie die Bezeichnung Jude für einen Juden. Unrichtig ist lediglich die Behauptung, daß Sie eine Stelle als Schriftwart in der Literatur-Kammer hätten. Herrn Willrich schwebte da wohl Ihre Eigenschaft als Mitglied der Dichter-Akademie vor. Das wird geändert werden, da man ihn auf Ihre heutige Produktion, die z. T. im Einvernehmen mit staatlichen Stellen erfolgt, nicht anwenden kann. Zu einem weiteren Entgegenkommen sehe ich mich aber nicht in der Lage.

Im übrigen muß ich immer wieder darauf hinweisen, daß Sie sich überhaupt grundsätzlich an die falsche Adresse wenden. Nicht der Verleger, sondern der Verfasser ist der Schöpfer eines Buches, und Änderungen können lediglich vom Verfasser ausgehen. Der Verleger kann nichts weiter tun, als in Fällen offensichtlichen Unrechts auf den Verfasser einzuwirken. Ich bedaure lebhaft, daß weder Ihr Brief noch Ihre Bücher mich davon überzeugen konnten, daß Herr Willrich Ihnen unrecht getan hat.

Ich sehe zunächst davon ab, einen Durchschlag dieser Stellungnahme zu meiner und Herrn Willrichs Rechtfertigung der Militärbehörde vorzulegen, da ich Ihnen in keiner Weise Schwierigkeiten machen will. Ich bin überzeugt, daß die Behörde damit zufrieden ist, wenn Sie ihr sagen, daß lediglich Ihre der Behörde ja gewiß bekannte Vergangenheit angegriffen werde, daß Herr Willrich aber nicht beabsichtigt, Sie in Ihrer heutigen Stellung und in Ihrem heutigen Schaffen anzugreifen und zu kränken.

Heil Hitler!
Dr. Lehmann

Willrich an Benn

Man achte darauf, daß Willrich genau wie Lehmann die Briefe ohne Anrede absandte; Willrich gönnt ihm am Ende noch nicht einmal das «Heil Hitler!».

Herrn
Dr. Gottfried Benn   Wolfgang Willrich,
Berlin-Wilmersdorf   Berlin-Frohnau, Forstweg 70
Kaiserallee 28 b. v. Zeschau   den 27. August 1937

Bei meiner Rückkehr von einer Reise fand ich Ihren Briefwechsel mit Herrn Lehmann vor. Die letzte Antwort, die er Ihnen erteilt hat, wird Sie darüber belehrt haben, daß Ihr dreister Überrumpelungsplan und Einschüchterungsversuch fehlgeschlagen ist. Selbstredend gedenke ich meine Angriffe gegen Ihre literarische Greuelproduktion von ehedem genau so lange aufrecht zu erhalten, wie ich von der Richtigkeit und Notwendigkeit dieser Angriffe überzeugt bin, und Sie keine gültigen Gegenbeweise aufbringen. Wenn ich Ihnen überhaupt schreibe, so lediglich deshalb:

1. damit Sie nicht behaupten können, ich sei Ihnen ausgewichen.
2. damit Sie vielmehr Ihrerseits der Militärbehörde die Begründung meines Angriffs nicht vorenthalten können, sondern mindestens das beiliegende Belastungsmaterial vorzulegen in der Lage sind.
3. weil ich immerhin gespannt bin, was zu berichtigen Sie denn überhaupt für nötig halten und wieso Sie glauben können, beleidigt oder auch nur zu Unrecht angegriffen zu sein, schließlich
4. weil es mir gänzlich rätselhaft ist, wie und mit wessen Fürsprache Sie nach Ihrer literarischen Vergangenheit es fertiggebracht haben, nicht nur als Dichter auch im Dritten Reich wieder Gehör zu finden, sondern sogar als Oberstabsarzt einen Rang zu erhalten in Kreisen, die Ihnen als dem Dichter der «Etappe», dieser grausigsten Verhöhnung des Sanitätswesens, schlechthin meilenfern rücken müßten.

Als ich Ihre «Prosa» und «Lyrik» aus der anarcho-bolschewistischen Zeitschrift «Die Aktion» des jetzt emigrierten Pfemfert, aus der «Menschheitsdämmerung» des Juden Pinthus, aus dem «Querschnitt» des Juden Flechtheim [1] und anderen kunstbolschewistischen Organen aufstöberte, würde ich jeden ausgelacht haben, der mir hätte weismachen wollen: Benn ist Offizier des Reichsheeres. Jetzt muß ich das wohl oder übel glauben, da Sie in Ihrem Brief an den Verleger Lehmann sogar einen Truppenteil angeben. Ich kann mir dieses Rätsel nur so erklären,

---

1 Alfred Flechtheim gehörte in Deutschland zu den Pionieren der modernen Kunst; er förderte Beckmann, Klee, Hofer und führte die modernen Franzosen ein; siehe hierzu auch: *Die bildenden Künste im Dritten Reich* (Ullstein Buch 33030).

daß Ihr von Herrn Johst ausgefertigtes kunstpolitisches Ehrenzeugnis von der ahnungslosen Militärbehörde höher gewertet wurde, als es das verdiente. Denn die Militärbehörde wird bisher zweifellos nicht davon unterrichtet sein, daß Herr Johst für Sie nicht nur offiziell als Präsident der Reichskammer des deutschen Schrifttums bürgt, sondern *ideell* schon vordem Ihr Genosse war, nämlich als gelegentlicher Mitarbeiter in jener Zeitschrift «Die Aktion», deren Herausgeber Pfemfert, als radikaler Spartakist mit Liebknecht und Rosa Luxemburg befreundet, unter anderem auch den verhängnisvollen Munitionsarbeiterstreik von 1918 literarisch mit vorbereiten half und jedenfalls mit Recht behaupten kann, der Revolution von 1918 den Weg bereitet zu haben.

Ihre Behauptung, die «Aktion» sei zu Ihrer Zeit unpolitisch gewesen, ist ebenso objektiv unwahr, wie Ihre Angabe, daß Ihre letzte Mitarbeit im Jahre 1917 stattgefunden habe. Die Verekelung des kriegerischen Einsatzes, die Lähmung des Kampfgeistes und Siegeswillens durch Antikriegs-Lyrik und Antikriegs-Prosa, die Vergiftung durch eine literarisch getarnte Humanitätsduselei und einen schwärmerisch vorgetragenen Nihilismus voller revolutionärer Stichworte und zersetzender Suggestionen – für so dumm, Herr Doktor, daß Sie das alles nicht sofort gemerkt hätten, für so dumm halte ich gerade Sie nicht! Ihre geistigen Beziehungen zu Heinrich Mann oder gar George Grosz[1], diesem grimmigsten politischen Zeichner, der, wie niemand vor noch nach ihm gerade die Armee und zumal den Offizier verhöhnt hat, zeigt deutlich, wo Sie dazumal standen. Wie weit Hanns Johst, als dessen Vertreter Sie vor einiger Zeit den ehemaligen Anarchisten, späteren Faschisten und ewig wunderlichen Futuristen Marinetti begrüßt und beschmeichelt haben, um diese Einzelheiten wußte, als er Sie empfahl als einen Mann, der «Nie gegen die Gesetze der nationalen Ehre verstieß», bleibt abzuwarten. Ebenso ist mir zweifelhaft, ob Johst sich z. B. hinter Ihre Befürwortung einer Schrift, die sich für die Aufhebung des § 218[2] einsetzt, stellen wird («Querschnitt» 1928). Es ist jedenfalls zu erwarten, daß im Ernstfall Hanns Johst Ihre literarischen Machwerke nicht alle als Ehrenleistungen für die deutsche Nation aufrecht erhalten kann, besonders nicht im Rahmen seiner Verantwortung vor dem Führer.

Die große Münchener Ausstellung «Entartete Kunst» ist ja inhaltlich die harmloseste Gartenlaube im Vergleich mit Ihrer «Fleisch»-Lyrik, Ihrem «Vermessungsdirigenten» und all den anderen Perversitäten, die Sie literarisch ausgeschlachtet und durchgekostet haben. Dix[3], Grosz

1 George Grosz, Maler, Graphiker, Karikaturist und Schriftsteller; ausführlich über ihn in: *Die Bildenden Künste im Dritten Reich* (Ullstein Buch 33030).

2 § 218: Strafgesetz über Abtreibung der Leibesfrucht.

3 Otto Dix, Maler und Graphiker; ausführlich über ihn in: *Die Bildenden Künste im Dritten Reich* (Ullstein Buch 33030).

und Konsorten mitsamt ihrer Bordellgraphik und Obszönitätenmalerei, sie sind ja gar nicht viel mehr als die Illustratoren Ihrer Greuelvorstellungen. Daß Johst nach einem kläglich mißlungenen eigenen Versuch (in seinem Rüpelspiel, Aktionsbuch 1917) ala Benn in gemeinen Redewendungen sich zu produzieren, Ihnen dieses Tätigkeitsfeld nicht weiter streitig macht, läßt schließen, daß Ihren ärztlichen Spezialerfahrungen auf sexualpathologischem Gebiet nichts ebenso Widerwärtiges an die Seite zu stellen ist.

Jedenfalls ist das Eine sicher: wenn jemand genannt werden muß als spiritus rector der bolschewistischen Wollust am Ekelhaften, die in der entarteten Kunst ihre Orgien feierte, dann haben *Sie* ein Anrecht darauf, an erster Stelle angeprangert zu werden, gleichviel, ob mit oder ohne Herrn Johsts Gutachten. Sollten Sie und Hanns Johst anderer Ansicht sein, so empfehle ich Ihnen, eine charakteristische Auswahl der Machwerke, wie sie etwa Ihren Ruf bei den bolschewistischen Studierenden der Dresdener Akademie gewährleisteten, durch Herrn Johst dem Führer zu überreichen: etwa die «Leichen-Unterhaltung» im Berliner Dialekt oder den «Ball», «Hurenkreuzzug», «Syphilisquadrille» und sonst derlei aus «Fleisch» oder auch den «Prolog» von 1922 für «Die Aktion». Ich zweifle nicht, daß Sie es vorziehen werden, Ihren verehrten Heinrich Mann im Ausland zu besuchen, als die Antwort des Führers abzuwarten. Auch die Stellungnahme des Reichskriegsministers zu Ihrer «Etappe» und zu Ihrer Pornopoesie, ja schon zu Ihrer «Hirnhund»-Erkenntnisprosa, dürfte wohl von der Auffassung des Hanns Johst wesentlich abweichen. Ich sage Ihnen, daß «Die Epoche mit Kunst» nicht «für immer vorbei ist», wie Sie uns vorschreiben, sondern daß die Kunst auflebt, sobald die Suggestivmacht der «künstlerisch» oder «wissenschaftlich» drapierten Niedertracht gebrochen wird. Nach meinem Dafürhalten, Herr Doktor, haben Sie sich weit entfernt von den Überlieferungen, die der deutschen Kunst entsprechen und nicht minder weit von den Traditionen des Taktes, die zu den Grundlagen für das Ansehen des deutschen Offiziers gehören.

Willrich

Willrich an Darré

Richard Walter Darré, 1895–1953; ab 1933 Reichsbauernführer sowie Reichsminister für Ernährung und Landwirtschaft; ein Fanatiker der NS-*Blut-und-Boden*-Anschauung; er war Willrichs Mäzen; siehe Fritz Wenzel: *Reichsbauernführer R. Walter Darré und seine Mitkämpfer – Der Sieg von Blut und Boden*, Berlin 1934.

Wolfgang Willrich
Berlin-Frohnau, Forstweg 70
Berlin, den 27. August 1937

Sehr geehrter Herr Reichsbauernführer!
Hier gebe ich Ihnen Einblick in den Fall Benn. Wie Sie aus dem Briefwechsel und den Anlagen sofort ersehen werden, handelt es sich um einen Kunstbolschewisten erster Ordnung, dessen Dreistigkeit dadurch zu
einer Gefahr für die SS und auch den Reichsbauernrat [1] wird, weil er sowohl wie sein Verleger sich verschanzen hinter einem Gutachten, was
Herr Hanns Johst ehedem ausgestellt hat und sogar entgegen einem
Angriff des «Schwarzen Korps» aufrecht erhalten hat. Herr Benn darf,
im Falle daß er sich auf Drängen seiner Militärbehörden gezwungen
sieht, zu klagen, unter keinen Umständen vor Gericht Herrn Johst's Namen für seine Schweinereien in Anspruch nehmen können. Daß Benn
überhaupt, gestützt auf ein Gutachten von Herrn Johst, seine Aufnahme
ins Offizierkorps erreicht hat, ist zwar grotesk, läßt sich aber vielleicht
auch ohne einen öffentlichen Skandal rückgängig machen.

Heil Hitler!
Ihr sehr ergebener
Wolfgang Willrich

Himmler an Willrich

Heinrich Himmler, 1900–45; ab 1929 Reichsführer SS; ab 1936 Chef der
Deutschen Polizei; 1943 Reichsminister des Innern; 1944 Befehlshaber des Er-
satzheeres; in der gesamten Himmler-Dokumentation ist dieser Brief wahrscheinlich einer der menschlichsten, die er jemals unterzeichnet hat.

Tgb. Nr. AR/3771   Der Reichsführer-SS
RF/Pt./V.   Berlin, den 18. September 1937

Sehr geehrter Herr Willrich!
Ich kenne den Fall Benn sehr gut und halte das Aufrollen dieses Falles
von Ihrer Seite für unnötig. Benn hat ohne Zweifel früher diese Gedichte geschrieben. Die Meinung des Führers auf dem Gebiete der Kunst ist
jedoch folgende:
    Die Künstler hatten 4 Jahre Zeit, um sich zu ändern und Kunstschöp-
fungen, die Zerfallserscheinungen sind, nicht mehr in die Welt zu setzen, sondern wirkliche Kunst zu schaffen.

---

1 Reichsbauernrat; bestimmte Anzahl von Bauernführern, die dem Reichsbauernführer beratend zur Seite standen und dem Rat auf Lebenszeit angehörten.

Benn hat sich seit dem Jahre 1933 und auch schon früher in nationaler Hinsicht absolut einwandfrei gehalten. Jetzt wie ein Amokläufer gegen diesen Mann vorzugehen, der sich gerade im internationalen Leben einwandfrei für Deutschland gehalten hat, halte ich für unnötig und unsinnig. Ich habe meinen gesamten Dienststellen verboten, sich in die Angelegenheit Benn irgendwie einzumischen.

Ich glaube wirklich, daß der Präsident der Reichsschrifttumskammer, Hanns Johst, ein Mann, der sich in den allerschwersten Jahren des Kampfes zum Führer bekannt hat, und aus dem Wirrnis der Revolution heraus von 1919/20 an suchend einen Weg über das Nationale zum Nationalsozialistischen gefunden hat und kompromißlos gegangen ist, wohl in erster Linie für solche Fragen zuständig ist.

Ich schätze Ihren Kampf gegen die entartete Kunst gewiß sehr hoch ein, und ich glaube, Sie können sich nicht beschweren, daß ich für diesen Kampf keinen Beitrag geliefert hätte oder kein Verständnis aufbrächte. Ich glaube aber, daß dieser Kampf nicht so, wie ich bei Ihnen den Eindruck habe, Lebensinhalt und Amoklaufen werden darf.

Ich wiederhole meine Überzeugung, die ich Ihnen gegenüber schon einmal mündlich aussprach, daß es wichtiger wäre, wenn Sie weiterhin gute Bilder malten, als nun jeden Einzelnen, der im Jahre 1918/19 und auch meinetwegen später als Künstler dumme Sachen geschaffen oder verfaßt hat, nun bis zur Vernichtung seiner Existenz zu verfolgen.

Heil Hitler!
Ihr H. Himmler

Die nationale Revolution

Grundsätzliches

Erwin Guido Kolbenheyer: *Die nationale Revolution und das Aufleben des deutschen Geistes* in: *Deutsches Volkstum*, 1933, S. 536–537, gekürzt.

Wie alles im Überindividuellen wirkende Leben muß demnach auch die Entwicklung der deutschen Revolution im Kulturellen nach zwei Seiten hin ihre Abgrenzung finden: Sie muß erstens die Hemmungen des Triebhaft-Parteimäßigen überwinden und zweitens die internationalistische, die westlerische Befangenheit der Intellektuellen. Dann erst werden die volkhaften Entfaltungskräfte der deutschen Kultur frei sein.

Von diesen grundsätzlichen Unterscheidungen aus wird auch die Stellung der Dichtkunst in der nationalen Revolution bestimmt.

Wenn also die nationale Revolution bestimmenden Einfluß auf die Mittlertätigkeit und die Mittelswege des Kulturellen nimmt, so ist das mehr als ein gutes Recht, es ist eine Kampfbedingung für sie, den Sieg zu behalten. Denn nur dann wird der Sieg errungen sein, wenn die nationalen Werte unserer Kultur auf die entscheidende Wirkungshöhe geführt sind, d. h. wenn unser Volk im kulturellen Gemeinschaftsleben der Rasse den ihm gebührenden, die gesamte Kultur mitgestaltenden und mitbestimmenden, Anteil behauptet.

Der beste Beweis für die Richtigkeit und das Gewicht dieser Anschauung ist in folgendem zu finden:

Nicht umsonst versuchen die inneren und äußeren Feinde das deutsche Volkswesen der Barbarei zu bezichtigen, eine Feindseligkeit, gegen die keine Abwehr scharf genug sein kann. Zweierlei liegt in ihr verborgen: Erstens das klare Bewußtsein der Gegner, daß ein Volk der weißen Rasse nur bestehen kann, wenn seine nationale Kultur zur Weltwirksamkeit gelangt. Barbaren aber haben keine weltwirksame Eigenkultur. – Und zweitens der Wunsch, daß wir doch Barbaren wären, denn nur über Barbaren ist eine dauernde Hegemonie möglich.

Wir brauchen nicht viel mehr als diese mentalen Regungen unserer inneren und äußeren Gegner zu erkennen, um zu wissen, wohin sich die nationale Revolution, die ja eine Befreiungsbewegung bleibt, zu wenden hat, um das Volk nicht nur im Innern, sondern auch vor den Augen der übrigen Welt aus der schmählichsten kulturellen Ächtung zu lösen.

Aufbruch des Geistes

Aufsatz von Hans Bruno Franz Kyser in: *Berliner Lokal-Anzeiger* vom 3. 3. 1933, Morgenausgabe, erstes Beiblatt, gekürzt.

Kyser war Lyriker, Romancier, Dramatiker, Filmautor, Hörspieldichter, Filmregisseur und Theaterregisseur, 1882–1940; siehe auch Friedrich Hussong: *Das Land Goethes und Einsteins*, ebd. am 7. 5. 1933.

Nicht mit der gleichen Entschlossenheit und klaren Zielsetzung wie im politischen Leben fallen die Entscheidungen im geistigen Leben der Nation. Hier gebietet nicht der Wille führender Persönlichkeiten, der, wie wir es nicht nur in den letzten Wochen erleben, der nationalen Bewegung in unserem Volke einen immer stärkeren, mitreißenderen, geschlosseneren Auftrieb gibt. Hier sind es, gemessen an den Millionen des neuen deutschen Aufbruchs, immer nur wenige, die, jeder aus der Wurzel seines eigenen Selbst entwachsend, mit ganz verschiedenartigen, ganz persönlichen Leistungen und Werken den geistigen Charakter der Zeit bestimmen.

Wir unterliegen alle dem geheimnisvollen Gesetz der inneren Wandlung, und unsere Geistesgeschichte lehrt uns an manchem unserer vortrefflichsten Männer, mit welchen Kämpfen sich bei ihnen diese Wandlung vollzogen hat.

Gewohnt, seinem Temperament zu folgen, das bald ein betrachtendes und besinnliches, bald ein den Zeiteinflüssen nachgiebigeres oder heftig widerstrebendes ist, mißt der geistige Mensch den Weg seiner Entscheidungen nach Maßstäben, die er nicht immer der überstürmten Ebene der Tagesgeschehnisse entnimmt, sondern zuweilen auch der unendlichen, von den Kräften der Schöpfung durchpulsten Sphäre des Denkens.

Einen solchen Augenblick der inneren Entscheidung hat Schiller einmal so ausgedrückt: «Die Fähigkeit, das Erhabene zu empfinden, ist eine der herrlichsten Anlagen in der Menschennatur, die sowohl wegen ihres Ursprungs aus dem selbständigen Denk- und Willensvermögen unsere Achtung als wegen ihres Einflusses auf den moralischen Menschen die vollkommenste Entwicklung verdient.»

Man sollte meinen, es gäbe für den deutschen Geist in unserer Zeit, die uns täglich mit verworfenstem Beispiel die Bedrohung aller unserer Kulturgüter lehrt, keinen selbstverständlicheren Grundsatz als diesen Schillerschen. Und doch – was nun mit Beschämung gesagt sein muß – gibt es in unserer Kunst und in unserem Schrifttum noch immer Männer, die an diesem Vaterlandsgefühl herumdrehen und deuteln, als ob irgendein Gefühl das Herz des Deutschen heute mächtiger durchfluten kann als diese von keinem Wort und keinem Gedanken je einschränkbare Liebe zu unserem Vaterland; als bedarf es hier irgendeiner anderen Begründung als des tiefsten Grundes unseres Wesens und Wirkens:

ein Deutscher zu sein! Und dieses ist das gültige Versprechen einer unter nationaler Führung stehenden deutschen Kulturpolitik. Auch der deutsche Geist wandert geschlossen mit im Aufbruch dieser wieder aus eigener Kraft sich erneuernden deutschen Nation!

Worauf es ankommt

Paul Fechter: *Vom Ich zum Wir* in: *Des deutschen Dichters Sendung in der Gegenwart*, Herausgeber Prof. Dr. Heinz Kindermann, Leipzig 1933, S. 146 und 150–152, Auszüge; Dr. Paul Fechter, Schriftsteller (Literaturgeschichte, Drama, Roman), 1880–1958; am 22. 4. 1933 notierte Oskar Loerke in: *Tagebücher 1903–1939*, S. 271: «Die ‹Literarische Welt› stellt sich um. Sie wird national. Ich erhielt die erste Nummer der neuen Leitung. Wortführer ist Paul Fechter. Das Ungeheuerliche geschieht: wer das Wort der Muttersprache zu bilden gesucht hat aus seinem Leben und seinen Gaben, wird an den Marterpfahl gebunden, damit die Trägen und Rohen, denen er die Zunge lösen helfen wollte, ihn peinigen und töten. Die seligen Geister der Vorzeit durften den Dienst ihres Schicksals tun, heute wird gelästert und verachtet, wer es ihnen gleichzutun sich mühte. Die Winzigen und Mittelmäßigen brüsten sich und tun es den Bösen zuvor»; im Vorwort zu dem obenerwähnten Buch von Prof. Heinz Kindermann schreibt Hans Hinkel: «In den Stunden, da diese Zeilen geschrieben werden, dröhnt durch Deutschland der Marschtritt der Regimenter der nationalen Revolution. Das Volk ist im Aufbruch. Was Millionen in schweren Nächten ersehnten, nimmt Gestalt an. Was an Morschem gestern noch Ewigkeiten zu überdauern schien, die erwachende Nation fegt es beiseite. Die Gemeinschaft all der Künstler deutscher Art ist im Werden. Blut und Boden werden wieder bestimmende Substanz. Nichts nützt den Feigen, Lauen und Absterbenden ihr Gegröle von ‹deutscher Barbarei›»; «Vor dem lebendigen deutschen Volkstum zerstiebt das Gejammer der Ewig-Gestrigen. Die schöpferischen Deutschen, die Erwecker und Künder der Sehnsucht unserer Herzen, recken sich in reiner Luft, stehen froh und schaffensdurstig Schulter an Schulter mit dem Blutsbruder von Pflug und Schraubstock, verpflichten sich dem Führer, dem Schöpfer, dem Künder. Wieder hält die Welt vor Deutschland, das zu sich fand, den Atem an. Der Spuk der Wurzellosen ist zu Ende.»

Die Aufgabe, die der deutschen Dichtung in der Gegenwart und mehr noch im Laufe der nächsten Jahrzehnte gestellt ist und gestellt sein wird, ist verhältnismäßig einfach zu umschreiben: sie wird die Rückwendung auch der dichterischen Welt vom Ich zum Wir, von der Vereinzelung zur Allgemeinheit zu vollziehen, die Stellung des Individuums und seine Tätigkeit im Bereich des Volksganzen neu zu orientieren haben. Der Übergang vom Liberalismus zum Volk, den wir auf politischem Gebiet bereits zur Hälfte hinter uns haben, wird im Bereich des Seelisch-Geistigen im Ablauf des nächsten Jahrhunderts von den dichterischen Menschen ebenfalls zu leisten sein.

Worauf es für uns ankommt, das ist, daß in den vor uns liegenden

Zeiten Werke der Dichtung entstehen, die ihren Ursprung in den allgemeinen, alle verbindenden, gemeinsamen Gefühlen haben, die das Volksganze tragen – und die aus diesem Ursprünglichen hinaufwachsen über die gesammelte Erfahrung des Lebens in die Bezirke der durchgeistigten Welt, in denen die großen dichterischen Gebilde aller Völker leben. Worauf es ankommt, ist, daß die dichterischen Menschen von heute und morgen begreifen lernen, daß weder Talent noch Formsinn, weder Bildung noch Wissen, weder Stil noch Sprache das für die Zukunft Entscheidende sind, sondern ein Schaffen aus der unmittelbaren Verbundenheit mit allen, damit diese Verbundenheit in den Werken der neuen Dichtung für alle, die als Aufgabe noch vor uns liegt, einen immer stärkeren Kitt sowohl im Horizontalen, vom Nebenmann zum Nebenmann, wie im Vertikalen, im Aufsteigen von einer Bildungs- und Erfahrungsschicht zur darüber gelagerten bilden kann. Denn die Zeit wie die Zukunft gehört dieser aus den allgemeinen Voraussetzungen der Nation erwachsenden Dichtung. Wir haben in den Jahrtausenden seit den Frühgermanen mehr als einmal versucht, den Weg zu einer solchen Dichtung aus dem Volke freizumachen. Diese Versuche wurden immer wieder erstickt, zuerst von der schicksalsmäßigen Bildungsdichtung, die wir erst absolvieren mußten, dann von einer primitiven Bildungsliteratur, die schon der Vergangenheit angehörte, wenn sie erschien. Was uns noch fehlt, ist die große allgemeine Dichtung aus der Nation, die von ihren Voraussetzungen aus allen zugänglich ist und sich doch über Erfahrung und notwendiges Denken, nicht billigen Intellekt erhebt in die Regionen des Geistes als in die zweite nun nicht mehr volkhaft begrenzte Allgemeinheit und Allgemeinverbindlichkeit. Diese Dichtung in sich erwachsen zu lassen, sie heraufzuholen aus den dunklen Tiefen des volkhaft gemeinsamen Lebens in die Helle der geistigen Welt, sich als Medium dieser Gestaltung zu nehmen und zugleich mit wacher Bewußtheit dem Werk die Verwirklichung zu schaffen, die es braucht – diese fast überpersönlichen Aufgaben zu lösen, ist die Sendung, die die Zeit und das Schicksal des Ganzen den Dichtern aufgegeben hat.

«Vom deutschen Menschen der Gegenwart»

Aufsatz von Werner Beumelburg in: *Deutsche Kultur-Wacht*, 1. 7. 1933, S. 1, gekürzt.
Werner Beumelburg war Schriftsteller (Kriegsbücher, Zeitgeschichte), 1899–1963; 1933 Generalsekretär der Deutschen Akademie der Dichtung; über W. Beumelburgs *Das eherne Herz* schreibt Herbert Müllenbach in: *Kleine Einführung in die deutsche Dichtung der Gegenwart*, Berlin 1934, S. 43–44: «Ein Werk des Heroismus und der Menschlichkeit, ein Wegweiser jener Gesinnung und jener Lebenshaltung, die der kommenden Generation Ziel sein müssen und die sich als die Bogen einer gewaltigen Brücke von den Trichterfeldern über das Heute in die Zukunft des Reiches wölben.»

Der Sinn jeder Kulturarbeit ist die Vertiefung des Gegenwärtigen, die Herstellung einer innigen Beziehung zwischen Erlebnis und Mensch, zwischen Gestalt und Empfindung. Daß der gewaltige Umschwung dieses Frühjahrs auf die kulturelle Haltung des deutschen Volkes nicht ohne Einfluß bleiben kann, ist ebenso gewiß, wie es schwierig ist, den richtigen Weg für die Zukunft zu ermitteln. Heute liegen die Dinge doch so: eine jugendliche Bewegung ist vorgestoßen mit Urgewalt und hat im Siege alle Schranken eingerissen. Die natürlichen Gegner dieser Bewegung sind kampflos verschwunden. Die indifferente Mitte als die große breite Masse des Bürgertums scheint von dem Geist und dem neuen Schwung geradezu verjüngt und beeilt sich mit der Bekundung ihrer Jugendlichkeit derart, daß es zu den komischsten Vorfällen kommt. Dieser Massenandrang, teils aus gutem Willen geboren, teils aus geschäftlichem Eifer, teils aus dem einfachen Grunde, weil es der Nachbar auch so macht, diese stürmische und allzu eilfertige Sucht, überall dabei zu sein und möglichst die Spitze zu gewinnen, hat uns heute schon in kultureller Beziehung in einen Zustand versetzt, der allergrößte Aufmerksamkeit erfordert.

Heute entscheiden in Deutschland zwei Generationen. Die erste ist die Kriegsgeneration, die zweite die Nachkriegsgeneration. Auf beide stützt sich das politische Geschehen dieses Jahres. Beide müssen zu einem unerschütterlichen Block zusammengeschmiedet werden, der für die Zukunft Bestand haben soll. Mit diesem in Blut und Not gehärteten Block, dessen innere Abkehr von der jüngsten Vergangenheit eine völlige ist, muß auf allen Gebieten des nationalen Lebens gerechnet werden. Es gilt zu begreifen, daß hier ein neuer Menschentyp in der Formung begriffen ist. Es gilt, auf kulturellem Gebiet die gleichen Folgerungen zu ziehen, die man in der Politik gezogen hat und die auf sozialem Gebiet eingeleitet sind. Wir haben keinen Sinn für die Herrschaft der Minderwertigen in irgendeiner versteckten Form. Wir bekennen uns zu jenem Heroismus, der sich auf den Schlachtfeldern des Materialkrieges im Elend einer sinnlosen Berufs- und Arbeitsnot bildete, und der die Begeisterung und den Massenrausch höchstens als erste rasch zu überwindende Stufe anerkennt. Was 1914 durch die brutale Gewalt der Ereignisse geschah, die Ablösung der Begeisterung durch jenen großen Gedanken der Pflichterfüllung ohne Spekulation, das ist das gleiche, was wir heute unter dem Ziel der kulturellen Neuformung der deutschen Nation verstehen.

In diesem Sinn ist die nationale Revolution heute nur in ein neues Stadium getreten, keinesfalls aber abgeschlossen. In diesem Sinn steht uns der schwerste und härteste Teil der Arbeit noch bevor, und es ist an der Zeit, die Zukunft zu überdenken und uns bereit zu machen. Eine solche Einstellung gegenüber den Geschehnissen der Gegenwart läßt keinen Zweifel darüber entstehen, welche Aufgaben der kulturellen Aufbauarbeit zufallen. Das deutsche Schicksal zu erläutern und zu formen, dem neuen Typ des deutschen Menschen Gestalt zu geben, den Begriff des Opfers und des kompromißlosen Verpflichtetseins des einzelnen gegenüber der Gemeinschaft zu verwirklichen und jeden gut oder böse gemeinten Kitsch rücksichtslos abzuwehren – darum wird es in den nächsten Jahren gehen. Die besten Kämpfer und Federn, die tapfersten Herzen und die durch die Ereignisse am härtesten geprüften Menschen werden gerade gut genug sein, um diese Schlacht zu schlagen.

Intellektualismus

Studienrat Dr. Gelhard in: *Nationalsozialistische Erziehung*, 1933, S. 507–509, gekürzt. Der Kampf gegen jeden Intellektualismus zeigt sich fast in der gesamten politischen Literatur des Dritten Reichs; «Instinkt» sollte ihn ersetzen. «Instinkt ist Stimme des Blutes, ist Stimme der Ehre, ist Stimme des rassischen Schicksals; es bedarf für ihn keiner verstandesmäßigen Regeln und Gesetze» – Hellmuth Langenbucher in: *Völkischer Beobachter* vom 28. 11. 1934; Hanns Johst bezeichnete den Intellektualismus als eine Folge von «äußerlicher Überredungskunst und jüdischer Rabulistik» – in H. Johst: *Standpunkt und Fortschritt*, Oldenburg 1933, S. 30.

Der Erzfeind der nationalsozialistischen Weltanschauung ist der Intellektualismus. Er ist der härteste und am schwersten zu fassende Gegner – darüber darf sich niemand täuschen. Schon im politischen Kampf um die Macht hat die Freiheitsbewegung von ihm die schmerzlichsten Schläge erhalten: Nörglern, Zweiflern und Besserwissern sagte der «gesunde Menschenverstand», daß Hitlers Wollen «utopisch» sei. Es ist gut, daß Alfred Rosenberg neulich ein deutliches Wort gesprochen hat und daß man allenthalben die Arbeit der «intellektuellen Wühlmäuse» verfolgt.

Wie erkennt man den gefährlichen Intellektualismus? Überall, wo man etwas zerredet, ist er im Hintergrunde. Das Zerreden ist das typische Kennzeichen aller Epochen der Menschheitsgeschichte, die kulturell unproduktiv waren. Das Alexandrinertum ist leicht zu verfolgen in der Geschichte; es klebt an unheroischen, degenerierten, kunstlosen, unschöpferischen, epigonenhaften Zeiten wie das Häuschen an der Schnecke.

Der Nationalsozialismus wendet sich an die Gesamtseele mit Denken, Fühlen und Wollen; mit der Erkenntnis und dem Erleben des Völkischen hat er gegenüber allen sonstigen Weltanschauungen etwas derartig unerhört Neues in die Welt gebracht, daß er mit dem Verstande allein, mit der theoretischen Vernunft, überhaupt nicht erschöpfend erfaßt werden kann. Er muß erlebt und im Handeln erkannt werden! Er ist wegen seiner Grundhaltung, die völkisch-rassisch ist und auf gesamt-seelischer Totalität beruht, die natürlichste Weltanschauung überhaupt. An der Wende der Zeiten ist es kein Wunder, daß man mit der überkommenen

Methode rationalistischen Verstehens auch den Nationalsozialismus begreifen und «erklären» will, wie man eben bisher alle Weltanschauungen begriffen und erklärt hat.

Weder der ethische Intellektualismus eines Sokrates, noch der psychologische der Thomisten oder Spinozas, noch der erkenntnis-theoretische eines Leibniz oder Hegels zeigen brauchbare Wege, ein Volk zu retten.

Der politische Sieg der Führer einer bisher meist nur instinktmäßig erfaßten, völkischen Masse über nicht völkisch denkende politische «Köpfe» ist der Beweis und Garant dafür, daß der sterbende Zaubergeist des Intellektualismus auch von der geistig-seelischen kulturellen Durchdringung des Volkes aus nationalsozialistischer Weltanschauung heraus kapitulieren wird. Eine große Erkenntnis haben heute wohl schon alle Gebildeten in Deutschland, die nämlich: ein gebildeter Volksfeind ist nicht wegen seiner Bildung zu achten, sondern wegen seiner Volksfeindschaft zu verachten. Diese Erkenntnis ist die erste große geistige Bresche in den Intellektualismus liberalistischer Prägung; sie ist der Ausgangspunkt für die Durchbruchsschlacht.

Internationalismus

Kurt Engelbrecht: *Deutsche Kunst im totalen Staat*, Lahr 1933, S. 9–11, gekürzt.
Kurt Engelbrecht war Pfarrer, Schriftsteller (Roman, Essay), * 1883.

Was heißt international eigentlich? Es heißt: Zwischenvölkisch, zwischen den Nationen, den Volkschaften bestehend.

Was an sich schon für ein Blödsinn in diesem Begriff steckt, wird uns ganz klar, wenn wir ihn uns verbildlichen. Wer dächte bei diesem Bilde nicht an die Zwischen-Existenz der Juden unter den Nationen der Erde! Sie haben sich denn auch früh zu Trägern der erhabenen Gedanken der Menschheitsseele, Menschheitsrechte, allgemeinen Menschenliebe, zu Pflegern jeder Art von Kosmopolitismus, Universalismus, Oekumenik (der Kirchen!), Humanität (Weltlogen) und Internationalismus (SPD, KPD, Sowjet) aufgeworfen. Sie haben in ihrem blätterreichen Pressewald die öffentliche Meinung der Nationen so lange bearbeitet, die Felsen so gründlich zernagt, daß der Glaube an eine nationale Kunst, eine nationale Geistespflege in der Wissenschaft, eine nationale Religion völlig zu erlöschen drohte und daß man schließlich glauben zu müssen meinte, dies alles sei im Grunde international und habe mit den nationalen Belangen nicht das Geringste zu tun.

Nein, Kunst ist nie international! Nur das Äußere, Form, Farbe, Ton, mögen überall gleich begriffen werden. Sie sind – wir halten es ganz mit Platon und Kant – nur das Scheinbare, mit Auge und Ohr wahrnehmbare. Das mag international sein. – Die ganze Oberflächlichkeit der rationalistischen jüdischen Lehre vom Internationalismus der Kulturgüter wird hier offenbar.

Das Seelische aber, das in Form, Farbe, Ton zum Ausdruck gebracht wird, ist nie international, kann nicht international sein, denn es ist an die besondere Prägung gebunden, die es im Volkstum empfängt. So entwurzelt, daß er übernationale, nicht volksgemäße Empfindungen, Gefühle, Geisteserschütterungen darzustellen vermöchte, könnte nur ein jüdischer Künstler sein. Dann müßten diese aber die Träger der allergrößten Namen in der Kunst-, Literatur- und Musikgeschichte sein, nicht wahr? Nun, wie wäre es mit Meyerbeer oder Heine? Da sind wir schon am Ende.

Alle die großen, allergrößten Namen, die uns zum Beweis der Internationalität der Kunst genannt werden, beweisen genau das Gegenteil, beweisen klipp und klar, daß Kunst nie international, daß sie vielmehr nur national sein kann. Homer ist der griechischste, Dante der italienischste, Shakespeare der britischste, Goethe der deutscheste Dichter.

Und nur, weil diese Schaffenden und Gestaltenden so steif, so vollkommen in ihrem eigensten Volkstum wurzelten, nur weil sie kein anderes Prinzip ihrer Kunst kannten, als ihres eigenen Volkes Fühlen, Empfinden und seelisches Erleben im Kunstwerk zu gestalten, und nur weil ihnen dies auf die vollkommenste Weise gelang, konnten sie Weltruhm erlangen.

Das Zwischenvölkische, das Internationale, das nicht Fisch noch Fleisch ist, imponiert letzten Endes niemandem! Es wird immer nur als das geschätzt werden, was es ist, als graues Einerlei, als markloses Geschwafel, bestenfalls als witzelnde Geistreichelei mit allerhand Esprit, aber wenig Phantasie, mit viel Verstandesaufwand und geringem, minderwertigem Seelentum!

Von solcher gepriesenen Kunst der Internationalität gilt es frei zu werden, endgültig, restlos frei, damit endlich uns wieder allüberall in deutschen Kunstlanden eine volkswahre Kunst und damit eine echte, auch den anderen Völkern imponierende künstlerische Kultur erstehen kann.

Shakespeare – ein Kriterium für nationale Zuverlässigkeit

Dr. Paul Adams in: *Deutsches Volkstum*, 1933, S. 945–949, gekürzt; ausführlich über Shakespeare in: *Theater und Film im Dritten Reich* (Ullstein Buch 33031).

Unter den an Zahl und Umfang mannigfachen Werken, die sich der Erkenntnis, Erklärung und Darstellung Shakespeares und seiner Dichtung widmen, gibt es kein einziges, das sich die Bedeutung des Politischen zum

Gegenstande wählte. Diese Tatsache ist mehr als eine schlichte und zufällige Tatsache. Sie ist der klare Ausdruck für den Liberalismus der zweihundertjährigen Shakespeare-Forschung, deren Ahnherr Voltaire ist. Dabei ist es in diesem Zusammenhang gleichgültig, die feineren Unterschiede des Liberalismus festzustellen, ob es sich um konsequenten individualistischen Liberalismus handelt, oder um pantheistisch verschleierten, wie z. B. bei Goethe oder Herder. Ebenso, ob der konsequente Liberalismus der Grundkonzeption sich mit nationalen oder demokratischen Elementen verbunden hat.

Diese Lehre hindert aber nicht, daß die liberalen Exegeten Shakespeares mit dem angeblich unpolitischen Shakespeare eifrig Politik trieben. Sehr klar ist das schon bei Lessing, der, eine scheinbar rein poetische Frage, die drei aristotelischen Einheiten behandelnd, sich gegen die Kulturhegemonie Frankreichs, seiner Sprache und Dichtung für Shakespeare, für den Germanen, für England entschied, eine Tat von außerordentlicher nationaler Bedeutung. Die Entscheidung für Shakespeare kann von da ab als Kriterium für nationale Zuverlässigkeit gelten.

Es gilt in noch höherem Maße von den Dramen, in denen politische Dinge unmittelbarer Gegenstand und unmittelbarer Konflikt sind. Eine solche Tragödie ist der Hamlet. Man behauptet nicht zu viel, wenn man den Hamlet das Lieblingswerk des neunzehnten Jahrhunderts nennt. Wenigstens ist kein Stück Shakespeares, selbst nicht der von den Romantikern so angebetete Sommernachtstraum so oft und fast immer falsch kommentiert worden. Hamlet war der Deutsche, war das Deutschland der Dichter und Denker, das vor lauter Gedanken und Reflektionen nicht zur Tat kam.

«Das Buch, der Wegbereiter zur großen Wandlung»

Bericht über die Eröffnung der deutschen Buchmesse in: *Völkischer Beobachter* vom 27. 11. 1933, gekürzt.

Die deutsche Buchmesse ist eröffnet. Der Zusammenschluß innerhalb der deutschen Verlegerschaft und im deutschen Buchhandel hat im Verein mit allen am deutschen Buch führend beschäftigten Behörden und Verbänden unter dem Schutz unserer Regierung zu einer Tat geführt, die weit hinausreicht über alles, was bisher an Mühe und Bewertung dem Buche zugewandt worden ist.

Die große Eröffnung der im Ausstellungshofe des Europahauses in Berlin zwei Stockwerke hindurch künstlerisch aufgebauten deutschen Buchmesse des Jahres 1933 fand unter Anteilnahme der Regierung und der Behörden feierlich statt. Fanfarenklänge leiteten die festliche Stunde ein. Darauf ergriff der Präsident der Reichsschrifttumskammer und

Schirmherr der Buchmesse, Dr. Hans Friedrich Blunck, das Wort und wies darauf hin, daß es deutsche Bücher waren, die dem großen Aufbruch des Volkes die großen Impulse verliehen, sprach grundsätzlich darüber, daß Bücher als Wegbereiter bezeichnet werden müssen, als Wegbereiter zur großen Wandlung. Scharf wehrte sich der Präsident der Reichsschrifttumskammer dagegen, daß die traurige Selbsterniedrigung der alten Literaten und die Torheit jener, die Deutschland nie sahen, aber darüber schreiben wollen, niemals jene Brücke sein könnten, auf der andere Völker zum deutschen Herzen hinfinden werden. Und weiter sprach Blunck über die tiefen Freuden und Erbauungsstunden, die das deutsche Buch seinem Leser bringen kann. Und gerade diese Buchmesse, so schloß der Redner, soll beweisen, daß wir frohen Glaubens voll in den großen Kampf um die deutsche Zukunft gehen, soll auch beweisen, daß wir Deutschen wissen, wir haben unsere großen Zeiten vor uns, nicht hinter uns.

Es sprach dann Pg Hans Hagemeyer als Leiter der Reichsstelle zur Förderung des deutschen Schrifttums. Er betonte, daß gerade diese Buchmesse Gelegenheit gebe zur Forderung, daß der Nationalsozialismus nun alle Kraft für den inneren Aufbau des Volkes einsetze.

Dr. Haupt[1], der Geschäftsführer der Buchmesse, übergab dann die Messe der Öffentlichkeit, und ein frohes und dankbares Sieg-Heil auf den Führer beschloß diesen feierlichen Akt der Eröffnung dieser ersten deutschen Buchmesse.

Der köstliche Brief an Gerhart Hauptmann

In: *Deutsche Kultur-Wacht* vom 9. 9. 1933, Heft 23, S. 13, Auszug.

Gerhart Hauptmann, 1862–1946; 1912 erhielt er den Nobelpreis für Literatur «vor allem für seine reiche, vielseitige, hervorragende Wirksamkeit auf dem Gebiete der dramaturgischen Dichtung» – in Viktor Junk: *Die Nobelpreisträger*, Wien/Leipzig 1930, S. 219; siehe auch Wolf Brandt: *Bekenntnis zur deutschen Seele – Gespräch mit Gerhart Hauptmann* in: *Berliner Lokal-Anzeiger* vom 29. 10. 1933, Sonntagsnummer, und Prof. Carl Niessen: *Gerhart Hauptmann und die Politik* in: *Deutsche Theater-Zeitung* vom 26. 1. 1938; der ungarische Schriftsteller Ferenc Körmendi erzählt in seinen Erinnerungen über ein Treffen mit Gerhart Hauptmann in Rapallo 1938 und erklärt, jener habe ihm damals gesagt: «Dieser elende österreichische Anstreichergehilfe hat Deutschland ruiniert – aber morgen ist die Welt an der Reihe! Dieser Dreckhund hat den Deutschen alles genommen, was wir an Werten hatten – er hat uns zum Dienervolk erniedrigt! Aber das genügt ihm noch nicht. Dieser Hundedreck wird die ganze Welt mit Krieg überziehen, dieser elende braune Komödiant, dieser Nazihenker stürzt uns in einen Weltbrand, in den Untergang!» Körmendi berichtet dann

---

[1] Dr. phil. Gunther Haupt, Geschäftsführer der Reichsschrifttumskammer, Autor von: *Was erwarten wir von der kommenden Dichtung?*, Berlin 1934.

weiter: «An dieser Stelle unterbrach ich zum erstenmal seine Tirade: ‹Aber wenn Sie so fühlen, Herr Doktor – alle sagten Herr Doktor zu ihm –, warum emigrieren Sie dann nicht? Wie Mann, Zweig und die anderen, Juden wie Nichtjuden? Warum bleiben Sie in Deutschland?› ‹Was sagen Sie?› ranzte er mich an. ‹Weshalb ich Deutschland nicht verlasse?› fragte er und fuhr mit gellender Stimme fort: ‹Weil ich feige bin, verstehen Sie? Ich bin feige, verstehen Sie? Ich bin feige.› Ferenc Körmendi: *Warum ich Deutschland nicht verlasse* in: *Die Welt* vom 10. 11. 1962. Die Nationalsozialisten spürten aber wohl ganz gut, wer ihr Gegner war, denn Rosenberg schrieb 1942 an Goebbels in einem Brief: «Immerhin scheint mir die Tatsache, daß Sie jedem deutschen Theater ein Stück von Hauptmann zur Aufführung übergeben, praktisch doch eine kulturpolitische Propaganda *für* Gerhart Hauptmanns Werk zu bedeuten. Ich bitte Sie deshalb, Ihren Beschluß in der Zahl der Aufführungen und Auswahl der Werke noch einmal zu überprüfen und rechtzeitig die Presse darauf aufmerksam zu machen, nicht etwa Gerhart Hauptmann als einen Dichter unserer Form zu feiern.» Am 10. 7. 1942 ordnete das Reichspropagandaamt in Berlin – *Kulturpolitische Information* Nr. 29 – an: «Bei geplanten Aufsätzen zum 80. Geburtstag Gerhart Hauptmanns ist darauf zu achten, daß der Dichter nicht als Exponent der nationalsozialistischen Weltanschauung bezeichnet wird. Darüber hinaus ist es überhaupt unangebracht, sich mit Themen wie ‹Gerhart Hauptmanns Weltanschauung› usw. zu befassen.»

Gerhart Hauptmann, der Klassiker der Weimarer Republik, hat die Hand zum Hitlergruß erheben gelernt; dabei hat er sich leider die Finger verbrannt. In der «Brennessel»[1] finden wir einen offenen Brief an ihn, der so köstlich ist, daß wir ihn wenigstens teilweise veröffentlichen: «Sie wissen, Herr Hauptmann, daß unser Führer bereits am ersten Tage seiner Regierung zur wahren deutschen Volksgemeinschaft aufgerufen hat. Und deshalb gibt es für uns Nationalsozialisten keine größere und schönere Aufgabe, als den Gegnern von gestern Herz und Seele für ihre Volkszugehörigkeit zu öffnen. Der Arbeiter oder Angestellte, der einmal in den Reihen des Marxismus gestanden hat, soll uns willkommen sein, sobald er seine Irrungen eingesehen hat. Denn es gab Millionen Verführter und nur wenige Verführer. Den Verführten gehört unser Mitleid und unsere Großmut, den Verführern aber – die kalte Schulter. Darf ich Sie bitten, sich diesen Körperteil ganz genau anzusehen. Denn wer, wie Sie, ein sogenanntes deutsches Dichterleben lang der meinungsmachenden jüdischen Literaturklique um Sami Fischer[2] als gehorsamer

1 *Die Brennessel*, satirische NS-Wochenzeitschrift, gegründet 1931.
2 Samuel Fischer, Verleger, 1859–1934; 1886 gründete er in Berlin den Verlag S. Fischer, der für die Entwicklung der modernen deutschen Literatur bedeutsam wurde; Fischer war nicht nur der Verleger von Gerhart Hauptmann, sondern auch von Thomas Mann, Jakob Wassermann, Schnitzler, Hesse u. a. m.; von ausländischen Autoren hat er u. a. Ibsen und Shaw herausgegeben. Siehe: *In Memoriam S. Fischer*, Frankfurt a. M. 1960, und *Heirless Heritage – The Story of the S. Fischer Verlag* in: *The Wiener Library-Bulletin*, April 1963, S. 29.

Schleppenträger gedient hat, der soll jetzt, da alles, wofür er sich vertragsmäßig und freundwillig begeistert hat, zusammengebrochen ist, auf den Tantiemen seiner verpfuschten Dichtung ausruhen. Wer einst der Weimarer Republik gefeiertster Poet gewesen ist, dem steht es wohl an, die verstimmte Leier hinterm Ofen zu bergen und sich in bescheidener Zurückgezogenheit die Wohltat des Vergessenwerdens zu erwerben.

Sie begreifen, es ist eine Frage des Taktes, ob ein Gerhart Hauptmann die Hand zum Hitler-Gruß erheben kann. Es scheint nicht ratsam zu sein; denn man kann nicht vierzig Jahre seines Lebens verneinen, ohne Schaden an seiner Seele zu nehmen. Deshalb ist mein Rat: Schalten Sie sich nicht gleich, sondern – aus, Herr Hauptmann!»

«Antworten Sie, Richard von Schaukal!»

Überschrift der Anfrage von Otto Tröbes in: *Deutsche Kultur-Wacht*, 1933, Heft 7, S. 17.
Dr. Richard von Schaukal, Lyriker, Novellist, Essayist, 1874–1942; schrieb vor der Machtergreifung Hitlers im *Völkischen Beobachter* schon am 24. 11. 1931 einen scharfen Artikel gegen Thomas Mann.

Ist es wahr, was Wilhelm Stapel im 2. Hornungsheft 1933 des «Deutschen Volkstums» berichtet? Daß Sie in österreichischen Sonntagsblättern sehr abfällig über das Deutschtum schreiben? In nahen Beziehungen zu den Treibereien um das Haus Habsburg stehen?
Bis zur Klärung dieser Angelegenheit darf sich keine deutschbewußte Zeitung und Zeitschrift mehr mit Richard v. Schaukal befassen.

Das große Reinemachen

Will Vesper in: *Die Neue Literatur*, Mai 1933, S. 292–293, gekürzt.

Das große Reinemachen, für das wir seit Jahren kämpfen, hat begonnen. Auch auf literarischem Gebiet. Die schlimmsten Giftküchen, wie die «Weltbühne»[1], sind geschlossen. Andere «schalten» sich mit ebenso

---

1 *Die Weltbühne*, ursprünglich als Theaterzeitschrift *Die Schaubühne* 1905 vom Theaterkritiker Siegfried Jacobsohn, 1881–1926, gegründet und später in die politische Wochenschrift *Die Weltbühne* umgewandelt; nach Jacobsohns Tod bis 4. 10. 1927 von Kurt Tucholsky redigiert; dann wurde Carl von Ossietzky Chefredakteur; bis 7. 3. 1933 erschien *Die Weltbühne* in Deutschland; siehe ausführlich Alf Enseling: *Die Weltbühne – Organ der intellektuellen Linken*, Münster 1962.

erfreulicher wie peinlicher Geschwindigkeit «gleich»[1]. Die «Literarische Welt»[2] hat den Juden Haas ausgeschifft – wie weit? – und wird künftig, wie man uns versichert, «für alles wirklich Deutsche, Echte, Einfache, Volks- und Landschaftsnahe eintreten». Es soll uns freuen, obgleich wir es sauberer gefunden hätten, einen Neubau nicht an so besudeltem Platz zu errichten. Auch an anderer Stelle wird mit «rasender Geschwindigkeit» umgebaut, um sich dem «gigantischen Geschehen» anzupassen. Auch die bisher roten Schriftstellerorganisationen sind in rascher Wende begriffen. Wendigkeit hat man ja auch gestern als seine schönste Eigenschaft selbst gepriesen. Und so sehen wir denn auch dem Umbau des PEN-Clubs und vor allem dem fixen und überraschenden Wiederauferstehen des sogenannten «Schutzverbandes deutscher Schriftsteller» mit höchstem Mißtrauen zu. Um den Schutzverband hat sich Herr Hanns Heinz Ewers[3] bemüht – im Galvanisieren von Leichen hat er ja seit langem literarische Erfahrungen.

Die Burschen haben die Frechheit, sich dabei auf angebliche gute Beziehungen zu Herrn Reichsminister Dr. Goebbels zu berufen. Herr Dr. Goebbels hatte in den letzten Jahren und hat noch heute Wichtigeres zu tun, als sich um die Organisationen der Schriftsteller zu kümmern. Es wird also für kecke, wendige Burschen zunächst leicht sein, sich an ihn heranzumachen. Wir halten es aber auch künftig für unsere besondere Aufgabe, die Regierung auf unserem Gebiet zu beraten, und sind diesmal sicher, auch Gehör zu finden.

Herrn Hanns Heinz Ewers haben wir schon im vorigen Heft angeleuchtet. Wir setzen das in diesem Heft fort. Kein deutscher Schriftsteller mit Sauberkeitsgefühl wird sich der Leitung so übelriechender Hände überlassen, ebenso wenig aber denen des Herrn Schendell[5], der einst

1 Ursprünglich bezog sich «gleichschalten» auf das *Vorläufige Gesetz zur Gleichschaltung der Länder mit dem Reich* und bedeutete im NS-Jargon: «Das gesamte politische, wirtschaftliche und private Leben der Nation mit ihren Körperschaften, Verbänden und Vereinen stellte sich in den Revolutionswochen auf die neuen politischen Verhältnisse um, schaltete gleich»; besonders Prof. Dr. Carl Schmidt begründete die Gleichschaltung wissenschaftlich und «juristisch»; siehe seine Werke: *Staat, Bewegung und Volk*, Hamburg 1933; *Der Begriff des Politischen*, Hamburg 1933; *Positionen und Begriffe*, Hamburg 1940: «Der Führer schützt das Recht vor dem schlimmsten Mißbrauch», ebd. S. 200.

2 *Die Literarische Welt*, literaturkritische Wochenschrift, Berlin, herausgegeben von 1925–34 von Willy Haas, Schriftsteller (Kritik, Essay), *1891; 1934–41 als *Das literarische Wort* herausgegeben von Margarete Kurlbaum-Siebert und Hans Bott; über *Die Literarische Welt* siehe auch Willy Haas: *Die literarische Welt*, München 1960, S. 162–198, und Hermann Kestens Einführung zu *Gestalten* von Willy Haas, Berlin 1962.

3 Zu Hanns Heinz Ewers s. S. 137, 161 f.

4 Dr. phil. Werner Schendell, Schriftsteller (Roman, Drama, Biographie), 1891–1961.

Arm in Arm mit Willy Haas die «Lit. Welt» herausgab, den «Schutz-verband deutscher Schriftsteller» korrumpierte und für sich zu einer guten Pfründe verwandelte und dennoch in einem üblen Scheidungsprozeß ge-gen seine Ehefrau, um Alimente zu sparen, seinen Freund Dr. Eloesser so zu benutzen verstand, daß gegen Eloesser immer wieder öffentlich der Vorwurf des Falscheides in dieser Sache erhoben werden konnte, ohne daß die beiden Edlen durch eine saubere Klage sich zu reinigen wagten. Solche Leute hoffen ihre unsauberen Geschäfte an der Spitze des deut-schen Schrifttums und zum Schaden des deutschen Geistes und der na-tionalen Revolution weiter betreiben zu können? Zum Glück sind wir sicher, daß Hanns Johst, der in diesen Monaten an wirklich verantwort-licher Stelle steht – er wurde auch als Senator in die Akademie berufen und zu deren Umbau verpflichtet –, und ebenso der Führer des «Kampf-bundes für Deutsche Kultur», Herr Staatskommissar Hinkel, der zur Be-arbeitung und Wahrung der künstlerischen Belange in das preußische Kultusministerium berufen wurde, es als ihre erste Pflicht ansehen wer-den, hier wie überall für Sauberkeit zu sorgen.

Gewiß, wir brauchen schleunigst und endlich eine berufene und um-fassende Organisation des deutschen Schrifttums, in der jeder deutsche Schriftsteller Mitglied sein muß, nicht nur zur Wahrung seiner Interes-sen und der seines Standes, sondern zum gemeinschaftlichen Dienst an Volk und Staat. Aber an der Spitze müssen unbescholtene saubere deut-sche Männer stehen, die das allgemeinste Vertrauen genießen und ver-dienen, nicht solche, die ihre besudelte Weste schnell mit einem nationa-len Fähnchen zu bedecken suchen. Auch solche, die wie Herr Walter Bloem [1] immer dabei sein müssen, wenn der Wind die Wetterfahnen dreht, und deren Wendigkeit nicht aus Unsauberkeit, sondern aus gei-stiger Taprigkeit stammt, lege man endlich in die Mottenkiste. Es gibt saubere und zuverlässige deutsche Schriftsteller genug, die von jeher un-verdächtigen, festen und klaren nationalen Willens waren und die auch den Aufgaben, die hier gestellt werden, gewachsen sind. Es kommt auf den guten Willen allein hier nicht an, sondern vor allem auch auf Kön-nen und ein Wissen, das man nicht von heute auf morgen gewinnen kann, sondern das nur im jahrelangen und jahrzehntelangen Kampf er-worben wird! Aber wir sind guten Mutes und haben das feste Ver-trauen, daß die Führer unserer großen Bewegung, die wahrhaftig im Augenblick die Last eines Atlas auf den Rücken nehmen, schon bald sol-chen Nutznießern heimleuchten werden. Eine Bewegung wie diese ge-waltige Umrührung des deutschen Volkes bringt nach dem Wort Musso-linis, der es auch erfahren hat, ja nicht nur den Rahm, sondern auch den Abschaum nach oben. Freilich Posten und Pöstchen sind in solchen Zei-ten schnell besetzt, aber gehalten werden sie künftig nicht mehr durch

1 Walter Bloem, Schriftsteller (Bühnendichtung, Roman, Film), 1868–1951.

Beziehungen, Fahnenschwingen und sogenannte gute Gesinnung – eine Selbstverständlichkeit für alle! – sondern allein durch Leistung. Daß diese auch von manchem Außenseiter, der jetzt zu Einfluß und Wirkung kommt, zu erwarten ist, ist unsere feste Überzeugung, vielmehr erwarten wir gerade von solchen Außenseitern die wirkliche durchgreifende Erneuerung. Große schöne Aufgaben sind zu lösen. Wir sind sicher, daß sie in aller Ruhe und Entschlossenheit von den berufenen Männern und ihren Helfern gelöst werden. In dem neuen Deutschland ist aber kein Platz mehr für die Wendigkeit von gestern und ehegestern, sondern allein für die echten Diener und Führer des Volkes, die nicht das Ihre suchen.

Hanns Martin Elster

Der Brief ist gekürzt.

Vertraulich!
Stempel: 276
Eing. 17. Nov. 1933
K. f. D. K.

Herrn
Erich Kochanowski
Berlin W 9, Linkstr. 29

Dr. Hanns Martin Elster
Berlin-Lichterfelde-Ost
Devrientweg 10, den 16. November 33
Fernspr.: G 3 Lichterfelde 77 69
Postscheckkonto: Dr. Elster, Berlin 137 675

Lieber Herr Kochanowski

Sie haben mich einmal gebeten, daß ich mit Feststellungen, Beschwerden oder Beobachtungen zu Ihnen kommen soll. Hauptsächlich kommen nun Beschwerden über das Verhalten des Reichsverbandes deutscher Schriftsteller und seiner Leitung durch Hans Richter [1] zu mir. Ich kann diese Beschwerden natürlich nicht nachprüfen, möchte sie Ihnen aber vertraulich weiterleiten, da auch Hanns Johst mich darum gebeten hat.

Die erste Beschwerde geht darum, daß Hans Richter jetzt an verschiedenen Stellen erzählt, der Arierparagraph würde in der Reichsschrifttumskammer aufgehoben werden, weil unter den Verlegern und Buchhändlern viele Juden seien, die man nicht entbehren könne und wolle. Vermutlich hat er bei diesem Gerede an seine Freunde Karl Rosner [2] vom Cotta Verlage usw. gedacht. Richter stammt ja aus dem Buchhändlerberuf und pflegt zu den Sortimenterkreisen engste Beziehungen. Ich verstehe nicht, wie man als Stellvertretenden Reichsführer im Reichsverband deutscher Schriftsteller solch Gerede aufbringen kann und halte dies Gerede auch für doppelt gefährlich, weil Herr Richter jetzt zusammen mit dem Geschäftsführer Linhard [3] alle Gaugruppen draußen im

1 Hans Richter, Schriftsteller (Skizze, Essay, Roman), 1889–1941, Stellvertretender Reichsführer des *Reichsverband Deutscher Schriftsteller*.
2 Karl Rosner, Schriftsteller und Leiter der Zweigniederlassung der J. G. Cotta'schen Verlagsbuchhandlung in Berlin.
3 Hugo Wilhelm Josef Linhard, *1896.

Lande besucht und dort vielleicht weiter solches liberalistisches Geschwätz verbreiten wird.

Zuletzt noch eine andere Sache, die nicht den Reichsverband betrifft, sondern den Ullstein-Verlag und seine Zeitungen.[1] Dort ist zwar eine Gleichschaltung vorgenommen worden, aber wie mir Dr. Gerhard Thimm, der verantwortliche Redakteur der Vossischen Zeitung erzählt, herrscht dort im Hause praktisch und ideell noch durchaus ein antinationalsozialistischer Geist und Betrieb. Ich habe Dr. Gerhard Thimm gestern Abend Herrn Hinkel vorgestellt, weil Dr. Thimm gern einmal sein Herz Herrn Hinkel ausschütten möchte. Es kam aber im Gedränge der gestrigen Zusammenkunft und weil Herr Hinkel schon im Aufbruch war, nicht zu dem Gespräch. Vielleicht kann also Herr Dr. Thimm einmal zu Herrn Hinkel bestellt werden.

Ich brauche wohl nicht hinzuzufügen, lieber Herr Kochanowski, daß ich alle diese Mitteilungen um der Sache willen mache. Mir sind die Personen nur, soweit sie eine Sache vertreten und unsere Volksgenossen sind, interessant.

Aufrichtig habe ich mich gefreut über die Ernennung zur Führung der Reichsschrifttumskammer. Wir sehen uns ja am Sonnabend.

Mit herzlichem Gruß und Heil Hitler!
Ihr ergebener Hanns Martin Elster

Hanns Heinz Ewers

Dr. Hanns Heinz Ewers, Schriftsteller (Roman, Lyrik, Feuilleton, Bühnendichtung, Zoologie), *1871; 1932 erschien sein biographischer Roman *Horst Wessel – ein deutsches Schicksal*; er widmete ihn der Mutter, Frau Margarete Wessel, und schrieb im Nachwort: «Es ist mir eine Pflicht, allen denen meinen Dank auszusprechen, die mir bei diesem Buch geholfen haben. Vor allem dem Führer der deutschen Freiheitsbewegung, Adolf Hitler. Er war es, der mir vor Jahresfrist im Braunen Haus die Anregung gab, der mich bestimmte, den ‹Kampf um die Straße› zu schildern, ein Kapitel deutscher Geschichte zu schreiben. Wenn es dem Führer der Freiheitsbewegung am Herzen lag, diesen zunächst fast hoffnungslosen Kampf geschildert zu sehen, so wußte er genau, was er damit wollte» – ebd. S. 290–291.

Hitler muß dabei vollkommen vergessen haben, daß er den Auftrag, die Biographie des Parteigenossen Horst Wessel, der bei seiner Geliebten, einer Prostituierten, wohnte und dort von ihrem früheren Zuhälter ermordet wurde, ausgerechnet dem Spezialisten für Erotik und grausig-perverse Romane erteilte; selbst dem gerissenen Goebbels ist das wohl entgangen, denn er stellte Ewers sämtliche Unterlagen und Erläuterungen für Horst Wessels Biographie zur Ver-

---

1 Leopold Ullstein, 1826–99, gründete den Zeitungs- und Buchverlag Ullstein; die große Entwicklung des Verlags ist aber seinen fünf Söhnen zuzuschreiben; siehe: *50 Jahre Ullstein 1877–1927*, Berlin 1927.

fügung; Dokument CXLII – 246 – Anlage des Goebbels-Briefes an A. Rosenberg vom 25. 9. 1934.

In seinem Nachwort zum Horst-Wessel-Roman schreibt H. H. Ewers ferner: «Ich möchte hier auf die eigentümliche Ähnlichkeit des Lebenslaufes Horst Wessels mit dem eines anderen Freiheitskämpfers und Freiheitsdichters hinweisen – Theodor Körner» – ebd. S. 293.

«Der Theodor Körner der nationalsozialistischen Bewegung»

Will Vespers Besprechung in: *Die Neue Literatur*, 1933, S. 21; von Horst Wessel als Dichter hatten nicht nur H. H. Ewers und Will Vesper eine hohe Meinung; auch Karl Köhler nennt ihn in seiner *Einführung in das Schrifttum der Gegenwart*, Dresden 1937, S. 72, einen «Dichter, dessen Leben heute schon zum Symbol für eine ganze Jugend geworden ist»; und Paul Fechter schreibt in seiner *Geschichte der deutschen Literatur*, Berlin 1941, S. 763, daß «Horst Wessel das bestimmende Lied der neuen Zeit» schuf.

Auf Grund von Mitteilungen der Familie Horst Wessels hat Hanns Heinz Ewers aus dem Leben des jugendlichen Märtyrers, des Theodor Körner der nationalsozialistischen Bewegung einen Reportageroman gemacht, geschickt gemacht, soweit eben die Kräfte des gerissenen Unterhaltungsschriftstellers reichen. Die Tatsache, daß ausgerechnet Hanns Heinz Ewers einen solchen Roman schreiben durfte, kann man nicht ohne peinliche Gefühle betrachten. Es ist noch nicht lange her, daß Herr Hanns Heinz Ewers auf einer Schriftstellertagung (Stenogramm liegt uns vor) naiv erklärte: «Vor dem Kriege war sich doch kaum jemand seines Deutschtums bewußt. Ich habe jedenfalls Politik bis zum Kriege als etwas empfunden, das nur Leute mit sehr schlechtem Geschmack betreiben. Erst seit nach dem Kriege habe ich das Bewußtsein ein Deutscher zu sein. Ich spreche genauso gut englisch und französisch wie deutsch und war vor dem Kriege vollkommen Kosmopolit.» Gewiß gestehen wir jedem gerne zu, daß er sich wandeln und zu besserer Einsicht fortschreiten, aus einem Saulus ein Paulus werden kann, aber gern sähen wir es, wenn er dann sich still abbüßend im Hintergrunde hielte und nicht schleunigst sich vordrängte, um mit seiner Wandlung und Wendung gute Geschäfte zu machen, selbst auf die Gefahr hin, bei sauberen Leuten dasjenige zu miß-kreditieren, wofür er zu streiten angibt. Wahrhaftig, wir hätten dem leidenschaftlichen, sein Leben für das neue Deutschland mutig opfernden Kämpfer Horst Wessel gewünscht, daß es ihm erspart geblieben wäre, von Fingern angefaßt zu werden, die noch allzu deutlich nach «Morphium», «Alraunen», «Vampiren», «Toten Augen» und ähnlichen Dingen riechen.

Hans Hinkel greift ein

An die
Zeitschrift «Neue Literatur»
Verlag Ed. Avenarius GmbH.
Leipzig C 1, Postfach 286

Der Staatskommissar
Hans Hinkel, M. d. R.
den 12. August 1933

Im Auftrag von Herrn Staatskommissar Hinkel, der eine Besprechung mit der Schwester Horst Wessels hatte, bitte ich Sie, von denjenigen Heften Ihrer Zeitschrift, die Kommentare zu dem Ewerschen Buch «Horst Wessel» enthalten, Belegexemplare an Fräulein Ingeborg Wessel, Berlin-Wilmersdorf, Rudolstädterstr. 26, übersenden zu wollen.

Mit deutschem Gruß!
I. A. Unterschrift

An Fräulein Ingeborg Wessel

Ingeborg Wessel, die Schwester Horst Wessels, veröffentlichte: *Horst Wessel*, München 1933; *Mütter von Morgen*, München 1936; *Mein Bruder Horst Wessel*, München 1938.

Die neue Literatur
Eine literarisch-kritische Monatsschrift
Herausgeber: Will Vesper
Eduard Avenarius Verlag GmbH.

Fräulein
Ingeborg Wessel
Berlin-Wilmersdorf
Rudolstädterstr. 26

Leipzig C 1, Postfach 286
Fernruf: 72 211
Postscheckkonto: 67 292
den 6. September 1933

Sehr verehrtes gnädiges Fräulein!
Auf Veranlassung des Herrn Staatskommissars Pg Hans Hinkel übersandten wir Ihnen Mitte August einige Hefte der «Neuen Literatur», die sich mit Herrn Hanns Heinz Ewers befaßten. Inzwischen hat ein Briefwechsel der Rechtsanwälte des Herrn Ewers mit uns stattgefunden, von dem wir Ihnen als Anlage Abschrift zur Kenntnis übermitteln.

Mit deutschem Gruß Heil Hitler!
Die Neue Literatur
Unterschrift

Die Abschriften

1. des Briefes der Rechtsanwälte Dr. Plugge, Dr. Gille und Dr. Krampff, Berlin W 35, Bendlerstr. 33, an den Verlag Eduard Avenarius in Leipzig C 1:

Einschreiben!

Namens unseres Mandanten, des Schriftstellers Herrn Dr. Hans Heinz Ewers treten wir, wie folgt, an Sie heran:

In Ihrem Verlage erscheint die Zeitschrift «Die Neue Literatur», welche von Herrn Vesper herausgegeben wird. Die Zeitschrift hat sich zu wiederholten Malen, z. B. in den Heften vom April und Juni ds. Js. mit unserem Auftraggeber, Herrn Dr. Ewers, beschäftigt und ihn in gröblichster Weise herabgesetzt und verleumdet. Diese Anwürfe im einzelnen zu wiederholen, unterlassen wir, da sie Ihnen ja nicht unbekannt geblieben sein können. Die betreffenden Artikel sind in eine große Anzahl von Zeitungen übernommen worden. Durch beides ist unserem Auftraggeber ein erheblicher vorläufig noch nicht schätzbarer Schade entstanden, für den er Sie als Verbreiter der unwahren Behauptungen und üblen Nachreden in vollem Umfange in Anspruch nehmen muß. Wir sind daher beauftragt, von Ihnen zu verlangen, daß Sie

1) es in Zukunft unterlassen, die in den genannten Nummern erschienenen beleidigenden unwahren Äußerungen zu verbreiten.

2) Ihre Verpflichtung zur Erstattung des unserem Auftraggeber entstandenen Schadens anerkennen.

3) den Schaden wenigstens teilweise sofort insofern wieder gutmachen, als Sie von dem Herausgeber der Zeitschrift eine Berichtigung erzwingen, wozu wir Ihnen unten das Material geben.

Unser Auftraggeber würde auf weiteren Schadenersatz verzichten, wenn in der nächsten Nummer der Zeitschrift «Die neue Literatur» mit entschuldigenden Eingangsworten die nachfolgende Darstellung der früheren politischen Betätigung bezw. nationalen Einstellung und des Verhältnisses unseres Auftraggebers zu dem Verlag Georg Müller erscheinen würde. Die darin enthaltenen Daten dürften Sie davon überzeugen, wie unberechtigt die Anwürfe des Herausgebers der Zeitschrift gewesen sind, und Herr Dr. Ewers dürfte danach erwarten, daß Sie, nachdem Sie sich von der Unrichtigkeit der bisher von der Zeitschrift vertretenen Ansicht überzeugt haben, nunmehr der Wahrheit die Ehre geben, und die Leser der Zeitschrift hierüber aufklären. Da Sie als Verbreiter der unseren Auftraggeber schädigenden Auslassungen haften, wenden wir uns nur an Sie. Es ist Ihre Sache, ob Sie sich mit dem Herausgeber der Zeitschrift, an den wir heranzutreten vorläufig keine Veranlassung haben, deswegen in Verbindung setzen wollen oder nicht.

Hochachtungsvoll
Unterschrift

2. Antwort der «Neuen Literatur» vom 1. 9. 1933:

Einschreiben!

Die «Neue Literatur» ist eine kulturpolitische, kritische Literaturzeitschrift und seit langem, in nationalsozialistischem Geiste geführt, die bekannteste Vorkämpferin für saubere, deutsche Dichtung. Sie bekämpft aufs schärfste alle Schundliteratur und allen Schmutz und die Verfasser und Verbreiter solchen Volksgiftes. In Erfüllung dieser Aufgabe hat sie den Literaten Hanns Heinz Ewers pflichtgemäß bekämpft und zwar stets durch belegte Zitate aus seinen Schriften und Äußerungen. Sie wagen zu erklären, daß wir Herrn Ewers verleumdet, unwahre Behauptungen und üble Nachrede gegen ihn verbreitet hätten. Sie machen diese Beschuldigungen leichtfertig, denn Sie sind nicht imstande, unsere Behauptungen und Zitate zu widerlegen oder als falsch nachzuweisen. Sie wagen deshalb gar nicht, darauf einzugehen, sondern verlangen stattdessen unter unwürdiger Drohung, daß wir über die angebliche politische Entwicklung des Herrn Ewers einen Bericht bringen, der gar nichts von dem berührt oder berichtigt, was wir über den Literaten Ewers geschrieben haben. Wir haben als Literaturzeitschrift aber ganz allein mit dem, durch wahrheitsgemäße Zitate charakterisierten Literaten Hanns Heinz Ewers zu tun, dessen angebliche politische Wandlung wir nicht kontrollieren können. Wir haben uns mit ihnen auch nur beschäftigt, wie wir sie aus Äußerungen und Veröffentlichungen des Literaten Ewers belegen konnten.

Über die verlegerischen Beziehungen mit Herrn Ewers haben wir nur wahrheitsgemäß die Bemerkung gemacht, daß der Schundroman «Fundvogel» 1929 im Sieben-Stäbe-Verlag, der von Anfang an der roten Angestellten-Gesellschaft gehörte, erschienen ist. Ihre langen Ausführungen über die sonstigen verlegerischen Beziehungen des Herrn Ewers können diese Tatsache nicht aus der Welt schaffen und interessieren weder uns noch unsere Leser.

Uns ist es allein um die wahrheitsgetreue Charakterisierung des Literaten Ewers zu tun, die wir unseren Lesern und dem deutschen Volk schuldig sind, und die wir, wenn es notwendig ist, auch immer wieder zu ergänzen bereit sind. Wir müssen es uns verbitten, daß Sie unseren offenen und ehrlichen Kampf gegen die Schundliteratur als Verleumdung und üble Nachrede zu bezeichnen wagen, ohne auch nur in einem einzigen Falle den Nachweis zu versuchen, daß wir etwas Falsches über Herrn Ewers behauptet hätten. Vielmehr bestätigt uns Ihr Schreiben in einem sehr wesentlichen Punkt erfreulicherweise unsere Darstellung, widerlegt sie aber in keinem einzigen.

Heil Hitler!
Unterschrift [1]

1 Auch Hanns Heinz Ewers' *Horst Wessel* wurde zur «verbotenen» Literatur gerechnet und ein nach dem Roman gedrehter Film ist ebenfalls verboten wor-

Reinhold Conrad Muschler

«Sein Geist ist jüdischer Art»

Prof. Otto von Kursell, an den dieser Brief gerichtet ist, war Maler, *1884, und ab 1933 Referent der Kunstabteilung im Preußischen Kultusministerium; ausführlich über ihn in: *Die Bildenden Künste im Dritten Reich* (rororo Nr. 806/807/808), S. 155 f.

handschriftlich:
Herrn St. Kommissar H. Hinkel – betr.: Muschler
Hamburger Tageblatt
Herausgeber: Reichsstatthalter Karl Kaufmann
Amtliches Organ des Reg. Bürgermeisters der Freien und Hansestadt
Hamburg und der NSDAP Gau Hamburg

Herrn Prof. Otto v. Kursell
Berlin/Kultusministerium
Unter den Linden 4

Eingangsstempel: 2. Okt. 1933
Schriftleitung Feuilleton
Dr. B/Pfi. 4. 9. 33

Lieber Pg v. Kursell,
ich möchte Sie heute ganz persönlich und privatim etwas fragen. Schon, als ich noch in Berlin war, schrieb eines Tages in der Kultur-Wacht[1] Reinhold Konrad Muschler einen Aufsatz über Deutschtum und Kunst (den Titel habe ich nicht mehr genau im Kopf)[2], der so unglaubliche Unrichtigkeiten als apodiktische Behauptungen enthielt, daß ich mich nicht enthalten konnte, der Kultur-Wacht, d. h. Ihnen, einen Aufsatz zu schreiben, in dem ich einige Sätze zu widerlegen versuchte, ohne allerdings zu sagen, daß sie von Muschler gerade in der Kultur-Woche geschrieben worden waren. Meinen Aufsatz hatte ich «Lanze für den Barock» oder so ähnlich genannt. (Bisher ist er nicht gedruckt worden.) Die Muschlerschen Behauptungen waren wirklich von keinerlei Sachkenntnis getrübt, und meine Ansicht ist nun einmal, daß sich der nicht laut vernehmen lassen soll, der von Sachen, über die er reden will, nichts versteht.

den; siehe: *Theater und Film im Dritten Reich* (Ullstein Buch 33031); siehe auch Hellmuth Langenbucher: *NS-Dichtung, Einführung und Übersicht,* Berlin 1935, S. 31; trotz all dieser Kampagnen erzielte der Horst-Wessel-Roman eine Auflage von hundertdreißigtausend Exemplaren, siehe Dietrich Strothmann: *Nationalsozialistische Literaturpolitik,* Bonn 1960, S. 388.

1 *Deutsche Kultur-Wacht,* Organ des *NS-Kampfbundes für Deutsche Kultur;* O. v. Kursell war dort Schriftleiter.

2 Der Titel des Aufsatzes war *Kultur und Nation* und erschien in: *Deutsche Kultur-Wacht,* 1933, Heft 3, S. 1–2.

Das schönste war die Behauptung, der Barock sei die französische Umformung der italienischen Renaissance, und eine andere: die himmelanstrebende gebetartige Gotik sei urdeutsch. Ich kann nur sagen, Muschler scheint von der Gotik noch nicht das Mindeste begriffen zu haben, und vor allen Dingen noch keinen französischen Barockbau gesehen zu haben; den gibt es nämlich nicht. Na, darüber brauchen wir uns ja nicht länger zu verbreiten. Das Wesentliche aber ist dies: ich lese inzwischen mehrfach den Namen Muschler, daß er an verschiedene leitende Stellen vom Kampfbund eingesetzt worden ist.

Nun möchte ich Sie einmal fragen: haben Sie oder Hinkel oder irgend jemand Zuständiges der Kampfbund-Leitung schon einmal etwas von Muschler gelesen? Ich selbst war, als ich zum ersten Mal Muschlers Namen im Kampfbund las, wie vor den Kopf geschlagen und sagte dieses damals auch Wulf Bley bereits. Ich hatte Muschler für einen der übelsten Judenliteraten gehalten, als ich zwei seiner Bücher vor Jahren las. («Bianca Maria», das allenfalls noch geht, und «Der Weg ohne Ziel»).[1] Schön und gut, ich nahm an, Muschler hat sich völlig umgestellt, was ja vorkommen soll, und sei inzwischen besser geworden. Als ich deshalb gestern Gelegenheit hatte, sein neuestes Buch «Die Tänzerin Jehudi»[2] einzusehen, das Weihnachten erschienen ist, habe ich das schnell einmal gelesen. Mein Urteil ist, daß es genau derselbe – verzeihen Sie den harten Ausdruck – Mist ist, wie die bisherigen: tiefschürfend-moralisch, um nicht zu sagen filmkitschig, schmierig. Ich halte die ganzen Machwerke für absolut und typisch jüdisch. Sollte Muschler wirklich nicht Jude sein, und das scheint ja so, so ist zumindest sein Geist jüdischer Art. Bitte lesen Sie doch einmal «Der Weg ohne Ziel» und «Die Tänzerin Jehudi». Ich bin gespannt, zu welchem Urteil Sie dann kommen. Bitte schreiben Sie mir doch einmal darüber. Muschler findet offensichtlich Gefallen daran, heikle Situationen und Perversitäten mit Behagen auszumalen, sie aber gleichzeitig «moralisch» abzulehnen und ihnen «hohe Sittlichkeit» gegenüberzustellen. Mir ist diese Art das unsympathischste, was es überhaupt geben kann und erinnert mich an Zeitschriften wie den «Figaro», «Osiris» usw., in denen vor der Prostitution gewarnt wird, in Wahrheit aber mit erotischen Bildern Geschäfte gemacht werden. Da ist mir ein Buch, in dem es von natürlicher Sinnlichkeit nur so knallt, zehntausendmal lieber. Mir ist es z. B. unverständlich, wie man das «Wie man sich bettet» von der Eva Leidmann[3] auf die schwarze Liste setzen konnte. Bitte vergleichen Sie einmal die beiden Schriften! Alles in allem: Ich möchte mich also lediglich einmal ganz vertraulich

---

1 Der Roman *Bianca Maria* erschien 1923 und der Roman *Der Weg ohne Ziel* 1925.

2 Der Roman *Die Tänzerin Jehudi* erschien schon 1930.

3 Der Roman *Wie man sich bettet* von Eva Leidmann erschien 1933.

bei Ihnen erkundigen, ob man die Bücher Muschlers überhaupt schon einmal gelesen hat, ehe man Muschler verwendete und sogar an leitende Stellen setzte.

Mit herzlichem Gruß und Heil Hitler!
Ihr
Unterschrift

Kein Konjunkturschriftsteller

Dieser Brief ist gekürzt. Muschlers nationalsozialistische Minnegesänge auf Hitler und Göring, s. S. 114 f, verhinderten nicht, daß viele seiner Bücher von der Prüfstelle des Regimes abgelehnt wurden. Als Folge der ablehnenden Gutachten brachte die NS-Presse oft scharfe Kritiken über seine Werke; deshalb sorgte Muschler dafür, daß sich einige Freunde für ihn einsetzten, und drohte einmal sogar, er würde aus der Partei austreten, wenn man ihn nicht besser behandele. Ein Brief von Rolf Berger vom 21. 7. 1933 an Hans Hinkel befindet sich im Besitz des Herausgebers.

Herrn	
Staatskommissar	Richard Werner
und Reichskulturwalter	Senftenberg N/L
Hans Hinkel, M. d. R.	am 12. Julmonds 1935
Berlin SW 11, Prinz Albrechtstr. 5	Dresdnerstr. 6 A

Sehr geehrter Herr Staatskommissar,
ich bitte um Verzeihung, wenn ich Ihre kostbare Zeit mit einer Angelegenheit in Anspruch nehme, die mich seit Wochen beschäftigt und von der Sie wahrscheinlich nicht oder nur unzulänglich unterrichtet sind.

Mitte November erhielt ich einen Brief von dem Ihnen persönlich wohl sehr gut bekannten Berliner Dichter und Schriftsteller Dr. R. C. Muschler, der u. a. wörtlich folgende Sätze enthält: «Denn auch Ihnen wird es nicht entgangen sein, in welch unschöner und nicht gerade mutiger Weise gewisse Stellen der Partei mich systematisch verfolgen und in der Öffentlichkeit disqualifizieren wollen. Zuerst war mir das gleichgültig, aber seit System in die Angelegenheit gekommen ist, beginnt sie mir als älterer Parteigenosse aus dem Grunde bedrückend zu werden, weil sich eine solche Handlungsweise nicht mit meiner Anschauung vom Ethos des Dritten Reiches vereinen läßt.»

Sie kennen den größten Teil seiner Bücher, so auch seine Verehrung und sein ehrliches Bekenntnis zum Führer in seinem Buche «Ein deutscher Weg», was ein ihm nicht sehr Wohlgesinnter in der Presse zum Anlaß nahm, von einer «Verbeugung vor Hitler» zu sprechen. Sie besitzen wohl auch seine letzte Novelle «Nofretete», die von der freundschaftlichen Verbundenheit mit Ihnen Zeugnis ablegt. Sie wissen auch,

Herr Staatskommissar, daß Pg Dr. Muschler kein Konjunkturschriftsteller ist, der von heute auf morgen 100 %ige nationalsozialistische Bücher schreiben kann, um sich so um jeden Preis in den Vordergrund zu drängen. Der Stil des 20. Jahrhunderts will erkämpft sein. Wenn man den Lebensweg des Dichters betrachtet, der wohl den größten Teil seines Lebens in der Einsamkeit verbracht hat und trotzdem im tiefsten Innern von Jugend auf immer rein deutsch gedacht und gefühlt hat, daß es nur ganz natürlich ist, wenn er den Nationalsozialismus heute mit Begeisterung und tiefem Verstehen anerkennt und ihm dienen will, so spricht das nur für ihn. Was ist nun der Grund von Seiten gewisser Stellen, den heute Dreiundfünfzigjährigen mit unsachlichen und ihn erniedrigenden Kritiken zu verfolgen, vielleicht, weil er nicht das Glück hat, aus dem Fronterlebnis heraus zu schreiben oder etwa weil seine Bücher – von hochgeistiger Warte aus geschrieben – dem Geschmack und Bedürfnis der breiten Volksmasse nicht, bezw. nicht mehr, entsprechen?

Sie, Herr Staatskommissar, sind m. E. selbst aufs beste über all dies unterrichtet, so daß es sich vollkommen erübrigt, darüber noch Worte zu verlieren. Ich glaube jedoch, daß Ihnen die Verfolgungen, unter denen Dr. Muschler gegenwärtig schwer leidet, nicht genügend bekannt sind, da ich annehmen darf, daß sonst der unfairen Kampagne längst ein Ende gemacht wäre.

Ich weiß, Herr Staatskommissar, daß Sie als Reichskulturwalter und Sonderbeauftragter des Führers in kulturellen Dingen gewisse Machtbefugnisse haben und das gibt mir auch den Mut, Sie im Interesse der Beseitigung der Mutlosigkeiten und Zweifel des Pg Dr. Muschler zu bitten, die Angelegenheit zu untersuchen und die ihn bedrohenden Widerwärtigkeiten und Erniedrigungen aus dem Wege zu räumen, weil ich der Überzeugung bin, daß Sie als hoher Staatsbeamter und persönlicher Freund des Dichters Mittel und Wege kennen, hier wirksame Abhilfe zu schaffen.

In der Hoffnung, nicht mißverstanden worden zu sein und in der Erwartung, daß meine Bitte, die lediglich meiner tiefen Verehrung für den Pg Dr. Muschler als Dichter entspringt, recht bald in Erfüllung gehen möge, grüße ich Sie, sehr geehrter Herr Staatskommissar,

handschriftlich: mit Heil Hitler!
Für eine kurze Nachricht   ganz ergebenst
ob Sie für den Pg M. erfolgreich   Richard Werner
etwas tun können, wäre ich Ihnen
von Herzen dankbar.

«Geistige Zertrümmerung»

In: *Nationalsozialistische Monatshefte*, Juli 1938, S. 654–655. Siehe hierzu auch folgende Bücher über A. Rosenberg: F. Th. Hart: *Alfred Rosenberg, der Mann und sein Werk*, München 1933; Prof. Hugo Koch: *Rosenberg und die Bibel*, Leipzig 1935; Dr. Ernst Seeger: *Alfred Rosenbergs Mythus des 20. Jahrhunderts und seine christlichen Gegner*, Marbach 1935; Wilhelm Brachmann: *Alfred Rosenberg und seine Gegner*, München 1938; Alfred Bäumler: *Alfred Rosenberg und der Mythus des 20. Jahrhunderts*, München 1943, als Sonderdruck des Vorwortes zu Rosenberg: *Schriften und Reden*, Band 1, München 1943.

Mein lieber Parteigenosse Rosenberg!
Eine der ersten Voraussetzungen für den Sieg der nationalsozialistischen Bewegung war die geistige Zertrümmerung der uns gegenüberstehenden feindlichen Gedankenwelt. Sie, mein lieber Parteigenosse Rosenberg, haben seit der Zeit Dietrich Eckarts nicht nur unentwegt den Angriff gegen diese Ideenwelt geführt, sondern durch die politische und weltanschauliche Leitung des Zentralorgans der Partei unerhört dazu beigetragen, die weltanschaulich einheitliche Durchdringung unseres politischen Kampfes sicherzustellen. Am Abschluß des Jahres der nationalsozialistischen Revolution drängt es mich daher, Ihnen, mein lieber Parteigenosse Rosenberg, aus ganzem Herzen für die wahrhaft großen Verdienste zu danken, die Sie sich um die Bewegung und damit um das deutsche Volk erworben haben.

In herzlicher Freundschaft und dankbarer Würdigung

31. Dezember 1933   Ihr Adolf Hitler

Hanns Johst

«Der führende Dichter unserer Zeit»

Walter Horn: *Rufe in das Reich – Zum fünfzigsten Geburtstag von Hanns Johst* in: *Völkischer Beobachter* vom 7. 7. 1940, gekürzt.

Walter Horn, Schriftsteller (Kunstkritik), *1902; verantwortlicher Schriftleiter für Kultur der *Nationalsozialistischen Landpost*; über Hanns Johst siehe auch: *Theater und Film im Dritten Reich* (Ullstein Buch 33031).

Welche Wandlung des deutschen Schicksals erlebt, begleitet und deutet das Werk Hanns Johsts im Ablauf der letzten zwei Jahrzehnte! Im Notwinter 1919, in der «Stunde der Scham, der Schande» stürmt sein Rolandsruf gegen das stumpfe Gewissen der Welt und bekennt eine schmerzliche Liebe zu seinem unglücklichen Volk. Im Kriegswinter 1940 empfängt der Dichter an der Seite des Reichsführers-SS Heinrich Himmler den Treck der deutschen Bauern aus Wolhynien, als er die historische Grenze des wiedererkämpften germanischen Machtbereichs im Osten überschreitet. Die Bilder dieser Ostlandfahrt, von Hanns Johst in seinem neuen Bekenntnisbuch «Ruf des Reiches – Echo des Volkes» (Verlag Franz Eher, München) mit bezwingender Sprachkunst aufgezeichnet, bestätigen noch einmal die Einheit von Mensch und Werk im Schaffen des führenden politischen Dichters unserer Zeit. Mit dem Epos der Heimkehr der verlorenen Söhne und Töchter unserer völkischen Passion, von Johst zu einem Rechenschaftsbericht über die kulturelle Sendung des Germanentums im Raum Danzig bis Krakau geweitet, gibt ein geistiger Soldat des deutschen Freiheitskampfes zugleich die Sinndeutung für sein eigenes Leben und Schaffen, für seinen persönlichen Einsatz im Umbruch eines Zeitalters.

Die obersächsische Landschaft – Johst wurde am 8. 7. 1890 in Seehausen bei Dresden geboren, seine Vorfahren waren Bauern in Sachsen und Thüringen – ist die Heimat Martin Luthers, Friedrich Nietzsches und Richard Wagners. Wesentliche Züge dieses obersächsischen Erbes, das revolutionäre Kräfte in das deutsche Kulturbild getragen hat, be-

stimmen auch Johsts schöpferischen Weg. Auf die ersten Jahre unruhe-
vollen Suchens – er will Missionar werden, Arzt, Schauspieler, studiert,
wandert «immer innerer Unruhe voll: Wohin?» – folgt die erste innere
Klärung und Begrenzung. Johst erkennt seine Aufgabe: die Vorbereitung eines neuen Kulturbildes und einer neuen deutschen Kulturgesin-
nung. Er will sein privates Schicksal gegen die Zeit austragen und erkennt dabei die Notwendigkeit der Gemeinschaft.

Die Literaten, die im Jahre 1914 Haßgesänge am sicheren Herd dich-
teten, flüchten sich in das Wolkenkuckucksheim der Menschenverbrü-
derung und beschmutzen die Not und das Leiden des deutschen Volkes
mit geiferndem Haß. Johst unternimmt es als einzelner, aus der Verantwortung des geistigen Menschen, die Voraussetzungen und Grenzen
einer neuen deutschen Haltung zu klären und der kommenden Volks-
werdung den Weg zu bahnen. Sein «Ethos der Begrenzung», ein küh-
nes und klares Manifest, fordert die Überwindung der individualistischen und die bewußte und freiwillige Einordnung in den neuen Raum
des deutschen Schicksals.

Sein Werk dient von nun an dem Leben des deutschen Volkes mit
einer leidenschaftlichen Gläubigkeit. Seine dramatischen Dichtungen
führen den deutschen Menschen Schritt um Schritt aus der unheilvollen
Vereinsamung zur größeren Gemeinschaft. Im Grabbe-Schauspiel «Der
Einsame» kämpft noch der deutsche Genius mit dem Dämon seiner klein-
bürgerlichen und kleingläubigen Umwelt. In dem Lutherdrama «Propheten» braust ein neuer Glaube wie ein Sturmwind durch das Land.
Die große Führerpersönlichkeit, aus der unbekannten Volksseele auf-
gestiegen, marschiert im «Thomas Paine» als Trommler seiner Zeit voraus. Im «Schlageter» wird das bisher nur als Gleichnis gestaltete Volksschicksal in blutvoller Wirklichkeit erschaut. Schlageter, der erste politische Soldat des neuen Reiches, gibt mit seinem Opfergesang das Signal
für den Freiheitsmarsch in die Zukunft.

Diese politische Dramenreihe dient wie die grundlegenden politischen
Schriften Hanns Johsts dem männlichen Geist unseres Volkes, der Fe-
stigung und Klärung unseres Kulturbildes, der Überwindung der zersetzenden fremdgeistigen Einflüsse.

Lebensgang und Lebenswerk Hanns Johsts sind uns Vorbild eines
neuen Glaubens, der in einer geschichtlichen Wende seine Erfüllung
findet. Das Echo des Volkes auf den Rolandsruf des Dichters Hanns
Johst lebt in «Gewißheit, Zuversicht, Liebe und Dank» zum Führer der
Deutschen.

An das «Schwarze Korps»

In: *Das Schwarze Korps* vom 12. 3. 1936, S. 2; *Das Schwarze Korps*, Himmlers Wochenzeitschrift; im Kampf gegen das Christentum hatte sie dieselbe Funktion wie Julius Streichers *Der Stürmer* im Kampf gegen das Judentum; man beachte, wie Hanns Johst, dessen schriftstellerische Anfänge zum Expressionismus gehörten, Ausdruckskunst und seelische Erlebnisse beim Abschaum der Führerclique des Dritten Reiches – darunter immerhin notorische Mörder – abreagierte; diese Briefe sind chronologisch geordnet.

Im Leben einer Zeitung ist das erste Jahr entscheidend!

Es ist mir nun eine helle Freude, nach Ablauf dieser kritischen Zeitspanne Ihnen als Hauptschriftleiter des «Schwarzen Korps» zum ersten Jahrestag auf das herzlichste gratulieren zu können. Sie haben es vermocht, in die Kampffront der nationalsozialistischen Bewegung eine neue Waffe einzubauen. Das, was den Deutschen angeblich nicht liegt, die verfieberte, elegante Klinge des spitzen Angriffs mit blitzschnellen Finten, ironischer Überlegenheit und bissiger Heiterkeit, ist hier in jeder Nummer reichlich vorhanden. Sie haben den Beweis erbracht, daß zur Bestückung des guten deutschen Korps auch diese Waffe gehört. Ihre Zeitung hat auf eine unglaubliche Weise unsere SS popularisiert und aktualisiert.

Geliebt und gefürchtet, marschiert «Das Schwarze Korps» weiteren Jahrestagen entgegen. Ich kann nur kameradschaftlich wünschen: in multos annos!

Heil Hitler!
Ihr Hanns Johst

An R. W. Darré

Hanns Johst
7. Dezember 36

Mein Reichsbauernführer, lieber Walther Darré!
ohne Zeremonie (die ich liebe, denn sie hat stets Distanz und ich werde sie im tatsächlichen Leben stets achten!) tritt heute dieser Brief zu Ihnen, Ihnen von Herzen für Goslar [1] zu danken. Ich ging bewußt vom ersten Tag an hin, um mich hineinzuwühlen in das Element Ihrer Aufgaben und der Gabe Ihrer Menschen. Ich ehrte Sie innerlich immer als den schöpferischen Schriftsteller [2] im Raume der deutschen Geschichte, jetzt

1 Goslar war das Zentrum von Darrés Betätigung; dort befand sich auch das Rasse- und Siedlungshauptamt der SS, dessen Leiter Darré bis 1938 war.

2 Hier einige von Darrés Veröffentlichungen: *Das Schwein als Kriterium für nordische Menschen und Semiten*, 1926; *Neuadel aus Blut und Boden*, 1930; *Aller züchterischer Fortschritt beruht zunächst immer nur auf der Ausmerze der Minderwertigen und einem Festhalten des bewährten Blutes*, 80 Merksätze und

liebe ich Sie um der Gestaltungskraft willen, mit der Sie Menschen wie
Burgen einsetzen in das Reich Ihrer prächtigen Pflichten. Und wie sind
neben Ihnen diese Getreuesten gewachsen! Ich erinnere mich an unser
erstes Weimar und unser gestriges Goslar!

Ich bin von Grund auf stolz, daß Sie mich in diesen Ihren Kreis verschworen haben. Ich werde Sie nie enttäuschen. Die Vereidigung brennt
in meiner Seele nach.

Ich weiß nicht, welche Wege mich das Gesetz meines Künstlertums
noch zwingt, eines ist gewiß: Die Verpflichtung an die mütterliche Kraft
der von Ihnen befehligten Provinz des Reiches besteht für immer! Sie
haben in Goslar ein Symbol geschaffen, für das Ihnen Deutschland einmal auf den Knien danken wird.

Sie werden in diesen Tagen sehr angestrengt sein, alle guten Wünsche zu Ihnen! Auch meine Frau – der ich alles vorexplodiere (?), was
ich erlebte – grüßt Sie und Ihre Gattin lebendigst.

Ich bin und bleibe Ihr   Hanns Johst

An Heinrich Himmler

Johst schrieb diesen Brief am Jahrestag des mißlungenen Hitler-Putsches am
Odeons-Platz in München vom 9. 11. 1923; in anderen Briefen sprach er den
Reichsführer SS mit «Mein Freund Heini Himmler» an. Briefe im Besitz des
Herausgebers.

> Hanns Johst, Preußischer Staatsrat
> Oberallmannshausen, Starnberger See
> 9. Nov. 1938
> Krankenhaus Rotes Kreuz

Mein Reichsführer, mein Heinrich Himmler!
Meine Religion heißt Deutschland, meine Konfession Ihre SS! Sie haben
aus einer Chance, die der Führer Ihnen gab, ihm den Kraftquell ge-
schenkt, aus dem er jederzeit Treue, Zuversicht und Sieg schöpfen kann.
Mein tiefster Stolz, meine Zugehörigkeit zu diesem Herzgehäuse des
Führers.

Mein Reichsführer, Sie sind der geschichtliche Schöpfer dieses ewigen
Manifestes! Sie ermessen aus diesen Zeilen, die ich im Krankenhaus
schreiben muß, wie niedergeschlagen ich bin, daß ich heuer zum erstenmal nicht Zeuge der Feier sein kann. Ich bin mit ganzer Seele an Ihrer
Seite, und die Fürbitte eines Dichters wird in dieser Stunde über dem

*Leitsprüche über Zucht und Sitte aus Schriften und Reden von R. Walther
Darré*, ausgewählt von Marie Adelheid Reuß zur Lippe, Goslar o. J.; die Seiten
dieses Buches sind nicht paginiert.

Odeonsplatz nicht der schlechteste Flügelschlag sein! Jedes Wort der Vereidigung spreche ich im Geiste wie immer wie das Gebet meines Lebens
auch heuer mit.

> Heil Hitler!
> Heil mein Reichsführer,
> unwandelbare Treue meinem Freunde
> Heinrich Himmler
> Ihr Hanns Johst

«Mein liebes Wölffchen»

Karl Wolff, * 1900; 1933–43 Himmlers Adjutant.

SS-Gruppenführer Wolff
Persönlicher Stab des   Hanns Johst
Reichsführers-SS   SS-Brigadeführer
Berlin SW 11   Preuß. Staatsrat
Prinz Albrechtstr. 8   28. November 1939

Mein Gruppenführer! Mein liebes Wölffchen!
Es ist Hanne, Krista und mir innerstes Bedürfnis, Ihnen in dieser Stunde
die Hand zu geben und Ihnen unser Beileid zu sagen. Sie haben den
Trost, daß Ihre Mutter das Glück und das Manntum Ihres Lebens noch
sah, daß Sie ihr Enkelkinder geschenkt haben.

   Wenn ich Ihnen in der Anlage des Büchlein «Mutter ohne Tod» gebe,
so lesen Sie in diesen Seiten mein Erlebnis beim Tode meiner Mutter,
und ich wäre nicht Ihr Freund, wenn ich Ihnen nicht in diesem Buche eine
Zueignung eingetragen hätte. Nehmen Sie sie mit dem Herzen auf, sie
kommt aus freundschaftlichem Herzen!

> Heil Hitler!
> Ihr getreuer und dankbarer
> Hanns Johst

«Bitte an das Schicksal»

An den
Herrn Kreisleiter Obst   Hanns Johst, SS-Brigadeführer
Beuthen/O. S.   3. April 1940

Sehr geehrter Parteigenosse Obst!
Ich freue mich, daß Sie meinen «Schlageter» als Geburtstagsfeier des
Führers zu erleben gedenken. Sie bitten mich um ein Geleitwort. Ich bin
nun hier mitten in der Arbeit Berlins und stehe, wie wir alle, im Tu-

mult vieler Verpflichtungen und Aufgaben und so kann ich auch Ihnen nur das eine Wort zum Geleit für diesen Abend geben, das eine Wort, das uns alle Kraft und Freude für Höchstleistungen unseres Einsatzes erbringt, das Wort, das wir täglich inständig erleben, die Bitte an das Schicksal: Lang lebe der Führer!

In diesem Sinne bin ich am 19. April in Ihrem Kreis.

Heil Hitler!
Ihr Hanns Johst

Prof. Karl Gebhardt an Johst

Der Brief ist gekürzt. – Prof. Dr. med. Karl Gebhardt, 1897–1947, Chefarzt der Orthopädischen Heilanstalt Hohenlychen, Leibarzt Himmlers, Präsident des Deutschen Roten Kreuzes; einer der Hauptaktivisten bei den medizinischen Versuchen an Menschen und beteiligt an der Sterilisation von Jüdinnen in den Konzentrationslagern Ravensbrück, Sachsenhausen u. a.

	Prof. Dr. med. K. Gebhardt
SS-Gruppenführer und	SS-Gruppenführer und
Staatsrat Dr. Johst	Generalleutnant der Waffen-SS
Oberallmannshausen	Hohenlychen-Mark, den
Starnberger See	11. August 1943

Staatsrat! Lieber Kamerad Johst!
Herzlichen Dank für die durch Vermittlung meiner Frau mir zugestellten Gedichtbände mit dem mir gewidmeten Gedicht. Darf ich bitte hierbei einen Wunsch vortragen? Das Gedicht ist ohne Ihre Namensnennung, scheinbar deshalb, weil in dem ersten Original Ihr Name handschriftlich ist. Wenn ich nun meinen Mitarbeitern Ihren Gedichtband weiterschenke, so muß ich entweder dazu schreiben von Hanns Johst, oder besteht vielleicht die Möglichkeit, daß ich ein Faksimile daruntersetzen kann. Ich darf Sie bitten, mir mitzuteilen, wie Sie über Ihre Namensunterschrift denken.

Mit besten Grüßen an Ihre Familie in kameradschaftlicher Verbundenheit

Heil Hitler!
Ihr Gebhardt

LORENZ
ꟷOBERGRUPPENFÜHRER / HBG. STAATSRAT
M. D. R.

BERLIN W 35, den
TIERGARTENSTR. 18a

5.12.41.

Tgb 1744

ꟷBrigadeführer Hanns J o h s t
<u>Oberallmannshausen/ Obb.</u>
Starnberger-See.

Lieber Hanns J o h s t !

Vielen Dank für Deinen Brief, den ich leider erst heute beantworten kann, da ich wochenlang auf Dienstreisen war.

Die einzige Möglichkeit, Dir ein passendes "Mädchen" zu besorgen, geht über Litzmannstadt. Ich habe mich schon, an den Höheren ꟷ und Polizeiführer gewandt, aber bisher noch keine Antwort erhalten. Ich hoffe, Dir von dort eine "Jungfrau" zuweisen lassen zu können bzw. Dir in die Arme zu legen. Wenn ich Zeit hätte, würde ich persönlich nach Litzmannstadt fahren und Dir eine Jungfrau suchen, die vor Deinen künstlerischen Augen Gnade findet. Ich selbst verfüge nicht über Jungfrauen, sodass Du Dich noch einige Zeit gedulden musst.

Mit herzlichem Gruss und

H e i l H i t l e r !

«Jungfrau» für Hanns Johst gesucht

Ein Bericht zur Lage im Schrifttum

An den Präsidenten
der Reichsschrifttumskammer
Staatsrat, SS-Gruppenführer
Hanns Johst
Oberallmannshausen
Starnberger See

Der Chef der Sicherheitspolizei
und des SD
III C 4 – v. K./Ju. AZ 266/43
Berlin SW 11, den 15. Jan. 43
Prinz Albrecht Str. 8

Lieber Kamerad Johst!
Anliegend übersende ich Ihnen zu Ihrer persönlichen Unterrichtung einen Bericht zur Lage im Schrifttum, in dem die hier vorliegenden Meldungen der letzten Wochen ausführlicher zusammengefaßt worden sind.

Heil Hitler!
Ihr Ohlenburg
SS-Brigadeführer

An Martin Bormann

In: Joseph Wulf: *Martin Bormann – Hitlers Schatten*, Gütersloh 1962, S. 130.
Martin Bormann, *1912; 1933 Stabsleiter des «Stellvertreters des Führers» Rudolf Heß; 1941 Leiter der Parteikanzlei; 1943 «Sekretär des Führers»; der Brief zeigt das Datum 15. 6. 1943.

Mein Reichsleiter! Von Herzen verehrter Herr Martin Bormann!
Es ist mir aufrichtiges Bedürfnis, Ihnen zu Ihrem Geburtstag auch im Namen meiner Frau und Tochter auf das lebendigste Glückwünsche zu sagen. Wir wissen um die hohe Verantwortung des Auftrages, der in Ihren Händen ruht und den Sie mit so männlicher Abgeschlossenheit, Sicherheit und beglückender Schlichtheit erfüllen.

Heil Hitler!
Stets Ihr getreu dankbarer
Hanns Johst

An Gottlob Berger

Gottlob Berger, *1896, Chef des SS-Hauptamtes.

Herrn
Obergruppenführer, General der Waffen-SS
Gottlob Berger
Berlin-Grunewald, Douglas Str. 7–11

Hanns Johst
SS-Gruppenführer
2. November 1943

Lieber Kamerad Berger!
Ein Engel kann nicht mehr angehimmelt werden, als Sie von meiner Seele, da ich Ihr Liebesgabenpaket öffnete. Der Kakao hat bereits seine

Wirkung getan und darüber hinaus hat mein Lieblingsgetränk, der spanische Oho-Kognak die letzten Lohefeuer der Liebe entfacht. Also nochmals den allerschönsten Dank, und wenn wieder Not am Mann ist, schreie ich um Hilfe. Bis dahin aber verbleibe ich in lautloser Dankbarkeit mit lebendigen Grüßen und

Heil Hitler!

stets Ihr getreuer

Hanns Johst

Preußischer Staatsrat

Hans Friedrich Blunck

Deutsche Kulturpolitik

Aufsatz von H. F. Blunck in: *Das Innere Reich*, 1934, April, S. 129 und 143, Auszüge.

Der Staat hat, wie jeder einzelne, das Recht, unter den Schaffenden und unter den Geschaffenen nach seinem Geschmack zu wählen. Ich halte die erzieherische Wirkung, die durch das Vertrauen des Staates auf den einzelnen ausgeübt wird, für wesentlicher als die Erziehung zur brüderlichen oder unbrüderlichen Beachtung des Nächsten.

Wir wissen, der Nationalsozialismus hatte in seinem Anfang gefährlich viel vom alten liberalistischen Nationalismus aufgenommen, der hoffärtig fremde Kulturen ablehnte, um die eigene mißzuverstehen; der Führer hat darin Wandel geschaffen und mit Recht zum eifrigen Vergleich aufgefordert, nicht um zu übernehmen, sondern um das eigene Wesen unaufhörlich zu steigern.

«Die üblichen Einwände»

Der Brief ist gekürzt.

	Dr. Hans Friedrich Blunck
An den	Altpräsident e. h.
Herrn Präsidenten	Dr. Bl./F.
der Reichsschrifttumskammer	Berlin, den 29. Oktober 1935
Staatsrat Hanns Johst	Mölenhoff, den
Berlin W 8	Post Greben (Holstein)

Ich teile mit, daß ich gelegentlich meines Aufenthaltes in England, dort den Sekretär des PEN-Clubs, Herrn Ould, begegnete. Ich kam auf die englische Haltung uns gegenüber zu sprechen und beschwerte mich in sehr bitterer Weise darüber, daß man unsere Emigranten als deutsche

Gruppe im PEN-Club führe. Ich wies darauf hin, daß dies Verhalten, das bisher scheinbar in England noch keinen Widerspruch herbeigeführt hat, für das deutsche Schrifttum mindestens ebenso beleidigend sein müsse wie der Londoner Reichstagsbrandprozeß für die deutsche Richterschaft.

Herr Ould brachte noch die üblichen Einwände des englischen Autors vor, als da sind die angeblichen Grausamkeiten im Konzentrationslager an Deutschen, – darunter auch an deutschen Schriftstellern, – gegen die Behandlung der Judenfrage, die er als Lösung von Volk zu Volk verstehen wollte, in ihren Einzelheiten aber bitter angriff. Er brachte endlich seine Bewunderung für das Winterhilfswerk zum Ausdruck.

Ould ist von Wells abhängig. Was er vorträgt, ist von dem Präsidenten der PEN-Clubs diktiert. Ould gehört als Quäker und Kriegsdienstverweigerer auch zu jener Gruppe Intellektueller, die Deutschland zu lieben vorgeben, es aber unaufhörlich nach ihrem Sinn erziehen möchten.

Bei den sonst ausnahmslos sehr positiven Gesprächen mit englischen Freunden ist das Gespräch mit Ould das einzige, das keine Annäherung brachte. Ich empfehle, bis zur Amtsniederlegung von Wells keinerlei Fühlung mit dem PEN-Club zu halten, die deutsche Ablehnung nach außen aber bei allen geeigneten Gelegenheiten zu begründen.

Heil Hitler!

Hans Fr. Blunck

«Lieber Herr Brückner»

SA-Obergruppenführer Friedrich Wilhelm Brückner, * 1884; 1923 am Hitler-Putsch in München beteiligt und zu fünfeinhalb Monaten Gefängnis verurteilt; ab 1930 Hitlers Adjutant.

Einleitend sei hier bemerkt, daß Hitler am 6. 9. 1938 auf der Kulturtagung des NSDAP-Parteitags in Nürnberg eine Rede hielt – siehe *Reden des Führers am Parteitag Großdeutschlands 1938*, München 1938 –, in der er u. a. sagte: «Ich will einen Unterschied machen zwischen dem Volk, d. h. der gesunden blutvollen und volkstreuen Masse der Deutschen, und einer unzuverlässigen, weil nur bedingt blutgebundenen, dekadenten sogenannten Gesellschaft»; danach wandte Hitler sich gegen die «Jenseitsforscher», denn «der Nationalsozialismus ist eben keine kultische Bewegung, sondern eine aus ausschließlich rassischen Erkenntnissen erwachsene völkisch-politische Lehre. In ihrem Sinne liegt kein mystischer Kult, sondern die Pflege und Führung des blutbestimmten Volkes»; «An der Spitze unseres Programms steht nicht das geheimnisvolle Ahnen, sondern das klare Erkennen»; «Wehe, wenn durch das Einschleichen unklarer mystischer Elemente die Bewegung oder der Staat unklare Aufträge erteilt.» – Schriftsteller wie Blunck mit «ihrer Gefühlsverbundenheit mit den Mächten des geheimen Lebens» (Paul Fechter) mußten sich bei derartigen Hitler-Reden persönlich getroffen fühlen. Wenn Blunck auf das «letzte literarische Urteil» von Friedrich Wilhelm Brückner wartete, so ist das charakteristisch.

Hans Friedrich Blunck
Mölenhoffhuus, 10. September 1938
Post Greben/Holstein
Fernruf: Greben 1

Lieber Herr Brückner!

Ich habe soeben an den Führer gemäß beiliegendem Durchschlag geschrieben. Da der Brief eine Post früher abgegangen ist, wird er wohl schon in Ihren Händen sein. Urteilen Sie, bitte, – und ich beziehe mich auf Ihr freundliches Erbieten, mir, wenn nötig, mit gutem Rat beizustehen, – ob der Brief die rechte Form hat. Vielleicht ist ja meine Sorge, daß über unser Schrifttum Mißverständnisse entstehen, so unerheblich, daß man sie nicht erst anzuschneiden braucht. In dem Fall sind Sie vielleicht so liebenswürdig und halten den Brief an, ich würde dann handschriftlich meinen Dank aussprechen. Diesmal habe ich mit Rücksicht auf die Unleserlichkeit meiner Pfote die Maschinenschrift vorgezogen.

Den Inhalt des Briefes brauche ich Ihnen gegenüber nicht weiter zu ergänzen. Wir vom Schrifttum sind glücklich, daß die altdeutsche Kulturwelt, die Wagner so herrlich gezeichnet hat, über die Musik dem Führer nahesteht. Aber wir haben beispielsweise in der niederdeutschen und alemannischen Landschaft noch viele andere Reste älterer Volksüberlieferung, und so, wie Grimm und Wagner sie umdichteten, sind auch wir bei der Wiedergabe der Sagenwelt – ohne daß diese Dinge überhaupt religiöse Fragen berühren – am Werk, unsere Welt in Mär, Sage und Geschichte bunt zu gestalten und zu füllen. Das ist im Gegensatz zur sammelnden Wissenschaft des Dichters Recht. Wenn nun aber Zünftige und Unzünftige kommen und aus dieser reinen Dichtung etwas Okkultes herausholen, so möchten *wir* die klare Linie wahren.

Da ich ohnehin dem Führer antwortete und mir das Herz nach der Nürnberger Rede voll davon war, habe ich angefügt, was zum Schutz der Dichtung zu sagen war. (Wobei ich niemals behaupten will, daß nicht auch mir in meinen Schriften manche Dunkelheit und Unklarheit und manche vergrübelte Gestaltung unterlief.) Unser Schaffen soll Freude und Helle bringen, auch fröhliches Lachen und vorall das dichtende Gleichnis der ewigen Rätsel, die uns umgeben.

Mit vielen freundlichen Grüßen und in Dank für das Vertrauen, das Sie mir einst entgegenbrachten und das ich Ihnen wiedergebe.

Heil Hitler!
Ihr
Hans Friedrich Blunck

Der fatale Druckfehler

Hans Friedrich Blunck
Altpräsident e. h. der
Reichsschrifttumskammer
Mitglied des Reichskultursenates
und des Senats der Akademie der Dichtung

Herrn   Mölenhoffhuus
Staatsrat Hanns Johst   Post Greben/Holstein
Oberallmannshausen   den 17. Januar 1940
Starnberger See   Fernruf: Plön 301

Lieber Hanns Johst!
Ich wollte Dir von Folgendem Kenntnis geben und verbinde zugleich
mit diesen an Dich persönlich gerichteten Zeilen ein gleiches Schreiben
an die Geschäftsführung der Reichsschrifttumskammer.

Als ich im Jahre 1935 die Leitung der Kammer an Dich übergeben
durfte, sagte mir der damalige Reichskulturwalter des Herrn Reichsministers für Volksaufklärung und Propaganda, Hans Hinkel, der Herr
Reichsminister wolle mich in besonderer Form auszeichnen. Man dachte
damals an die Ernennung zum Ehrenpräsidenten der Kammer.

Aus naheliegenden Gründen habe ich damals vorgeschlagen, die Bezeichnung «Altpräsident e. h.» zu wählen, eine Form, die im westdeutschen Sprachgebrauch nicht selten ist. Eine andere Ausdrucksweise schien
mir bei meiner Jugend noch verfrüht, auch war meine Arbeit noch nicht
abgeschlossen.

Unglücklicherweise unterlief dann bei der maßgeblichen Veröffentlichung im «V. B.» wie auch an anderen Stellen ein fataler Druckfehler.
Man schrieb statt Altpräsident e. h. «Alterspräsident e. h. der Schrifttumskammer», eine Bezeichnung, gegen die ich in diesen fünf Jahren
vergeblich gekämpft habe.

Der Irrtum scheint unausrottbar. In Deutschland hat er keine weitere
Bedeutung und schadet nicht. Aber bei meiner Arbeit im Ausland wirkt
er sehr unerquicklich. Meist fangen Veröffentlichungen und Begrüßungs-
notizen damit an, daß der «greise Alterspräsident der Schrifttumskammer» selbst noch einmal die Reise gewagt habe und dergleichen mehr.

Anläßlich einer mehr zufälligen Erörterung der Sache hat nun Herr
Hinkel als kommissarischer Leiter der Abteilung Schrifttum kürzlich
den Herrn Reichsminister noch einmal wieder auf die Angelegenheit angesprochen; er hat, wie er mir sagte, ausgeführt, daß man ursprünglich an
den «Ehrenpräsidenten» gedacht habe, daß meine Zurückhaltung damals zu der Formulierung «Altpräsident e. h.» geführt hätte, daß aber
bei dem Wettbewerb mit dem fremden Schrifttum im Ausland sich immer wieder Mißverständnisse und Unzuträglichkeiten ergäben. Der Herr

Reichsminister hat daraufhin bestimmt, daß an sich mit der Umschreibung ja der Ehrenpräsident gemeint sei, daß eine Umwandlung in Deutschland aber eine neue Presseveröffentlichung bedeute, nach deren Gründen man fragen würde, daß er es aber für zweckmäßig erachte, im Ausland und beim Verkehr mit dem Ausland regelmäßig die Abkürzung «Ehrenpräsident» zu verwenden.

Nach einer späteren Mitteilung des Herrn Reichskulturwalters Hinkel hat er hiervon gelegentlich eines Rundschreibens auch der Presse Mitteilung gemacht.

Da ich nicht weiß, ob Dich diese Notiz erreicht hat, und es für angemessen halte, Dir selbst darüber zu berichten, beeile ich mich, Dir nach Rückkehr von der Reise in die Slowakei die Mitteilung zu machen.

Immer mit vielen herzlichen Grüßen und

Heil Hitler!
Dein Hans Friedrich Blunck

Kapitel II

GESTEUERTE LITERATUR

Vorwort

Obwohl die Begleiterscheinungen willkürlich sind, haben Auflehnungen und Umsturz im Staate oft das Ziel, durch Analyse, Auseinandersetzungen und Kritik einen Wechsel herbeizuführen, die Verhältnisse zu verbessern und eine neue Entwicklung durch eine Umstellung anzustreben.

Die Nationalsozialisten aber wollten, wie einwandfrei zu beweisen ist, auch das Ewige, Substantielle, stets Beharrende im Menschen beherrschen und steuern.

In seiner Rede vor Verlegern und Buchhändlern erklärte Joseph Goebbels ferner: «Wir werden auch den Zeitgeschmack ändern.»

So sprachen sie mit Augurenlächeln und wußten doch genau über ihren Betrug Bescheid. Hauptsache war, die menschliche Gesellschaft, ihnen genehm, vollkommen aufeinander abzustimmen und so gleichzuschalten, daß die Volksmassen zu einer Ameisengesellschaft erniedrigt wurden.

«Wollt ihr die Unterschiede vernichten», sagte Leopold von Ranke, «hütet euch, daß ihr nicht das Leben tötet.»

Ouvertüre

Der Schreiber dieses Briefes, Wilhelm Jaspert, 1902–41, war Schriftsteller und Verlagsdirektor. Sein Brief stammt aus den Akten des Reichsministeriums für Volksaufklärung und Propaganda und war wohl auch an dieses Ministerium gerichtet. Viele der hier genannten Institutionen und Organisationen werden später noch dokumentiert und kommentiert. Aber um die im Brief angeführten Gesetze und Paragraphen zu verstehen, seien zuvor folgende Erläuterungen gegeben:

§ 7 (1) der Verordnung des Reichspräsidenten zum Schutz des deutschen Volkes vom 4. 2. 1933 lautet: «Abs. 1: Druckschriften, deren Inhalt geeignet sind, die öffentliche Sicherheit und Ordnung zu gefährden, können polizeilich beschlagnahmt werden und eingezogen werden. – Abs. 2: Zuständig sind, soweit die obersten Landesbehörden nichts anderes bestimmen, die Ortspolizeibehörden.»

Die Verordnung des Reichspräsidenten zum Schutz von Volk und Staat vom 28. 2. 1933 (2) besagt, daß die Artikel 114, 115, 117, 118, 123, 124 und 153 der Verfassung des Deutschen Reiches bis auf weiteres außer Kraft gesetzt wurden. «Es sind daher (u. a.) Beschränkungen der persönlichen Freiheit, des Rechtes der Meinungsäußerung, einschließlich der Pressefreiheit, Anordnungen von Haussuchungen und der Beschlagnahme außerhalb der sonst hierfür bestimmten Grenzen zulässig.»

§ 14 des Polizeiverwaltungsgesetzes (3) ist unter dem Abschnitt IV dieses Gesetzes eingeordnet, der mit «Aufgaben der Polizeibehörden» überschrieben ist. Er besagt, daß im Rahmen der Gesetze Polizeibehörden verpflichtet sind, Gefahren für die Allgemeinheit und Einzelpersonen abzuwenden, wenn die öffentliche Sicherheit und Ordnung bedroht ist. Ebenso haben Polizeibehörden die ihnen gesetzlich übertragenen Aufgaben zu erfüllen.

Der § 41 (4) gehört zum Absatz VII des Polizeiverwaltungsgesetzes und besagt, daß Polizeiverfügungen, die nicht auf einer Polizeiverordnung oder einem Gesetz beruhen, nur dann gültig sind, wenn sie eine Störung der öffentlichen Sicherheit und Ordnung verhindern und eine Abwehr bevorstehender Gefahr für Sicherheit und Ordnung bedeuten. Im Abs. 2 dieses § 41 heißt es, die Polizeibehörde habe ein Mittel zu bestimmen, falls mehrere zur Beseitigung von Störungen der Ordnung oder öffentlichen Sicherheit oder der Abwehr von Gefahr bestehen. Das Allgemeinheit und Einzelperson am wenigsten beeinträchtigende Mittel ist jeweils zu wählen. Falls der Betroffene beantragt, ein anderes ebenso wirksames Mittel zu wählen, ist dies zu gestatten. Ablehnung solchen Antrags gilt als erneute polizeiliche Verfügung.

Der § 41 des Strafgesetzbuches (5) besagt im Abs. 1, falls der Inhalt einer Schrift, Abbildung oder Darstellung strafbar ist, muß das Urteil alle Exemplare sowie die zur Herstellung bestimmten Platten und Formen unbrauchbar machen. Der Absatz 2 dazu lautet: «Diese Vorschrift bezieht sich jedoch nur auf die im Besitze des Verfassers, Druckers, Herausgebers, Verlegers oder Buchhändlers befindlichen und auf die öffentlich ausgelegten oder öffentlich angebotenen Exemplare.» Im Abs. 3 schließlich heißt es noch, daß nur die strafbaren Stellen und derjenige Teil der Platten oder Formen unbrauchbar zu machen sind, falls eine Ausscheidung möglich und nur ein Teil der Schrift, Abbildung oder Darstellung strafbar ist.

> Wilhelm Jaspert
> Mitglied des:
> Reichsverbandes Deutscher Schriftsteller
> Deutschen Verlegervereins
> Börsenvereins der Deutschen Buchhändler
> Kampfbund für Deutsche Kultur
> Vereinigung der Berliner Mitglieder des Börsenvereins
> Berlin SW 61, den 6. Dez. 1933
> Großbeerenstr. 17

Die Tatsache, daß seit der Machtübernahme durch den Führer insgesamt etwa 1000 Druckschriften verboten und beschlagnahmt wurden, veranlaßt mich zu einer grundsätzlichen Stellungnahme und damit zusammenhängend zu einer Anregung, welche in Folgendem gesagt werden soll:

Die Mehrzahl der Bücher – hier handelt es sich um über 600 Druckschriften – sind gemäß § 7 (1) der Verordnung des Reichspräsidenten vom 4. 2. 1933 beschlagnahmt, eingezogen und in ihrer Verbreitung verboten worden. Als ausführende Organe haben hierbei nicht weniger als dreizehn Stellen mitgewirkt, und zwar:

1. Die Geheime Staatspolizei,
2. die deutsche Zentralpolizeistelle zur Bekämpfung unzüchtiger Bilder, Schriften und Inserate,
3. der Reichsminister des Innern auf Grund der Verordnung des Reichspräsidenten zum Schutze von Volk und Staat vom 28. 2. 1933 oder auf Grund des § 14 PVG. (2) und (3).
4. Strafgerichte auf Grund des § 41 Abs. 2 des Strafgesetzbuches (5),
5. der Polizeipräsident von Berlin,
6. der Strafsenat für erstinstanzliche Strafsachen beim Oberlandesgericht Hamm in Westfalen.
7. die Strafkammer des Landesgerichts Stettin,
8. das Schöffengericht in Mannheim,
9. das Reichsgericht 4, Strafsenat,
10. der Regierungspräsident zu Erfurt,
11. der Regierungspräsident zu Lüneburg (auf Grund der §§ 14 und 41 des Polizeiverwaltungsgesetzes (4),

12. das Schöffengericht Gelsenkirchen,
13. das Schöffengericht Stettin.

Das ist an und für sich schon eine Tatsache, die in die Augen fallen muß, da es kaum noch nachzuprüfen ist, welche Stelle nun eigentlich zuständig ist. Damit aber noch nicht genug, sind weitere ca. 100 Verbote durch die Oberprüfstelle für Schund- und Schmutzliteratur in Leipzig ausgesprochen worden, und die angeschlossenen Prüfstellen in München und Berlin haben ein gleiches getan. Den Beginn machte seinerzeit die sogenannte «schwarze Liste», wie sie für schöngeistige Literatur im Buchhändler-Börsenblatt vom 16. Mai veröffentlicht wurde. Es handelt sich hierbei um 139 Autoren mit über 300 Werken; die Liste II enthält eine Zusammenstellung zum Verbieten der Bücher aus dem Gebiete der Politik und Staatswissenschaften und umfaßt 68 Autoren mit etwa 120 Werken; die Liste III sieht das Verbot von 25 Autoren und Werken für belehrende Literatur, Abteilung Geschichte, vor, und die Liste IV verbietet weitere 8 Bücher belehrender Art und allgemeinen Inhalts. Hinzu kommt eine Verfügung des Thüringischen Staatsministeriums, nach welcher 219 Werke der Schönen Literatur für den Buchhandel verboten wurden.

Der Börsenverein der Deutschen Buchhändler hat zusammen mit der Zentralstelle für das deutsche Bibliothekwesen ebenfalls im Buchhändler-Börsenblatt eine Reihe von Autoren genannt, deren Weiterverbreitung verboten sein soll. Nun hat am 27. November ds. Js. zwischen der Reichsführung der Hitler-Jugend, der Reichsleitung des nationalsozialistischen Lehrerbundes und der Reichsstelle zur Förderung des Deutschen Schrifttums eine Besprechung stattgefunden über das gemeinsame Prüfen von Jugendschriften, wobei festgelegt wurde, daß in Zukunft die Reichsstelle zur Förderung des Deutschen Schrifttums die einzige Stelle ist, die für die Prüfung zuständig sein soll.

Welche Unruhe durch die oben dargelegten Ausführungen in das bücherkaufende Publikum, vor allem aber in das Sortiment und in den Verlag hineingetragen wird, liegt auf der Hand. Über 1000 Bücher sind von 21 Stellen im neuen Staate verboten worden! Es wäre m. E. unbedingt an der Zeit, entweder mit den Verboten grundsätzlich aufzuhören, oder eine Zentralstelle zu schaffen, an die man sich entweder bei Drucklegung eines Manuskriptes oder vorher wenden kann, oder die nachträglich bereits erschienene Bücher als einzige offizielle Stelle verbieten kann. In wie starkem Maße diese Verbote in der ausländischen Presse kritisiert worden sind, wird dortseits bekannt sein. Rücksprachen mit ausländischen Pressevertretern, die ich sehr häufig hatte, haben mich zu diesem Schreiben letzten Endes veranlaßt, und ich kann nur feststellen, daß es in sehr vielen Fällen großer Überredungskunst bedurfte, die ausländischen Pressevertreter und Schriftführer von der Richtigkeit der Maßnahme der neuen Regierung im Sinne einer nationalen Führung des Staates zu überzeugen. Gerade die auf breitester Basis erfolgende Veröffentlichng aller dieser Verbote ist geeignet, unser Ansehen im Ausland zu schädigen, denn es bleibt ja keineswegs beim Abdruck im «Deutschen Kriminal Polizeiblatt» oder im «Deutschen Reichsanzeiger», sondern die Veröffentlichungen über die ausgesprochenen Verbote erscheinen im Feuilleton fast aller Zeitungen, auch der ganz großen führenden volkstümlichen Blätter.

Ich bin bereit, Ihnen die gesamten Unterlagen über die ausgesprochenen Verbote zur Verfügung zu stellen und erkläre mich zu einer Mitarbeit bei der Behandlung dieser, m. E. höchst wichtigen Frage ohne weiteres bereit. Es scheint mir aber wichtig, sie jetzt und möglichst rasch aufzurollen und zu einem Abschluß zu bringen, insbesondere nachdem die Reichskulturkammer geschaffen wurde und ich in dieser die oben geforderte amtliche Einrichtung erblicken zu können glaube.

Heil Hitler!
Wilhelm Jaspert [1]

1 Siehe Tabelle auf Seite 521.

Kulturpolitik

«Es ist also kein Zufall, daß die ersten Kulturen dort entstanden, wo der Arier im Zusammentreffen mit niederen Völkern diese unterjochte und seinem Willen untertan machte» – Adolf Hitler: *Mein Kampf*, München 1935, S. 323–324; «Der neue Staat hat seine eigenen Gesetze. Ihm unterliegen alle vom Ersten bis zum Letzten» – Dr. Joseph Goebbels bei der Eröffnungsrede der Reichskulturkammer in: *Deutsche Kultur im neuen Reich – Wesen, Aufgabe und Ziel der Reichskulturkammer*, Berlin 1934, S. 28; «Die Idee der Nationalehre wird für uns Anfang und Ende unseres ganzen Denkens und Handelns. Sie verträgt kein gleichwertiges Kraftzentrum, gleich welcher Art, neben sich, weder die christliche Liebe noch die freimaurerische Humanität, noch die römische Philosophie» – Alfred Rosenberg: *Der Mythus des 20. Jahrhunderts*, München 1935, 57.–58. Auflage, S. 514; «Die Einheit von Partei und Staat ist in erster Linie eine geistig-politische und bedeutet die Verbindlichkeit der nationalsozialistischen Weltanschauung und Programmatik für den Staat in allen seinen Daseinsäußerungen» – Prof. Dr. Ernst Forsthoff in: *Der totale Staat*, Hamburg 1933, S. 35. Siehe auch Heinz Wismann: *Von der Gemeinschaft der Schaffenden* in: *Deutsche Kultur im Neuen Reich*, Herausgeber Ernst Adolf Dreyer, Berlin 1934, S. 82; Bericht über einen Vortrag von Prof. Alfred Bäumler vor der Deutschen philosophischen Gesellschaft in: *Berliner Lokal-Anzeiger*, Abendausgabe, vom 15. 2. 1934. *Das «Wir» ersetzt das «Ich»*, in: *Berliner Lokal-Nachrichten* vom 30. 11. 1935.

«Deutsches Schrifttum geeinigt»

Nachricht im *Berliner Lokal-Anzeiger* vom 29. 7. 1933; siehe auch die Abendausgabe.

Der auf Veranlassung des Propaganda-Ministeriums gegründete Reichsverband Deutscher Schriftsteller brachte gestern abend den Aufbau seiner Fachschaften zum Abschluß. Der Verband setzt sich nunmehr aus folgenden Fachschaften zusammen: Erzähler, Tagesschriftsteller, Übersetzer, Rundfunk, Textdichter, Lyriker, Kritiker, wissenschaftliche und Fachschriftsteller und Film. Reichsführer des Verbandes ist der Intendant des Deutschlandsenders, Götz Otto Stoffregen[1]. Der stellvertre-

1 Götz Otto Stoffregen, Pseudonyme: Orpheus der Zwote, Peter Silie, Friedrich Felgen; Schriftsteller (satirisches Gedicht, Novelle, Roman), *1896; sein

tende Reichsführer, Hans Richter, führte in der gestrigen Versammlung aus, der Zweck des Verbandes sei, das deutsche Schrifttum in einen geschlossenen Verband überzuführen und diesen Verband zu einer Zwangsorganisation auszubauen, deren Mitgliedschaft in Zukunft entscheidend dafür sein werde, ob ein Schriftwerk in Deutschland verlegt werden kann oder nicht. Neben diesem Verband wird es keine anderen Berufsorganisationen seiner Art mehr geben. Mitglieder können nur deutschblütige, politisch einwandfreie Schriftsteller werden.

Der Reichsleitung gehören neben Götz Otto Stoffregen und Hans Richter noch Karl August Walther[1] als Schatzmeister und Dr. Heinz Wismann[2] vom Propaganda-Ministerium an.[3]

Ein Memorandum

Franz Moraller verfaßte dieses Memorandum über die Reichskulturkammer für Dr. Goebbels; Franz Karl Moraller, *1903, Geschäftsführer der Reichskulturkammer und Leiter des Reichskulturamtes der NSDAP; SA-Brigadeführer; ab 1939 «Kommissar» des Rowohlt Verlags.

Moraller, Reichskulturamtsleiter
Berlin, den 18. Juni 1935

Dem Herrn Minister vorzulegen.
Zu der Besprechung am Mittwoch, den 19. 6. 1935 gestatte ich mir, folgende Anregungen zu unterbreiten:

I. Kultursenat:
Die bereits angeregte Ergänzung der zusammengefaßten Präsidialräte durch politische Persönlichkeiten bedarf sorgsamer personeller Auswahl. Ich schlage hierfür folgende Gesichtspunkte vor:
1.) Persönlichkeiten, deren leitende Ämter in Bewegung und Staat gute Verbindungen zu allen für die Reichskulturkammer wichtigen Stellen

Aufstand – Querschnitt durch den revolutionären Nationalismus wurde in der Weimarer Republik verboten; Herausgeber des *Hakenkreuzboten*.

1 Karl August Walther, Schriftsteller (Erzählung, Essay, Lyrik, Kunstkritik), *1902; Autor von: *Neues Volk auf alter Erde – Bauernlesebuch*, Berlin 1935, und *Deutsches Volk in Arbeit und Wehr*, Berlin 1937, u. a. m.

2 Dr. phil. Heinz Wismann, *1897, Referent und später Ministerialrat im Reichsministerium für Volksaufklärung und Propaganda; Stellvertretender Präsident der Reichsschrifttumskammer.

3 Im Zuge der Gleichschaltung war der *Reichsverband Deutscher Schriftsteller* nur eine «Zwischenstation», wie Hans Hinkel im Interview für das *Frankfurter Volksblatt* am 10. 9. 1935 offen erklärte; am 1. 10. 1935 wurde der RDS schon aufgelöst.

ergeben und deren Name andererseits von so gutem Klang ist, daß durch sie eine erhebliche Stärkung der Autorität der Kammer eintritt. Diese Persönlichkeiten bilden gewissermaßen eine undurchdringliche Phalanx vor der Kammer gegen Angriffe von außen her. Sie geben z. T. der Kammer die politische Note in ihrer Arbeit.

2.) Persönlichkeiten, die als nationalsozialistische Führer auf kulturpolitischem Gebiet aktiv sind und dabei die Linie des Propagandaministeriums einhalten. Ihre Aufgabe ist es, die kulturpolitischen Grundsätze des Nationalsozialismus für alle Gebiete herauszuarbeiten und zu vertiefen. Sie sind nach Möglichkeit als Redner in diesem Sinne heranzuziehen.

3.) Persönlichkeiten, die kritisch – nicht gegnerisch! – zur Kammer eingestellt sind und auf deren Gesinnung durch verantwortliche Bindung Wert zu legen ist.

II. Parteiamtliche Organisation der Parteigenossen in der RKK:
Als Resonanzboden für die Grundgedanken und seiner Kulturpolitik, aber auch als ideentragender Kern innerhalb der Kammer rege ich an, sämtliche der Kammer angehörigen Parteigenossen einschließlich der Kammerangestellten zu einer parteiamtlichen Organisation zusammenzuschließen, welche dem Reichskulturamt angegliedert wird. Damit wäre das Prinzip der NSDAP, als politische Kerntruppe, Führerschule und Kontrollorgan innerhalb der Volksgemeinschaft lebendig zu sein, auf die Kammer übertragen.

Ich verkenne nicht die Schwierigkeiten, die unserer Arbeit durch einen organisatorischen Zusammenschluß der nationalsozialistischen Künstler entstehen können, von denen mancher eigenartige Anschauungen über die Aufgaben unserer Kulturpolitik besitzt; es wird Aufgabe einer sehr aktivistischen Führung sein, dieser Schwierigkeit Herr zu werden. Die gewonnenen Vorteile der taktischen Position aber lassen diese Schwierigkeiten m. E. leicht in Kauf nehmen. Die Spitze der regionalen Führung würde zweckmäßigerweise wieder in den Händen der Landeskulturwalter = Gaupropagandaleiter liegen.

III. Propaganda:
Das Auftreten der Kammer und ihrer Gliederung trug bisher viel stärker den Charakter der Repräsentation als den der Propaganda. Bei den meisten Veranstaltungen fehlte die starke weltanschauliche Fundierung. Wenn auch nach der Struktur der Kammer auf Repräsentation – vor allem gegenüber dem Ausland – nicht verzichtet werden kann, so darf darüber die Propaganda innerhalb der Kammerangehörigen und darüber hinaus im Volke nicht vernachlässigt werden. Es gilt daher, zunächst in Berlin aus den Kammern und Verbänden einen Kreis von Nationalsozialisten, die rhetorisch, propagandistisch und journalistisch be-

gabt sind, auszusuchen und zu einer Gemeinschaft zusammenzufügen. Dieser Kreis, der enge persönliche Fühlung unter sich hält, nimmt die kulturpolitischen Parolen des Herrn Ministers auf und erarbeitet in stetigem Gedankenaustausch die Grundlinien der praktischen Kammerpolitik. Gleichzeitig stehen diese Parteigenossen für kulturpolitische Kundgebungen im Reich, die von den Landeskulturwaltern aufzuziehen sind, zur Verfügung. Die Landeskulturwalter selbst werden auf Tagungen – evtl. Gemeinschaftslager – im Sinne nationalsozialistischer Kulturpolitik durch diesen Kreis geschult, um ihrerseits in ähnlichen Kundgebungen auftreten zu können. Eine weitere Aufgabe dieses Kreises besteht in der journalistischen Stellungnahme zu grundsätzlichen und aktuellen Fragen etc. Die propagandistische Führung liegt in den Händen des Reichskulturamtes. Die Herausgabe einer propagandistisch geleiteten kulturpolitischen Nachrichten- und Artikelkorrespondenz sowie schließlich die Herausgabe einer großen, grundsätzlichen Zeitschrift der Reichskulturkammer – evtl. durch Zusammenlegung verschiedener bestehender Zeitschriften – sind Fragen, die damit in absehbarer Zeit spruchreif werden.

Ich bin der Überzeugung, daß es auf diesen Wegen in kurzer Zeit gelingt, das kulturpolitische Schwergewicht auch in der Öffentlichkeit restlos auf die Seite des Propagandaministeriums zu verlagern, ohne daß wir gezwungen wären, die ideenlose Betriebsamkeit der Kulturgemeinde zu kopieren oder in der Öffentlichkeit polemisch gegen sie aufzutreten.

Heil Hitler!
Moraller

Organisatorisches

Die Gliederung

Dr. Karl-Friedrich Schrieber: *Das Recht der Reichskulturkammer*, Berlin 1935, S. 199–200, Auszug.

In der Reichsschrifttumskammer sind die folgenden Verbände zusammengefaßt:

1. Der Reichsverband Deutscher Schriftsteller
2. Der Börsenverein der Deutschen Buchhändler
3. Der Verband der Deutschen Volksbibliothekare E. V.
4. Der Verein Deutscher Bibliothekare E. V.
5. Die Gesellschaft der Bibliophilen
6. Die Reichsfachschaft Buchhandel im Deutschen Handlungsgehilfenverband
7. Die Gesellschaft für Senderechte
8. Ferner die im Aufbau befindlichen Arbeitsgemeinschaften
   a) der Volksbüchereien und Werksbibliotheken
   b) der Buchgemeinschaften
   c) der literarischen Gesellschaften und Vortragsveranstalter
   d) der Stiftungen und Verteiler literarischer Preise
   e) der Verlagsvertreter und selbständigen Buchreisenden (Kolporteure)
   f) der amtlichen, parteiamtlichen, städtischen, studentischen und privatwirtschaftlichen Buchbeschaffungsämter bzw. Bucheinkaufstellen.

Die neuen politischen Führer

Hans Friedrich Blunck in: *Wille und Macht* vom 1. 5. 1934, Seiten 16–17, Auszüge. H. F. Blunck war der erste Präsident der neugegründeten Reichsschrifttumskammer.

Gewiß, das Ausland hat recht, wenn es sagt, daß in Deutschland eine Welt eingestürzt ist. Man vergißt aber zu sagen, daß eine neue Welt schon im Aufbau begriffen war, als die Trümmer weggeräumt wurden. Man hat auch nicht lange gezögert, die neuen Lehren organisatorisch festzulegen. Gewiß, wer Deutschland flüchtig betrachtet, merkt wenig davon. Die Ordnung ist besser als früher, die Menschen schauen fröhlicher, weil sie einen Glauben besitzen. Aber untergründig ist alles in Bewegung, und auf dem Gebiet, von dem ich spreche, auf dem des neuen Schrifttums, ist die Veränderung auch organisatorisch sehr tiefgehend. An Stelle der freien Verbände der Schriftsteller, denen man angehörte oder nicht angehörte, die sich untereinander bekämpften und befehdeten und die bestenfalls einmal zum Protest einig waren, wenn die Polizei pornographische oder nihilistische Literatur, die zum gewaltsamen Aufstand aufforderte, unterdrückte, ist der Grundsatz der Einfügung in das ständische Volk getreten.

Vor uns Deutschen liegt eine Zeit, die von einem starken und gewaltigen Glauben an eine Steigerung des Menschen, an die Findung neuer vorbildlicher Formen des Zusammenlebens erfüllt ist. Das bedeutet keine Einschränkung der Kritik. Statt der zermürbenden Befehdung untereinander ist die Kraft, die Inbrunst des Schaffens noch stärker als früher auf die Neubildung des inneren Menschen gerichtet, auf die Fragen, was Gott vom Mann und von den Völkern, die er schuf, wollte und welche Ziele er ihnen stellte. An Stelle der Ironie, der ewigen Negation, ist ein neuer schöpferischer Wille getreten, der bei uns Deutschen an unsere größte noch unerfüllte Zeit, an unsere Romantik, anknüpft. Die politischen Führer unserer Zeit kommen dort her. Sie waren vor 20 Jahren junge Maler oder lyrische Dichter, die den Frühling und die Freiheit ihres Volkes und das Glück eines Spazierganges mit fröhlichen Mädchen besangen.

1935: Amtsübernahme durch Hanns Johst

In: *Börsenblatt für den Deutschen Buchhandel* vom 5. 10. 1935, gekürzt; der Wechsel in der Reichsschrifttumskammer war eine Folge der Neuorganisation der Reichskulturkammer, die 1935 stattfand, um die völlige Gleichschaltung des Kultursektors und eine Neubesetzung der Hauptämter mit absolut zuverlässigen Nationalsozialisten durchzuführen. Bei einem Interview mit dem *Frankfurter Volksblatt* am 10. 9. 1935 erklärte Hans Hinkel unverhüllt: «Der berufenste Künstler bringt noch nicht die Voraussetzungen mit, nationalsozialistischer Kulturpolitiker zu sein. Der im Erleben des Kampfes gewordene Nationalsozialist dagegen besitzt alle Berechtigung, die kulturpolitischen Forderungen unserer Weltanschauung zu verwirklichen, und er ist somit zwangsläufig der Führer der Kulturschaffenden. Wir haben erlebt, um nur ein Beispiel zu nennen, daß einer der größten schaffenden Künstler, die wir heute haben, kulturpolitisch versagt hat, beziehungsweise versagen mußte in dem Augenblick, wo es darum ging, für die selbstverständlichen rassemäßigen Voraussetzungen auf einem speziellen Gebiet entscheidend einzutreten. Gerade hier darf der geistig vorwärtsmarschierenden Kolonne des jungen, schöpferischen Deutschland nicht ein noch so großer Name internationaler Geltung hindernd im Wege stehen»; bei «einem der größten schaffenden Künstler» handelte es sich um Richard Strauss. Ausführlich darüber siehe *Der Fall Richard Strauss* in: *Musik im Dritten Reich* (Ullstein Buch 33032).

Die neue Reichsschrifttumskammer hatte 1935 folgende Zusammensetzung: Präsident Hanns Johst, Vizepräsident Dr. Heinz Wismann, Erster Geschäftsführer Prof. Richard Suchenwirth, Zweiter Geschäftsführer Dr. Gunther Haupt, Präsidialrat: Dr. Hans Grimm, Hanns Johst, Wilhelm Baur, Theodor Fritsch – nicht zu verwechseln mit seinem Vater, ebenfalls Theodor Fritsch, 1852–1933 –, dem Autor von: *Handbuch der Judenfrage* (Leipzig 1936, 40. Auflage), Prof. Richard Suchenwirth, Dr. Gunther Haupt.

In einer Sitzung des Präsidialrates der Reichsschrifttumskammer erfolgte am Donnerstag, dem 3. Oktober, in Berlin die Amtsübernahme des neuen Präsidenten Hanns Johst. Die Sitzung hatte einen schlichten und einfachen, dafür aber einen sehr herzlichen und persönlichen Charakter, der auch in sehr bedeutsamen Ansprachen zum Ausdruck kam.

Der jetzige Altpräsident Dr. Hans Friedrich Blunck, der die Reichsschrifttumskammer seit ihrer Errichtung leitete, brachte vor allem zum Ausdruck, welch schöne Zeit des Schaffens und Wirkens hinter ihm liege, trotz vieler Mühe und Arbeit. Er dankte vor allem den Mitgliedern des Präsidialrates herzlich für ihre wertvolle Mitarbeit während seiner Amtszeit. Die beiden verflossenen Jahre, fuhr Dr. Blunck fort, waren Jahre des Aufbaues, der Werbung und der Reinigung im deutschen Schrifttum, eine Aufbauarbeit, die man früher für undurchführbar gehalten habe.

Nach herzlichen Dankesworten des Altpräsidenten an Reichsminister Dr. Goebbels, dessen Vertrauen ihn seinerzeit berief, an die Geschäftsführung der Reichskulturkammer, an den Börsenverein der deutschen Buchhändler, und vor allem an Dr. Wismann und seine Mitarbeiter, übergab Blunck seine Geschäfte an Hanns Johst, der in einer Ansprache dankte, die für das gesamte deutsche Schrifttum von erheblicher Bedeutung sein dürfte. «Ich übernahm das mir übertragene Amt», führte Präsident Staatsrat Hanns Johst aus, «mit dem großen inneren Jubel und der Freudigkeit, mit der jeder Nationalsozialist bereit ist, auf seinen Posten zu eilen, wenn ihn ein Befehl hierzu erreicht. Ich werde nicht viel

Worte machen. Die Dinge sind gereift und das Wort hat nunmehr einzig und allein das Wort von der Leistung. Daß ich an dieser Stelle wirken kann, danke ich besonders meinem alten Kampfgefährten Hans Hinkel. Wir beide stammen aus der gleichen kleinen Zelle des früheren Kampfbundes für deutsche Kultur. In der Zeit des Aufmarsches, der Mobilisierung der Charakterkräfte, hatte diese kulturpolitische Kampfzelle Alfred Rosenbergs den Auftrag, im kulturellen Leben der Nation nationalsozialistische Gesinnung und Charakterhaltung herauszustellen. Die damals begründete innere Haltung hat sich in der nobelsten Weise nun bewährt. Hans Friedrich Blunck übernahm in den ersten Tagen des Umbruchs eine Stellung, bei der man nicht absehen konnte, was daraus werden könnte. Ich habe das Glück, sozusagen ein gesatteltes und eingerittenes Pferd zu reiten. Man darf das Ziel wagen und es aussprechen, daß das bisherige Grundprinzip der Ästhetik zum großen Teil überholt ist. Wir wollen nunmehr diese Unzeitgemäßen, Überholten höflich, sogar herzenshöflich allmählich museal werden lassen. Ob sie dann verstauben oder unsterblich werden, darüber hat nicht die Kammer zu entscheiden.»

Für die Geschäftsführung der Reichskulturkammer hieß Hans Hinkel den neuen Präsidenten im Kreise der Reichsschrifttumskammer herzlich willkommen. Hanns Johst habe ihm ganz aus dem Herzen gesprochen. «Wenn dieser Tag», betonte Hans Hinkel, «ein Tag der aufrichtigen Freude für uns ist, dann vor allem deshalb, weil wir für die Führung des deutschen Schrifttums einen alten Nationalsozialisten und Kameraden gefunden haben, dessen vornehme Haltung und Treue uns verbürgt ist. Unsere Kameradschaft mit Hanns Johst ist nicht verfügt oder verordnet, sondern entstanden, gewachsen und erhärtet in den langen Jahren des schönen und zugleich leidvollen Kampfes um die Nation. Ich will es offen bekennen, ich bin auch diesmal ein wenig schuld daran, daß Hanns Johst erneut in der Reichshauptstadt einen Platz an der ihm zukommenden Stelle einnimmt. Gemeinsam haben wir in den Kampfjahren in der ersten nationalsozialistischen Kulturorganisation, dem Kampfbund für deutsche Kultur Alfred Rosenbergs, zusammengearbeitet und zusammengestanden, um Persönlichkeiten zu werben und anzusetzen, die innerlich zu uns gehörten. Es war ganz selbstverständlich und organisch, daß wir damals zu Dritt, der jetzige Kultusminister Rust, Hanns Johst und ich, eines Tages Anfang Februar 1933 in das große Haus Unter den Linden hineingingen und auf diese Weise das Preußische Kultusministerium ganz undramatisch eroberten. Gemeinsam mit den Kameraden der Kulturorganisationen waren wir schon damals bemüht, alle entscheidenden Stellen im Kulturbereich mit Nationalsozialisten zu besetzen. Denn es gibt in uns allen außer dem Glauben an den Führer und die Idee nur noch den weiteren Kraftquell der nationalsozialistischen Kameradschaft, die alle Widerstände überwindet und die wir täglich aufs neue bewähren müssen. Denen, die etwa im Trüben zu fischen glauben, sei damit gründlich das Handwerk gelegt. Wir werden», schloß Pg Hinkel seine Ausführungen, «gemeinsam allen Unverbesserlichen auf die Finger klopfen, die es versuchen sollten, uns auf geseiftes Parkett zu führen, und werden gemeinsam das tun, was ehrlichen Kameraden füreinander zu tun geziemt.»

Als Sprecher der Mitarbeiterschaft der Reichsschrifttumskammer brachte Vizepräsident Ministerialrat Dr. Wismann zum Ausdruck, daß die von Hanns Johst erwähnte Sorge von Anfang an auch im eigenen Kreise lebendig gewesen wäre. Er versprach, daß in der Kammer auch weiterhin der Geist nationalsozialistischer Arbeitsgemeinschaft gepflegt werde und sich alle Mitarbeiter bemühen würden, die Linie der Bewegung allen Widerständen zum Trotz aufrechtzuerhalten. In diesem Geiste werde die Mitarbeiterschaft auch unter dem neuen Präsidenten ihre Pflicht tun. Zum Schluß überbrachte Pg Wilhelm Baur [1] dem scheidenden Präsidenten den Dank des deutschen Buchhandels, für den Hans Friedrich Blunck sehr viel getan habe. Er begrüßte zugleich Hanns Johst als neuen Präsidenten und versicherte, daß der Buchhandel als Teil der Reichsschrifttumskammer auch weiterhin bestrebt sein wird, das gute Schrifttum zum Vorteil des nationalsozialistischen Staates zu pflegen und zu fördern.

An die Sitzung schloß sich ein kameradschaftliches Zusammensein aller Teilnehmer.

Dr. O. Liskowsky

Das Führerprinzip

Führerprinzip, der Leitgedanke der NSDAP und des Dritten Reichs, bedeutete die Abkehr vom «entarteten» Mehrheitsgrundsatz der demokratischen Ordnung. In: *Mein Kampf*, München 1935, 153.–154. Auflage, S. 493, definiert Hitler diese Weltanschauung mit den Worten: «Damit baut sie nicht auf dem Gedanken der Majorität, sondern auf dem der Persönlichkeit auf»; «Dieser Grundsatz unbedingter Verbindung von absoluter Verantwortlichkeit mit absoluter Autorität wird allmählich eine Auslese heranzüchten, wie diese heute im Zeitalter des verantwortungslosen Parlamentarismus gar nicht denkbar ist» – ebd. S. 502; hinsichtlich des Staates formulierte Göring in einer Rede vor Juristen eindeutig: «Recht und Wille des Führers sind eins. Es kann nur eine Rechtsauffassung gelten, und zwar die, die der Führer selbst festgelegt hat» – in: *Völkischer Beobachter* vom 14. 7. 1934; wie dieses «Führerprinzip» von Rechtswissenschaftlern aufgefaßt wurde siehe Carl Schmitt: *Staat, Bewegung, Volk*, Hamburg 1933, und *Positionen und Begriffe*, Hamburg 1940; Prof. Dr. Otto Koellreutter: *Der nationale Rechtsstaat*, Berlin 1933; *Vom Sinn und Wesen der nationalen Revolution*, Berlin 1933; *Der deutsche Führerstaat*, Berlin

1 Wilhelm Baur, ab 1937 Vizepräsident der Reichsschrifttumskammer; ausführlich über ihn s. «Porträts», S. 315 f.

1934; *Deutsches Verfassungsrecht*, Berlin 1933; Prof. Dr. Hans Erich Alfred Feine: *Deutsche Verfassungsgeschichte der Neuzeit*, Tübingen 1943; Prof. Dr. Ernst Forsthoff: *Der totale Staat*, Hamburg 1933; Prof. Dr. Ernst Rudolf Huber: *Verfassungsrecht des Großdeutschen Reiches*, Hamburg 1939.

Ebenso wie Staat und Politik waren auch der kulturelle, wissenschaftliche und literarische Sektor im Dritten Reich ausschließlich auf dem Führerprinzip aufgebaut. Alle Institutionen und Organisationen, Zeitungen und Zeitschriften wurden gleichgeschaltet, um das Führerprinzip überall festzulegen. Referenten und andere untergeordnete Beamte achteten scharf darauf, selbst bei kleinsten und unwichtigsten Angelegenheiten streng nach dem Führerprinzip zu verfahren.

Herrn   K. H. Bischoff [1]
Staatsrat Hanns Johst   Berlin W 8, den 5. Mai 1937
Oberallmannshausen   Friedrichstr. 194/199

Sehr verehrter Herr Staatsrat!
Entschuldigen Sie, wenn ich mich in einer besonderen Sache unmittelbar an Sie wende. Ich bereite gegenwärtig bekanntlich die Freizeitarbeit (berufskundliche Arbeitswochen) vor. Die richtige Vorbereitung erfordert eine frühzeitige, lebendige und fördernde Fühlungnahme mit den Freizeitleitern. Diese Freizeitleiter sind mir teils auch persönlich bekannt. Es entstehen nun hinsichtlich der Verwendung der Briefbogen der Kammer bestimmte Schwierigkeiten.

1. Die Verwendung des Bogens «Der Präsident der Reichsschrifttumskammer» ist mindestens im Anfangsstadium, wo es sich zunächst um Vorschläge, Gegenvorschläge usw. handelt, nicht tunlich.

2. Die Verwendung des Bogens «Die Reichsschrifttumskammer» führt notwendigerweise und zwar lediglich vom Stilistischen her die ganze Frage auf das Gebiet des absoluten Bürokratie. Schon öfters ist der Kammer z. B. auch von so guten Nationalsozialisten wie Dr. Langenbucher [2] der Vorwurf gemacht worden, daß sie sich eines «mittelalterlichen Stils» bediene. Dieser Vorwurf rührt einfach davon her, daß durch die Verwendung der Bogen «Reichsschrifttumskammer» und der dritten Person in der Tat ein etwas lebloses Deutsch entstehen muß. Bis vor einiger Zeit haben wir in bestimmten Fällen diesem dadurch abhelfen können, daß wir schrieben: «Reichsschrifttumskammer, Referat für Nachwuchsfragen» und dadurch etwas größere Lebendigkeit hineinbekamen, als wenn wir anfangen mußten: «Sie werden gebeten» usw. Wenn ich mit den Freizeitleitern, die ehrenamtlich tätig sind und die lebendig sein

1 Karl Heinrich Bischoff, Pseudonym: Veit Bürkle; Schriftsteller (Roman, Erzählung) und Verlagsdirektor, *1900.

2 Dr. phil. Hellmuth Langenbucher, *1905; Hauptschriftleiter der Zeitschriften des Börsenvereins der Deutschen Buchhändler; NSDAP-Mitglied seit 1. 10. 1929.

müssen, in diesem Ton verkehre, dann halten sie mich für verrückt und machen Glossen. Wir müssen diese Dinge sehen, wie sie sind. Ich wäre Ihnen deshalb zu Dank verpflichtet, wenn ich für die Vorbereitung der Arbeitswochen, da, wo es nötig ist, persönlich, also auch unter meinem Namen als Referent der Kammer schreiben dürfte. Ich bin selbstverständlich bereit, jeden einzelnen Brief Herrn Dr. Heinl [1] zur Gegenzeichnung vorzulegen, möchte jedoch nur, daß diese Regelung auch von Ihnen anerkannt wird. Im Augenblick ist es nämlich so, daß ich ja doch in dieser Form schreiben muß, wenn ich die Aufgabe richtig anpacke und das heraushole, was notwendigerweise herausgeholt werden muß. Es handelt sich also schließlich in erster Linie um die Legalisierung und nebenbei auch um ein wirtschaftliches Problem, denn ich habe seither Protokosten für reine Kammerdinge selbst tragen müssen.

Heil Hitler!

Ihr K. H. Bischoff

Dichterkreise

Anmeldepflicht von Dichterkreisen vom 24. 2. 1939 in: Völkischer Beobachter vom 6. 4. 1939; siehe auch «Werbung», S. 280 f.

Nach § 4 in Verbindung mit § 6 der Ersten Verordnung zur Durchführung des Reichskulturkammergesetzes vom 1. 11. 1933 (RGBl. I. S. 797) muß der Reichskulturkammer bzw. der zuständigen Einzelkammer angehören, «wer bei der Erzeugung, der Erhaltung, dem Absatz oder der Vermittlung des Absatzes von Kulturgut mitwirkt». Hierzu gehören auch Dichterkreise und ähnliche Zusammenschlüsse.

Die Leiter von Dichterkreisen haben daher der Reichsschrifttumskammer, Gruppe Schriftsteller, als deren zuständiger Gliederung innerhalb eines Monats nach der Gründung anzumelden:

1. Name, Sitz und Anschrift des Dichterkreises,
2. Name und Anschrift des Leiters,
3. Anzahl und Namen der Mitglieder,
4. Datum der Gründung,
5. Aufgabensetzung,
6. Name des etwaigen Schirmherrn.

Die bereits bestehenden Dichterkreise sind bis zum 1. 4. 1939 anzumelden.

Wer die Gründung eines Dichterkreises betreibt, hat der Reichsschrifttumskammer, Gruppe Schriftsteller, davon Mitteilung zu machen, sobald er mit anderen Schriftstellern entsprechend Verhandlungen aufgenommen hat.

1 Dr. Karl Heinl, * 1919, Leiter der Abteilung I, Verwaltung der Reichsschrifttumskammer.

Befreiungsschein

Laut der Ersten Verordnung zur Durchführung des Reichskulturkammergesetzes vom 1. 11. 1933, *RGBl.* I, S. 661 f, war es gesetzliche Pflicht für alle Schriftsteller, Buchhändler etc., der Reichsschrifttumskammer anzugehören (§ 4); laut § 29 dieser Ersten Verordnung waren die Polizeibehörden verpflichtet, den § 4 «durchzuführen»; im Prinzip konnte ein Schriftsteller nur «erfaßt» und «betreut» oder ausgeschlossen werden; eine dritte Möglichkeit bestand im sogenannten «Befreiungsschein», aber dafür mußten triftige Gründe vorliegen.

Stempel:
Reichsschrifttumskammer
15. Jan. 1944 620025

An die	Ratibor,
Reichsschrifttumskammer	den 13. Januar 1944
Berlin-Charlottenburg, Hardenbergstr. 6	Raudenerst. 6

In den letzten Jahren besaß ich stets einen Befreiungsschein der Reichsschrifttumskammer, da der Umfang meiner schriftstellerischen Tätigkeit im Augenblick nur immer ein gutes Dutzend Aufsätze im Jahr umfaßt. Die letzte Karte mit den Angaben dieser Aufsätze ist mir leider durch Bombenschaden vernichtet worden. Würden Sie aber die Freundlichkeit haben, mir für das Jahr 1944 wieder eine solche Karte auszustellen.

handschriftlich:

Befr. Schein Registratur	Heil Hitler! Dr. Elisabeth Frenzel
Lk. 17. 1. 44	(Dr. Frenzel, früher Berlin-Lichterfelde-Ost,
z. d. A.	Parallelstr. 28 a) [1]

1943: «Zehn Jahre NS-Schrifttum»

Aufsatz von Hanns Johst in: *Schlesische Zeitung* vom 16. 11. 1943.

Das Sprichwort als bewährte Erfahrung lehrt uns, daß in einem gesunden Körper ein gesunder Sinn ist. Ebenso lebt aber auch in einem gesunden Volke eine gesunde Gesinnung und in einem gesunden Staatswesen eine gesunde Besinnung. Gesinnung und Sinn, Besinnung und Sinngebung eines Volkes und Staates lassen sich aber wie Symptome am offensichtlichsten im Schrifttum ihrer Zeit nachweisen. Nur die Ereignisse und Zustände, die Charaktere und Typen, die, vom Schrifttum

---

[1] Dr. Elisabeth Frenzel, Schriftstellerin (Theaterwissenschaft und Geschichte), *1915; das obenerwähnte «gute Dutzend Aufsätze» behandelt vornehmlich *Juden im Theater*; ausführlicher darüber in: *Theater und Film im Dritten Reich* (Ullstein Buch 33031).

durchblutet und beseelt, Gestaltung und somit geistige Wiedergeburt erfahren, überleben die Vergänglichkeit des Zufalls und gehen in jene Welt des Gleichnisses ein, die wir als unsterblich ansprechen.

Als vor zehn Jahren der Nationalsozialismus zur Macht kam, fand er Deutschland krank an Leib und Seele vor. Demgemäß waren auch die literarischen Erzeugnisse mehr Krankenhausberichte und Leichenscheine als schöne und klare Lebensäußerungen. Im gleichen Maße nun wie die Arbeit als Ehrbegriff neue Wertung erfuhr, wie die Wiege Reichtum des Reiches wurde, wie das innige Vertrauen zum Lebensgefährten als Volksgenossen erstarkte, im gleichen Maße schrumpfte der ästhetische Raum intellektvergessener Literaten zu rein artistischem Nichts zusammen, und die Würde des Volkstums und die mannigfaltige Natürlichkeit der Stämme und ihrer Landschaft erhoben ihre Stimme. Wohl gibt es in Deutschland, als der Heimat der überalterten Bildung, hier und da noch Greise im Alter von zwanzig bis neunzig Lebensjahren, die da glauben, die Sprache der Dichtung müsse so sein, wie sie annehmen, daß Goethe oder Hölderlin geschrieben haben würden, wären sie noch am Leben. Aber gegen diese musealen Humanisten steht die gesunde Phalanx der nationalsozialistischen Jugend. Im Ringen unserer Tage läutert sich der Geist an allen Fronten des germanischen Einsatzes; es wird in Deutschland mit Blut geschrieben! Solche Schriftzüge sind karg und nähern sich dem Befehl. Aber es ist wunderbar und trägt den Beweis des Sieges in sich, daß kein einziger deutscher Dichter oder Schriftsteller die Nerven verlor, paktierte oder auch nur müde wurde. Das gesamte deutsche Schrifttum arbeitet ernst, gewissenhaft und getreu seiner nationalen Sendung, es arbeitet und wirkt im Glauben an das ewige Reich, zu dessen Bestand die Nation angetreten ist.

Seit dreißig Jahren steht die ältere Generation im Feuer der Bewährung. Nur immer aufrechter, stolzer und eigenwertiger bekennt sie sich; die Jüngeren aber tragen alle Merkmale jenes Segens auf der Stirn, vor dem Leben und Sterben, Satz und Einsatz nur ein einziges Gleichnis bedeuten. Das Gleichnis von der geistigen Harmonie zwischen Sehnsucht und Politik, zwischen Eigenleben und Deutschland. Seit zehn Jahren fördert der Staat des Führers das deutsche Schrifttum. Wir können ohne falsche Scham feststellen: alle Berufenen tun dankbar ihre Pflicht, männlich dem Lorbeer verschworen!

Vertrauliche Mitteilungen

Vertrauliche Mitteilungen für die Fachschaft Verlag, herausgegeben von der Reichsschrifttumskammer, Abteilung III, Gruppe Buchhandel; als Manuskript gedruckt nur zum eigenen Gebrauch der Mitglieder mit der Verpflichtung, den Inhalt streng vertraulich zu behandeln.

Die Auszüge dieser *Vertraulichen Mitteilungen* sind chronologisch geordnet.

27. Mai 1937

Es häufen sich neuerdings wieder die Fälle, in denen Verlage und Sortimente in ihren Prospekten und Anzeigen auf Ausgaben der Werke von Heinrich Heine hinweisen. Ich ersuche daher alle Verlage und Sortimente, Werke von Heinrich Heine zukünftig aus allen Werbeschriften, vor allem aber aus Anzeigen von Klassikersammlungen u. dgl. herauszulassen.

In dem kürzlich publizierten Vortrag Wilhelm Stapels über «Die literarische Vorherrschaft der Juden in Deutschland 1918–1933» wird gesagt, daß der Schriftsteller Josef Conrad ein polnischer Jude gewesen sei. Hierzu stelle ich fest, daß diese Behauptung irrig ist, denn es läßt sich nachweisen, daß Conrad sowohl väterlicher- wie mütterlicherseits von einer arischen polnischen Landadelsfamilie aus Podolien stammt.

Entgegen anders lautenden Meldungen stelle ich ausdrücklich fest, daß ich im Einvernehmen mit dem Herrn Reichsminister für Volksaufklärung und Propaganda und der Parteiamtlichen Prüfungskommission zum Schutze des NS-Schrifttums aus bestimmten Gründen die Ansicht vertrete, daß der Schriftsteller Hermann Hesse zukünftig keinerlei Angriffen mehr ausgesetzt und daß demnach die Verbreitung seiner Werke im Reich nicht behindert werden soll.

8. Juni 1937

«Die neue Weltbühne» vom 11. 2. 1937 bringt einen Aufruf zur Bildung des «Thomas-Mann-Fonds». Dieser Fonds wird getragen von einer unter dem Patronat des inzwischen ausgebürgerten Schriftstellers Thomas Mann stehenden Organisation zur Unterstützung emigrierter deutscher Schriftsteller. Der Aufruf selbst enthält offene Angriffe gegen das neue Deutschland und seine Träger und ist von einer Anzahl Schriftsteller namentlich unterzeichnet: Martin Andersen-Nexö, W. H. Auden, Menno ter Braak, Lion Feuchtwanger, Otokar Fischer, Bruno Frank, Leonhard Frank, Sigm. Freud, André Gide, Julien Green, E. J. Humm, Aldous Huxley, Oskar Kokoschka, Josef Kopta, J. B. Kozak, Universitätsprofessor und Abgeordneter, Jaroslav Kvapil, Heinrich Mann, Thomas Mann, André Maurois, Hans Mühlestein, Alfred Neumann, Jules Romains, Ignazio Silone, Upton Sinclair, Anna Maria Tischova, Karel Weigner, H. G. Wells, Fr. Werfel, Stefan Zweig.

Ich weise die deutschen Verleger darauf hin, daß hiernach keine Veranlassung mehr besteht, diese Autoren, soweit sie überhaupt noch in Frage kamen, durch Übernahme von neuen Verlagswerken in Deutschland weiterhin zu fördern.

13. Dezember 1937

Es besteht Veranlassung, den deutschen Verlagsbuchhandel hiermit ausdrücklich darauf aufmerksam zu machen, daß Neuauflagen oder gar Neuausgaben von Werken solcher Schriftsteller, die gemäß § 10 der Ersten Durchführungsverordnung zum Reichskulturkammergesetz vom 1. 11. 1933 aus der Reichsschrifttumskammer ausgeschlossen, bzw. deren Aufnahme abgelehnt wurde – mit dem Tage der Bekanntmachung zu unterbleiben haben. Es liegt im eigenen Interesse der Firmen, die Bekanntmachung der Reichsschrifttumskammer, auf deren amtlichen Charakter nochmals hingewiesen wird, genauestens zu beachten.

13. Oktober 1938

Die jüdische Firma «Literaria» Trude Guttmann in Kattowitz soll – wie wir hören – vermutlich ausschließlich an Nichtarier liefern. Ein offenes Geschäft besteht nicht. Bisher wurde nur eine Leihbücherei betrieben, die ausschließlich von Nichtariern benutzt wird.

Udzialowa Spólka Wydawnicza, Krakau, Polen: Die Aufnahme der Firma in das Adreßbuch des Deutschen Buchhandels ist abgelehnt worden. Es handelt sich um ein Unternehmen der jüdischen Familie Diamant.

Es wird um Mitteilung gebeten, welche Firmen schon mit der Firma Dim & Aim. Alevropoulos, Athen, bzw. mit dem jüdischen Buchvertreter Jacques Neumann, Athen, in Verbindung gestanden haben. Es wird gebeten, die Erfahrungen schriftlich an die Auslandsabteilung des Börsenvereins bekanntzugeben.

18. Juli 1939

Vor einer Geschäftsverbindung mit der Literarischen Agentur L. Mohrenwitz in London wird gewarnt. Dr. Lothar Mohrenwitz ist Jude.

Die deutschen Verlage haben oft Schwierigkeiten gehabt, in den skandinavischen Ländern mit geeigneten Agenten Verbindungen aufzunehmen, durch die ihnen Verlage vermittelt werden können, welche bereit und in der Lage sind, die Übersetzungsrechte deutscher Werke zu erwerben. Hieran interessierten Verlegern wird nunmehr als Agentin für deutsches Schrifttum besonders empfohlen Frl. Beatrice Cronstedt, Stockholm, Hovslagaregatan 5 B, die ausgezeichnete verlegerische Beziehungen zu führenden arischen Verlagsanstalten in Schweden, Norwegen, Finnland und Dänemark unterhält.

15. September 1940

Der Brief einer Mitgliedsfirma an die Schriftleitung der Zeitung «Die Alpen», Basel, ist aus Versehen mit dem deutschen Gruß unterzeichnet worden. Darauf wurde erwidert: «Obschon wir sonst Zuschriften mit dem deutschen Gruß nicht beantworten, wollen wir Ihnen auf Ihre Anfrage Auskunft geben.» Drei Bücher sind nach dieser Antwort grundsätzlich nicht besprochen worden, weil man sie ganz unbegründet alle drei für Kriegsbücher hielt. Es empfiehlt sich daher, der Zeitschrift «Die Alpen» Besprechungsstücke nicht mehr zu übersenden.

16. Juni 1941

Aus gegebener Veranlassung weist die Abteilung Schrifttum des Reichsministeriums für Volksaufklärung und Propaganda darauf hin, daß der Vertrieb und der Verleih aller Werke der Schriftstellerinnen Sigrid Undset und Eve Curie untersagt ist. Es fällt darunter auch der antiquarische Verkauf. Zuwiderhandelnde werden durch die Reichsschrifttumskammer zur Rechenschaft gezogen.

10. Juli 1941

Es ist in der letzten Zeit in Bucherscheinungen, vor allem Romanen, vorgekommen, daß über Verbindungen zwischen deutschen und minderrassigen Völkern, die als Rassenschande zu bezeichnen sind, in einer Form geschrieben wird, als handele es sich um durchaus mögliche Beziehungen. Die Ergebnisse des gegenwärtigen weltpolitischen Geschehens verlangen auch im Schrifttum eine eindeutige Haltung und ein klares Bekenntnis zum Rassengedanken der nationalsozialistischen Bewegung. Es ist erforderlich, auch die Erziehungsmöglichkeiten des Schrifttums hier einzusetzen. Die Verlage werden ersucht, bei der Annahme von Manuskripten diese Gesichtspunkte strengstens zu beachten. Werke, die in Zukunft diese Forderungen nicht erfüllen, müssen in jedem Fall als unerwünscht bezeichnet werden.

9. August 1941

Die Zusammenarbeit deutscher Verlage mit dem Agenten Dr. Arthur Werner, Prag I, Benediktgasse 16, ist unerwünscht. Dr. Werner ist nach eigenen Angaben Mischling ersten Grades. Auf Grund dieser Tatsache und seiner politischen Einstellung zur Zeit der ehemaligen tschechoslowakischen Republik kann deutschen Verlagen eine verlegerische Zusammenarbeit mit der Agentur Dr. Werner nicht empfohlen werden. Der deutsche Verlagsbuchhandel wird daher ersucht, die Agentur in Zukunft nicht mehr in Anspruch zu nehmen.

Bei der Herausgabe von neuen Büchern und Neuauflagen ist dafür Sorge zu tragen, daß diese ohne Bilder und Angaben über Rudolf Heß erscheinen. Dies gilt auch für Kalender und Taschenbücher.[1]

1. Juli 1942

Betr.: Editorial Libri (Reinhard Völter) Buenos Aires, Buenos Aires-R, Argentinien, Gribone 1325.
Eine Zusammenarbeit mit der obengenannten Firma wird nicht empfohlen. Der Inhaber des Unternehmens, Herr Reinhardt Völter, emigrierte vor etwa vier Jahren nach Buenos Aires; er ist mit einer Jüdin verheiratet.

15. August 1942

Frau Helene Chaudoir, früher in Wien wohnhaft, jetzt in Budapest III, Vérhalom utca 33 a ansässig, ist für deutsche Verlage als Übersetzerin aus dem Französischen tätig gewesen. Da es sich um eine Volljüdin handelt, ist von jeder Zusammenarbeit abzusehen.

Die Liste

Persönlich und vertraulich!

An den	Der Präsident
Landesleiter Franken	der Reichsschrifttumskammer
der Reichsschrifttumskammer	Sch. L. 1.: 46
z. Hd. von Herrn Theodor Zeiser	Berlin W 8, den 17. Okt. 1936
Nürnberg	Friedrichstr. 194/199
Albrecht Dürer Platz 11	A 1 Jäger 3043/44

Betrifft: Ohne Vorgang.
In der Anlage übersende ich Ihnen die von der Reichsschrifttumskammer bearbeitete und zum streng vertraulichen Dienstgebrauch herausgegebene Liste 1 des schädlichen und unerwünschten Schrifttums, und zwar

[1] Der «Stellvertreter des Führers» flog am 10. 5. 1941 nach England und blieb dort bis 1945 in Haft.

das Exemplar mit der Nummer 46 einschließlich des dazugehörigen Nachtrags für dienstliche Zwecke innerhalb Ihres Bereichs.

Für die Handhabung dieser Liste gebe ich Ihnen folgende Richtlinien: Die Liste ist ihres streng vertraulichen Charakters wegen nur innerhalb Ihrer Geschäftsstelle zu verwenden. Sie ist weder Privatpersonen noch Privatvereinigungen irgendwelcher Art als Ganzes zugänglich zu machen. Sie dient nur Auskunftszwecken und ist stets verschlossen aufzubewahren. Sie ist ferner allen amtlich bestätigten Obleuten und Vertrauensleuten der Gliederungen der Kammer innerhalb der Geschäftsstelle der Landesleitung zugänglich zu machen, da diesen Herren Exemplare gesondert nicht zur Verfügung gestellt werden können. Ich bitte, die mit dem Gebrauch dieser Liste beauftragten Mitarbeiter Ihrer Geschäftsstelle sowie alle Obleute und Vertrauensleute ausdrücklich auf die Vertraulichkeit dieser Liste zu verpflichten. Vertrauensbrüche werden schwer geahndet. Über die Verpflichtung der Mitarbeiter der Landesleitung ist ein Protokoll anzufertigen und zu den Akten der Landesleitung zu nehmen.

Die Liste bleibt Eigentum der Kammer und ist bei etwaigem Ausscheiden des Landesleiters dem jeweiligen Nachfolger ausdrücklichst zu übergeben.

Den Empfang der Liste wollen Sie mir unter Angabe obiger Nummer bestätigen.

Im Auftrage:

2 Anlagen
Unterschrift[1]

Überwachung

Der Geschäftsführung der Reichsschrifttumskammer waren die Sonderreferate unterstellt, darunter der Referent «für Überwachung des schädlichen und unerwünschten Schrifttums». Siehe Dr. phil. Gerhard Menz: *Der Aufbau des Kulturstandes*, München/Berlin 1938, S. 41; Referent dieses Sonderreferates war Karl Heinrich Bischoff. Geschäftsverteilungsplan der Reichsschrifttumskammer im Besitz des Herausgebers.

1 Der Kontrolle der Reichsschrifttumskammer unterlagen auch die Freimaurer. Freimaurer durften keine NSDAP-Mitglieder werden. Siehe: *Verfügungen, Anordnungen, Bekanntgaben der Partei-Kanzlei*, Band 1, S. 555, und den Sonderdruck Nr. 55 des *Ministerialblattes des Reichs- und Preußischen Ministeriums des Innern*, 1939; am 31. 6. 1935 verfügte das Propaganda-Ministerium in einem Schreiben an die Reichsschrifttumskammer, daß sämtliche Beamte der Reichsschrifttumskammer und ihrer Gliederungen Erklärungen abzugeben hätten, ob sie je einer Loge angehört hatten. Dieser Brief sowie auch einige Antworten an die RSK, die diese Angelegenheit betreffen, befinden sich im Besitz des Herausgebers.

Leihbüchereien

Bekanntmachung Nr. 62 vom 6. 4. 1935 der Reichsschrifttumskammer.

Auf Grund des § 25 der Ersten Verordnung zur Durchführung des Reichskulturkammergesetzes vom 1. 11. 1933 (RGBl. I Nr. 123, S. 797) ordne ich hiermit an:

§ 1

Die Überwachungsstelle für das Leihbüchereiwesen, Berlin NW 7, Mittelstr. 15, hat von mir den Auftrag, sämtliche gewerblichen Leihbüchereien von unerwünschtem Schrifttum zu reinigen.

§ 2

Für die Dauer und im Rahmen dieses Auftrages ist die Überwachungsstelle als eine Stelle anzusehen, die im Sinne meiner Bekanntmachung vom 12. März 1935 amtliche Ersuchen an die Inhaber von Leihbüchereien richten kann, gleichgültig, ob es sich um eine selbständige Leihbücherei oder um eine Leihbücherei handelt, die in Verbindung mit anderen Betrieben geführt wird.

§ 3

Solchen Ersuchen, insbesondere auch um Ablieferung beanstandeter Bücher, ist unter allen Umständen stattzugeben.

§ 4

Zuwiderhandelnde haben Ordnungsstrafen und in schwerwiegenden Fällen die Schließung ihrer Leihbüchereibetriebe zu gewärtigen.

Neufassung

Neufassung der Anordnung der Reichsschrifttumskammer betr. Listen des schädlichen und unerwünschten Schrifttums vom 15. 4. 1940, gekürzt.

Auf Grund von § 52 der Ersten Verordnung zur Durchführung des Reichskulturkammergesetzes vom 1. 11. 1933 (RGBl. I S. 797) gebe ich meiner Anordnung über schädliches und unerwünschtes Schrifttum vom 25. 4. 1935 («Völkischer Beobachter» vom 8. 5. 1935) die folgende Fassung:

Die Reichsschrifttumskammer führt eine Liste des schädlichen und unerwünschten Schrifttums, in die Werke des Schrifttums eingetragen werden, die den kulturellen und politischen Zielen des nationalsozialistischen Reiches widersprechen.

Es ist untersagt, diese Werke zu verlegen, zu verkaufen, zu verteilen, zu verleihen, zu vermieten, auszustellen, anzupreisen, anzubieten oder vorrätig zu halten.

Das Verbot gilt für Werke voll- oder halbjüdischer Verfasser auch dann, wenn sie nicht in die Liste des schädlichen und unerwünschten Schrifttums eingetragen sind.

Wer gegen die Bestimmungen verstößt, gibt Grund zur Verneinung der Zuverlässigkeit und Eignung im Sinne des § 10 der Ersten Verordnung zur Durchführung des Reichskulturkammergesetzes vom 1.11. 1933. Er hat somit den Ausschluß aus der Reichskulturkammer zu gewärtigen.

«Unter Beachtung politischer Verhältnisse»

An die
Landesleitung der Reichsschrifttumskammer
beim Landeskulturwalter – Gau Wien,
Herrn Dr. Traugott
Wien III   GF.–Ja.
Schwarzenbergplatz 7   22. Januar 1941

Auf Ihre anläßlich meines Besuches gegebene mündliche Mitteilung, daß dem Pfarrer Joseph Beck, Wien XIV, Kumberlandstr. 61 a, der Selbstverlag für die Reformations-Jugendschrift «Im Glauben treu» genehmigt worden sei, teile ich Ihnen mit, daß in der Tat am 6. 5. 40 (mit Durchschlag an die Landesleitung) dieser Selbstverlag genehmigt wurde. Es ist aber wichtig für Sie, zu wissen, daß die Zustimmung der Landesleitung Wien unter dem 12. 2. 40 an die Abteilung III – Leipzig gegeben wurde und daß ebenfalls das Gutachten der NSDAP vom 27. 4. 40 mitteilt, «daß der Obengenannte seit jeher der NSDAP bejahend gegenüberstand und charakterlich gut beschrieben wird. Nach der Regelung der Kirchenfrage solle seine bejahende Einstellung der NSDAP gegenüber etwas nachgelassen haben».

Damit ist die Genehmigung des Selbstverlages durch die Abteilung III der RSK unter Beachtung der politischen Verhältnisse erfolgt.

Wie ich weiter feststellte, ist dem Schriftsteller Dr. Franz Gruener [1] der Selbstverlag bisher nicht genehmigt worden. Zwar liegt ein Antrag aus dem Oktober 1940 vor und ein Gutachten der NSDAP Vorarlberg vom 6. 12. 40, «wonach gegen die Aufnahme des Obengenannten keine Bedenken bestehen». In diesem Falle empfehle ich Ihnen, bei der Abtei-

---

1 Dr. jur. Franz Gruener, Schriftsteller (Lyrik, Novelle, Drama, Roman), * 1879.

lung III in Leipzig Stellung zu nehmen. Im übrigen: Dr. Gruener sind im November mehrere Befreiungsscheine von der Gruppe Schriftsteller ausgestellt worden, wovon Sie üblicherweise Durchschlag erhalten haben.

Damit habe ich auch die letzten Ihrer damaligen Anfragen erledigt.

Mit bestem Gruß und Heil Hitler!

Ihr (Unterschrift)

Staatspolizeileitstelle Hamburg

Stempel:
Reichsschrifttumskammer
24. Mai 1941

An den
Herrn Präsidenten
der Reichsschrifttumskammer
Berlin-Charlottenburg
Hardenbergstraße 6

Geheime Staatspolizei
Staatspolizeileitstelle Hamburg
Hamburg 36, den 20. Mai 1941
Stadthausbrücke 8
B. Nr. II P. 302 38
84 1.41.

Betrifft: Dr. Otto Friedrich *Wilhelm* Stapel [1]
Vorgang: Dort. Auskunftersuchen vom 17. 1. 41 – II D. 010125 Kl.
Stapel ist der Herausgeber der Zeitschrift «Deutsches Volkstum», Monatsschrift für das deutsche Geistesleben, Verlag: Hanseatische Verlagsanstalt in Hamburg. Vorgänge, die zu Bestrafungen geführt haben, sind über ihn in politischer, spionagepolizeilicher und strafrechtlicher Hinsicht nicht bekannt geworden.

Nach seinen eigenen Angaben hatte er im Jahre 1932 von dem von ihm verfaßten Buch «Der christliche Staatsmann» das erste Exemplar dem Führer mit der Widmung «Dem Führer der Deutschen» überreicht. Weiterhin will er vor der nationalsozialistischen Erhebung mit seiner antisemitischen Einstellung, zu der er sich offen bekannt habe, des öfteren hervorgetreten sein.

Nach der Machtübernahme wurde er mehrfach in der nationalsozialistischen Presse, insbesondere im Jahre 1935 im «Schwarzen Korps» Nr. 8, 9 und 12 infolge seiner konservativen Haltung angegriffen. [2]

Unterschrift

1 Dr. Wilhelm Stapel, *1882; Autor von: *Die literarische Vorherrschaft der Juden in Deutschland von 1918–1933*, Hamburg 1937.

2 Angegriffen wurde hauptsächlich die «konfessionelle» Haltung Dr. Stapels und besonders seine Bücher: *Die Kirche Christi und der Staat Hitlers*, Hamburg 1933, S. 14: «Was Recht ist, wird nicht vereinbart, sondern vom Führer bestimmt»; S. 16: «Es besteht kein freier Wettbewerb der Gedanken mehr im

Partei- und Gestapo-Gutachten

Der Brief ist gekürzt.

Herrn
Vizepräsident Wilhelm Baur   II A – Dga
Berlin SW 68, Zimmerstr. 88   26. Nov. 1941

Sehr geehrter Herr Baur!
Auf Ihr Ersuchen vom 6. d. M. teile ich Ihnen mit, daß der in Ihrer Aufstellung genannte Schriftsteller F. Rumpf durch die Reichsschrifttumskammer nicht erfaßt ist. Zu den übrigen genannten Schriftstellern gebe ich Ihnen kurz folgende Angaben:

Dr. Hans Henkel ist geboren am 20. 12. 92 in Frankfurt/M. Hauptberuflich ist er in der Epoche Color-Film AG. tätig. Die Parteiauskunft ergibt über Henkel nichts. Er ist in der Reichsschrifttumskammer auf Befreiungsschein tätig.

Eleonore von Recklinghausen ist geboren am 6. 10. 98 in Höschei, Landkreis Solingen/Rh. Sie hatte vor ihrer schriftstellerischen Tätigkeit den Beruf einer Graphikerin und Zeichnerin erlernt. In der Reichskammer der bild. Küste ist sie deshalb wegen geringfügiger und gelegentlicher Tätigkeit gemäß § 9 der Ersten Durchführungsverordnung zum Reichskulturkammergesetz befreit. Partei- und Gestapo-Gutachten äußern keine Bedenken gegen die Tätigkeit.

Erik Reger ist der Deckname für den Schriftsteller Hermann Dannenberger. D. ist geboren am 8. 9. 93 zu Bendorf/Rhein. Aus einem Gutachten der Gestapo vom Juni 1938 wird entnommen, daß Dannenberger vor der Machtübernahme kommunistisch eingestellt gewesen sein soll. Nähere Einzelheiten konnten nicht erbracht werden. Seine beiden im Rowohlt-Verlag erschienenen Bücher «Union die feste Hand» und «Das wachsame Hähnchen» (1932–33) mußten auf die Liste für schädliches und unerwünschtes Schrifttum gesetzt werden. Weiter geben die Kammerakten keine Auskunft.

Staat, sondern es gibt Gedanken, die gelten, Gedanken, die nicht gelten, und Gedanken, die ausgerottet werden» und: *Das Christentum politisch gesehen*, Kassel 1937; sehr heftig wurde Dr. Stapel von Alfred Rosenberg bekämpft, siehe Dokument CXLIII – 365, obwohl er bei vielen antisemitischen Veranstaltungen des Regimes aktiv war; siehe: *Historische Zeitschrift*, Band 156, 1937, S. 667–669.

Betrifft: «Maximilian-Gesellschaft»

Notiz für Wilhelm Ihde, den Geschäftsführer der Reichsschrifttumskammer, *1899; NSDAP-Mitglied Nr. 356772, SS-Nr. 47727; ein vom SS-Obergruppenführer Maximilian von Herff unterzeichneter Brief des SS-Personalamts vom 23. 10. 1944 besagt über Ihde: «SS-Obergruppenführer Hanns Johst unterrichtete mich davon, daß der Reichsführer-SS die Entlassung des SS-Obersturmführers Wilhelm Ihde wünscht, weil derselbe sich in geschäftlichen Dingen nicht SS-mäßig verhalten habe und darüber hinaus betont kirchlich gebunden ist»; im Brief ist weiter bemerkt, daß Ihde schon am 8. 10. 1944 sein Austrittsgesuch vorgelegt habe; Brief im Besitz des Herausgebers.

Herrn   IV – Gro.
Ihde   Berlin, den 25. 2. 1942

Betr.: Maximilian-Gesellschaft.
Unter den wenigen bibliophilen Vereinigungen, die es im Reiche gibt, kann die Maximilian-Gesellschaft als eine der größten und bedeutendsten – natürlich nach der Weimarer Gesellschaft – angesprochen werden. Sie wurde 1912 gegründet und hat seitdem eine Reihe schöner und interessanter Buchausgaben herausgebracht.

Die Bereinigung der Vereinigung von jüdischen oder jüdisch-versippten Vorstandsmitgliedern ist im Jahre 1937 durchgeführt worden. Auch hat der Verein damals das nötige veranlaßt, nichtarische Elemente aus seinem Mitgliederkreise zu entfernen.

Der genannte Herr Binder ist Herrn Hampf nicht bekannt. Wohl aber weiß er zufällig, daß Frau Thöne mit dieser Familie freundschaftlich verkehrt und kürzlich bei ihr zu Besuch war.   Loth

Stellungnahme der Sicherheitspolizei und des Sicherheitsdienstes

Bei dem dauernden «weltanschaulichen» Kampf des Dritten Reiches gegen die Kirchen bemühte sich die Reichsschrifttumskammer, so wenig wie möglich Geistliche aufzunehmen, um auf diese Weise die schriftstellerische, verlegerische und buchhändlerische Tätigkeit der Geistlichen und der Kirche zu hemmen.

Stempel:
Reichsministerium für Volksaufklärung
und Propaganda, den 7. Apr. 1942 V.
1. Zuständig: Reichsschrifttumskammer
2. betrifft: pol. Zuverlässigkeit ev. Geistlichen –
Keine Abgabenachricht.
Reichsministerium für Volksaufklärung und Propaganda,
Ref. Pro. 5/1942

An den | Der Reichsminister
Herrn Präsidenten | für die kirchlichen Angelegenheiten
der Reichsschrifttumskammer | *I 20 336/42 II*
durch das Reichsministerium | Berlin W 8, den 4. April 1942
für Volksaufklärung | Leipzigerstr. 3
und Propaganda | Fernspr.: 11 66 51
in Berlin W 8

Betrifft: Auskünfte über die politische Zuverlässigkeit von Geistlichen.
Ihre Kammer bittet mein Haus laufend um Auskunft über die politische
Zuverlässigkeit von Geistlichen usw., die ihre Aufnahme in die Kammer
bzw. Befreiung von der Mitgliedschaft beantragt haben (vgl. § 10 der
Ersten Verordnung zur Durchführung des Reichskulturkammergesetzes
vom 1. 11. 1933 RGBl. I S. 797).[1] Im allgemeinen pflege ich auf diese
Anfragen hin die Stellungnahme des Chefs der Sicherheitspolizei und
des SD einzuholen und diese Stellungnahme meiner Auskunft zugrunde
zu legen.

Im Hinblick auf den Erlaß des Führers über die weitere Vereinfachung
der Verwaltung vom 25. Januar 1942 bitte ich, in Zukunft für die weitere Dauer des Krieges diese Auskünfte von dort aus unmittelbar beim
Chef der Sicherheitspolizei und des SD einzuholen. Eine Arbeitsver-
mehrung ist damit weder für Sie noch für den Chef der Sicherheitspolizei verbunden, während mein Haus durch diese Maßnahme entlastet
wird.

Hier vorliegende oder noch eingehende Anfragen werden selbstverständlich noch bearbeitet werden, ebenso Anfragen grundsätzlicher Art
wie etwa Ihr Schreiben vom 20. November 1941 – II 024 701 – Gro. –
betreffend den Pfarrer i. R. Lic. Thimme, Marburg/Lahn, auf das ich
mir meine Antwort noch vorbehalten darf. Für Nachrichten von dem
Veranlaßten wäre ich dankbar.

Der Chef der Sicherheitspolizei und des SD hat Abschrift dieses Schreibens erhalten.

Beglaubigt: | Im Auftrag
Schliebs | Theegarten
Kanzleiangestellte

Stempel:
Reichsministerium f. d.
kirchl. Angelegenheiten
Kanzlei

1 § 10: «Die Aufnahme in eine Einzelkammer kann abgelehnt oder ein Mitglied ausgeschlossen werden, wenn Tatsachen vorliegen, aus denen sich ergibt,
daß die in Frage kommende Person die für die Ausübung ihrer Tätigkeit erfor-
liche Zuverlässigkeit und Eignung nicht besitzt.»

Betreff: Dr. Ludwig Friedrich Barthel

Dr. phil. Ludwig Friedrich Barthel, Schriftsteller (Lyrik, Erzählung, Essay), * 1898; «Barthel dichtet aus dem Bekenntnisgrund des Deutschen, der das neue Geschehen im innersten bejaht» – in Hellmuth Langenbucher: *Volkhafte Dichtung der Zeit*, Berlin 1937, S. 458.

Stempel:
NSDAP Gauleitung
München-Oberbayern
Eing.: 21. Febr. 1938
No. 020 627   Gauleitung München-Oberbayern der NSDAP
Abt.: Pol. Beurteilungen   Personalamt/Politische Beurteilungen
Erledigt am: Zeichen: AM/s. – 2355

Betreff: Politische Beurteilung des Dr. Ludwig Friedrich Barthel in München-Harlaching, Hans Schemm Str. 42, Stockwerk:
Erstellt durch Ogr./Kreisleitung Ogr. Harlaching am 10. Februar 1938
Sachbearbeiter: Fi/Lge.
Ihre Anfrage vom: 2. Februar 1938
Raum für Beurteilung: Betr.: Dr. Ludwig Friedrich Barthel
Gegen die politische Zuverlässigkeit des Vorgenannten bestehen keine Bedenken.

München-Harlaching   Unterschrift
den 10. Februar 1938   der Hoheitsträger, Ortsgruppenleiter

    Sollte der Beurteilungsbogen nicht ausreichen,
so bitte ich ein weiteres Blatt beizulegen.

Gutachten
Ihdes Aktennotiz über Wulle

Reinhold Wulle, * 1882; Verlagsdirektor der *Deutschen Zeitung* und Reichstagsabgeordneter der Deutschnationalen Volkspartei; Mitbegründer der Deutsch-Völkischen Freiheitspartei; nach 1933 kurz im Konzentrationslager; das folgende Gutachten ist ein Beweis dafür, wie sogar manche konservativ-«völkische» und antisemitische Schriftsteller vom Dritten Reich beurteilt worden sind.
    Bemerkenswert an diesem Gutachten ist das Zusammenspiel von Reichsschrifttumskammer (RSK), Abt. VIII, Schrifttum, mit dem Propagandaministerium (Promi), der parteiamtlichen Prüfungskommission (PRK), der Gestapo, dem Sicherheitsdienst (SD) und dem Reichsführer SS (RFSS).

I. Buch «Caesaren»[1]:

19. 2. 35 Staatsminister des Innern, Dresden, ersucht um Gutachten zwecks Beschlagnahme.

13. 7. 35 Abt. VIII, Promi (Dr. Erckmann[2]) ersucht um Beschlagnahme (Deutung der nationalsozialistischen Entwicklung aus der Perspektive des Verfassers steht in klarem Widerspruch zur Grundanschauung des neuen Staates).

24. 7. 35 PPK (Hederich[3]): endgültige Beschlagnahme (Kritik am nationalsozialistischen Staat).

2. 8. 35 RSK (Heinl) an Gestapo: Zustimmung zur endgültigen Beschlagnahme. – Anschließend im Oktober wird das Buch auf die Liste 1 des schädlichen u. unerwünschten Schrifttums gesetzt.

II. Buch: «Das neue Jahrtausend»[4]:

10. 2. 37 Gestapo bittet um Einreihung auf die Liste 1 mit einer 4$^{1}/_{2}$ seitenlangen Begründung gegen das Werk, das als politisch bezeichnet wird. («Zusammenfassend muß gesagt werden, daß sich Wulle in einer nicht tragbaren Weise politisch und weltanschaulich vom Nationalsozialismus distanziert»).

21. 5. 37 Promi (Erckmann) gibt Zustimmung zur Indizierung.

28. 5. 37 RSK an Gestapo: Buch wird indiziert.

III. Buch: «Götter, Gold und Glaube»[5]:

9. 2. 38 RFSS, Chef d. SD:

    a) Indizierung des Buches gefordert,

    b) Vorschlag, Wulle aus der RSK auszuschließen,

    c) politische Zuverlässigkeit des Verlages zu prüfen.[6] (Augenscheinlich entzieht der Verlag durch besondere Vertriebsmethoden die Neuerscheinungen dem Zugriff der Gestapo). Hierzu ein ausführliches Gutachten von 5$^{1}/_{2}$ Seiten.

10. 2. 38 RSK an Promi: Zustimmung zur Indizierung erbeten.

7. 7. 38 angemahnt; bis

---

1 *Caesaren* erschien in Berlin 1934.

2 Dr. Rudolf Erckmann war Referent der Abteilung VIII, Schrifttum, im Propagandaministerium.

3 Karl Heinrich Hederich, * 1902; ausführlicher über ihn s. «Porträts», S. 319.

4 *Das neue Jahrtausend* erschien in Berlin 1936.

5 *Götter, Gold und Glaube* erschien in Berlin 1937.

6 Der Verlag hieß *Nationaler Bücher-Dienst*.

10. 9. 38 keine Antwort; Herr Ihde hat am 10. 9. telefonisch bei Herrn Dr. Erckmann moniert.

IV Buch: «20 Jahre später – der Weg zum 9. November 1918»[1]:
25. 6. 38 RFSS, Chef d. SD an RSK: «Wiederum machte Wulle den Versuch, das Buch schlagartig vor der offiziellen Ankündigung in den buchhändlerischen Fachorganen an die Anhänger zu vertreiben, um dem zu erwartenden Eingreifen der Gestapo vorzubeugen usw.» – Also wiederum Klage des RFSS gegen den Verlag. – Weiter fragt RFSS an, ob nun endlich Wulle die Möglichkeit genommen sei, gegen den Nationalsozialismus publizistisch aufzutreten.

Ich stelle fest, daß bis zum 10. 9. 38 in der ganzen Angelegenheit – ich verweise auf a), b) und c) der Vorschläge des Reichsführers-SS und auf sein Schreiben vom 25. 6. 38 – nichts Durchschlagendes erfolgt ist, obgleich die Sachlage völlig klar ist. Den zuständigen Herren der Kammer mußte klar sein, wie schädlich das Wirken Wulles in der Öffentlichkeit wirkte. Umso mehr mußten sie auf beschleunigte Erledigung des Vorganges bedacht sein! Obgleich das Wirken Wulles durch seine Bücher, durch ihre Verbote bekannt ist, konnte sich der Sachbearbeiter der RSK bisher nicht zu einem Ausschluß entschließen.

Obgleich ein Vorgehen gegen den Verlag gewünscht wird (und offenbar auch notwendig ist), erfolgt seitens der Abt. II[2] auf den Brief vom 4. 5. 38 (Abt. Buchhandel) nicht das geringste. Selbstverständlich kann die Abt. II nicht gegen den Verleger vorgehen. Die Abteilung II hätte aber den ihr zugeschriebenen Brief vom 4. 5. 38 sofort mit der notwendigen Information über den Fall an die Abteilung III[3] weiterleiten müssen!

Dieser Vorgang ist ein eklatantes Beispiel für die Arbeitsweise in der Abt. II, eklatant deswegen, weil der Name Wulle wie ein Signal auf die Sachbearbeiter hätte wirken müssen! Ich bitte, dem betreffenden Sachbearbeiter zu eröffnen, daß eine weitere derartige Behandlung von Vorgängen ernstlich zu der Frage führen muß, ob der Sachbearbeiter weiterhin geeignet ist, Mitarbeiter der Reichsschrifttumskammer zu sein.

Ich bitte nunmehr um beschleunigte Erledigung zu dem Vorschlag des Reichsführers-SS vom 9. 2. 38:
1) Wulle aus der RSK auszuschließen,
2) die politische Zuverlässigkeit und Eignung der beiden Verlage zu überprüfen, deren Hauptautor Wulle ist.   Ihde

1 *20 Jahre später – der Weg zum 9. November 1918* erschien in Berlin 1937.
2 Abteilung II der Reichsschrifttumskammer: *Schriftsteller.*
3 Abteilung III der Reichsschrifttumskammer: *Sachgebiete.*

Betrifft: W. E. Schröder

Dieser Aktenvermerk ist gekürzt.
  Wilhelm Emil Schröder, Schriftsteller (Lyrik und Erzählung), * 1896.

Gf – 04680–Schw.
Berlin, den 6. 11. 1940

Aktenvermerk für Abteilung II
Betrifft: W. E. Schröder, Berlin.

25. 2.37 Gestapo-Gutachten: Sch. am 25. 2. 35 vom RdP [1] abgelehnt.
30.10. 39 RdP teilt mit, Sch. sei zum zweitenmal abgelehnt wegen mangelnder «Eigenschaften zur geistigen Einwirkung auf die Öffentlichkeit».
 5.10. 39 NSDAP gegen Sch. teilt die Inschutzhaftnahme des Sch. und seine Ablehnung im RdP am 11. 6. 38 mit.
15.12. 39 SD: Mitgliedschaft des Sch. in der RSK ungerechtfertigt.

  Obgleich also seit 25. 2. 37 bekannt war, daß Sch. vom RdP abgelehnt, und seit 30. 10. 39 bekannt war, daß Sch. vom RdP zum zweitenmal abgelehnt war, obgleich ferner seit langem in der Abt. II bekannt war, daß Ablehnung und Ausschlüsse des RdP, zum mindesten wenn die «Eigenschaften zur Einwirkung auf die Öffentlichkeit» nicht gegeben sind, die Ablehnung oder den Ausschluß aus der RSK zur Folge hat, ist es nicht zum Ausschluß gekommen. Es ist in der Angelegenheit nichts geschehen, erst im September 1940 eine Anfrage bei der NSDAP und SD. Das alles, obgleich ich unzählige Male verlangt habe, Vorgänge sollten zum Abschluß gebracht und im Zweifelsfalle mir vorgelegt werden.   Ihde

Privates

«Hiermit gebe ich folgendes zur Kenntnis»

An die   August Dietrich
Reichsschrifttumskammer   Berlin N 113, Schivelbeinerstr. 41
Berlin   Berlin, den 7. Februar 1935

Hiermit gebe ich folgendes zur Kenntnis:
  Die Deutsche Buch-Gemeinschaft G.m.b.H., Berlin SW 68, Alte Jakobstr. 156/157, die Deutsche Beamten-Buchhandlung, Buchvertrieb des Beamtenschriften-Verlages G.m.b.H., Berlin SW 68, Neuenburger-

---

  1 RdP = *Reichsverband der deutschen Presse.*

str. 8, und «Der Büchermarkt» G.m.b.H., Berlin SW 68, Neuenburger-str. 8, sind alle ein Unternehmen. Die beiden letzteren werden von dem ausländischen Juden Streißler geleitet.

Die Deutsche Beamten-Buchhandlung ist erst seit einigen Jahren räumlich von der Deutschen Buchgemeinschaft getrennt, sie ist ein Tochterunternehmen derselben. Die Deutsche Beamten-Buchhandlung und «Der Büchermarkt» befinden sich in denselben Räumen. Im Prospektmaterial besteht der Unterschied lediglich in der Anschrift. Das Lager, sowie das für beide Firmen tätige Personal ist dasselbe.

Ruft z. B. ein Kunde, der nicht Beamter ist, die «Deutsche Beamten-Buchhandlung» an und möchte ein Werk kaufen, so wird ihm gesagt, daß er leider von der Deutschen Beamten-Buchhandlung, die ja lediglich Beamte beliefert, nicht bedient werden kann. Er möchte sich doch aber an die befreundete Firma «Der Büchermarkt» wenden, die den Auftrag ausführen wird. Tatsächlich handelt es sich hier, wie gesagt, um ein- und dieselbe Firma.

Durch den Titel «Deutsche Beamten-Buchhandlung» muß der Kunde annehmen, daß es sich hier um ein deutsches Unternehmen handelt und nicht um das eines ausländischen Juden.

Im Herbst vorigen Jahres schickte diese Firma Werkstudenten in rein nationalsozialistische Betriebe und bot das Werk «Deutsches Land», welches 750 Seiten stark sein sollte, für Mk. 29,– an. Geliefert wurde es jedoch nur in einer Stärke von 399 Seiten. Mehrere Parteigenossen lehnten deshalb die Abnahme aus diesem Grunde ab. Ein Parteigenosse, der sich das Buch nach Hause schicken ließ, hat dieses behalten, um Scherereien aus dem Wege zu gehen. Nachdem er mit einer Rate im Rückstand war, wurde er nicht wie üblich gemahnt, sondern auf echt jüdische Art wurde ihm mit dem Staatsanwalt gedroht. Kein Pg wußte, daß die Firma von einem Juden geleitet wurde.

Es ist dringend notwendig, gerade im Buchhandel Ordnung zu schaffen und solch geschickte Tarnung der Juden zu beseitigen. Der Kaufpreis des Buches «Deutsches Land» steht auch in keinem Verhältnis zum Wert desselben.

Der Direktor der Deutschen Buchgemeinschaft in der Alten Jakobstraße war ein getaufter Jude Leonhardt, der vor ca. 1 Jahr gestorben ist. Die jetzige Leitung ist mir nicht bekannt.

Heil Hitler!
August Dietrich

«Nicht unerwähnt möchte ich lassen»

Stempel:
Reichsschrifttumskammer 21. Jul. 1943

An den   Dr. Ludwig Ehn,
Verband deutscher Volksbibliothekare Wien III/40, Adamsgasse 25/10,
Berlin C 2   den 19. Juli 1943
Breitestraße 3   Fernruf U 1 47 76

Ich gestatte mir die höfliche Anfrage, ob und unter welchen Bedingungen ich Mitglied Ihres Verbandes werden könnte.

Ich bin Doktor der Rechts- und Staatswissenschaften und 51 Jahre alt. Zuletzt war ich bis vor kurzem in leitender Stellung als Landesdirektor einer Altreichs-Versicherungsgesellschaft tätig.

Als Bibliothekar habe ich mich in Organisationen (Autoklub, Gesellschaft für Volksbildung, usw.) betätigt, dies aber nur nebenbei. Ich selbst besitze eine Privatbibliothek von mehreren tausend Bänden. Ich wäre Ihnen sehr dankbar, wenn Sie mir außerdem mitteilen wollten,

1. ob und unter welchen Bedingungen ich den Beruf eines Volksbibliothekars ergreifen könnte, bzw. wo und welche Umschulungskurse ich zu besuchen hätte, wie lange eine derartige Ausbildung dauert, usw.
2. wie die Anstellungs- bzw. Fortkommensmöglichkeiten sind,
3. ob ich auch hier in Wien eingesetzt werden könnte, um mich auch weiterhin meinen wissenschaftlichen Arbeiten widmen zu können.

Nicht unerwähnt möchte ich lassen, daß ich Mitglied der NSDAP und einiger Formationen sowie politischer Leiter bin.

Sehr dankbar wäre ich auch für Zusendung eines Probeheftes Ihrer Verbandszeitschrift sowie der Aufnahmeformulare.

Für Ihre Mühewaltung im voraus bestens dankend   Heil Hitler!
                                                         Dr. Ehn

«Nach dem Anschluß»

Zur Erläuterung der folgenden Dokumente: Am 11. 3. 1938 erklärte Österreichs Bundeskanzler Dr. Kurt Schuschnigg in einer Rundfunkansprache, Hitler habe ein Ultimatum gestellt, demzufolge ein von Hitler vorgeschlagener Bundeskanzler ernannt werden solle, «widrigenfalls der Einmarsch deutscher Truppen in Österreich zur gleichen Stunde in Aussicht genommen sei». Dr. Schuschnigg fuhr fort: «Der Herr Bundespräsident beauftragt mich, dem österreichischen Volke mitzuteilen, daß wir der Gewalt weichen.» Am gleichen Tage befahl Hitler den Einmarsch deutscher Truppen in Österreich – *Operation Otto*; bereits am 13. 3. 1938 erschien im *Völkischen Beobachter* das Gesetz über den *Anschluß*, dessen erster Artikel lautet: «Österreich ist ein Land des deutschen Reiches.»

Blunck an Ihde

Der Brief ist gekürzt.

Hans Friedrich Blunck
Altpräsident e. h. der Reichsschrifttumskammer
Mitglied des Kultursenats
und des Senats der Akademie der Dichtung.
Mölenhoff, 12. März 1938
Post Greben/Holstein
Fernruf: Greben 1

Sehr geehrter Herr Ihde!

Ich bin vor zwei Tagen von Österreich zurückgekehrt, hatte dort, wie Sie aus meinem Bericht an den Herrn Reichsminister [1] ersehen, mit der nationalsozialistischen Gruppe der österreichischen Schriftsteller Fühlung genommen und habe ihr auf Grund der Verhandlungen gestern Abend ein Telegramm gesandt, von dem ich Ihnen pflichtgemäß für Ihre Akten beiliegend Abschrift übersende.

Ich mache für Ihre kommende Arbeit der Zusammenschmelzung mit dem österreichischen Schrifttum noch darauf aufmerksam, daß die Gruppe des «Bundes deutscher Schriftsteller», die Mell [2] und Jelusich [3] führen, eine getarnte nationalsozialistische Organisation war, daß sie als solche auch vorgestern beim Umschwung öffentlich als kulturpolitische Fachgruppe anerkannt wurden und daß die Arbeit der Schrifttumskammer wohl am besten über Mell und Jelusich – insbesondere über den letzteren, der parteiamtlich Verbindungsmann war – laufen wird.

Es werden jetzt viele kommen, die sich mit der Schrifttumskammer in Verbindung setzen werden. Auskunft über die Haltung in den schweren Jahren, Auskunft über arische Abstammung und Einstellung zur gesamtdeutschen Frage kann wohl am besten die parteioffiziöse Gruppe, der Bund deutscher Schriftsteller, geben. Er wurde vor rund zwei Jahren

---

1 Dr. Joseph Goebbels.

2 Dr. phil. Max Mell, Schriftsteller (Lyrik, Bühnendichtung, Erzählung), *1882; «Der Steirer Max Mell, der dem psychoanalytischen Drama der seelischen Minderwertigkeit aus der bäuerlichen Urkraft der alten Volksüberlieferung seine festlichen Spiele von der wahrhaft deutschen Seele und von ihrem Ahnenbewußtsein entgegensetzte, wußte zugleich in seiner Lyrik zu künden von dem vor dem Volksganzen verpflichtenden Bekenntnis zur ‹Heimat›» – in Heinz Kindermann: *Kampf um die deutsche Lebensform*, Wien 1941, S. 400.

3 Dr. Mirko Jelusich, Schriftsteller (Lyrik, Bühnendichtung, Drama, Roman, Essay), *1886; «Ist es ein Zufall, daß Mirko Jelusich hier gerade [in Wien] seine Führer- und Staatsromane schrieb?» – in Heinz Kindermann: a. a. O., S. 310–311.

im Auftrag der Schrifttumskammer gegründet, um zwischen zuverlässigem und nicht zuverlässigem Schrifttum zu unterscheiden. Aber das alles wissen Sie längst; ich wollte Ihnen nur, da ich gerade aus Österreich komme, aus meiner Erfahrung eine Mitteilung machen, damit keine Mißverständnisse entstehen.

Herzliche Grüße und Heil Hitler!
Ihr
Hans F. Blunck

Blunck an Mell

Telegramm
Dr. Max Mell
Wien
Auhofstraße 244   Greben, 13. 3. 1938, 20 Uhr

In Erinnerung an die gemeinsamen Stunden noch vor kurzen Tagen sende ich Ihnen, Jelusich und den Freunden des Abends im deutschen Haus tief ergriffen meine Wünsche und grüße vom hohen Norden das deutsche Schrifttum der Südmarken. Möge die Vereinigung zu einem Volk edelste Frucht auch für alle Künste tragen. Meine heißesten Wünsche sind in dieser Stunde, da der Führer Wien betritt, bei Ihnen und bei allen, die im Geiste das Geschehen von heute vorbereiteten.

Hans Friedrich Blunck

Kein Ehrgeiz

Stempel:
Reichsschrifttumskammer 18. 3. 38
handschriftlich: Johst h. F.

Perchtoldsdorf, Franz-Josef-Str. 25
Herrn   13. März 1938
Präsidenten Hanns Johst   am Tag der «Volksbefragung»

Sehr geehrter Herr Präsident!
Das große weltgeschichtliche Ereignis der Befreiung Österreichs wird natürlich auf kulturpolitischem Gebiet gründliche Umwälzungen nach sich ziehen. Unter anderem auch die, daß sich nun die österreichischen Schriftsteller mit ihren deutschen Kameraden in der Reichsschrifttumskammer werden vereinigen können. Ich bin seit Gründung der Reichsschrifttumskammer deren Mitglied (Nr. 960) und bin es auch in den Zeiten der Verfolgung und des Verbotes bis heute geblieben. Und nun

stelle ich mich Ihnen für die Arbeit des Aufbaues eines Gaues Österreich zur Verfügung, da es ja notwendig sein wird, einen Kenner der hiesigen Verhältnisse die Erfassung und Auswahl der Kameraden zu übertragen.

Wenn Sie also niemand Besseren wissen, so bin ich gern bereit, mich von Ihnen mit der Führung des Gaues Österreich betrauen zu lassen. Wollen Sie darin nicht einen vordringlichen Ehrgeiz erblicken, sondern den Wunsch, an meiner Stelle Kulturarbeit für die Volksgemeinschaft zu leisten, die nun zu unserem unbeschreiblichen Jubel auch Österreich umfaßt.

Heil Hitler!

Dr. Karlhans Strobl [1]

P. S.

Unter einem bestätige ich mein heutiges Telegramm: Erbitte Bevollmächtigung Organisation Österreich Reichsschrifttumskammer.

Wollen Sie verzeihen, daß dieses Schreiben nicht in Maschinenschrift an Sie gelangt; meine Sekretärin tut «Dienst».

«Mit dem Tage der Inkraftsetzung»

Der Brief ist gekürzt.

An den
Herrn Reichsminister für
Volksaufklärung und Propaganda
Berlin W 8
über die Reichskulturkammer
Betr.: Österreich.

CF

8. April 1938

Anschließend an die Besprechungen mit Herrn Ministerialrat Dr. Schmidt-Leonhardt [2] bitte ich um Genehmigung, folgende Herren meiner Kammer nach Wien zu schicken, um dort mit dem Tage der Inkraftsetzung des Reichskulturkammergesetzes nebst Durchführungsverordnung für Österreich die Vorarbeiten in Angriff zu nehmen:

1) Geschäftsführer Ihde

---

1 Dr. jur. Karlhans Strobl, Schriftsteller (Lyrik, Roman, Novelle, Essay), 1877–1946; laut Schreiben von Dr. Joseph Goebbels wurde am 7. 4. 1938 seitens der Reichskulturkammer als kommissarischer Leiter für «Schrifttum» Max Stebich eingesetzt, siehe: *Die bildenden Künste im Dritten Reich* (Ullstein Buch 33030), S. 139 f.

2 Dr. jur. Hans Schmidt-Leonhardt, *1886; ab 1. 3. 1933 im Reichsministerium für Volksaufklärung und Propaganda; ab November 1933 Geschäftsführer der Reichskulturkammer.

2) für die Gruppe Buchhandel: Herrn Thulke [1]
3) für die Gruppe Schriftsteller: Herrn Metzner [2]

Ich bitte ferner um die Genehmigung, den Geschäftsführer des Börsenvereins der deutschen Buchhändler, Herrn Dr. Heß [3], mit den genannten Herren zusammen zu schicken, damit alle angeschnittenen Fragen des Börsenvereins zugleich berücksichtigt werden können. Herr Heß wird aus Mitteln des Börsenvereins bezahlt.

Ich halte es für notwendig, daß die genannten Herren noch vor Inkrafttreten des Gesetzes nach Wien fahren, damit sie sich zeitig über vorhandene Verbände, Rechte, Vermögen etc. orientieren können und evtl. für Auskünfte bereitstehen.

Im Auftrag: H.

Der kommissarische Leiter der Reichsschrifttumskammer in Wien

Der Brief ist gekürzt.

Stempel:
Reichsschrifttumskammer
– 2. Mai 1938

An die
Reichsschrifttumskammer
Berlin-Charlottenburg 2
Hardenbergstr. 6

Bund der deutschen
Schriftsteller Österreichs, Wien
Geschäftsstelle: Wien I
Grünangergasse 4, den 28. April 38
R 27–500

Bezugnehmend auf Ihr Schreiben vom 25. ds. Mts. an mich teile ich Ihnen mit, daß ich von der Landeskulturleitung der NSDAP zum Geschäftsführer der provisorisch eingerichteten österreichischen Geschäftsstelle der Reichsschrifttumskammer ernannt worden bin. Diese meine Funktion deckt sich auch mit meiner Funktion als Geschäftsführer des Bundes der Deutschen Schriftsteller Österreichs.

Die Zusendung der amtlichen Fragebogen für die Abteilung Buchhandel und für die Abteilung Schriftsteller überlasse ich Ihrem Ermessen. Es wäre nur sehr zweckdienlich, sie so früh wie möglich zu besitzen, damit wir bei der Ausdehnung des Reichskulturkammergesetzes auf Österreich sofort mit dem Versand beginnen können.

[1] Karl Thulke, Vorsitzender der Fachgruppe Buchhändler in der Reichsschrifttumskammer.
[2] Kurt O. Fr. Metzner, Schriftsteller (Erzählung, Drama, Literaturkritik), *1895, Hauptschriftleiter von *Der deutsche Schriftsteller*.
[3] Dr. jur. Albert Max Heß, *1885.

Für den Fall, daß Sie die Absicht haben, nach Wien zu kommen, bitte ich um rechtzeitige Verständigung, damit ich Ihnen zur Verfügung stehen kann.

Stempel: Heil Hitler!
Bund der deutschen   Der kommissarische Leiter
Schriftsteller Österreichs   Stebich [1]

Der strenge Wilhelm Ihde

Der Präsident
der Reichsschrifttumskammer,
den 27. Mai 1938

Dienstanweisung   GF – 1/a

Betr.: Österreich

Am 8. April habe ich darauf hingewiesen, daß alle Maßnahmen, die mit Österreich zusammenhängen, nur mit meiner Zustimmung durchgeführt werden dürfen. Dieser Hinweis ist offenbar mißverstanden worden, indem z. B. eine Dienststelle, die von dem Herrn Reichsminister für Volksaufklärung und Propaganda die Genehmigung zu einer Reise nach Wien erhielt, diese Reise vornahm, ohne mich vorher zu benachrichtigen. Ich habe ausdrücklich darauf hingewiesen, daß meine Zustimmung notwendig ist, und zwar liegt dieser Maßnahme die Absicht zugrunde, daß die Leitung der Reichsschrifttumskammer über alles orientiert sein muß, was innerhalb ihres Geschäftsbereichs in Hinsicht auf Österreich übernommen wird.

Um Mißverständnissen vorzubeugen, ordne ich daher an, mir sind in Zukunft zu melden:

1) Maßnahmen, die im Zusammenhang mit Alt-Österreich geplant sind,
2) jede Reise bedarf meiner Zustimmung,
3) über erfolgte Maßnahmen bitte ich, mich mit Durchschlag der betreffenden Schreiben zu unterrichten.   Im Auftrag Ihde

                                     Beglaubigt: Unterschrift

1 Max Stebich, Schriftsteller (Lyrik, Bühnendichtung), *1897. In einem Schreiben des Reichspropagandaamtes Wien an Hanns Johst vom 29. 1. 1940 wird vorgeschlagen, den Geschäftsführer der Reichsschrifttumskammer in Wien, Max Stebich, seines «Amtes zu entheben, da er nach genauer Überprüfung nicht im geringsten die für so ein Amt notwendigen politischen und charakterlichen Qualitäten hat»; einer Beilage desselben Briefes ist weiter zu entnehmen, «daß Stebich ein Festspiel geschrieben hat, in dem er die Zeit Schuschniggs, also die Systemzeit, verherrlichte»; im Besitz des Herausgebers.

Die Denkschrift

Dieser Bericht ist gekürzt.

Der kommissarische Leiter
des österreichischen Buch-, Kunst- und Musikhandels,
Wien 1, Grünangergasse 4
627–1/38
Wien, 9. Juni 1938

Arisierung oder Liquidierung jüdischer Buchhandlungen?

Während der marxistischen und auch während der sogenannten «vaterländischen» Periode war es eine bekannte Übung der damaligen Machthaber in Wien, unbeschränkt und ohne Berücksichtigung des Lokalbedarfes jüdischen Bewerbern Buchhandelskonzessionen zu erteilen. Gesetzliche Bestimmungen sowie die von der Standesvertretung der Buch-, Kunst- und Musikalienhändler gegebenen Gutachten wurden so gut wie gar nicht beachtet, ausschlaggebend waren wohl einzig und allein jüdisch-freimaurerische Querverbindungen, bei dem damaligen Behördenapparat auch Bestechungen. Die Folge davon ist, daß der Wiener Buch-, Kunst- oder Musikalienhandel vollkommen übersetzt ist.

Durch den Boykott der jüdischen Käuferkreise wurde nach dem Umbruch der Wiener Buch-, Kunst- und Musikalienhandel neuerdings schwer betroffen. Es wird wohl noch einige Zeit dauern, bis die Umschichtung der Käuferkreise und die allgemeine Hebung der Kaufkraft fühlbar werden wird. Dabei ist zu bedenken, daß es in Wien 800 Buch-, Kunst- und Musikalienhandlungen gibt. Das bedeutet, daß auf rund 2250 Einwohner ein derartiges Unternehmen kommt.

Die angeführten Zahlen beweisen, daß in Wien eine Gesundung des Buch-, Kunst- und Musikalienhandels durch eine Reduzierung der Betriebe unbedingt notwendig ist. Der Wiener Buchhandel war in seiner Gesamtheit niemals recht lebensfähig, vielmehr hatte das Judentum und seine Hintermänner in den früheren Behörden stets nur ein Ziel im Auge, nämlich die Ausrottung des deutsch-arischen Buchhandels, um nach Erreichung dieses Zieles den für das kulturelle Leben so bedeutenden Buchmarkt ganz zu beherrschen.

Es bietet sich jetzt die Gelegenheit, den deutschbewußten Wiener Buchhandel wieder lebensfähig zu gestalten, damit er seiner ihm auferlegten Arbeit an der Kultur unseres Volkes voll nachkommen kann.

Als kommissarischer Leiter des österreichischen Buch-, Kunst- und Musikalienhandels fühle ich mich verpflichtet, auf die Lage in diesem Beruf hinzuweisen. Eine Gesundung dieses volkswirtschaftlich und kulturell so ungemein wichtigen Berufes kann nur dann erfolgen, wenn alle zuständigen Stellen mit mir bemüht sind, eine starke Verminderung der Betriebe herbeizuführen. Es ist durchaus nicht damit beabsichtigt, etwa bestehende Werte zu zerstören, sondern planmäßig die jüdischen Betriebe zu liquidieren, bzw. dort, wo dies unmöglich ist, diese zu arisieren. Daß dies nur im Einvernehmen mit den am meisten betroffenen deutsch-arischen Berufsgenossen erfolgen kann, brauche ich wohl nicht besonders begründen; ebensowenig glaube ich darauf hinweisen zu müssen, daß ich bei der Regelung dieser Fragen auf die tatkräftige Unterstützung aller zuständigen Stellen hoffe.

Heil Hitler!
Karl Berger
Kommissarischer Leiter

Mehr oder minder

Aspang, am 28. 6. 1938
An die   *Stempel:*
Reichsschrifttumskammer   Reichsschrifttumskammer
Berlin-Charlottenburg   –1. Jul. 1938 O V a

Ich habe nach der Machtergreifung durch die NSDAP in Österreich die kommissarische Leitung der Bibliotheken in Aspang – von der hiesigen Ortsgruppe hierfür vorgeschlagen – übernommen. Nun werde ich voraussichtlich diese Stelle weiter behalten, da nicht anzunehmen ist, daß diese Personen, die mehr oder minder staatsfeindlich eingestellt sind, die Leitung ihrer Vereinsbüchereien weiterbehalten. Es handelt sich in der Hauptsache um drei Vereinsbüchereien, die unter meiner bisherigen Leitung bereits zusammengezogen wurden, auf eine Volksbücherei. Sie sind kein Erwerb. Sollte ich nun als Leiter dieser Büchereien Mitglied sein, dann nehmen Sie bitte dieses Schreiben als Anmeldung entgegen. Andernfalls ersuche ich höflich um weitere Mitteilungen.

Heil Hitler!
Baumeister Ludwig Ramberger   Ludwig Ramberger
d. J. Aspang, am Wechsel, Berggasse 1
Nieder-Donau, geb. am 26. 1. 1912 [1],
Mitglied der NSDAP, Ortsgruppe Aspang, (Organisationsleiter).

Stempel: Reichsschrifttumskammer
Geschr. an Verband Deutscher Volksbibliothekare zur weiteren Bearbeitung
Anmeldebestätigung und Abgabenachricht ist erteilt
Unterschrift 12. 7.

1 Schon vor dem Ersten Weltkrieg gab es in Böhmen und Österreich bedeutungslose Splitterparteien mit dem Namen *Deutsche Arbeiterpartei* oder *Nationalsozialistische Deutsche Arbeiterpartei.*

Arisierung oder Liquidierung
jüdischer Buchhandlungen

Stempel:
Reichsschrifttumskammer
1. Juli 1938

Zwangsgilde der Wiener
Buch- Kunst- und Musikalienhändler
Wien I, Grünangergasse 4
Fernruf: R–27–500 Serie
(Österreichisches Buchgewerbehaus)

An die
Reichsschrifttumskammer
Berlin-Charlottenburg
Hardenbergstr. 16

Unser Zeichen: 127–1/38
Wien, am 28. Juni 1939

In der Beilage übermitteln wir Ihnen eine Denkschrift über die Arisierung oder Liquidierung jüdischer Buchhandlungen.

Wir bitten Sie, die dort gemachten Angaben zur Kenntnis zu nehmen.
Sie werden sicher zur Überzeugung kommen, daß diese schwierige Frage nur im Einvernehmen mit uns geregelt werden kann. Wir bitten Sie
daher, bei Aufnahme in die Reichsschrifttumskammer (Gruppe Buchhandel) sich jeweils mit uns in Verbindung zu setzen.

1 Beilage
Handschriftlich:
1) Abschrift III Z. ⎱
2) Weiter an III ⎰ erl. Schn.
z. d. A. H. 1. 7.

Heil Hitler!
Unterschrift
Kommissarischer Leiter der
Zwangsgilde
d. Wr. Buch-, Kunst-
und Musikalienhändler
m. d. ständ. Organisation
d. öst. Buchhandels

Andere Lenkungsapparate

Da verschiedene Behörden des Dritten Reichs – Propagandaministerium, Amt Rosenberg, Parteiamtliche Prüfungskommission (PPK) – «Schrifttums»-Abteilungen hatten, kam es selbstverständlich zu Kompetenzstreitigkeiten und anderen Konflikten. Jeder wollte den eigenen Machtbereich ausbauen und verbündete sich daher zeitweise mit einem anderen, um gegen einen Dritten zu kämpfen. Goebbels machte etwa den Geschäftsführer der Parteiamtlichen Prüfungskommission, Karl Heinz Hederich, 1936 zum Leiter der Abteilung Schrifttum, Abt. VIII, im eigenen Ministerium, um mit ihm gemeinsam der sich immer mehr ausbreitenden «weltanschaulichen Überwachung» des Amtes Rosenberg wirkungsvoller entgegentreten zu können; der *Jahresgutachtenanzeiger* stellte eine Machtkonzentration Goebbels gegenüber dar; er wurde vom Amt Rosenberg und der PPK gemeinsam herausgegeben, um die offizielle Stellungnahme zu Neuerscheinungen auf dem Gebiet «Schrifttum» zu dokumentieren. Goebbels wollte seinen nationalsozialistischen Eifer anderen Instanzen gegenüber hervorheben, indem er in seinem Ministerium über hundert Parteigenossen mit dem «Goldenen Parteiabzeichen der NSDAP» beschäftigte; siehe G. W. Müller: *Das Reichsministerium für Volksaufklärung und Propaganda*, Berlin 1940, S. 10. Interne Briefe der Kulturgrößen im Dritten Reich bezeugen diesen Machtkampf untereinander eindeutig. Hier einige Beispiele:

Rosenberg gegen die Reichsschrifttumskammer:

In einem Brief an die RSK protestiert Rosenberg am 23. 3. 1935 schon eifrig gegen die Bekanntmachung der RSK, derzufolge sie der eigentliche Lenkungsapparat im Staate ist. Er stellt dabei ausdrücklich fest, diese Bekanntmachung sei «nicht ein Versehen, sondern absichtlich verfaßt worden», und meint weiter: «Ich stelle fest, daß ein Geschäftsführer oder Vizepräsident der Reichsschrifttumskammer nicht das geringste Recht hat festzustellen, welche nationalsozialistische Organisation als amtlich anzusehen ist oder nicht»; es gibt dazu noch zwei Aktennotizen von Gotthard Urban (dem Vertreter des Reichsjugendführers im Amt Rosenberg) und Hans Hagemeyer (dem Leiter der Reichsstelle zur Förderung des deutschen Schrifttums im Amt Rosenberg); Urban schrieb, der Präsident der Reichsschrifttumskammer, Hans Fr. Blunck, war «sehr bestürzt und versicherte, daß ihm ganz besonders daran gelegen sei, mit uns auf das engste und in Frieden zusammenzuarbeiten»; Hagemeyer hingegen erklärte, die Handlungsweise der RSK «richtet sich gegen die Partei»; am 22. 5. 1935 schrieb Rosenberg erneut an die RSK, um seine Vorrechte unmißverständlich zu betonen. Sämtliche hier erwähnten Briefe befinden sich im Besitz des Herausgebers.

Rosenberg gegen Goebbels:

Am 5. 6. 1934 hatte Rosenberg notiert: «Es ist trostlos. Man hofft auf mich,

aber durch die Tatsache, daß ein Nationalsozialist Präsident der Reichskulturkammer ist [Dr. Goebbels; die Reichsschrifttumskammer war ja nur eine Abteilung der Reichskulturkammer], ist es schwer, parteiamtlich eine andere Organisation zu schaffen, ohne die Kammern bzw. auch gegen sie» – in Dr. Hans-
Günther Seraphim: *Das politische Tagebuch Alfred Rosenbergs*, Göttingen/
Frankfurt a. M. 1956, S. 26; am 30. 8. 1934 weist Rosenberg Goebbels brieflich
darauf hin: «Im übrigen betone ich nach wie vor, daß der mir vom Führer
übertragene Auftrag auch dahin lautet, *sämtliche* gleichgeschalteten Verbände
in Bezug auf ihre geistige und weltanschauliche Haltung zu überwachen und
daß hier eine andere Meinung diese Verfügung des Führers nicht aufzuheben
in der Lage ist.» Rosenberg warf Goebbels auch vor, er habe sich nicht von
Stefan Zweig distanziert, und ebenso erinnert er brieflich an die Zeit, «als Sie
in Hanns Heinz Ewers, dem Verfasser von ‹Alraune› und ‹Vampir›, ferner in
Arnolt Bronnen, dem Verfasser der ‹Septembernovelle›, sich Ihre Künstlerum-
gebung suchten» – in Dokument CXLII – 246; in seinem Kampf gegen Goebbels
unternahm Rosenberg es sogar, dessen Liebesaffäre mit der Schauspielerin Lyda
Baarova bei Hitler und Himmler auszuschlachten, siehe Dr. H.-G. Seraphim,
a. a. O., S. 64–65.

Rosenberg gegen die Parteiamtliche Prüfungskommission (PPK):

In einer Bekanntmachung vom 8. 4. 1935 versuchte Rosenberg, die Grenzen
so zu ziehen, daß die PPK ausschließlich mit Schrifttum, «das sich in Wort und
Bild und im Inhalt auf den Nationalsozialismus bezieht», befaßte, während
seine eigene Dienststelle «das *gesamte* deutsche Schrifttum» zu prüfen hatte –
Bekanntmachung im Besitz des Herausgebers; Reichsleiter Bouhler, den Chef
der PPK, kümmerte solch eine Bekanntmachung natürlich wenig. Er mischte sich
auch weiterhin in die Kompetenzen des Amtes Rosenberg ein; Rosenberg brachte deshalb ein Jahr später erneut eine Bekanntmachung heraus, in der festgestellt wurde, daß die Verordnungen Bouhlers die «Dienststelle des Beauftragten des Führers» nicht berührten – in: *Nationalsozialistische Monatshefte*, 1936,
S. 578; Rosenberg war inzwischen so aufgebracht, daß er sich dauernd über ihn
beschwerte. So meinte er Rudolf Heß gegenüber: «Bouhler kommt gerade mit
Beinstellen gut vorwärts» – in H.-G. Seraphim, a. a. O., S. 78; am 2. 1. 1940
schrieb er: «Die Inferioren wie Bouhler» – ebd. S. 95; einen Monat später be-
klagte er Hitler selbst gegenüber «die Subalternitäten der PPK» – ebd. S. 100;
übrigens gehörte Rosenberg zu den empfindlichsten und ehrgeizigsten Kulturma-
nagern im Dritten Reich; wenn auch mehrfach erfolglos, strebte er danach, sich
überall durchzusetzen; so verabscheute er beispielsweise den Führer der Deutschen Arbeitsfront Robert Ley, bemühte sich jedoch im Kulturkampf auch um
seine Gunst; immerhin gehörte Leys Arbeitsfront in organisatorischer und fi-
nanzieller Hinsicht zu den mächtigsten Organisationen im Dritten Reich, und
Rosenberg schrieb deshalb am 6. 5. 1939 Ley einen langen Brief, in dem er ihn
um Hilfe bat, «seine Dienststelle mit notwendig erscheinenden Mitteln zu fördern»; nennenswerten Erfolg erzielte er damit nicht, denn Ley kannte die Kompetenzstreitigkeiten der verschiedenen «Schrifttum»-Stellen zu gut, was aus
einem Schreiben vom 25. 8. 1939 an Rudolf Heß eindeutig hervorgeht; über die
Lektoren der PPK und des Amtes Rosenberg schreibt er u. a.: «Es soll vorkommen, daß den Lektoren von beiden Dienststellen das gleiche Buch zur Begutachtung zugeschickt wird. Die Lektoren helfen sich in solchen Fällen in der Weise,
daß sie der einen Dienststelle das Original ihres Gutachtens, der anderen einen

Durchschlag desselben zuleiten» – beide Briefe im Besitz des Herausgebers; über den sonstigen Kampf Rosenbergs gegen Ley und vice versa s. Léon Poliakov–Joseph Wulf: *Das Dritte Reich und seine Denker*, Berlin 1959, S. 38–43 und 145–147; über ähnliche Streitigkeiten Rosenbergs mit Martin Bormann, dem Leiter der Parteikanzlei, s. Joseph Wulf: *Martin Bormann – Hitlers Schatten*, Gütersloh 1962, S. 92–95, 99–100 und 147–151.

Goebbels gegen Bouhler:

Die Meinungsverschiedenheiten zwischen Propagandaamt und PPK gingen so weit, daß der Chef der Reichskanzlei, Dr. Hans Heinrich Lammers, am 2. 4. 1941 deswegen an Goebbels schreiben mußte. Am Ende des Briefes steht der Satz: «Falls eine Einigung zwischen Ihnen und Reichsleiter Bouhler nicht möglich ist, kann durch meine Vermittlung die Entscheidung des Führers eingeholt werden»; Brief im Besitz des Herausgebers.

Über alle diese Kämpfe gibt es eine bezeichnende Aktennotiz des Ministerialdirigenten Alfred-Ingemar Berndt – Dezember 1936 bis September 1939 Leiter der Abteilung *Schrifttum* im Propagandaministerium – vom 1. 11. 1939, in der u. a. steht: «Ich habe das Gefühl, daß die Schrifttumsabteilung [im Propagandaministerium] allmählich zerbricht. Die Gegner unseres Ministeriums setzen neuerdings mit aller Kraft zu einem Stoß gegen die Schriftumsabteilung an. Sie ist augenblicklich einem konzentrierten Angriff von Gegnern ausgesetzt, die allerdings unter sich auch nicht einig sind: durch Hederich, durch Hagemeyer»; Aktennotiz im Besitz des Herausgebers.

In einem waren jedoch alle Instanzen des Dritten Reichs und ihre Verantwortlichen einig: «Wer gegen unsere Weltanschauung kämpft», so schrieb Hans Hagemeyer, «kämpft gegen Deutschland und ist als Landesverräter zu behandeln» – in *Von der Kraft der Dichtung* in: *Wille und Macht*, 1935, Heft 20, S. 19.

Propaganda-Ministerium

Organisatorisches

Georg Wilhelm Müller: *Das Reichsministerium für Volksaufklärung und Propaganda*, Berlin 1940, S. 15–27, gekürzt.

Die Hauptlenkungsarbeit bezüglich der Literatur lag in der Abteilung VIII: *Schrifttum*; ihr erster Leiter war Heinz Wismann, ihm folgte 1936 Karl Heinz Hederich und 1939 Alfred-Ingemar Berndt; 1941 wurde Wilhelm Haegert ihr Leiter und 1945 noch Wilhelm Bade; anfangs war der Machtbereich der Abteilung noch ziemlich begrenzt, da sie sich ursprünglich lediglich mit «Schund- und Schmutzschriften» beschäftigte, was dazu führte, daß jenes *Gesetz zur Bewahrung der Jugend vor Schund- und Schmutzliteratur* vom 18. 12. 1926 außer Kraft gesetzt wurde – *Berliner Lokal-Anzeiger*, Morgenausgabe, vom 20. 4. 1935. Später übernahm die Abteilung Schrifttum die «Betreuung» sämtlicher Gebiete des Schrifttums; zu den wirkungsvollsten Aktivitäten des Propagandaministeriums auf diesem Gebiet im Sinne der Beeinflussung und Lenkung gehörten *Gesetz zum Schutze der nationalen Symbole*, 19. 5. 1933; *Einrichtung von Lan-*

desstellen in jedem Gau der NSDAP, Reichspropagandaämter, Juli 1933; *Schrift-*
leitergesetz, 4. 10. 1933; *Reichskulturkammergesetz,* 15. 11. 1933; *Klarstellung*
der Zuständigkeit des Propagandaministeriums für Polizeiaufgaben auf seinem
Sachgebiet, 5. 4. 1936; *Errichtung der Goebbels-Stiftung,* 29. 10. 1936; *Stiftung*
des Nationalpreises für Kunst und Wissenschaft, 30. 1. 1937; *Errichtung des*
Propagandaamtes Österreich, 31. 8. 1938; die Errichtung der sieben ostmärki-
schen Propagandaämter, 28. 11. 1938; die Einrichtung des Reichspropagandaamtes Sudetenland, 28. 11. 1938; über das *Schriftleitergesetz,* von dem auch die
literarischen Zeitschriften betroffen wurden, wird eingehend berichtet in: *Presse*
und Funk im Dritten Reich (Ullstein Buch 33028).

Die Schrifttumsabteilung befaßt sich mit Fragen der kulturpolitischen
Führung und Förderung des deutschen Schrifttums im In- und Ausland.
Sie hat vor allem dafür zu sorgen, daß das deutsche Volk in immer brei-
teren Schichten mit den Leistungen der deutschen Dichter und Schriftsteller in Fühlung gebracht wird. In engster Zusammenarbeit mit dem
in der Reichsschrifttumskammer, den Verlegern, den Buchhändlern und
den Büchereien, führt sie die propagandistischen Großaktionen durch.
Mit Hilfe ihrer nachgeordneten Dienststelle, des «Werbe- und Bera-
tungsamtes für das deutsche Schrifttum», betreibt sie eine planmäßige
Auslese der besten Leistungen des Schrifttums auf allen Schaffensgebie-
ten.

In besonderem Maße gefördert wird der deutsche Schriftsteller. Durch
seinen Einsatz bei Dichterlesungen, durch die Organisation von Vor-
tragsreisen, durch *Betreuung* der im «Reichswerk Buch und Volk» zusammengeschlossenen literarischen Gesellschaften und Vortragsvereini-
gungen, durch Bereitstellung von Arbeitsstipendien, durch Veranstaltung von Dichterfahrten, Nachweis von Verlagen und laufenden Bera-
tungen wird dafür gesorgt, daß alle wirklich wertvollen Autoren mit
ihren Arbeiten herauskommen und dem Volke bekannt werden.

Auch der deutsche Verleger erfährt neben der Propaganda für seine
Bücher durch laufende, fruchtbare Verbindung mit der Abteilung jede
mögliche *Förderung.*

Ohne selbst Verlage, Buchhandlungen und ähnliche Unternehmun-
gen zu verwalten, nimmt die Schrifttumsabteilung *Einfluß* auf die lebendige Weiterentwicklung unserer Literatur, besonders im Bereiche der
propagandistischen, kulturpolitischen und politischen Bücher sowie des
schöngeistigen und des Fachschrifttums.

Von besonderer Bedeutung ist auch die Bedeutung der Schrifttumsabteilung auf den Gebieten des privaten Büchereiwesens, besonders der
Werkbüchereien und Leihbüchereien.

Im Rahmen der Arbeiten für das deutsche Schrifttum in seinen Beziehungen zum Ausland müssen die umfangreichen Fragekreise des Bü-
cherexportes, des Dichteraustausches zwischen den Kulturländern, des
Schrifttums der deutschen Volksgruppen im Ausland, der Buchausstel-

lungen und der Lesungen deutscher Autoren im Ausland genannt werden. Endlich gehört hierzu der Problemkreis der Übersetzungen fremdsprachlicher Werke ins Deutsche und der Übersetzungen deutscher Bücher in die Kultursprachen.

Die Schrifttumsabteilung ist ferner zuständig für alle im Reich notwendigen Buchverbote.

Die gesamten Arbeiten werden in dauernder Fühlung mit den beteiligten Reichsministerien, vor allem den zentralen Schrifttumsstellen der Partei und der Deutschen Arbeitsfront, durchgeführt. Um den gewaltigen Umfang der Betreuungsarbeit der Abteilung ermessen zu können, mögen folgende Zahlen genannt werden: 2500 Verleger, rund 25 000 Buchhändler, 3000 Autoren, etwa 20 000 jährliche Neuerscheinungen auf dem Buchmarkt, über 1 Million im Handel befindliche Buchtitel, über 50 bedeutsame deutsche Literaturpreise, über 1000 Kundgebungen zu Schrifttumsfragen, viele Tausende von Lesungen deutscher Dichter und Schriftsteller.

«Über das Privatsekretariat von Frau Magda Goebbels»

Johanna Maria Magdalena, Dr. Joseph Goebbels Frau.

	Reichsministerium für Volksaufklärung und Propaganda
	Geschäftszeichen: S 8103/5. 12. 41/57–2,15
An	Berlin W 8, den 11. April 1942
Fräulein Leonore Mörke	Wilhelmplatz 8–9
Dresden N 23	Fernsprecher: 11 00 14
Marienhofstr. 28	Schl./Wa.

Es wird mitgeteilt, daß der über das Privatsekretariat von Frau Magda Goebbels eingereichte Gedichtband von Herbert Hoffmann, «Unsterbliches Volk» hier außerordentlich günstig beurteilt wird und daß er besonders gefördert werden soll. Die notwendigen Maßnahmen werden von hier aus unverzüglich getroffen werden. Das Werk ist in jeder Beziehung wert, im deutschen Volk verbreitet zu werden.

Heil Hitler!
Unterschrift

Amt Rosenberg

Im Januar 1934 wurde Alfred Rosenberg zum «Beauftragten des Führers zur Überwachung der weltanschaulichen Erziehung der NS-Bewegung» ernannt; A. Rosenberg in: *Der Schulungsbrief*, 1934, S. 9: «Der Dienst für diese Weltanschauung steht nunmehr im Brennpunkt unserer ganzen Erziehungsarbeit, und von dem Ergebnis dieses Wirkens wird es abhängen, ob der Nationalsozialismus mit unserem kämpferischen Geschlecht ins Grab steigt oder ob er wirklich, so wie wir glauben, den Beginn eines neuen Zeitalters darstellt.»

Das Amt Schrifttumspflege

Dr. Bernhard Payr: *Aufgaben des Amtes Schrifttumspflege* in: *Die Welt des Buches*, Ebenhausen bei München 1938, S. 203–207, gekürzt.

Dr. phil. Bernhard Payr, Schriftsteller (Neuere Literatur und Geistesgeschichte, Essay), * 1903; Leiter des Amtes Schrifttumspflege im Amt Rosenberg.

Das Amt Schrifttumspflege bei dem Beauftragten des Führers für die gesamte geistige und weltanschauliche Erziehung der NSDAP[1] ist die älteste von allen Schrifttumsdienststellen[2], die heute innerhalb des nationalsozialistischen Volksstaates bestehen. Ihre ersten Anfänge reichen bis in das Jahr 1932 zurück. Schon damals wurden im Rahmen des Kampfbundes für deutsche Kultur in Nürnberg unter der Leitung von Hans Hagemeyer die ersten schrifttumspolitischen Arbeiten für den Gau Franken durchgeführt. Auf Grund dieser Vorarbeiten kam es dann am 16. Juni 1933 zur Gründung der Reichsstelle zur Förderung des deutschen Schrifttums[3], die seit dem 1. August 1933 ihren Sitz in Berlin hat und eine vom Amt Schrifttumspflege betreute Organisation darstellt. Zwischen dem Amt und der Reichsstelle besteht Personalunion; sie werden seit der Gründung vom Reichsamtsleiter Hagemeyer geführt.[4] Da

1 Alfred Rosenberg hatte dieses Amt seit Januar 1934 inne.
2 Diese Feststellung ist oft von den Mitarbeitern im Amt Rosenberg wiederholt worden, um sich von den anderen Konkurrenzinstanzen für die Lenkung des Schrifttums im Dritten Reich deutlich abzuheben.
3 Die Reichsstelle zur Förderung des deutschen Schrifttums ist ursprünglich in Leipzig gegründet worden. Zu ihren Hauptmanagern gehörten anfangs Alfred Bäumler, Hans Hagemeyer, Hellmuth Langenbucher, Rainer Schlösser und Heinz Wismann; zuerst war es eine «private Vereinigung»; ausführlicher darüber siehe: *Deutsches Schrifttum, unsere starke Waffe – Ein Gespräch mit Hans Hagemeyer* in: *Berliner Börsenzeitung* vom 25. 8. 1933; Dr. Bernhard Payr: *Kulturarbeit im Stillen – Wie arbeitet die Reichsstelle zur Förderung des deutschen Schrifttums?* in: *Kasseler Neueste Nachrichten* vom 14./15. 7. 1934; *Die Grundsätze zur Förderung des deutschen Schrifttums*, in: *Völkischer Beobachter* vom 25. 11. 1935.
4 Sein Stellvertreter war Hellmuth Langenbucher.

beide Dienststellen dem Reichsleiter Alfred Rosenberg unterstehen, ergeben sich ihre besonderen Aufgaben notwendigerweise aus dem Auftrag der Überwachung der gesamten geistigen und weltanschaulichen Schulung der NSDAP, den der Reichsleiter vom Führer erhalten hat.

Zu den wichtigsten Hilfsmitteln der weltanschaulichen Schulung zählt auch das neuere deutsche Schrifttum, das fortlaufend durch eine klare und systematische Wertung nach politisch-weltanschaulichen, volkserzieherischen, fachwissenschaftlichen und künstlerischen Gesichtspunkten ausgelesen werden muß. Die richtige Wertung und Förderung dieses Schrifttums dient also vornehmlich der Durchführung der einheitlichen weltanschaulichen Ausrichtung nicht nur der nationalsozialistischen Bewegung, sondern darüber hinaus des ganzen deutschen Volkes.

Die Grundlage für alle schrifttumspolitischen Maßnahmen des Amtes bilden die vom Zentrallektorat erstellten Urteile. Die Gutachtertätigkeit wird von einem ehrenamtlichen Mitarbeiterstab durchgeführt, der von 23 Lektoren des Jahres 1933 allmählich auf etwa 900 Hauptlektoren, Vorlektoren und Lektoren angewachsen ist.[1] Ihm gehören die berufensten Fachleute aus allen Gebieten der deutschen Wissenschaft an; sie verteilen sich auf rund 50 Hauptlektorate. Alljährlich werden etwa 8000 bis 10 000 Werke durch das Amt begutachtet. Eine eigene Zeitschriftenabteilung überprüft laufend etwa 1000 verschiedene deutsche Zeitschriften. Darüber hinaus enthalten die «Jahresgutachtenanzeiger» alle Titel der im Laufe eines Jahres geprüften Bücher, darunter auch eine Anzahl von Werken, die «mit Einschränkungen» bewertet wurden.[2]

Neben den Verlegergutachten und der listenmäßigen Erfassung der Titel der begutachteten Werke stellt die allmonatlich im Gauverlag Bayerische Ostmark in einer Auflagenhöhe von 9000 Stück erscheinende Zeitschrift «Bücherkunde» eine der wichtigsten Auswertungsmöglichkeiten der Gesamtarbeit des Zentrallektorats dar.

In den ersten Buchausstellungen der Dienststelle, die das Ewige, das Wehrhafte und das Politische Deutschland behandelten, sind die Erfahrungen gesammelt worden, aus denen heraus sich die großen offiziellen Reichsparteitagsausstellungen «Nürnberg die deutsche Stadt» und «Europas Schicksalskampf im Osten» entwickelt haben. Alle diese Großausstellungen haben von Berlin oder Nürnberg aus ihren Weg ins

1 1940 hatte dieses Amt schon vierzehnhundert Lektoren; Zentrallektor war anfangs Hellmuth Langenbucher, später «betreute» er nur die schöngeistige Literatur.

2 Zu den Zeitschriften der Reichsstelle, in denen die «Bewertungen» des Lektorats ausgewertet wurden, gehörten: *Buch und Volk* für den Buchhandel; *Bücherkunde*, allgemeines Informationsblatt, das Gutachten positiver und negativer Art enthielt; *Kataloge* und *Dienst am Schrifttum*. Ausführlicher siehe: *Rückfragen und Anordnungen der Reichsstelle zur Förderung des Deutschen Schrifttums*, in: *Zeitschrift für Deutschkunde*, 1934, S. 446 f.

Reich in Form von Wanderausstellungen angetreten und konnten in vielen deutschen Gauen als besonders eindrucksvolles Schulungsmaterial gezeigt werden.

Die zweite große Säule der ehrenamtlichen Mitarbeiter, die das vielgliedrige organisatorische Gebäude des Amtes Schrifttumspflege trägt, stellen die Gau- und Kreisschrifttumsbeauftragten dar, die entsprechend den politischen Gauen über das ganze Reich verteilt sind und in engster Zusammenarbeit mit den jeweiligen Gau- und Kreisschulungsämtern ihre Wirksamkeit entfalten.

Die Mitarbeiter des Amtes werden alljährlich im Frühjahr zu einem Reichslehrgang in eine der Gauschulen der Bewegung einberufen. Auf diesen Lehrgängen wird immer wieder in Vorträgen und Arbeitsgemeinschaften auf eine größtmögliche Übereinstimmung in der Beurteilung wichtiger schrifttumspolitischer Fragen hingearbeitet. Im Herbst hält das Amt dann seine große repräsentative Arbeitstagung in Berlin ab, deren Höhepunkte jeweils eine Kundgebung in der Krolloper bildet, auf der Reichsleiter Rosenberg selbst das Wort zu richtungsweisenden Ausführungen ergreift.

Instinktsichere Nationalsozialisten

Kunst- und Schrifttumspflege ist eine Angelegenheit der Seele, in: *Deutsche Bühnenkorrespondenz* vom 27. 11. 1935, Ausgabe A, Auszug; Alfred Rosenbergs Rede auf der zweiten Reichstagung der Reichsstelle zur Förderung des deutschen Schrifttums.

Reichsleiter Rosenberg ging dann auf die gedanklichen Voraussetzungen ein, die der ganzen Arbeit zugrunde lägen. Man könne zu einer Wertung und Förderung von Kunst und Schrifttum von verschiedenen Gesichtspunkten aus herantreten. Man könne z. B. die bekanntesten Schriftsteller zusammenberufen, um sie dann zur Wertung der neuerscheinenden Werke heranzuziehen. Diesem Gedanken stehe die Schwierigkeit gegenüber, daß der Subjektivismus eines Künstlers seine Kraft, aber auch seine Schwäche darstellt, und daß angesichts des heutigen Übergangsstadiums vermutlich auch weltanschauliche Verschiedenheiten mitwirken würden. Deshalb sei die Leitung der Reichsstelle zu einer anderen Arbeitsmethode gekommen, indem sie darauf verzichte, vom Standpunkt des Prominenten aus die Arbeit einzuleiten, sie suchte vielmehr instinktsichere, dem Schrifttum hingegebene Nationalsozialisten zur selbstlosen Förderung.

«Die Bücherkunde»

Aufsatz in: *Neues Volk*, 1935, S. 31.

Die «Bücherkunde» veröffentlicht regelmäßig die wichtigsten Gutachten der Reichsstelle zur Förderung des deutschen Schrifttums. Sie richtet ihren Scheinwerfer auf die weltanschauliche Zuverlässigkeit, die sachliche Eignung und das künstlerische Können. Sie beobachtet aufmerksam das neue Schrifttum, sie reißt den fallenden Propheten die Tarnkappe ab, sie stellt aber auch mitten in das Rampenlicht des Geisteslebens der Gegenwart Bücher weniger bekannter Schriftsteller, die uns Entscheidendes zu sagen haben. Sie ist ein monatlich erscheinender «Wetterbericht» des deutschen Schrifttums. In ihr wird der weltanschauliche, fachliche und künstlerische Wert oder Unwert neuerer Bücher rücksichtslos klargestellt.

Auf dem Gebiet der Rassenpolitik und der Volkspflege beispielsweise hat die «Bücherkunde» im laufenden Jahr bisher folgende Bücher beurteilt: von Merkenschlager [1] lehnte sie mit ausführlichen Gutachten «Rassensendung, Rassenmischung, Rassenwendung» und von Karl Saller [2] «Der Weg der deutschen Rasse» mit dem Ergebnis ab, daß sie verboten wurden.

Dazu kommen die großen Auseinandersetzungen auf geschichtlichem Gebiet mit Oncken [3] und Czech-Jochberg [4], die Kapitel Geschichte, Politik und vor allem das schöngeistige Schrifttum, darunter Bauern-, Abenteurer- und Rassenromane sowie die reinen Unterhaltungsbücher, auch vorgeschichtliche Gutachten und Kritiken.

1 Prof. Dr. Fritz Merkenschlager, Physiologie und Pathologie der Kulturpflanzen, *1892.

2 Prof. Dr. Karl Saller, Anthropologie und menschliche Genetik, Biologie, *1902; über den Kampf der Professoren Merkenschlager und Saller gegen die offizielle Rassentheorie des Dritten Reichs siehe ausführlich Karl Saller: *Die Rassenlehre des Dritten Reichs*, Darmstadt 1961.

3 Prof. Dr. Hermann Oncken, Neuere Geschichte. 1869–1945; mit Friedrich Meinecke Herausgeber von: *Klassiker der Politik.*

4 Erich Czech-Jochberg, Publizist zu Themen aus Politik und Geschichte, *1890; Autor von: *Adolf Hitler und sein Stab*, Leipzig 1933; *Wie Adolf Hitler der Führer wurde*, Leipzig 1933; *Unser Führer*, Stuttgart 1933; *Deutsche Geschichte nationalsozialistisch gesehen*, Leipzig 1933; *Das Jugendbuch von Horst Wessel*, Stuttgart 1933; Herausgeber von: *Das Neue Deutschland.*

Anhang I: «Der Führer» von E. W. Möller

Dieses Gutachten wurde vom Adjutanten Rosenbergs an die Adjutantur des Führers geschickt und ist, wie fast alle Hitler vorzulegenden Schriftstücke, auf einer Spezialschreibmaschine mit übergroßen Buchstaben geschrieben, damit Hitler ohne Brille lesen konnte. Das Dokument umfaßt dreißig Maschinenschriftseiten und wurde gekürzt.

Eberhard Wolfgang Möller, Schriftsteller (Lyrik, Drama, Roman), *1906; Referent der Theaterabteilung des Reichsministeriums für Volksaufklärung und Propaganda; der Grund für dieses Gutachten des Amtes Rosenberg war wahrscheinlich, einen Beamten des Propagandaministeriums zu diskreditieren; «Möllers Anteil an der völkischen Lyrik ist vorläufig auf jene großen Gemeinschaftsgebilde beschränkt, die sich als kleine Dramen zur kultischen Weihedarstellung durch geteilte Sprechchöre aufs beste eignen: die beiden Weltkriegskantaten stehen hier in der ersten Reihe der Gemeinschaftslyrik neuer Art» – in Walther Linden: *Die völkische Lyrik unserer Zeit* in: *Zeitschrift für Deutschkunde*, 1935, S. 456; ausführlicher über E. W. Möller in: *Theater und Film im Dritten Reich* (Ullstein Buch 33031).

Aktennotiz an den Führer.

Berlin, den 15. 12. 1938
5315/38

Betrifft: Das Weihnachtsbuch der deutschen Jugend unter dem Titel «Der Führer», geschrieben von Eberhard Wolfgang Möller.
Soeben erscheint zu Weihnachten obige Schrift Eberhard Wolfgang Möllers von der HJ, die Veranlassung gibt, den Führer, der selbst im Zentrum der Arbeit steht, darauf hinzuweisen mit dem Vorschlage, eine weitere Auslieferung des Werkes in der vorliegenden Form zu untersagen. Nachstehend ein Gutachten über die Schrift:
Sie ist im allgemeinen flüssig und lesbar geschrieben und wäre zu begrüßen, damit die deutsche Jugend von einem aus ihrer eigenen Mitte ein lebendiges Bild vom Kampf des Führers und seiner Bewegung erhält. Leider werden die nicht zu beanstandenden Ausführungen aber so oft durch Bemerkungen und Ausmalungen durchzogen, welche die Gefahr einer Verkitschung des großen Kampfes und des Bildes vom Führer selbst mit sich bringen. Auf Seite 14 heißt es: Hitler habe den Geist der deutschen Lazarette kennen gelernt, er sah ihn im «Zwielicht des vergifteten Gesichts». Und weiter: «Die Augen, deren Schmerz allmählich nachließ, erkannten seine groben Umrisse. Es war der fette Lollus jenes alten, unheimlichen deutschen Märchens. Je mehr man ihm zu Willen war, desto fetter wurde er. Er saß endlich, unfaßbar, unerklärlich, auf Lastkraftwagen, hatte Matrosenuniform an und ein unverkennbar jüdisches Gesicht. Er grölte, schoß und schrie die Revolution aus.»
Nach einer Erzählung einer Volksanekdote (S. 24), daß der König seinen Hut nie abnahm in Gegenwart seiner Diener, heißt es vom Führer (S. 25): «Der magere Schwarze, wie ihn seine französische Quartier-

Mein lieber...

Hy th.my

DER JUGENDFÜHRER DES DEUTSCHEN REICHS

BERLIN NW 40 · KRONPRINZENUFER 10

Dezember 1938.

An den

    Chef der Ordnungspolizei
    Herrn General D a l u e g e

        Berlin NW.7
    Unter den Linden 74.

Lieber Parteigenosse Daluege!

      Der Dichter Eberhard Wolfgang M ö l l e r
hat in meinem Auftrag das Weihnachtsbuch der Jugend
geschrieben, das den Lebensweg Adolf Hitlers und seine Lehre darstellt. Ich erlaube mir, Ihnen dieses Buch

          "Der Führer"

als Weihnachtsgeschenk der HJ. zu übermitteln.

      Meinen Mitarbeitern und Mitarbeiterinnen habe
ich zu diesem Weihnachtsfest die Sammlung einiger Reden , die ich in den vergangenen Jahren gehalten habe,
überreicht.

Baldur von Schirach 25.407

Ein Buch über den «Führer» als Weihnachtsgeschenk

wirtin nannte, war ihnen merkwürdig. Der scharfe Blick, der sie unbestechlich von oben bis unten fixieren konnte, verwirrte, ja erschreckte sie. Die ganze sonderbare Erscheinung blieb ihnen unvergeßlich haften.»

Auf Seite 31 wird vom Jugendstil gesagt, er habe «zu den Müttern» zurückgewollt, eine Redewendung, die jetzt außerordentlich beliebt geworden ist und deren Sinn Möller auf Seite 131 dahin deutet, daß das Prinzip der nationalsozialistischen Bewegung ein mütterliches (!) sei.

Im Zusammenhang mit vielen anderen ähnlichen Stellen erscheinen der Führer und die nationalsozialistische Bewegung beinahe wie eine frühchristliche franziskanische Gemeinde und nicht wie eine der größten Kampfbewegungen der deutschen Geschichte.

Von der Zeit, da der Führer am 8. November 1923 im Bürgerbräu steht und sich kurz einen Teil der Rede von Kahr [1] anhört, schreibt Möller (S. 71): «Zehn Minuten stand der Führer unbeweglich neben einer Säule, um ihn die atmende Lautlosigkeit der nichtsahnenden Versammlung, und vor ihm weit, eine geträumte Unendlichkeit weit in der Ferne, in der unpersönlichen, grellen Saalhelligkeit, in der sich die Konturen auflösten, der Punkt, auf den noch alle Augen hinsahen.»

Diese Art der Schilderung erscheint weder für die Jugend, noch für die Erwachsenen ersprießlich, sondern erinnert bedenklich an die Art, wie früher in der liberalistischen Presse reißerische Reportagen veröffentlicht wurden. Es ist ferner nicht richtig – und in Schilderungen solcher Augenblicke muß auf die geschichtliche Richtigkeit bestanden werden –, daß der Führer mit seinen drei Begleitern durch die Mitte zum Podium ging; vielmehr ist es richtig, daß der Führer, Graf, von Scheubner-Richter [2] und Rosenberg vom Haupteingang links einbogen und dann auf dem linken Gang unmittelbar zum Podium schritten.

Dann heißt es bei Möller weiter (S. 72): «Es war jetzt wie ein stummer Film, vor dem die Musik plötzlich ausgesetzt hat. Man hörte nur noch das Rauschen des Blutes in den Ohren. Die Herzen tickten wie Perpendikel. Die Schritte der vier Männer klappten gleichmäßig im Takte. Es war der Takt der Entscheidung.»

Auch hier scheint eine erhebliche Geschmacksverirrung vorzuliegen.

Auf Seite 78 wird vermerkt, wer neben dem Führer zur Feldherrnhalle ging. Eine geschichtliche Gewissenhaftigkeit hätte zum mindesten, wenn schon nicht alle aufgeführt werden können, die dabei waren, doch zu vermerken, daß Oberstleutnant Kriebel [3] als verantwortlicher Kom-

1 Dr. Gustav Ritter von Kahr war beim Hitler-Putsch am 9. 11. 1923 in München oberbayerischer Regierungspräsident.
2 Oberleutnant a. D. Dr. von Scheubner-Richter befand sich beim Marsch zur Feldherrnhalle am 9. 11. 1923 in den ersten Reihen.
3 Hermann Kriebel wurde nach dem Hitler-Putsch zu fünf Jahren verurteilt, aber nach neun Monaten zusammen mit Hitler aus Landsberg entlassen; ab 1934 deutscher Generalkonsul in Shanghai.

Berlin W 35, den 15.12.1938
Margarethenstr. 17 5315/38 :t.
Fernspr.: 22 05 51

Reichsleiter Alfred Rosenberg
Kanzlei ·

- Der Adjutant -

An die
Adjutantur des Führers,

B e r l i n n. 9

Reichskanzlei.

    Im Auftrage von Reichsleiter Rosenberg
übergebe ich ein Gutachten über die Schrift
von Eberhard Wolfgang M o e l l e r, betitelt
"Der Führer".

    Reichsleiter Rosenberg bittet den Führer,
das Gutachten anhand des beiliegenden Buches
zu überprüfen. Er hält eine derartige Behandlung der Persönlichkeit des Führers für nicht
tragbar und schlägt dem Führer vor, wie im
Gutachten ausgeführt, eine Anordnung zu erlassen, wie sie im Gutachten vorgeschlagen wird

        Heil Hitler !

        Koppen

    (SA-Obersturmbannführer)

Der Führer soll das Buch «Der Führer» verbieten

mandeur des Kampfbundes und Dr. Weber [1] als der Führer des Bundes Oberland [2] neben dem Führer marschieren.

Danach wird versichert, daß München zu «glühen» begonnen hätte. Dann sei an der Feldherrnhalle ein Schuß gefallen, und man wisse bis heute nicht, wer ihn abgegeben habe. Es wird hinzugefügt: «Das Gewissen des Menschen, der es tat, mag ewig ruhelos durch die nächtlichen Gründe der Reue geistern.» Darauf wird erklärt, daß der erste Schuß gleich eine ganze wütende Meute von kläffenden anderen Schüssen losgekoppelt habe. Dann folgt wieder eine Stelle, gegen deren Weiterveröffentlichung Protest eingelegt wird. Es heißt (S. 79): «Die beiden Fahnen, die vorangetragen wurden, deckten bereits ihre toten Träger, und das große Muttergottesbild der Residenz neigte sich mitleidvoll herab. Es war das einzige menschliche Antlitz, das mit übermenschlicher Gelassenheit diesen entsetzensvollen heiligen Augenblick mitansehen konnte, wo sich die Blutfahne der Bewegung mit dem sickernden Herzblut ihres ersten Fahnenträgers tränkte.»

Viel anders hätte ein Vertreter der katholischen Aktion den Sinn der Feldherrnhalle auch nicht darzustellen vermocht.

Es folgen eine Schilderung dessen, wie der Führer niedergerissen wurde, und die Namen der Toten. Dann heißt es (S. 80): «Göring wurde schwer verletzt. Die anderen warf der Schreck zu Boden.» Auch diese Redewendung scheint dem Sinn der Feldherrnhalle nicht angemessen. Dann heißt es: «Einige erkannten ihn (den Führer) im Wagen und sahen, daß er im Arm einen zwölfjährigen Knaben hielt, der verwundet war. Es war ein herzerschütterndes Symbol.»

Tatsache ist, daß der Führer den Knaben, als er über den Franz-Joseph-Platz fuhr, nicht im Arm, sondern auf dem Rücksitz hatte, etwas, was ja auch schon festgestellt worden ist. Dieses Kapitel endet dann mit der Bemerkung: «Die Jungen singen heute ihr Lied zu Ende: Und ihr habt doch gesiegt! Das steht nicht nur an jener Stelle, mit Kränzen behängt und von Posten bewacht, das steht in ihren Herzen ewig, unverbrüchlich. Und die Cherubime [3] der Treue halten die Wache davor.»

Daß jetzt nach der katholischen Muttergottes noch die alttestament-

---

1 Dr. Friedrich Weber, * 1892, 1937 SS-Oberführer beim Stab Reichsführer SS.

2 Bund Oberland, aus dem Freikorps Oberland hervorgegangen und schon 1921 gegründet.

3 Cherub, Mehrzahl Cherubim in hebräischer Sprache; übermenschliche, engelhafte Wesen, die der Bibel zufolge die erscheinende Gottheit als umhüllende Wolke begleiten; sie sind geflügelt. Die Legende vom Hitler mit dem Knaben ist später auch von Nationalsozialisten selbst fallengelassen worden, die Ludendorff-Kreise griffen sie bereits 1933 an. Siehe dazu Kurt Fügner: *Wir marschieren*, München 1933, und *General Ludendorff im Feuer von Lüttich und an der Feldherrnhalle*, München 1935.

lichen Cherubime herhalten müssen, um die Feldherrnhalle zu schildern, paßt zum Stil der ganzen Darstellung.

Auf der Seite 83 wird betont: der Schließer[1] hätte dann dem Führer den braunen Gummimantel abgenommen, den der Führer in der Stunde der Feldherrnhalle trug. Das mag auch hier eine Kleinigkeit sein, aber jedenfalls ist es damals ein grauer gewesen.

Dann wird der Tod des Hitlerjungen Herbert Norkus[2] geschildert und zum Schluß folgendes geschrieben (S. 127): «Herbert Norkus ward in dem weißen Hemd der Verbotszeit ermordet. Als man das Hemd aber später ansah, da war es ganz und gar mit Blut getränkt, und das Blut war braun geworden. So starb der Junge doch im Braunhemd der Bewegung. Welch unbegreiflich wunderbarer Vorgang!» Gegen diesen Vorgang ist der grüne Tannenreis am Schluß des Tannhäuser noch ein kleines Wunder zu nennen. Die Geschmacklosigkeit dürfte kaum noch übertroffen werden.[3]

Auf Seite 137 wird die in der ersten Auflage von Dr. Goebbels' «Vom Kaiserhof zur Reichskanzlei» zitierte und später meines Wissens herausgenommene Aufzeichnung[4] wieder aufgeführt, wonach der Führer erklärt hätte: Wenn die Partei einmal zerfalle, dann mache er in drei Minuten mit der Pistole Schluß. Die Verbreitung eines solchen vielleicht einmal in verständlicher Erregung hingeworfenen Satzes erscheint als nicht tragbar und wird hiermit der Entscheidung des Führers unterbreitet.

Dieses Buch soll das Weihnachtsbuch der deutschen Jugend sein. Abgesehen von den angeführten Stellen ist es nur noch durchzogen mit Zitaten, die wohl nur den Zweck haben, die große Bildung des Verfassers vorzuzeigen, mit denen aber die Jugend zu 90 % ihres Bestandes kaum wird etwas anfangen können.

Auf Seite 17 wird von einer Amerikanerin gesprochen, die «neugie-

1 Der Schließer der Festung Landsberg, in der Hitler nach dem mißlungenen Putsch inhaftiert wurde.
2 Hitlerjunge Herbert Norkus kam in Berlin-Plötzensee bei einem Zusammenstoß von Nationalsozialisten mit Kommunisten ums Leben; siehe Arnold Littmann: *Herbert Norkus und die Hitlerjungen vom Beusselkitz*, Berlin 1940, und Rudolf Ramlow: *Herbert Norkus? – Hier! Opfer und Sieg der Hitlerjugend*, Stuttgart 1938; Dr. med. Karl Aloys Schenzinger schrieb darüber den Roman *Hitlerjunge Quex*, der später verfilmt wurde; ausführlicher darüber s. *Theater und Film im Dritten Reich* (Ullstein Buch 33031).
3 Weit kitschiger schrieb darüber zwei Tage nach dem Tode von Norkus Dr. Goebbels selbst in seinem *Angriff*: «In der trostlosen grauen Dämmerung stiert ein graues Knabengesicht mit halboffenen gebrochenen Augen ins Leere. Müde steht die schwarze Dämmerung. Aus zwei gläsernen Augen starrt die Leere des Todes. Zwei weiße Hände liegen gefaltet auf schmaler Knabenbrust. Unheimlich tropft die tiefste Stille in die dunkle Einsamkeit.»
4 Das ist nur ein kleiner Seitenhieb auf Goebbels.

rig wie eine Ziege» ausgezogen sei und die erwartet habe, im Führer einem Cherub zu begegnen, «mit süßlichen Pastellfarben gemalt wie eine Illustration des englischen Bilderbücherzeichners Dulac.»

Wenn man das Urteil über dieses Buch zusammenfaßt, so darf man sagen, daß es bedauerlich ist, wenn ein an sich zu befürwortender Plan, der deutschen Jugend Gestalt und Kampf des Führers nahezubringen, in einem überspannt kitschigen Stil, durchsetzt mit schriftstellerischer, überall hervortretender Selbstgefälligkeit, bearbeitet wird. Die Persönlichkeit des Führers ist aber kein Objekt für noch unreife Stilübungen. Es wird deshalb dem Führer vorgeschlagen, anzuordnen, daß dieses Buch vollkommen neu umgearbeitet, auf seinen sachlichen Inhalt neu überprüft und erst dann wieder dem öffentlichen Vertrieb übergeben wird. Dann würde auch das Gute im Buche erst zur Wirkung gelangen.

Dem Zentralparteiverlag ist die Bitte übergeben worden, bis zur Entscheidung des Führers keine Neuauflage zu drucken.

Anhang II: NS-Kulturgemeinde

Die *Nationalsozialistische Kulturgemeinde* entstand 1934 aus dem Zusammenschluß der *Deutschen Bühne* mit dem *Kampfbund für Deutsche Kultur* und wurde vom Amt für Kunstpflege im Amt Rosenberg betreut. Für Literatur hatte sie einen sogenannten *Buchring* und ihr Organ für literarische Fragen war *Volkstum und Heimat*. Alfred Rosenberg sah in der *NS-Kulturgemeinde* eine Lenkungsorganisation und einen großen Beeinflussungsfaktor; ausführlicher darüber siehe: *Die bildenden Künste im Dritten Reich* (Ullstein Buch 33030) und *Musik im Dritten Reich* (Ullstein Buch 33032).

Um die Einheit des NS-Gedankengutes

In: *Berliner Lokal-Anzeiger* vom 18. 12. 1934, Abendausgabe, gekürzt.

Im Spiegelsaal der Krolloper fand am Montag eine Besprechung der Reichsamtsleitung der NS-Kulturgemeinde mit den führenden Persönlichkeiten der nationalsozialistischen Formationen und den Verbänden statt, die Abkommen über Zusammenarbeit auf dem Gebiete der kulturellen Betreuung geschlossen oder vorbereitet haben. Man sah u. a. Vertreter der Reichswehr, der Polizei, der SA, SS, des NSDFB (Stahlhelm) [1],

---

1 NSDFB (Stahlhelm), 1918 gegründet, nach der Machtergreifung von seinem Gründer und Bundesführer Franz Seldte in den *Nationalsozialistischen Deutschen Frontkämpferbund* (NSDFB) umbenannt; die Uniform war nun feldgrauer Rock, braunes Hemd und grüner Schlips, feldgraue Mütze mit Hakenkreuz und Hakenkreuzbinde.

des Gaues Groß-Berlin der NSDAP, der NS-Frauenschaft und des Arbeitsdienstes, weiter nahmen an der Besprechung Vertreter des Beamtenbundes, der Juristen, des NS-Studentenbundes, der Ärzte und der Kriegsopfer teil.

Reichsleiter Rosenberg wies in einer kurzen Ansprache auf die Grundzüge des nationalsozialistischen Strebens nach einer neuen Volkskultur hin. Manche Kreise glaubten heute noch, die nationalsozialistische Welle werde verebben und einer Fortsetzung der alten bürgerlichen Kultur Platz machen. Gegen diese Kreise müsse ein Kampf um die Einheit des nationalsozialistischen Gedankengutes kompromißlos weitergeführt werden.

Anschließend forderte der Amtsleiter der NS-Kulturgemeinde, Dr. Walter Stang[1], die Vertreter der verschiedenen Organisationen auf, in positiver Mitarbeit sich der NS-Kulturgemeinde zur Seite zu stellen, um die große gemeinsame Aufgabe zu lösen.

«Im Sinne unseres Wunsches»

Der Brief ist gekürzt.

Hans Friedrich Blunck
Altpräsident e. h. der Reichsschrifttumskammer
Senator der Akademie der Dichtung
Mölenhoff bei Plön/Holstein
4. November 1935

Lieber Hanns Johst!
Im Sinne unseres Wunsches, mit der NS-Kulturgemeinde gute Beziehungen zu erhalten, bin ich gestern – Sonntag – nach Kiel hinübergefahren und habe der Eröffnung des Künstlerisch-kulturellen Beirats der NS-Kulturgemeinde beigewohnt. Stang hat sehr gut gesprochen. Die Sache war recht feierlich und vorzüglich vorbereitet. Ich habe von Dir zugleich herzliche Grüße überbracht. Am Nachmittag mußte ich heimkehren; der Beirat tagt bis Dienstag. Vielleicht schickst Du Stang noch ein Telegramm. Dies in Eile.

Herzliche Grüße und Heil Hitler!
Dein Hans Fr. Blunck

[1] Dr. phil. Walter Stang war Leiter der *NS-Kulturgemeinde*, des Amtes für Kunstpflege im Amt Rosenberg und Leiter des Instituts für Kunstwissenschaft an der Universität Bonn.

Deutsche Kulturbuchreihe

Volksbücher von heute, in: *Deutsche Bühnenkorrespondenz – Nachrichtendienst der NS-Kulturgemeinde* vom 14. 12. 1935.

Als im Sommer dieses Jahres die NS-Kulturgemeinde und der Frz. Eher-Verlag ihren Plan der gemeinsamen Schaffung einer «Deutschen Kulturbuchreihe» bekanntgaben [1], fand diese Nachricht in der Öffentlichkeit einen unerwartet großen Widerhall. Voller Bereitwilligkeit, ja Begeisterung stellten sich in steigendem Maße Verlag, Presse, Buchhandel und nicht zuletzt die Dienststellen der NS-Kulturgemeinde in den Dienst dieses großen Werks. Schon heute ist die «Deutsche Kulturbuchreihe» ein Begriff, der aus dem kulturellen Leben unserer Zeit nicht mehr wegzudenken ist; und die Zahl ihrer Bezieher steigt von Tag zu Tag.

Dieser Erfolg läßt sich gar nicht anders erklären, als daß der Gedanke einer festen, verpflichtenden Lesergemeinde erst heute als richtig und als unserm gewandelten Erleben gemäß empfunden wird. Denn es gab ja schon früher Leserverbände, die auch an sich durchaus leistungsfähig waren und entsprechenden Zuspruch fanden. Wenn sich nun trotzdem dieser neugegründete Buchring der NS-Kulturgemeinde allen bestehenden «Buchgemeinden» gegenüber durchsetzt – durchsetzt, obgleich er «ganz klein» anfängt und der Beitritt in den meisten Fällen eine Subskription auf Unbekannt ist –, so muß man in ihm etwas Neues sehen. Er ist nicht «auch» und «noch eine» Buchgemeinde. Man bekennt sich vielmehr zu ihr, weil man in dieser «Deutschen Kulturbuchreihe» erst wirklich Wesen und Aufgabe einer wahren Lesergemeinschaft erfaßt sieht.

Denn was heißt: in einer Gemeinschaft lesen? Das heißt nicht, sich aus einer Riesenauswahl verschiedenartigster Bücher des Tages irgendeines, dessen Titel viel verspricht, herauszusuchen; denn dann ist es keine «Buchgemeinde», nur ein Buchkonsumverein, der aus lediglich materiellen Gründen die Leser zusammenschließt. In einer wirklichen Gemeinschaft lesen bedeutet aber, aus einem gemeinsamen Erleben heraus nach Büchern greifen, die diesem Gemeinsamen Gestalt und Sinndeutung geben; es ist mehr denn der Erwerb von Büchern: ein Bekenntnis zu bestimmten Büchern.

Anhang III: «Raub und Plünderung»

Als der Krieg 1939 ausbrach, hatte die *Schrifttum*-Mannschaft um Rosenberg ganz neue Aufgaben zu lösen: den Raub von Bibliotheken und Büchereien im Hitler-Europa. Deshalb wurde der sogenannte *Einsatzstab Rosenberg* gegründet, der mit Hilfe aller Besatzungsbehörden in den von Hitler besetzten Län-

---

[1] In: *Deutsche Bühnenkorrespondenz* vom 26. 6. 1935.

dern und verschiedenen Wehrmachtsstellen die Plünderungen durchführte; ausführlicher darüber in: *Die bildenden Künste im Dritten Reich* (Ullstein Buch 33030), Kapitel V: «Raub und Plünderung», S. 409 f; das planmäßige Rauben sollte jedoch auch noch einem anderen Rosenberg-Unternehmen zugute kommen, der geplanten *Hohen Schule*, die nach siegreichem Kriege eine «zentrale Stätte nationalsozialistischer Forschung, Lehre und Erziehung» sein sollte; Dokumente PS – 136, CXLII – 204 sowie Léon Poliakov – Joseph Wulf: *Das Dritte Reich und seine Denker*, Berlin 1959, S. 129–164; dabei geriet Rosenberg wieder in Konflikte mit Heinrich Himmler, der ebenfalls die Gründung einer eigenen Hohen Schule, aber der SS-Wissenschaftler plante; siehe Serge Lang – Ernst von Schenck: *Porträt eines Menschheitsverbrechers*, St. Gallen 1947, S. 198 f; Himmlers am 1. 7. 1935 gegründete SS-Forschungs- und Lehrgemeinschaft *Ahnenerbe* mit ihren sechsundfünfzig wissenschaftlichen Abteilungen und achtunddreißig Lehr- und Forschungsstätten war ebenfalls allzu oft Rosenbergs Widersacher; dieser kam daher niemals über die Gründung der Frankfurter Außenstelle seiner Hohen Schule, dem *Institut zur Erforschung der Judenfrage*, hinaus; das Institut wurde am 26. 3. 1941 eröffnet und mit Vorträgen Rosenbergs, Wilhelm Graus', Giselher Wirsings, Klaus Schickerts und Walter Gross' eingeweiht; das Eröffnungsprogramm und die Liste der geladenen Gäste befindet sich im Dokument CXLIII – 305; siehe hierzu auch S. Pomeranz: *Operation Offenbach* in *Yivo-Bleter-Journal of the Yiddish Scientific Institute*, Vol. 39, Sommer 1947, Nr. 2, S. 282–285, in Jiddisch; sowie Max Weinreich: *Hitlers Professors*, New York 1946, S. 106–113.

Der Chef des Oberkommandos der Wehrmacht

Dokument PS – 137; Generalfeldmarschall Wilhelm Keitel, 1882–1946, war von 1938–45 Chef des Oberkommandos der Wehrmacht.

	Der Chef des Oberkommandos der Wehrmacht
An	Nr. 2850/40 g Adj. Chef OKW
den Oberbefehlshaber des Heeres	Berlin W 35
den Wehrmachtsbefehlshaber	Tirpitzufer 72–76
in den Niederlanden	den 5. 7. 1940

Reichsleiter Rosenberg hat beim Führer beantragt:
1. die Staatsbibliotheken und Archive nach für Deutschland wertvollen Schriften,
2. die Kanzleien der hohen Kirchenbehörden und Logen nach gegen uns gerichteten politischen Vorgängen
zu durchforschen und das in Betracht kommende Material beschlagnahmen zu lassen.

Der Führer hat angeordnet, daß diesem Vorschlag zu entsprechen sei und daß die Geheime Staatspolizei – unterstützt durch Archivare des

Reichsleiters Rosenberg – mit den Nachforschungen betraut werde. Der Chef der Sicherheitspolizei, SS-Gruppenführer Heydrich, ist benachrichtigt; er wird mit den zuständigen Militärbefehlshabern zwecks Ausführung des Auftrages in Verbindung treten. Diese Maßnahme soll in allen von uns besetzten Gebieten der Niederlande, Belgien, Luxemburg und Frankreich durchgeführt werden. Es wird gebeten, die nachgeordneten Dienststellen zu unterrichten.

Der Chef des Oberkommandos
der Wehrmacht

Herrn   Keitel
Reichsleiter Rosenberg   Unterschrift
Abschrift zur Kenntnis.   Rittmeister und Adjutant

An Franz Xaver Schwarz

Franz Xaver Schwarz, *1875, Reichsschatzmeister der NSDAP; Mitgliedsnummer der NSDAP 6.

Stempel:
Eingegangen 28. Aug. 1942   Der Beauftragte des Führers
Reichsleitung der NSDAP   für die Überwachung der gesamten
Zentraleinlaufamt   geistigen und weltanschaulichen
handschriftlich: Rückspr. Müller   Schulung und Erziehung der NSDAP
                                       Berlin-Charlottenburg 2,
An den   Bismarckstraße 1
Reichsschatzmeister der NSDAP   Fernruf: 34 00 18
Reichsleiter Franz Xaver Schwarz   den 25. 8. 1942
München 33   1299/42 R/K

Lieber Parteigenosse Schwarz!
Die so erfolgreich durchgeführte Besichtigung der sichergestellten Kunstgegenstände in Neuschwanstein gibt mir Veranlassung, folgendes vorzuschlagen:

Wie Sie wissen, hat mein Einsatzstab nicht nur Kunstwerte sichergestellt, sondern vor allen Dingen auch Bibliotheken in erheblichem Umfang beschlagnahmt, die z. T. ins Reich überführt worden sind, z. T. aber noch in den Bergungsorten liegen. Im Zuge der Möbelaktion für das Ostministerium, die zur Zeit durchgeführt wird, fallen ebenfalls unabsehbare Mengen von wertvollen Büchern und Handschriften an, die augenblicklich noch gesichtet werden.

Damit Sie sich überhaupt einmal ein Bild von dem umfangreichen Arbeitsvorhaben meines Einsatzstabes, insbesondere in den besetzten Westgebieten, machen können, habe ich mir gedacht, daß es zweckmäßig wäre, wenn Ihre mit der Materie besonders vertrauten Mitarbeiter sich an Ort und Stelle einen Einblick in die dortigen Verhältnisse verschaffen würden. Ich würde es daher begrüßen, lieber Parteigenosse Schwarz, wenn Sie Ihren Mitarbeitern Dr. Ruoff, Pg Miller und Pg Künzler Gelegenheit geben würden, sich einmal persönlich von den örtlichen Gegebenheiten zu überzeugen. Außer diesen Parteigenossen, die arbeitsmäßig bisher an den Arbeiten des Einsatzstabes beteiligt waren, würde sich sicher auch Pg Dr. Lingg vom Standpunkt der grundsätzlichen Rechtsfragen, die durch den Einsatzstab aufgeworfen werden, für diese Reise interessieren.

Ich habe es mir so gedacht, daß, insofern Sie Ihr Einverständnis dazu geben können, Ihre Mitarbeiter zuerst nach Paris fahren und dann auf dem Rückwege in Amsterdam die große sozialwissenschaftliche Bibliothek des ehemaligen «Internationalen Instituts für Sozialwissenschaft», die von der Hohen Schule übernommen werden wird, besichtigen und dann über Brüssel die Heimreise antreten. Infrage käme für die Besichtigung der drei wichtigsten westlichen Einsatzorte ein Zeitraum von 6 Arbeitstagen. Aus arbeitsmäßigen und klimatischen Gründen würde ich dann vorschlagen, für diesen Zweck die Zeit vom 13.–20. September zu wählen. Ich würde mich freuen, wenn Sie meinem Vorschlag zustimmen könnten, um so mehr als ich glaube, daß dadurch Ihre Dienststelle sich ein klares Bild von der gesamten Arbeit persönlich machen könnte.

Heil Hitler!
A. Rosenberg

Arbeitsgruppe Niederlande

Dokument PS – 176, gekürzt; dieser Bericht ist nicht datiert.

Die Arbeitsgruppe Niederlande des Einsatzstabes Reichsleiter Rosenberg begann die Arbeiten in Verbindung mit dem zuständigen Referenten des Herrn Reichskommissars in den ersten Tagen des September 1940. Die Durchführung des Auftrages gemäß den Befehlen des Führers, wie sie in den Schreiben des Oberkommandos der Wehrmacht (AZ. Nr. 2850/40 g. Adj. Chef. OKW) vom 5. Juli 1940 und des Chefs des Oberkommandos der Wehrmacht an den Wehrmachtsbefehlshaber in Frankreich (2 f 28. 14 WZ Nr. 3812/40 g) vom 17. September 1940, sowie an den Wehrmachtsbefehlshaber in den Niederlanden (Az. 2 f 28 J (IA) Nr. 1838/40 g) vom 30. Oktober 1940 niedergelegt sind, lehnt sich an die zivilrechtliche Abwicklung der Auflösung bzw. Beschlagnahme der verschiedenen staatsfeindlichen Einrichtungen an. So wurde in erster Linie die Überprüfung des Schriftmaterials der Freimaurerlogen vorgenommen, von denen die Büchereien und Archive folgender Logen gesichtet und das brauchbare Material verpackt wurde.[1]

Insgesamt wurden 470 Kisten mit dem Material der obenstehenden Logen und logenähnlichen Organisationen gepackt und nach Deutschland abtransportiert. Ferner wurde die gesamte Inneneinrichtung des Logentempels in Nijmegen und des Tempels des I. O. O. F., Haarlem, verpackt und nach Deutschland zum Versand gebracht. Von den Bibliotheken sind besonders wertvoll die Bibliotheka Klossiana, die einen Teil der Bücherei des Grooten Oosten darstellt, und die Bibliothek der Vrijmetselar-Stichting, Amsterdam. Außerdem das Sammelarchiv des Grooten Oosten in Den Haag, das alle historischen Akten der dem Grooten Oosten angeschlossenen Logen enthält. Um den materiellen Wert der Bibliotheka Klossiana, die sehr viele einmalige Stücke enthält, ungefähr zu umreißen, sei erwähnt, daß dem Grooten Oosten der Niederlande im Jahre 1930 von amerikanischen Freimaurern ein Betrag von 5 000 000,– Dollar für die Bibliotheka Klossiana geboten wurde.

Eine Bibliothek mit Archiv von einzigartigem Wert wurde von der Arbeitsgruppe mit dem Internationalen Institut für Soziale Geschichte in Amsterdam übernommen. Dieses Institut wurde 1934 offenbar zu dem Zweck gegründet, ein Zentrum der geistigen Gegenwirkung gegen den Nationalismus zu schaffen. Es beschäftigte überwiegend jüdische Emigranten aus Deutschland. Die Bestände seiner Bibliothek und seines Archives, das sehr wertvolle Einzelstücke enthält, wurden aus der ganzen Welt zusammengetragen. Die Bibliothek umfaßt rund 160 000 Bände, die allerdings zum größten Teil noch eingeordnet werden müssen. Besonders wertvoll sind die deutsche, die französische und die russische Abteilung. Durch eine Entscheidung des Reichsleiters Rosenberg wurde das Institut in seiner Gesamtheit übernommen. Es wurde ein Mitarbeiter der Dienststelle als Leiter des Instituts eingesetzt, der mit mehreren Mitarbeitern die Bestände ordnet, eine Übersicht über den wissenschaftlichen Wert herstellt und das Institut für die Partei arbeitsfähig macht. Es kann heute schon gesagt werden, daß der wissenschaftliche Wert der Bibliothek und des Archivs dieses Instituts vor allem darin besteht, daß sie für bestimmte Länder lückenlose Sammlungen des Schrifttums über die sozialen und sozialistischen Bewegungen dieser Länder enthalten.

---

1 Hier folgt eine Liste von 92 Logen in Amsterdam, Den Haag, Arnhem, Bossum, Delft, Groningen, Haarlem, Den Helder, Hilversum, Leiden, Nijmegen, Rotterdam, Utrecht, Zaandam, Alkmaar und Amersfoort.

Allgemeiner Bericht

Dokument PS – 171, gekürzt; die Aufstellung umfaßt bei weitem nicht alle ge-
plünderten Bibliotheken im Hitler-Europa.

Einsatzstab Reichsleiter Rosenberg
Stabsführung
Abt.: Erfassung und Sichtung
Berlin-Charlottenburg 2, Bismarckstr. 1
Ruf: 34 00 18

Aktennotiz   den 12. Juli 1943
für den Reichsleiter   II c/Dr. Wu/Zn

Die bedeutsamsten Büchersammlungen, die heute zum Bestand der Bibliothek zur Erforschung der Judenfrage gehören, sind folgende:

1) Die Bibliothek der Alliance Israélite Universelle [1]: Unter den ca.
   40 000 Bänden dieser Bibliothek aus Paris (vorwiegend Judaica und
   Hebraica) befinden sich zahlreiche Zeitschriftenbände, ein umfangreiches Broschürenmaterial, eine sehr ergiebige Literatur- und Zei-
   tungsausschnitt-Sammlung zur Dreyfus-Affäre, ca. 200 hebräische
   und ca. 30 anderssprachige Handschriften, ca. 20 Inkunabeln.
2) Die Bestände der Ecole Rabbinique [2] bestehen vorwiegend aus Judaica und Hebraica und umfassen insgesamt ca. 10 000 Bände. Das
   jüdische Schrifttum dieser Pariser Rabbinerschule bietet u. a. wert-
   volles Talmudmaterial und vollständige Zeitschriftenreihen.
3) Die Bibliothek der Fédération de Société des Juifs [3] de France (ca.
   4000 Bände) enthält neben allgemeinen Schriften über das Judentum vorwiegend russische Literatur zur Judenfrage.
4) Die Bestände der Pariser jüdischen Buchhandlung Lipschütz (ca.
   20 000 Bände) bieten in ihren wertvollsten Teilen bibliographische
   Werke, Hebraica usw.
5) Die verschiedenen Büchersammlungen aus dem ehemaligen Besitz
   der Pariser Rothschilds stellen zwar im allgemeinen Repräsenta-
   tionsbibliotheken dar, zeigen aber auch, daß die verschiedenen Mitglieder der Familie Rothschild jüdisches Schrifttum zur eigenen
   Orientierung sammelten. Es handelt sich im einzelnen um folgende
   Sammlungen:
   a) Edouard Rothschild (ca. 6000 Bände)

---

1 Alliance Israélite Universelle, 1860 in Paris gegründet; siehe Maurice
Leven: *Les Origines et la programme d'Alliance Israélite*, Paris 1923.
2 École Rabbinique, Rabbinerschule der *Consistoire Central*, Paris.
3 *Fédération des Sociétés des Juifs en France*, humanitär-kulturelle Organisation, hauptsächlich die aus Osteuropa einwandernden Juden umschließend.

b) Edouard und Guy Rothschild (ca. 3000 Bände)
c) Maurice Rothschild (ca. 6000 Bände)
d) Robert Rothschild (ca. 10 000 Bände)
e) der Familie Rothschild im Jagdschloß Armainvilliers (ca. 3000 Bände)

Diese genannten Rothschild-Sammlungen enthalten neben den wertvollen Bücherbeständen wichtiges Archivmaterial, das über die Beziehungen zu Juden und Nichtjuden in Frankreich und im Ausland Aufschluß gibt. In diesem Zusammenhang sei bemerkt, daß der Außenstelle Frankfurt/Main auch das gesamte Archivmaterial des Pariser Bankhauses Rothschild aus den letzten hundert Jahren zugeführt wurde (760 Kisten).

6) Die Rosenthaliana [1] aus Amsterdam mit 20 000 Bänden (meist deutschsprachige Literatur zur Judenfrage).

7) Die Bibliothek der sefardischen jüdischen Gemeinde in Amsterdam [2] mit ca. 25 000 Bänden (vorwiegend Hebraica).

8) Die in den besetzten Ostgebieten sichergestellten Büchermassen (vorwiegend sowjetisch-jiddische und polnisch-jiddische Literatur, ein umfangreiches Talmudschrifttum) stammen aus den Sammelstellen Riga, Kauen, Wilna, Minsk und Kiew (ca. 280 000 Bände).

9) Büchersammlungen aus den jüdischen Gemeinden Griechenlands (ca. 10 000 Bände).

10) Büchermaterial aus einer Sonderaktion im Rheinland (Sammelstelle Neuwied – ca. 5000 Bände).

11) Außer diesen unter 1–10 genannten Büchersammlungen, die sämtlich durch den Einsatzstab Rosenberg der Bibliothek zur Erforschung der Judenfrage zugeleitet wurden und die fortlaufend durch Neueingänge vonseiten des Einsatzstabes ergänzt werden, gehören zum Bestand der Bibliothek zur Erforschung der Judenfrage noch ca. 100 000 Bände, die von anderer Seite (Finanzämter usw.) der Außenstelle zugeführt wurden. Die Bibliothek zur Erforschung der Judenfrage umfaßt demnach beim Stand vom 1. April 1943 ca. 550 000 Bände (= ca. 3300 Bücherkisten) einschließlich der für die Außenstelle bestimmten aber noch in Berlin bei der Stabsführung lagernden ca. 325 Kisten (= 24 000 Bänden) und einschließlich der in den Einsatzorten zum Versand nach Frankfurt/Main aussortierten ca. 220 000 Bänden (= ca. 650 Kisten), die zum Teil bereits verpackt sind.

1 Rosenthaliana, Gründer Leiser Rosenthal; sein Sohn Georg schenkte die Sammlung der Stadt Amsterdam; siehe A. Lamm: *Die Rosenthaliana in Amsterdam*, Berlin 1930.
2 Gemeinde der Juden, die im 16. und 17. Jahrhundert aus Spanien und Portugal nach Holland flüchteten.

Abgesehen von der aktuellen Bedeutung der Judenfrage nimmt die Bibliothek zur Erforschung der Judenfrage mit ihrem augenblicklichen Gesamtbestand von ca. 550 000 Bänden im Kreise der deutschen Bibliotheken deshalb eine beachtliche Stelle ein, weil diese Frankfurter Bibliothek über die Literatur zur Judenfrage in einer solchen Vollständigkeit verfügt, wie sie vorher weder in Europa noch sonstwo erreicht werden konnte. Im Zuge der Neuordnung Europas wird in Frankfurt am Main die Fachbibliothek zur Judenfrage entstehen, nicht nur für Europa, sondern für die Welt.

29. April 1943   Dr. J. Pohl [1]

Parteiamtliche Prüfungskommission

Leiter der Parteiamtlichen Prüfungskommission, PPK, war Philipp Bouhler, 1899–1945 durch Selbstmord; 1920 Volontärzeit im J. F. Lehmann-Verlag; 1921 beim *Völkischen Beobachter*; 1922 Stellvertreter des damaligen Geschäftsführers der NSDAP, Max Amann; ab Februar 1925 Reichsgeschäftsführer der NSDAP; März 1933 SS-Gruppenführer; Juni 1933 Reichsleiter der NSDAP; unabhängig von dieser verlegerischen und politischen Tätigkeit war Bouhler einer der Hauptverantwortlichen für das berüchtigte Euthanasie-Programm, Dokument PS – 630; Bouhler war dagegen, daß Juden ins Euthanasie-Programm einbezogen wurden, damit «die Wohltat der Euthanasie nur Deutschen zugute komme»; Protokoll des Ärzteprozesses in Nürnberg am 9. 12. 1946 bis 14. 7. 1947, S. 7758.

1 Dr. Johann Pohl; über seine Plünderungen in Wilna siehe Abraham Sutzkewer: *Vilner Ghetto*, jiddisch, Paris 1945, S. 108–113; Hermann Kruk: *Tagebuch aus dem Ghetto Wilna*, jiddisch, New York 1961, S. 40, 179, 242–243, 288, 403, 458, 475; Dr. Pohl ist der Autor von: *Die Religion des Talmud*, Berlin 1942; *Juden in der Sowjetunion zu Beginn der Herrschaft Stalins*, Leipzig 1942; *Streiflichter aus dem New Yorker yiddischen Forwerts*, Frankfurt a. M. 1944; *Talmud-Geist*, Berlin 1944.

Über Raub und Plünderung von Bibliotheken im Osten, Dänemark, Ungarn siehe auch Dokumente No – 5939, PS – 158, PS – 159.

Grundsätzliches

Karl Heinz Hederich: *Die schrifttumspolitischen Aufgaben der Parteiamtlichen Prüfungskommission*, Vortrag in der Hauptversammlung des *Bundes Reichsdeutscher Buchhändler*, abgedruckt in: *Börsenblatt für den Deutschen Buchhandel* vom 8. 11. 1938. Hederich war Reichsamtsleiter.

Die Tatsache, daß wir heute in einer Zeit leben, in der jahrtausende alte Fragen menschlicher Ordnungen, Verhältnisse und Lebensbedingungen neu zur Entscheidung gestellt sind, und in der das staatliche, volkliche und geistige Gefüge nicht nur Europas, sondern der ganzen Welt eine tiefgreifende Umwälzung erfährt, hat auch das weite Gebiet des menschlichen Geistes, das zu einem großen Teil durch das geschriebene Wort vertreten wird, in seinen Überlieferungen und Grundlagen fragwürdig gemacht. Die Revolution unserer Tage nimmt sich das souveräne Recht, eben weil sie eine echte Erhebung aus den Tiefen unserer völkischen Lebensanschauungen, wie sie sich im Schrifttum vergangener Zeiten verkörpern, neu zu überprüfen und die notwendigen Folgerungen in Hinsicht auf Gültigkeit, Rang und Wert zu ziehen. Der Maßstab, mit dem die Neuwertung des auf uns überkommenen geistigen Gutes erfolgt, ist allein gegeben durch die Idee des Nationalsozialismus, die sich uns nicht in einer paragraphierten Systematik oder in festgesetzten Dogmen bietet, sondern in dem lebendigen und unerbittlichen Anspruch auf die Gestaltung unseres Schicksals aus dem leidenschaftlichen Glauben heraus an unsere Zukunft und im Widerstreit mit den zersetzenden und auflösenden Ideen einer zügellosen Freiheit des Intellekts und der Triebe, wie sie das 18. und 19. Jahrhundert beherrschte. Nicht zuletzt ist es das Leben, die Lehre und das Vorbild des Führers selbst, der längst über die bloß deutsche Bedeutung hinaus zur ersten europäischen Größe sich erhoben hat und in jeder politischen Handlung heute Weltpolitik macht, die jeder nationalsozialistischen Wertung, Ordnung und Formung ihre Prägung und ihren inneren Sinn geben.

Es geht nicht an, daß man, wie das leider da und dort geschieht, daran geht, geschichtliche Persönlichkeiten, Denker, Staatsmänner, Schriftsteller usw. neu als Wortführer unserer Zeit auftreten zu lassen und sie dann in Bausch und Bogen zu Nationalsozialisten stempelt.

Diese Einstellung ist grundsätzlich allen Leistungen gegenüber und entspringt der politischen Kraft und dem politischen Wollen zur Gestaltung der Zukunft. Daher gibt es auch keine Nationalsozialisten vor Adolf Hitler, es gibt höchstens willens- und wesensverwandte Kräfte, wie sie uns z. B. in Stein, Arndt, Fichte und Nietzsche usw. begegnen, ohne daß wir vergessen, daß nicht der ganze Nietzsche oder nicht der ganze Kant usw. von unserem Standpunkt aus anerkannt werden können. Mit aller Klarheit muß festgestellt werden, daß trotz der geschichtlichen Verwandtschaft und Verbundenheit auch auf dem Gebiet der rein geistigen Auseinandersetzung die Geschichte des Nationalsozialismus mit Adolf Hitler beginnt. Die Erkenntnisse, von denen der Führer ausging, sind nicht nur die Grundlage des politischen Kampfes der Bewegung und die Ausgangspunkte seiner politischen Konstruktion, sondern bestimmen auch die gesamte geistige Neuordnung, die dem politischen Kampf der Bewegung folgen muß.

In dieser für die Bewegung zwangsläufig aus ihrem revolutionären Charakter gegenüber der alten Welt gegebenen Haltung liegt auch die schrifttumspolitische Grundlage und Aufgabe der Parteiamtlichen Prüfungskommission zum Schutz des NS-Schrifttums beschlossen.

Schutz des nationalsozialistischen Schrifttums

Veröffentlichung der *Parteiamtlichen Prüfungskommission*, in: *Börsenblatt des Deutschen Buchhandels* vom 21. 4. 1934, gekürzt.

Der Stellvertreter des Führers hat folgende Verfügung erlassen:

Die NSDAP hat das souveräne Recht und die Pflicht, darüber zu wachen, daß das nationalsozialistische Ideengut nicht von Unberufenen verfälscht und in einer die breite Öffentlichkeit irreführenden Weise geschäftlich ausgewertet wird. Ich verfüge daher folgendes:

Mit dem heutigen Tage wird eine «amtliche Prüfungskommission zum Schutze des nationalsozialistischen Schrifttums» gebildet, zu deren Vorsitzenden ich den Pg Reichsleiter Ph. Bouhler ernenne.

Die Kommission, die im engsten Einvernehmen mit dem Reichsministerium für Volksaufklärung und Propaganda und dem mit der Überwachung der gesamten geistigen und weltanschaulichen Schulung und Erziehung der Partei und aller gleichgeschalteten Verbände sowie des Werkes «Kraft durch Freude»[1] Beauftragten arbeiten wird, hat die Aufgabe, alle einschlägigen Bücher und Schriften zu prüfen. Bücher des bezeichnenden Inhalts dürfen nur dann im Titel, in der Aufmachung, in Verlagsanzeigen oder auch in der Darstellung selbst als nationalsozialistisch ausgegeben werden, wenn sie der Prüfungskommission vorgelegen haben und deren Unbedenklichkeitsvermerk tragen. Die NSDAP erwartet, daß Manuskripte, die nationalsozialistische Probleme und Stoffe zum Gegenstand haben, in erster Linie dem Zentralparteiverlag,

1 *Kraft durch Freude*, KdF, am 27. 11. 1933 ins Leben gerufen, Gliederung der *Deutschen Arbeitsfront*, DAF, war laut Verordnung vom 24. 10. 1934 eine Gliederung der NSDAP «im Sinne des Gesetzes über die Sicherung und Einheit von Partei und Staat vom 1. 12. 1933»; offizielle Aufgabe der DAF war, «den Arbeitsfrieden im Sinne der nationalsozialistischen Gemeinschaftsidee zu sichern». In diesem Sinne war auch *Kraft durch Freude* äußerst aktiv.

der Eigentum der NSDAP ist, zum Verlage angeboten werden. Die Ausführungsbestimmungen zu dieser Verfügung wird Reichsleiter Bouhler erlassen.

Rudolf Hess [1]

Ergänzungen

Dieses Dokument ist gekürzt.

Der Vorsitzende der Parteiamtlichen Prüfungskommission zum Schutze des nationalsozialistischen Schrifttums gibt bekannt:

In Änderung und Ergänzung der Ausführungsbestimmungen zur Verfügung des Stellvertreters des Führers bezüglich der «Parteiamtlichen Prüfungskommission zum Schutze des nationalsozialistischen Schrifttums» gebe ich folgendes bekannt:

1. Die Prüfungskommission wertet das einschlägige Schrifttum und übermittelt dem Verlag die Entscheidung:
   a) Diese Schrift darf nicht als nationalsozialistisch bezeichnet werden.
   b) Gegen die Herausgabe dieser Schrift werden seitens der NSDAP keine Bedenken erhoben.
2. Der Verlag ist berechtigt, die unter 1 b) aufgeführte Entscheidung auf der ersten Seite der Schrift abzudrucken.

München, den 27. April 1934   Bouhler

---

1 Rudolf Heß, * 1894, seit 1920 NSDAP-Mitglied; 1923 am Hitler-Putsch in München beteiligt; 1925–32 «Privatsekretär» Hitlers; ab 1933 «Stellvertreter des Führers» und Reichsminister.

Den von Bouhler unterzeichneten Ausführungsbestimmungen zu dieser Verfügung ist zu entnehmen, daß nicht der Autor, sondern die Verlagsanstalt der Prüfungskommission Bücher oder Manuskripte vorlegen sollte. Da die Prüfungskommission nicht für das eingesandte Material haftete, mußten Manuskripte in Abschrift vorgelegt werden. Ferner galt es eine Prüfungsgebühr in Höhe des sechsfachen Ladenpreises bei erschienenen Büchern oder des kalkulierten Verkaufspreises bei Manuskripten sofort einzuzahlen. Erforderte die Prüfung besonders lange Zeit, setzte die Prüfungskommission einen Zuschlag fest. Besagte das Gutachten, daß keine Bedenken gegen das Werk vorlagen, wurde es in den Katalog des nationalsozialistischen Schrifttums aufgenommen, und die Prüfungskommission erhielt zwei Belegexemplare des Buches. Siehe hierzu auch: *Börsenblatt des Deutschen Buchhandels* vom 21. 4. 1934.

Unzulässig

In der letzten Zeit ist es verschiedentlich vorgekommen, daß bei Werbungen für Bücher aus Schreiben von Parteistellen, ohne Einvernehmen der betreffenden Dienststellen, Sätze herausgegriffen und veröffentlicht wurden. Ein solches Verfahren ist unzulässig und verstößt gegen das Werbegesetz. Verlage, die in Zukunft eine derartige Werbung beabsichtigen, haben vor Veröffentlichung des betreffenden Textes diesen unter Nachweis des Einverständnisses der betreffenden Parteistelle, auf die sie sich berufen, zur Genehmigung bei der Parteiamtlichen Prüfungskommission zum Schutze des NS-Schrifttums vorzulegen. Auch jede Anpreisung von Schriften unter Hinweis auf die Verwendung für Gliederungen in der Partei (SA, SS, HJ u. a.) ist ohne Genehmigung der Parteiamtlichen Prüfungskommission unzulässig.

München, den 21. September 1934   **Bouhler**
                                                    Reichsleiter

Empfehlungen

Die Zahl der Bücher, die sich in erzählender oder schildernder Form meist durch lose aneinandergereihte Abhandlungen und Aufsätze mit der nationalsozialistischen Revolution und den sie begleitenden Ereignissen beschäftigen, hat eine solche Höhe erreicht, daß es notwendig erscheint, darauf hinzuweisen, daß ein weiteres Bedürfnis an solcher Produktion nicht besteht.

Ich habe daher angeordnet, daß solche Schriften von der Erteilung des Unbedenklichkeitsvermerkes ausgeschlossen sind und nur eine Bestätigung erhalten, daß dem Verkauf von seiten der Partei nichts im Wege steht, wenn die Prüfung durch die Parteiamtliche Prüfungskommission zum Schutze des NS-Schrifttums eine solche Entscheidung rechtfertigt.

In diesem Zusammenhang weise ich nochmals darauf hin, daß es keiner Parteidienststelle gestattet ist, Empfehlungen für eine Schrift auszustellen, welche dann vom Verlag zu Werbezwecken benutzt werden. Es kommt immer wieder vor, daß Verlage Empfehlungen verwenden, die vor Erlaß der entsprechenden Verfügungen ausgestellt worden sind. Ein solches Verfahren ist unzulässig. Alle Empfehlungen, die vor der Errichtung der Parteiamtlichen Prüfungskommission zum Schutze des NS-Schrifttums gegeben worden sind, sind hinfällig und dürfen nur mit besonderer Genehmigung von mir weitere Verwendung finden. Verlage, die gegen diese Anordnung verstoßen, laufen Gefahr, die Berechtigung zum Vertrieb einer Schrift entzogen zu bekommen.

München, den 2. 10. 1934   Bouhler
                                                           Reichsleiter

Der Zentralparteiverlag

Dieses Dokument ist gekürzt; der Zentralparteiverlag der NSDAP, Franz Eher Nachf. GmbH, Zeitungsverlag, Verlags- und Sortimentsbuchhandlung in München mit Zweigstelle in Berlin, war seit 17. 12. 1920 im Besitz der NSDAP und stand unter der Leitung von Max Amann, NSDAP-Mitglied Nr. 3; in diesem Verlag erschien Hitlers *Mein Kampf* – bis 1933 erhielt Hitler ein Honorar in Höhe von neunhundertfünfundneunzigtausend Mark; siehe: *Deutsche Rundschau*, 1955, Heft 1, S. 30 –, ebenso die wichtigsten Bücher des NS-Schrifttums; außerdem: *Völkischer Beobachter, Der Angriff, Illustrierter Beobachter, Die Brennessel, NS-Monatshefte, Der SA-Mann, Das Schwarze Korps, Hitlerjugend, Die Bewegung* – früher *Deutsche Studentenzeitung, NS-Funk, NS-Bildbeobachter, Unser Wille und Weg, NS-Gemeinde, Der Schulungsbrief* u. a. Ausführlicher in: *Die Verlagserscheinungen des Zentralverlages der NSDAP, Franz Eher Nachf. GmbH, München/Berlin/Wien 1921 bis 1941, o. J.*

Im Zusammenhang mit meiner letzten Verfügung hinsichtlich der Verlagstätigkeit des Zentralparteiverlages ordne ich hiermit an:
1. Alle Parteidienststellen und ihre Gliederungen sind verpflichtet, sämtliche Verordnungen und Veröffentlichungen, soweit sie für den Vertrieb durch den deutschen Buchhandel bestimmt sind, im Parteiverlag erscheinen zu lassen. Unter diese Bestimmung fallen insbesondere alle Dienstvorschriften und das Schulungsmaterial, Liederbücher sowie Veröffentlichungen, die sich mit der Organisation, deren Ausbau und der Uniformierung befassen.

Berlin, den 20. Oktober 1934   Bouhler

Näher der Parteikanzlei

Reichsleiter Bouhler gibt am 20. November [1] bekannt:
1. Im Zusammenhang mit der Errichtung der Kanzlei des Führers wird der Sitz der mir unterstehenden Parteiamtlichen Prüfungskommission zum Schutze des NS-Schrifttums nach Berlin verlegt.
2. An den bisherigen Zuständigkeitsverhältnissen wird nichts geändert. Die Parteiamtliche Prüfungskommission zum Schutze des NS-Schrifttums bleibt nach wie vor im Stabe des Stellvertreters des Führers.

[1] 1934.

3. Vom 19. November bis zum 27. November bleibt die Geschäftsstelle der Parteiamtlichen Prüfungskommission geschlossen.

4. Alle Zuschriften und Einsendungen sind an die neue Anschrift zu richten: Parteiamtliche Prüfungskommission zum Schutze des NS-Schrifttums, Berlin W, Matthäikirchplatz 7.

Vorbeugungsmaßnahmen

Dieses Dokument ist gekürzt; es behandelt die Hauspolitik der PPK und Vorsichtsmaßnahmen gegen Konkurrenzinstitutionen im Dritten Reich.

Reichsleiter Bouhler veröffentlicht die nachstehende Verfügung über Art und Umfang der Arbeit der Parteiamtlichen Prüfungskommission zum Schutze des NS-Schrifttums:

Um allen Irrtümern in der Öffentlichkeit zu begegnen, stelle ich fest:

1. Die Arbeit der Parteiamtlichen Prüfungskommission geschieht im Rahmen des Stabes des Stellvertreters des Führers völlig unabhängig von allen anderen Dienststellen der Partei und des Staates.

2. Die Fragen des NS-Schrifttums – mit Ausschluß derjenigen, die die Förderung und Werbemaßnahmen in der Öffentlichkeit betreffen – werden lediglich von der Parteiamtlichen Prüfungskommission bearbeitet. Insbesondere bestimmt sie allein und unabhängig über die Zugehörigkeit einer Schrift zum nationalsozialistischen Schrifttum.

3. Es ist selbstverständlich, daß die Parteiamtliche Prüfungskommission mit allen übrigen Dienststellen der Partei auf das engste zusammenarbeitet, so daß jede unnötige Doppelarbeit vermieden wird. Die Schrifttumsstellen der verschiedenen Parteidienststellen und der zuständigen Stellen des Staates werden gleichmäßig zur Mitarbeit an den Arbeiten im Rahmen ihres Dienstbereiches herangezogen. Die auf Grund der Prüfung besonders geeigneten Schriften schlage ich dem Beauftragten des Führers zur Überwachung der weltanschaulichen Schulung[1] zur weiteren Förderung und Verwendung innerhalb der Partei vor.

4. Die Arbeit der Parteiamtlichen Prüfungskommission ist rein parteiintern. Gutachten werden für die Öffentlichkeit nicht ausgestellt. Verleger dürfen von den Mitteilungen, die ihnen von meiner Dienststelle zugehen, keine Verwendung der Öffentlichkeit gegenüber machen. Die zur Verfügung stehende Zahl der Lektoren sowie ihre Namen werden der Öffentlichkeit gegenüber nicht bekanntgegeben. Ihr Dienst ist Dienst an der Partei.

5. Die Parteiamtliche Prüfungskommission ist in der Lage, das Erscheinen jeder Schrift zu verhindern bzw. vorhandene Bücher zu beseitigen,

1 Alfred Rosenberg.

wenn diese in einer Form sich über nationalsozialistisches Gedankengut verbreiten, die der wahren Absicht der Bewegung widerspricht. Verbote werden nur in Ausnahmefällen erlassen, wenn Art und Umstände ein solches Eingreifen unbedingt notwendig machen.

6. Im allgemeinen geschieht die Ablehnung einer nationalsozialistischen Schrift durch die Partei durch Verweigerung des Unbedenklichkeitsvermerks mit einer entsprechenden Mitteilung an den Verlag und Autor.

7. Insbesondere weise ich darauf hin, daß durch die Schrifttumsstelle des Pg Rosenberg ein Förderungsvermerk für nationalsozialistische Schriften nur dann erteilt werden kann, wenn sie der Parteiamtlichen Prüfungskommission vorher vorgelegen und den Unbedenklichkeitsvermerk erhalten haben.

Ich weise auf diesen Umstand die Verleger besonders hin, um sie vor Schaden zu bewahren. Dasselbe gilt für alle Veröffentlichungen, Anzeigen und Gutachten, soweit sie nationalsozialistisches Schrifttum betreffen.[1]

8. Über die näheren Arbeitsbeziehungen zu den Verlegern und Autoren erfolgt eine Mitteilung in den Fachblättern und im Börsenblatt für den Deutschen Buchhandel.

Berlin, den 11. April 1935
Bouhler
Reichsleiter

Oberbibliothekar Rudolf Kummer

Dr. Rudolf Kummer, *1896; NSDAP-Nr. 707 993; SS-Nr. 272 466 beim SD-Hauptamt; Blutordensträger; Autor von: *Rasse im Schrifttum*, München 1933; *Rasputin – Ein Werkzeug des Judentums*, Nürnberg 1939 im Verlag *Der Stürmer*; seine Ernennung wurde Mitte 1935 verfügt.

Reichsleiter Bouhler gibt die nachstehende Ernennung bekannt:

Im Einvernehmen mit dem Reichs- und Preußischen Minister für Wissenschaft, Erziehung und Volksbildung berufe ich den Oberbiblio-

---

1 Was damals eigentlich nicht zum NS-Schrifttum gehörte, war schwer festzustellen. Die Regie der «Gemeinschaft» in Stadt und Land – Morgenfeier, Familienfeier, Fest der Volksgemeinschaft am 1. Mai, Einweihungen, Feiern für die Aufnahme in die NSDAP, Ehrentag des Bauerntums, Dorfgemeinschaftsabende, Parteigründungsfeiern, Parteitage, Tage der Machtergreifung, Veranstaltungen der NS-Gemeinschaft *Kraft durch Freude* usw. – war allumfassend und daher der Bedarf des Schrifttums dafür unermeßlich. Dabei handelte es sich jedoch nicht ausschließlich um reine Parteiliteratur im eigentlichen Sinne des Wortes, denn Partei und Volk stellten ja eine «verschworene Gemeinschaft» dar, die in «unverbrüchlicher Treue» zusammenhielt; jede Literatur, die nur «wesens- und willensverwandt» war, kam dafür in Betracht.

thekar Pg Dr. Rudolf Kummer als Referent an die Parteiamtliche Prüfungskommission zum Schutze des NS-Schrifttums. Er hat die Fragen des NS-Schrifttums für das wissenschaftliche Büchereiwesen zu bearbeiten und ist im Rahmen seines Aufgabenbereiches im Ministerium zugleich Verbindungsmann zur Parteiamtlichen Prüfungskommission.

Kalenderliteratur

Die Bekanntmachung ist gekürzt.

Ich habe Veranlassung darauf hinzuweisen, daß die Kalenderverleger in der Ausgestaltung und in dem politischen Gehalt der von ihnen herausgegebenen Kalenderwerke zu einem sehr großen Teil nicht mit dem Verantwortungsbewußtsein arbeiten, das für dieses Verlagsgebiet notwendig ist. Es ist z. B. ganz unmöglich, daß in den politischen Überblicken über die Jahre 1933/34 und über die Zusammenschau der bisher geleisteten Aufbauarbeiten des nationalsozialistischen Staates völlig unzulängliche und z. T. irreführende Zusammenstellungen zu lesen sind.

Es beweist weiterhin einen Grad instinktloser Einfältigkeit oder berechnender Absicht, wenn in einer Reihe von bestimmten Kalendern in keiner Weise auf die in Deutschland durch die nationalsozialistische Revolution erfolgten Veränderungen eingegangen wird, oder solche Nachrichten mangelhaft und irreführend gebracht werden.

Ich weise jetzt schon darauf hin, daß ich entschlossen bin, mit aller Schärfe vorzugehen, wenn die Kalenderproduktion für das kommende Jahr wieder derartige Verstöße gegen das politische und kulturelle Wollen der NSDAP aufweist. Verleger, die nicht begriffen haben, daß ihre Arbeit getragen werden muß von einer tiefen Verantwortung gegenüber dem deutschen Volk, haben keinen Raum mehr im heutigen Deutschland. Mit dem Leiter des Reichsverbandes des Adreßbuch- und Kalendergewerbes werden entsprechende Vereinbarungen getroffen.

Berlin, den 11. Juli 1935   Bouhler
                                                             Reichsleiter

Die Reden und Schriften Adolf Hitlers

Diese Anordnung ist gekürzt.

Adolf Hitlers Reden und Schriften sind gemäß vertraglicher Übereinkunft mit dem Führer und Reichskanzler im alleinigen Verlagsrechtsbesitz unseres Zentralparteiverlages. Keinem anderen Verlag steht somit das Recht zu, Reden und Schriften des Führers und Reichskanzlers ganz oder auszugsweise zu veröffentlichen. Die Überwachung unserer vertraglichen Rechte obliegt der Parteiamtlichen Prüfungskommission Berlin.

München, den 24. September 1935
Bouhler   Zentralverlag der NSDAP
Parteiamtliche Prüfungskommission   Franz Eher Nachf. GmbH.
zum Schutze des NS-Schrifttums   München-Berlin

Wichtiger Parteidienst

Anordnung 4/36

Nationalsozialistische Deutsche Arbeiterpartei
Der Stellvertreter der Führers
München, den 6. Januar 1936 Braunes Haus

Im Zuge des Ausbaues der Arbeit der Parteiamtlichen Prüfungskommission zum Schutze des NS-Schrifttums ordne ich an:

Die Parteiamtliche Prüfungskommission kann innerhalb ihres Arbeitsgebietes, das ist die Prüfung des nationalsozialistischen Schrifttums, die Herstellung der NS-Bibliographie [1] und die Aufstellung des für ihre Arbeiten notwendigen parteiamtlichen Lektorats, Parteidienststellen oder einzelne Parteigenossen mit bestimmten Aufgaben betrauen. Die Ausführung dieser Aufträge gilt als wichtiger Parteidienst und ist dementsprechend in allen Fällen schnell und sorgfältig zu erledigen.

Dem Vorsitzenden der Parteiamtlichen Prüfungskommission bleibt es im einzelnen überlassen, in welcher Form er Parteidienststellen oder Parteigenossen zur Mitarbeit heranzieht.

Rudolf Heß

F. d. R. Friedrichs [2]
Verteiler: III c
Höflichkeitsformeln fallen bei allen parteiamtlichen Schreiben fort.

---

1 *NS-Bibliographie*, im Januar 1936 erschien die erste Ausgabe mit dem Untertitel *Monatshefte der Parteiamtlichen Prüfungskommission zum Schutze des NS-Schrifttums*; Hauptschriftleiter war Karl Heinz Hederich; außerdem gehörten der Redaktion noch an Dr. Heinz Finke, Dr. Georg Maas, Dr. Harald Rehm und Jürgen Soenke; die letzte Nummer der *NS-Bibliographie* erschien 1942.

2 Helmuth Friedrichs, * 1899, seit 1934 Hauptamtsleiter in der Parteikanzlei; 1944 SS-Gruppenführer beim Stab des Reichsführers SS.

Adreßbuchliteratur

Die Bekanntmachung ist gekürzt.

Es mehren sich in der letzten Zeit auch die Fälle, daß in der Adreßbuchliteratur in unzutreffender und unrichtiger Weise über politische Einrichtungen der Partei und der ihr angeschlossenen Gliederungen und der von ihr betreuten Verbände berichtet wird. Durch eine solche falsche Berichterstattung entstehen mitunter erhebliche Mißstände und unliebsame Auswirkungen. Ich verweise daher nochmals auf die geltenden Bestimmungen, nach denen Mitteilungen und Organisationspläne u. a., die die Partei und die ihr angeschlossenen Gliederungen und von ihr betreuten Verbände betreffen, nur nach vorheriger Genehmigung durch die Parteiamtliche Prüfungskommission gebracht werden dürfen. Den Reichsverband des Adreß- und Anzeigenbuchverlages-Gewerbes habe ich in diesem Zusammenhang angewiesen, für eine einheitliche Durchführung und Handhabung der mit diesen Bestimmungen zusammenhängenden Fragen im Rahmen seines Zuständigkeitsbereiches Vorsorge zu treffen.

Berlin, den 12. März 1936   Der Vorsitzende der Parteiamtlichen
Prüfungskommission
zum Schutze des NS-Schrifttums
i. V. Hederich

NS-Bibliographie

Die Verfügung vom 30. 4. 1936 ist gekürzt; am 1. Mai 1937 wurden von der immer auf Ausdehnung und mehr Einfluß bedachten PPK zur Mitarbeit an der *NS-Bibliographie* noch herangezogen: Dr. Coblitz für Rechtsfragen auf Vorschlag von Reichsminister Dr. Hans Frank, Rechenberger für Wirtschaftsfragen auf Vorschlag von Hermann Göring, SS-Obersturmführer Prof. Dr. Franz Alfred Six für SS-Fragen auf Vorschlag Heinrich Himmlers, Günther Wismann für Rundfunk auf Vorschlag des Reichssendeleiters Eugen Hadamowsky; am 14. 7. 1937 unterzeichnete Philipp Bouhler ein Arbeitsabkommen mit dem Reichsminister für Wissenschaft, Erziehung und Unterricht, Bernhard Rust, demzufolge ein bestimmtes Lektorat des Ministeriums in die PPK und die *NS-Bibliographie* eingespannt wurde.

Ich sehe mich veranlaßt, im Zusammenhang mit dem nunmehrigen Erscheinen der NS-Bibliographie, die in monatlichen Folgen allen Dienststellen der Partei und der Öffentlichkeit zugänglich gemacht wird, und mit Rücksicht auf die Einheitlichkeit der Arbeiten der Zusammenfassung, Sichtung und Ordnung des nationalsozialistischen Schrifttums folgendes anzuordnen:

Einzelzusammenstellungen über nationalsozialistisches Schrifttum von Personen und Dienststellen der Partei außerhalb des Rahmens der Nationalsozialistischen Bibliographie sind nicht mehr gestattet.

Berlin, den 30. April 1936   Der Vorsitzende der Parteiamtlichen
Prüfungskommission
zum Schutze des NS-Schrifttums
Bouhler

«Zitate des Führers»

Die Verfügung ist gekürzt.

Die Verleger sind verpflichtet, in Zukunft sämtliche Bücher und Schriften, die Zitate aus Reden des Führers enthalten, vor Drucklegung im Manuskript der Parteiamtlichen Prüfungskommission zum Schutze des NS-Schrifttums, Berlin W 35, Matthäikirchplatz 7, in 1 Exemplar vorzulegen. Das eingereichte Exemplar verbleibt im Archiv der Prüfungskommission.

Berlin, den 20. Juli 1936   Bouhler
Reichsleiter

Ehrenchroniken

Der Vorsitzende der Parteiamtlichen Prüfungskommission zum Schutze des NS-Schrifttums gibt bekannt:
Es ist in der letzten Zeit eine Überhandnahme in der Veröffentlichung von Ehrenchroniken usw. festzustellen. Dabei wird dem Käufer zum Teil minderwertiges Material angeboten. Aus diesen Gründen ist die Veröffentlichung derartiger Chroniken grundsätzlich von der vorherigen Genehmigung durch die Parteiamtliche Prüfungskommission abhängig.

Berlin, den 13. Oktober 1936   Bouhler
Reichsleiter

Reichsstelle für volkstümliches Bücherwesen

Die *Reichsstelle für volkstümliches Bücherwesen* war eine Abteilung im Reichsministerium für Wissenschaft, Erziehung und Volksbildung, ihr Leiter war Oberschulrat Fritz Heiligenstaedt; über die Volksbüchereien siehe Walter Hofmann: *Die deutsche Volksbücherei*, Bayreuth 1934: «Es wäre eine große Verkennung des Nationalsozialismus, wollte man ihm unterstellen, daß er sich in den großartigen organisatorischen Bemühungen erschöpfe. Wir hoffen heute auf eine Reichsbüchereipolitik, die der deutschen Volksbücherei den schützenden staatlich-organisatorischen Rahmen schafft» – ebd. S. 53; noch klarer drückte es später Reichsminister Rust in seinem Erlaß vom 26. 10. 1937 aus, gedruckt in: *Die Schülerbücherei*, Leipzig o. J.: «Es ist vor allem ihre Aufgabe, das Erbe der völkischen Überlieferung zu pflegen, das für die politische und weltanschauliche Schulung und die Berufsausbildung wichtige Schrifttum bereitzuhalten» – ebd. S. 125; laut offizieller Hinweise sollten aus den Volksbüchereien Autoren verschwinden, die die «deutsche Volksordnung in ihrer Art und Rasse auflösen», «die Bedeutung großer Führergestalten verneinen», «die entartete blutleere rein konstruktive Kunst würdigen» oder «jüdischer Herkunft sind» – in: *Die Bücherei*, 1935, S. 279 f.

An die Reichsstelle
für volkstümliches Büchereiwesen   III/Z–16/a
Berlin W 50, Regensburgerstr. 25   den 10. Mai 1938

Betrifft: Dr. H./Ro.

Auf Ihr Schreiben vom 14. 4. 1938 bitte ich Sie, mir Ihre personellen und rassischen Bedenken gegen die nachstehenden Firmen noch mitzuteilen: Rütten & Loening, S. Fischer, Societätsverlag, Frankfurt/Main. Diese Firmen sind ausnahmslos in deutschen Händen. Sie sind schon seit einiger Zeit völlig aus dem jüdischen Besitz herausgelöst worden. Es handelt sich bei allen diesen Firmen selbstverständlich nicht um Verleger ausgesprochen nationalsozialistischen Schrifttums, andererseits haben sich aber auch bei einer genauen Beobachtung keine Anlässe für ein besonderes Einschreiten von hier ergeben. Ihre Vermutung, daß der Verlag S. Fischer ein Tochterunternehmen in Wien hat, das durch den Juden Bermann geleitet wird, ist nicht ganz richtig. Der Verlag S. Fischer in Berlin hat mit dem jüdischen Verlag Beermann-Fischer in Wien nichts zu tun. Im Augenblick ist übrigens der Verlag Beermann-Fischer in Wien, wie es auch andere jüdische Verlage in Österreich sind, von der Geheimen Staatspolizei geschlossen. Der Verlag Zsolnay ist allerdings in jüdischen Händen, jedoch wurde sofort nach der Machtergreifung im bisherigen Österreich ein politisch einwandfreier Kommissar in diesen Verlag eingesetzt. Ich möchte Sie bitten, mindestens die nationalsozialistisch einwandfreien Autoren, die häufig aus bestimmten Gründen ihre Werke im Verlag Zsolnay herausbrachten, wie z. B. Rainalter, nicht deswegen von Ihren Listen zu nehmen, weil dieser Verlag noch in jüdischen Händen ist. Die Frage der Entjudung des österreichischen Buchhandels wird binnen kurzem ebenfalls in Angriff genommen, und es ist zu erwarten, daß als einer der ersten Verleger dann der Verlag Zsolnay in deutsche Hände übergeht. Es scheint mir ein bestimmtes auch politisches Interesse vorzuliegen, daß in Wien ein großer schöngeistiger Verlag weiterhin besteht. Einige Zurückhaltung dürfte bis zur Klärung schwebender Fragen gegen den Verlag Rowohlt am Platze sein. Selbstverständlich steht Ihnen in dieser Angelegenheit bzw. zur Beantwortung auftauchender Fragen mein Sachbearbeiter Bischoff[1] jederzeit zur Verfügung, um so mehr, als ich Ihre grundsätzliche Haltung durchaus billige. Ich schlage vor, daß Sie sich mit dem Sachbearbeiter in Verbindung setzen.

In Vertretung: Baur[2]

vorl. z. d. A.

Reichspressestelle der NSDAP

In: *Zeitschriften-Hinweise der Reichspressestelle der NSDAP*, Hinweis Nr. 34/42 vom 23. 12. 1942; über die Reichspressestelle der NSDAP und ihre Hinweise, Anordnungen etc. ausführlicher in: *Presse und Funk im Dritten Reich* (Ullstein Buch 33028); hier nur ein Beispiel für die Lenkung des literarischen Schaffens.

Vertraulich!
Hinweis Nr. 34/42
Wir werden darauf aufmerksam gemacht, daß in letzter Zeit in Kurzgeschichten, Novellen, Erzählungen und Romanen, die in den Zeitschriften erscheinen, immer häufiger Fälle dargestellt werden, in denen eine Geburt unter den schwersten Umständen vor sich geht oder aber auch mit dem Tod der Mutter endet. Solche Fälle sind bei dem heutigen Stand der Hygiene und medizinischen Wissenschaft verhältnismäßig selten. Die besondere Herausstellung solcher Ausnahmefälle kann leicht eine abschreckende Wirkung zur Folge haben und die Angst vor der Geburt erhöhen. Da besonders im Kriege der Wille zum gesunden Kinderreichtum wichtig ist, werden die Schriftleitungen gebeten, darauf zu achten, daß in Zukunft der glücklicherweise verhältnismäßig selten gewordene Fall des Lebensopfers einer Mutter für das Neugeborene nicht mehr herausgestellt wird.

Berlin, den 23. 12. 42   Heinrich Hansen[3]
ha/we   Oberbereichsleiter RL,
                                Leiter des Amtes Zeitschriften

1 Karl Heinrich Bischoff, in dessen Besitz der Zsolnay-Verlag 1941 überging.
2 Wilhelm Baur.
3 Heinrich Hansen, *1895, persönlicher Referent des Reichspressechefs.

Amt Schrifttum der SA-Führung

SA der NSDAP
Der Führer der Gruppe Mittelrhein

Br. B-Nr. FS/10367 A/H
Betrifft: Buchbeschaffung
Bezug: 7/43 des Reichsschatz-
meisters v. 17. 6. 43

Koblenz, den 13. August 1943
Bismarckstr. 13
Fernsprecher: 6867, 6868, 6869
Postscheckkonto: Köln 40250
NSDAP-SA-Gruppe Mittelrhein

An die Oberste SA-Führung
Amt Schrifttum München

Bankkonto: Kreissparkasse
Koblenz Konto-Nr. 3575

Mit vorbezeichneter Bekanntgabe teilt der Reichsschatzmeister mit, daß im Zentralverlag der NSDAP, Zweigstelle Berlin, in etwa 3–5 Lieferungen jährlich das von Reichsleiter Philipp Bouhler herausgegebene Werk «Adolf Hitler, Sammlung der Reden, Erlasse und Verlautbarungen des Führers», sowie alle seine öffentlichen Handlungen in chronologischer und übersichtlicher Weise geordnet zum Bezugspreis von 1,– RM je Lieferung erscheint.

Mit Rücksicht auf die außerordentliche Bedeutung dieses Buchwerkes in weltanschaulicher, propagandistischer und schulischer Hinsicht, hat der Reichsschatzmeister genehmigt, daß je ein Exemplar der o. Sammlung bis zu den Ortsgruppen beschafft werden kann. Beschaffung erfolgt durch die Kreiskassenleiter.

Ich halte es für dringend erforderlich, daß auch die SA-Dienststellen bis Sturm einschließlich mit diesem Werk versehen werden und bitte über den Reichskassenverwalter um entsprechende Veranlassung.

Stempel:
Oberste SA-Führung München
Registratur ES
eingeg. am: 16. Aug. 1943
Gesch. Zch.: 816 p
Anlagen

Der Führer der Gruppe Mittelrhein
Unterschrift
Gruppenführer

Buchverlag

Sämtliche Lenkungsapparate des Dritten Reichs waren an der Gleichschaltung von Verlegern und Buchhändlern beteiligt. Es geschah unter dem Motto «Arisierung» oder «Säuberung». Weltanschaulich formulierte der Verleger Adolf Spemann die Entwicklung wie folgt: «Es genügt heute für den Verleger nicht, sein Handwerk zu beherrschen und eine möglichst umfassende Geistesbildung zu haben, sondern er muß sich zutiefst von der Idee der Staatsführung Adolf Hitlers erfüllen lassen und hieraus für seine Arbeit die Folgerungen ziehen und Richtlinien ableiten» – in: *Zehn Vorträge der fünften Arbeitstagung des Amtes Schrifttumspflege*, Stuttgart 1939, S. 144; der Stellvertreter des Präsidenten der Reichsschrifttumskammer, Wilhelm Baur, definierte ähnlich: «Das Buch ist eine Waffe, Waffen gehören in die Hände von Kämpfern, Kämpfer für Deutschland zu sein, heißt Nationalsozialist sein» – Wilhelm Baur im Geleitwort zu: *Das Buch, ein Schwert des Geistes*, Leipzig 1940; «Der Handel mit Büchern bedeutet im deutschen Volk eine besondere Verpflichtung. Das ist von der nationalsozialistischen Bewegung bereits vor der Machtergreifung klar ausgesprochen worden, und heute darf es keinen Buchhändler geben, der nicht die nationalpolitische Aufgabe seines Standes erkennt und erfüllt» – aus: *Reichsleiter Baldur von Schirachs Rede auf der Kundgebung des deutschen Buchhandels am Kantate-Sonntag im Neuen Theater* in: *Börsenblatt für den Deutschen Buchhandel* vom 20. 5. 1941.

Über das Schicksal verschiedener Verlage im Dritten Reich siehe für den Verlag S. Fischer Oskar Loerke: *Tagebücher 1903–1939*, Heidelberg/Darmstadt 1956, S. 351, und *Almanach – Das siebzigste Jahr – 1886–1956*, Frankfurt a. M. 1956, Seite 106–140; für den Rowohlt Verlag: *Rowohlt-Almanach 1908–1962*, Reinbek 1962, S. 31; über fünfzig Prozent der Bücher des Rowohlt Verlags wurden damals verbrannt oder verboten; für den Herder-Verlag Albert M. Weiß OP und Engelbert Krebs: *Im Dienst am Buch*, Freiburg i. B. 1951, S. 447–454; für den Verlag der Rheinmainischen Volkszeitung, Leiter Dr. Josef Knecht, ebd. S. 449; für den Verleger Erich Reiß Gottfried Benn: *Ausgewählte Briefe*, Wiesbaden 1957, S. 393–394; für den Verleger Peter Suhrkamp: *Tymbos für Wilhelm Ahlmann*, Berlin 1951, S. 127; über das katholische Verlagswesen Simon Hirt: *Mit brennender Sorge*, Freiburg i. B. 1946, S. 25, Johann Neuhäusler: *Kreuz und Hakenkreuz*, München 1946, Band 1, S. 230–233, Wilhelm Spael: *Das Buch im Geisteskampf*, Bonn 1950, S. 333–342; über das protestantische Verlagswesen: *Der evangelische Buchhandel – Eine Übersicht seiner Entwicklung im 19. und 20. Jahrhundert*, Stuttgart 1961; die dort angeführte Liste enthält bei vielen Verlegern kurze Angaben über die Jahre 1933–45; für den Eckart- und Furche-Verlag Jochen Klepper: *Unter dem Schatten deiner Flügel*, Stuttgart 1956, S. 770; für den Mindener Verlag

J. C. C. Brunn Alfred Mombert: *Briefe aus den Jahren 1893 bis 1942*, Heidelberg/Darmstadt 1961, S. 186–187; über jüdische Verleger Sigmund Katznelson: *Juden im deutschen Kulturbereich*, Berlin 1959, S. 131–146.

Staat und Buch

Aufsatz von Karl Heinrich Bischoff in: *Die Welt des Buches*, Herausgeber Hellmuth Langenbucher, Ebenhausen bei München 1938, S. 185–186, gekürzt; siehe auch K. H. Bischoff: *Buch – Bücher – Politik*, Leipzig 1938.

Die nationalsozialistische Bewegung hat um den Staat gekämpft und ihn sich erzwungen, um diesem ganzen Volk zu dienen. Aus seinen Lebensgesetzen wollte sie ihn gestalten. Zu seinem Schutz hat sie ihn gestaltet. Unteilbar von diesen Lebensgesetzen ist die deutsche Kultur und also mit ihr eine ihrer stolzesten Äußerungen: unser Schrifttum. Der neue Staat mußte daher zum Buch stehen.

Der Nationalsozialismus war von seinem Beginn an eine Bewegung der Tat. Er rechnete mit den Tat-Sachen. Zu diesen Tatsachen gehört die Reinhaltung des Volkskörpers, um ihn vor Verfall zu schützen und zur Leistung zu befähigen. Es gehört der Schutz der deutschen Arbeit durch ein Wehr an den Grenzen, es gehört die tätige Liebe der Staatsführung zur deutschen Kunst dazu. Nicht ihre Einengung konnte sie wünschen. Ihre Förderung stand notwendig im Gesetz dieses Staatswillens. Er konnte auch aus dem, was die Geschichte lehrte und die Gegenwart verlangte, keine Abhandlung machen, sondern nur wieder eine Tat. Was ergab sich für das Schrifttum?

Einmal: es ist eine Einheit. Es ist nicht zu trennen in Schriftsteller und Vermittler. Sie haben jede ihre besonderen Aufgaben, aber sie gehören schicksalsmäßig zusammen, wenn sie zur vollen Wirkung kommen wollen. Weiter: Die hohe Verantwortung des Schrifttums vor Volk und Reich erfordert, daß ihm nur Verantwortliche dienen. Der Auftrag darf nicht an Gewissenlose verraten werden. Weiter: Es muß aus sich heraus eine Berufsehre entwickeln. Dazu sind die Wege frei zu machen. Diese Befreiung kann aber nichts liberalistisch erreichen, so nämlich, daß man sagt, man gibt einfach jedem einzelnen möglichst viel Freiheit.

Nun soll eine Umbildung vorgenommen werden

Der Brief ist gekürzt.

Stempel:
Eingegangen 31. Juli 1933
Erl.:

Herrn
Staatskommissar Hans Hinkel
Berlin   Gesellschaft «Deutsche Literatur»
Kampfbund für deutsche Kultur   Berlin, den 29. Juli 1933

Sehr verehrter Herr Staatskommissar!
Die Gesellschaft «Deutsche Literatur» hat es unternommen, eine Sammlung «Deutsche Literatur in Entwicklungsreihen» zu veröffentlichen,
deren 250 Bände eine Auswahl des für die nationale Wiedergeburt unseres Volkes wesentlichsten Erbgutes aus der deutschen Dichtung bieten
soll. Dieses von Hochschulprofessor Dr. Kindermann (Danzig) [1] unter
Mitwirkung von Geheimrat Professor Dr. Brecht (München) [2] und Universitätsprofessor Dr. von Kralik (Wien) [3] herausgegebene Monumen-
talwerk, von dem bisher fast 40 Bände erschienen sind, dient wissenschaftlichen und volkserzieherischen Zielen. Darüber hinaus aber ist es
als Gesamtrepräsentation des deutschen Geisteslebens – auch dem Ausland gegenüber – gedacht. Die beiliegende Programmschrift gibt einen
Überblick über den Aufbau der Sammlung. Es handelt sich hierbei um
eine noch unverbesserte Korrektur, die noch manche Änderungen erfahren wird. Auch sollen die Reihen «Meistersinger» und «Mythus» anderen Reihenleitern übergeben werden.
Nun soll eine Umbildung des Vorstandes der Gesellschaft «Deutsche

1 Heinz Kindermann, deutsche Literaturgeschichte, * 1894; Autor von: *Des
deutschen Dichters Sendung in der Gegenwart*, Leipzig 1933; *Die deutsche Gegenwartsdichtung im Aufbau der Nation*, Berlin 1936; *Rufe über Grenzen –
Dichtung und Lebenskampf der Deutschen im Ausland*, Berlin 1938; *Heimkehr
ins Reich – Großdeutsche Dichtung aus Ostmark und Sudetenland*, Leipzig
1939; *Deutsche Wende*, Leipzig 1940; *Die Weltkriegsdichtung der Deutschen
im Ausland*, Berlin 1940; *Der großdeutsche Gedanke in der Dichtung*, München
1941; *Die deutsche Gegenwartsdichtung im Kampf um die deutsche Lebensform*, Wien 1942; *Ruf der Arbeit*, Berlin 1942; *Kampf um die deutsche Lebensform*, Wien 1944; u. a. m.
2 K. Walther Brecht, Neuere deutsche Literaturgeschichte, * 1876.
3 Dietrich Kralik, Ritter von Meyrsvalden, Deutsche Sprachwissenschaft und
Literaturgeschichte, * 1884.

Literatur» vorgenommen werden, die den neuen Verhältnissen Rechnung trägt. Den Vorsitz hat nunmehr der Minsterialrat im Reichsministerium des Innern Dr. Buttmann[1] übernommen. Da im neuen Vorstand alle diejenigen Stellen durch geeignete Persönlichkeiten vertreten sein sollen, die aus kulturellen und nationalen Gründen berufen sind, am Aufbau und an der Förderung des Monumentalwerkes «Deutsche Literatur» Anteil zu nehmen, bitten Sie die Unterzeichneten, eine in Aussicht genommene Wahl in den erwähnten Vorstand freundlichst annehmen zu wollen. Wir bitten, Ihre – wie wir hoffen – zustimmende Erklärung schon möglichst bald an Prof. Dr. H. Kindermann, Danzig-Langfuhr, Technische Hochschule, zu senden.

Mit verbindlichstem Deutschem Gruß

Der Gesamtherausgeber der   Der Vorstand
Sammlung «Deutsche Literatur»   der Gesellschaft «Deutsche Literatur»
Dr. Heinz Kindermann   Dr. Buttmann

Interna

Börsenverein der Deutschen Buchhändler
zu Leipzig C 1, Postfach 274/275
Geschäftsstelle: Gerichtsweg 26
Postscheckkonto: Leipzig 13463
Fernruf: 708 56, nach Geschäftsschluß 197 07
Drahtwort: Buchbörse
Bankkonto: Allgemeine Deutsche Kreditanstalt
Herrn   Leipzig C 1, Brühl 75–77
Hans Hinkel   und Commerz- und Privatbank
Geschäftsführer   Dep.-R. M. Leipzig C 1. Johannisplatz 1
der Reichskulturkammer Unser Zeichen: WB/E
Berlin W 8, Wilhelmplatz Berlin, den 30. August 1935
Propagandaministerium   Ausgangsstelle: Vorsteher

Sehr verehrter Parteigenosse Hinkel!
Im Nachgang zu unserer Besprechung am letzten Samstag reiche ich Ihnen anliegend Ausschnitt aus einem Inserat des Julius Springer-Verlages, Berlin, ein. Aus der Anzeige geht hervor, daß Herr Dr. Hövel, der mit Herrn Dr. Wismann die Exportfragen des Buchhandels bearbeitet,

---

[1] Rudolf Hermann Buttmann, 1885–1947; 1924–33 Abgeordneter der NSDAP im Bayerischen Landtag; ab Mai 1933 Leiter der kulturpolitischen Abteilung im Reichsministerium für Volksaufklärung und Propaganda; 1935 Generaldirektor der Bayerischen Staatsbibliothek.

soeben im Verlag Julius Springer ein Buch über «Grundfragen deutscher Wirtschaftspolitik» herausbringt.[1] Abgesehen davon, daß der Julius Springer-Verlag für mich immer noch als nichtarisch gilt und er auch durch seinen Wiener Ableger jene Werke herausbringt, die er in Berlin nicht verlegen kann, wirft es ein eigenartiges Licht auf den Referenten von Herrn Dr. Wismann, wenn er gerade jetzt ein Werk beim Springer-Verlag herausbringt.

Man muß berücksichtigen, daß der Exportplan der Kammer, bzw. des Herrn Dr. Hövel in engster Zusammenarbeit mit dem Springer-Verlag gemacht wurde, und daß gerade dieser Verlag an der Buchpreissenkung außerordentlich interessiert war, weil er, wie kaum ein zweiter deutscher Verleger, damit sicherlich profitiert. Mir ist es jetzt auch klar, warum Herr Dr. Hövel den Springer-Verlag bei einer vor einiger Zeit stattgefundenen Besprechung im Börsenverein in Schutz nahm. Pg Wülfing[2] hatte nämlich damals Herrn Dr. Hövel gefragt, wie der Springer-Verlag dazu käme, Aktionen «namens des deutschen Buchhandels» einzuleiten; diesem jüdischen Unternehmen spräche er (Wülfing) die Berechtigung[3] dazu ab.

Ich gebe Ihnen diese Nachricht deshalb weiter, weil ich mich dazu für verpflichtet halte, Sie darauf aufmerksam zu machen, wie eng der jüdische Springer-Verlag (bei dem ja auch der Schwiegervater von Herrn Dr. Wismann beschäftigt ist) mit der Abteilung VIII des Ministeriums zusammenarbeitet.

Heil Hitler!
Ihr sehr ergebener
W. Baur

«Sehr geehrter Parteigenosse Haegert»

Wilhelm Haegert, *1907; 1929 stellvertretender Ortsgruppenleiter der NSDAP in Angermünde; seit April 1931 Leiter der Rechtsschutzabteilung und Abteilungsleiter III der SA des Gaues Berlin-Brandenburg; SA-Sturmbannführer; ab Dezember 1932 Stabsleiter der Reichspropagandaleitung der NSDAP in München; ab April 1933 Leiter der Abteilung II, Propaganda, im Reichsministerium für Volksaufklärung und Propaganda.

1 Von Dr. Paul Hövel erschien auch *Wesen und Aufbau der Schrifttumsarbeit in Deutschland*, Essen 1942; er war Sachbearbeiter für das Auslands-Wirtschaftsreferat im Reichsministerium für Volksaufklärung und Propaganda.

2 August Robert Martin Wülfing, *1899, Geschäftsführer und Mitinhaber der Haude und Spenerschen Buchhandlung, Stellvertretender Vorsitzender des Börsenvereins für den Deutschen Buchhandel; Mitglied des Reichstags.

3 Wülfing war auch Lehrling und Volontär im Julius Springer-Verlag gewesen.

Herrn Ministerialdirigent Haegert
Reichsministerium für Volksaufklärung
und Propaganda
Berlin W 8, Wilhelmplatz 8/9   17. 6. 1942 WB/P.

Ihr Zeichen: S 8110/22. 5. 42–228 13/2.

Sehr geehrter Parteigenosse Haegert!
Auf Grund Ihres Schreibens vom 5. Juni sende ich Ihnen die mir einge-
sandte Liste wieder zurück. Ich bemerke dazu im einzelnen folgendes:
Baum-Verlag Otto Orlowsky, Pfullingen
Der Verlag ist im Zuge der Aktion gegen die Geheimlehren bereits
staatspolizeilich geschlossen worden. Die Inhaber sind bei der Kammer
gelöscht.
Verlag für Volkskunst Gerhard Bittner, Hellerau bei Dresden
Der Verlag ist bereits staatspolizeilich geschlossen. Bittner ist mit Entscheidung vom 6. 6. 1942 aus der Kammer ausgeschlossen worden.
Max Duphorn Verlag, Hamburg
Die Firma heißt richtig Uranus-Verlag M. Duphorn. Die Firma ist
staatspolizeilich geschlossen und die Inhaber, die Eheleute Duphorn,
sind aus der Kammer ausgeschlossen worden. Eine Beschwerde gegen
diesen Ausschluß liegt noch bei der Reichskulturkammer zur endgültigen Entscheidung.
Hermann Eichblatt Verlag, Leipzig
Der Inhaber ist verstorben, und die Erben bemühen sich, den Verlag
fortzuführen. Die Kammer hat kürzlich erst eine Kommanditgesellschaft
unter den Erben genehmigt. Der Verlag gehört – außer zur Reichsschrifttumskammer – auch zur Reichspressekammer und verlegt die
vom Oberbürgermeister Freyberg herausgegebene Feldpostausgabe des
Leipziger Beobachters. Gemäß Mitteilung meiner Leipziger Dienststelle
handelt es sich bei dieser Firma um einen Verlag, der niemals konfessio-
nelles Schrifttum verlegt haben soll.
Helingsche Verlagsanstalt, Leipzig
Eine Schließung dieser Firma halte ich für bedenklich, denn der Autor
Norfolk dieses Verlages hat erst vor 5 Wochen den Kantate-Dichterpreis
der Stadt Leipzig erhalten.
Laumann'sche Verlagsbuchhandlung, Dülmen
Wegen dieses Verlages habe ich mich vor kurzem an Sie gewandt, weil
ihm von der Wirtschaftsstelle noch Papier für konfessionell gefärbtes
Schrifttum gegeben wurde. Wie ich mittlerweile feststellte, lag die Ver-
lagsführung in den Händen des Verlagsdirektors Rubbert. Dieser war
als Vormund der noch minderjährigen Eigentümer, der Geschwister
Schnell, tätig. Inzwischen ist vom Gericht ein neuer Pfleger, der Vermö-
gensverwalter in der Person des Sparkassendirektors B. Heimes in Dül-

men bestellt worden. Dieser ist bereit, eine vollkommene Neuausrichtung des Verlages bei völliger Ausschaltung des bisherigen Verlagsdirektors Rubbert herbeizuführen. Die Herren Hof und Coppenrath haben sich bereits hierzu zur Verfügung gestellt und hoffen, aus dem katholischen Verlag einen nationalsozialistischen Verlag machen zu können. Die Miteigentümerin Gisela Schnell hat bereits die Gehilfenprüfung bestanden und ist Mitglied der Kammer.

Regulus Verlag Görlitz Bohneberg & Co. K.-G., Görlitz

Der Verlag wurde bereits im Jahre 1941 im Zuge der Aktion gegen die Geheimlehren staatspolizeilich geschlossen.

Ernst Reinhardt, München

Der Verlag kommt meines Erachtens für eine Schließung nicht in Betracht. Abgesehen davon, daß er neben seinen philosophischen Werken auch Fachliteratur verlegt, möchte ich auch aus anderen Gründen eine Schließung dieses Verlages nicht befürworten. Der leider vor einigen Jahren verstorbene Inhaber Ernst Reinhardt war einer der führenden Männer im Börsenverein und hat sich mir gegenüber, obwohl er seiner Nationalität nach Schweizer war, sehr loyal verhalten. Ernst Reinhardt hat sich 1933/34 tatkräftig bemüht, den Buchhandel unter klare nationalsozialistische Führung zu bringen. Es würde heute im Buchhandel sicherlich übel auffallen, wenn man diesen Verlag schließen würde.

Rowohlt Verlag GmbH, Stuttgart

Der Verlag kommt für eine Schließung nicht mehr in Betracht, da er sich im Besitz der Partei befindet.

H. Emil Unglenk (früher Rudolf Besser Nachf.), Leipzig

Der Verlag wurde bereits im Jahre 1941 im Zuge der Aktion gegen die Geheimlehren staatspolizeilich geschlossen. Unglenk hat selbst beantragt, ihn bei der Fachschaft Verlag zu löschen. Er will als Sortimentsbuchhändler Mitglied der Kammer bleiben.

Zinnen-Verlag, München

Der Verlag hat seinen Sitz in Wien und lediglich eine Geschäftsstelle in München. Er gehört dem Schulrat Lang, der Träger des goldenen Ehrenzeichens ist. Geschäftsführer ist zur Zeit der früher aus der Kammer ausgeschlossene Kurt Desch.

Weiterhin vermisse ich auf der Liste noch folgende bekannte konfessionelle Verleger:[1]

Die großen konfessionellen Verlage wie Herder, Bachem, Kösel & Pustet und Schöningh, Paderborn, habe ich gemäß unserer letzten Besprechung nicht aufgeführt.

Heil Hitler!

Anlage!   Baur

---

[1] Hier folgt eine Liste von fünfundzwanzig Verlegern.

Schließungsverfügung

1944 ging es kaum noch um Politik oder Rasse; am 25. Juli 1944 wurde Joseph Goebbels zum Generalbevollmächtigten für den totalen Kriegseinsatz ernannt; man sprach schon nicht mehr über Säuberung, sondern nur noch über Schließung; das nachstehend wiedergegebene Formular (hier gekürzt) flatterte vielen Verlegern ins Haus.

> Der Präsident der Reichsschrifttumskammer
> Reichsschrifttumskammer
> Leipzig C 1
> Leipzig, den 26. August 1944
> Postschließfach 661

Einschreiben!

Schließungsverfügung
Die totale Mobilisierung erfordert den Einsatz aller Kräfte für den Sieg. Auch auf kulturellem Gebiet muß daher jetzt auf Einrichtungen verzichtet werden, die im Vergleich zu anderen Bereichen des Wirtschaftslebens bisher noch geschont werden konnten. Auf Grund der Ermächtigung des Präsidenten der Reichskulturkammer und Bevollmächtigten für den totalen Kriegseinsatz verfüge ich die Schließung Ihres Betriebes, soweit in ihm eine schrifttumskammerpflichtige Tätigkeit ausgeübt wird.

Beschwerden gegen diese Schließungsverfügung sind nicht zulässig und können daher nicht bearbeitet werden.

F. d. R.   Im Auftrage:
Unterschrift   Gentz
Stempel:
Reichskulturkammer
Reichsschrifttumskammer
7

Anhang: Will Vespers Mitteilungen

Unabhängig von den offiziellen Kulturorganisationen und -institutionen des Dritten Reichs, von Gestapo und Sicherheitsdienst oder ähnlichen Einrichtungen des Regimes bekämpften einige Redakteure und Schriftsteller gewisse Verleger auf eigene Faust und in privater Regie. Am eifrigsten war Will Vesper, der in der von ihm redigierten Zeitschrift *Die Neue Literatur* fast in jeder Nummer Verleger beschimpfte oder denunzierte. Er tat es beinah so oft, wie er eigene Gedichte auf Hitler veröffentlichte, in deren Überschrift stets das Wort «Führer» enthalten war, wie etwa *Der Führer, Dem Führer, Unser Führer.* Hier nur einige Auszüge aus längeren Aufsätzen Will Vespers, die in der Rubrik *Unsere Meinung* oder *Nachrichten für Buchhändler* erschienen.

Eine einfache, aber wirksame Verfügung

In: *Die Neue Literatur*, Mai 1935, S. 297–298.

Immer wieder versuchen bestimmte Verlage, die jüdische und kulturbol-schewistische Literatur, die sie gestern verlegt haben und die heute noch ihre Lager füllt, ins Volk zu bringen. Zum Teil weil sie von ihrem rein händlerischen Standpunkt aus so wie gestern auch heute ihren Dreck zu Gold machen möchten, zum Teil aber auch, weil sie bemüht sind, die Vergiftung des deutschen Volkes, die sie gestern betrieben, auch heute fortzusetzen.

Im Buchhandel selber und ebenso auch im Bahnhofsbuchhandel hat sich im allgemeinen die Lage wesentlich gebessert. Doch gibt es namentlich in den Großstädten noch immer zahlreiche Buchhandlungen und auch gerade Bahnhofsbuchhandlungen, die aus alter Gewohnheit die Werke der jüdischen Verleger bevorzugen, der S. Fischer, Cassirer, Rowohlt (dessen Hintermänner Juden sind), Zsolnay usw. Der Verlag Zsolnay bemüht sich allerdings auch ganz besonders, die Buchhändler über seinen wahren Geist im Dunkeln zu lassen. Seit unserer letzten Klarstellung, daß es sich hier um einen Judenverlag handelt, beobachten wir bei ihm mit wachsendem Erstaunen eine merkwürdige Tarnung. Die jüdische Literatur des Verlages wird in Seitenbetriebe geschoben und, nach Deutschland zu, gegen Sicht abgedeckt. Dafür tauchen eine Reihe von neuen Autoren im Verlag auf, die als deutschnational gelten oder auch wirklich deutschnational sind. Die Herren können nur einer inneren Täuschung zum Opfer gefallen sein.

Weit gefährlicher als der kleine jüdische Schriftsteller ist der allmächtige jüdische Verleger. Es geht nicht an, jenen aus dem Reichsverband der deutschen Schriftsteller auszuschließen, diesen aber ruhig weiter wirken zu lassen. Wir brauchen zur endgültigen Befreiung des deutschen Schrifttums aus jüdischer Verlagsherrschaft eine sehr einfache, aber sehr wirksame Verfügung der Reichsschrifttumskammer: «Werke jüdischer Autoren und jüdischer Verlage dürfen nicht öffentlich in Schaufenstern, Auslagen und auf dem Ladentisch ausgestellt und angepriesen werden.»

Ohne Kompromisse

In: *Die Neue Literatur*, Oktober 1935, S. 625.

Was der jüdische Verlag Zsolnay mit seiner merkwürdigen «nationalen» «Gleichschaltung» bezweckte, zeigt leider deutlich der erste Blick in den Roman «Der Sandwirt» von Erwin H. Reinalter, den dieser, ob-

obgleich er Theaterkritiker eines Blattes der Bewegung ist, soeben von dem Wiener jüdischen Verlag herausgeben ließ. Mitten in dem Andreas-Hofer-Roman, der ganz gewiß auch gute deutsche Verlage gefunden hätte, liegen Werbeblätter, in denen Zsolnay einen großen Teil seiner älteren Literatur anpreist, darunter auch die Werke des Juden Werfel. Andreas Hofer und der nationalsozialistische Schriftleiter werden also als Vorspann für einen deutsch-feindlichen Juden (vgl. unser Märzheft S. 174) mißbraucht. Wird es bei den nationalen Zsolnay-Autoren noch immer nicht hell? Haben wir nicht rechtzeitig genug vor dieser gefährlichen Rassenmischung gewarnt? Wer sich mit dem Juden an einen Tisch setzt, besorgt seine Geschäfte, auch wenn er schlauer zu sein glaubt. Und wer die Geschäfte des Juden besorgt, bewußt oder unbewußt, schädigt Deutschland und den Nationalsozialismus, von dem heute jeder weiß und wissen muß, daß er keine Kompromisse mit dem Judentum kennt. «Der Nationalsozialismus wird», wie Rosenberg eben in Nürnberg sagte, «entgegen manchen Einflüsterungen von seinem Programm und seiner Haltung keine Handbreit abweichen.»

Der seltsamerweise durch alle Pleiten immer wieder zu größeren Unternehmen sich durchringende Aretz-Verlag (jetzt verbunden mit Bernina-Verlag, Olten-Leipzig-Wien) gibt in auffallender Verwandtschaft mit dem jüdischen Wiener Phaidon-Verlag ausgestattete «Standardwerke» heraus, dicke Bände mit vielen Bildern für wenig Geld.

Juden- und Jesuitenverlage

In: *Die Neue Literatur*, Dezember 1935, S. 761–762.

Wiener Nachrichten behaupten, daß eine Reihe deutscher Juden- und Jesuitenverlage die Absicht hätten, aus Deutschland nach Österreich zu emigrieren. Das verpflichtet uns zu größter Wachsamkeit gegen die auslandsdeutschen Verlage, die in Judenhänden sind und die nun versuchen, vom Ausland aus die jüdische und judenfreundliche Literatur hinter allerlei Tarnungen und auf allerlei Seitenwegen wieder nach Deutschland zu bringen. Es muß künftig verhindert werden, daß etwa der jüdische Verlag Reichner (Wien und Zürich) mit Prospekten, die die Werke Stefan Zweigs und anderer Juden anpreisen, Deutschland überschwemmt (Mit Bestellkarte nach Wien). Man muß sich merken, daß Verlage wie der Verlag Rascher & Cie. (Zürich und Wien) Hetzbücher gegen Deutschland veröffentlichen. Die alten jüdischen Verlage in Deutschland werden hoffentlich bald alle und ohne Ausnahme in zuverlässigen Händen sein. Wir haben das deutsche Geistesleben im Innern von der jüdisch-jesuitischen Herrschaft befreit. Wir werden nicht die alte Fremdherrschaft der Volksverderber von außen her durch die Hintertüre sich wieder einschleichen lassen! Ganz besondere Aufmerksamkeit verdient in diesem Zusammenhang der Salzburger Verlag Anton Pustet, dem wir bereits einmal schlimme Schmuggelware nachwiesen.

Verlegerische Rassenschande

In: *Die Neue Literatur*, Februar 1937, S. 103–104.

Die jüdische Literaturherrschaft in Deutschland ist beseitigt. Die jüdischen Verlage sind verschwunden oder in deutsche Hände übergegangen. Auch die noch hier und da im Hintergrund an verborgenen Fäden ziehenden jüdischen Finger werden mit der Zeit das Spiel aufgeben müssen – wenigstens im Inland. Um so schärfer gilt es nun, die jüdischen Verlage des Auslandes zu beobachten. Das «Börsenblatt für den deutschen Buchhandel» steht allen deutschen Verlagen der Welt offen und kann und darf selbstverständlich dem Wiener oder Zürcher deutschen Verleger nicht verschlossen werden. Auf diese Weise ist es aber auch den dortigen Judenverlegern möglich, ihre Erzeugnisse im «Börsenblatt» anzupreisen. Und da die jüdischen Verlage sich vielfach geschickt zu tarnen wissen, auch im Inland sich offenbar noch manche nach der alten jüdischen Kost sehnen, so erleben wir zur Zeit eine Überschwemmung des deutschen Büchermarktes mit Literatur aus außerdeutschen jüdischen Verlagen. Daß das durchweg keine nationalsozialistische und deutsche Literatur ist, braucht man wohl nicht erst zu betonen.

Wenn ein deutsches Mädchen ein Verhältnis mit einem Juden hat, so werden beide wegen Rassenschande mit Recht verurteilt. Wenn ein deutscher Schriftsteller und ein deutscher Buchhändler ein Verhältnis mit jüdischen Verlegern eingeht – ist das nicht eine weit schlimmere und gefährlichere Rassenschande?

Man kennt sie doch alle: Den Phaidon-Verlag, ein Aasgeier-Verlag, der die Toten, die honorarfreie Kunst, Dichtung und (vielfach veraltete) Wissenschaft des Abendlandes immer noch einmal mit Warenhausgeist ausschlachtet; den Bermann-Fischer-Verlag, dessen Thomas-Mann-Geschäft nun wenigstens von Staats wegen unterbunden wurde; den Jakob-Hegner-Verlag, der in römischer Soutane hereinschleicht, den Herbert-Reichner-Verlag, dessen Hintermann Stefan Zweig ist und der hinter Geschmäcklertum sein Judentum verbirgt, den Verlag Dr. Rudolf Passer (früher Epstein), der die schlimmsten Deutschenhasser und Werke voll Fäulnis und Niedertracht nach Deutschland schmuggelt...

Es genügt aber nun keineswegs, daß man eine einzelne solche Ratte erwischt und hinauswirft. Die Bücher dieser Verlage müssen dann ein deutsches Kennzeichen tragen, etwa den Stern Judas. Wir verlangen nichts als Offenheit. Wer kann dagegen sein oder sich darüber beklagen, wenn er nicht im Dunkeln Schändliches oder Schädliches zu verbergen hat?

«Unsere Leser sind also im Bilde»

In: *Die Neue Literatur*, März 1938, S. 154–155.

Über den Föhn-Verlag, Olten, teilt uns die Buch- und Zeitschriften AG, Zürich, mit, daß der Föhn-Verlag nur eine Unterabteilung ihrer Firma sei. «Unser Verlag ist rein arisch, es ist weder jüdisches Kapital daran beteiligt, noch sind die führenden Persönlichkeiten Juden, sondern entstammen alten, seit Jahrhunderten in der Schweiz ansässigen Schweizer Geschlechtern». – Wir haben den Föhn-Verlag auch nicht als Juden-Verlag bezeichnet, nur darauf hingewiesen, daß er eine jüdische Autorin verlege. Diese, Frau Paula Stuck (früher Paula von Rezniček, Tochter des Bankiers Heimann in Breslau), läßt uns durch ihre Sekretärin mitteilen: «Frau Stuck ist die Frau des Rennfahrers Hans Stuck und war dreimalige deutsche Tennismeisterin, abgesehen von ihren ausländischen Tennissiegen. Sie stellen die Behauptung auf, Frau Stuck sei Jüdin. Hierzu möchte ich Ihnen sagen, daß Frau Stuck keine Jüdin ist, sondern unter das Mischlingsgesetz fällt.» Und ferner: «Ich habe nie abgestritten, daß Frau Stuck nicht arisch, ich lehne mich nur dagegen auf, wenn Sie schreiben, Frau Stuck sei Jüdin, denn daß Frau Stuck väterlicherseits einen jüdischen Großvater hat, ist nie von unserer Seite bestritten worden.» «Mütterlicherseits hat sie eine ganz rein arische Linie.» Unsere Leser sind also im Bilde.

Werbung

Dieser soziologische Begriff nahm im Dritten Reich ganz andere Dimensionen an als in jedem anderen Staatswesen – gleichgültig, ob Diktatur oder Demokratie. Hitler und Goebbels zeigten in dieser Hinsicht erhebliches Talent und unvergleichlichen Instinkt. Sie wurden zu Meistern des «freiwilligen Zwangs». Der NS-Werbestil offenbart sich bereits unverkennbar in Hitlers *Mein Kampf* und ebenso in allen Reden und Artikeln, die Goebbels während der «Kampfzeit» von sich gab; es war daher selbstverständlich, daß Schriftsteller und Dichter dauernd «im Einsatz» waren; «Der Dichter des neuen Deutschland wurde nicht in der Einsamkeit, sondern er wurde auf der Straße, wurde in der Kolonne, im Pfeifen der gegnerischen Kugeln, in der Saalschlacht, er wurde im Dreck des politischen Kampfes» – in Hellmuth Langenbucher: *Dichtung der jungen Mannschaft*, Hamburg 1935, S. 35.

Woche des deutschen Buches

Erstmals fand die *Woche des deutschen Buches* 1934 statt, aber sie war bei weitem noch nicht im NS-Sinn und Gleichschritt durchorganisiert; das geht auch aus der Rede des Leiters der Reichsbetriebsgemeinschaft Druck, Ebenböck, am 28. 9. 1935 hervor – Manuskript im Besitz des Herausgebers –, der u. a. sagte: «Ich möchte deshalb zu Beginn meiner kurzen Ausführungen noch einmal an alle Teilnehmer den dringenden Appell richten, auch den letzten Rest eigener und persönlicher Interessen zurückzustellen und einzig und allein die große, kulturelle Aufgabe, die das deutsche Buch im deutschen Volk zu erfüllen hat, und für deren Gelingen wir verantwortlich sind, zu sehen. Nur unter dieser Bedingung hat in diesem Jahr die unter meiner Leitung stehende Reichsbetriebsgemeinschaft Druck ihre gesamte Organisation mit 400 000 Gefolgschaftsmitgliedern und 18 000 Betrieben des graphischen Gewerbes und der papierverarbeitenden Industrie in den Dienst dieser großen und schönen nationalsozialistischen Aufgabe gestellt. Die Betonung liegt hier auf nationalsozialistisch, zum großen Unterschied von den Veranstaltungen, wie sie in früheren Jahren durchgeführt wurden, wo jede Gruppe und jede Organisation mit eigenen Gedanken und eigenen Interessen an die Lösung heranging.» Derartige Deklarationen wurden alljährlich abgegeben, aber selbstverständlich in ständig sich steigerndem Maße; 1937 sagte beispielsweise K. H. Hederich: «In der Woche des deutschen Buches legen wir ein Bekenntnis ab, ein Bekenntnis unseres politischen Glaubens» – in: *Nationalsozialismus und Buch*, Mainz 1938, S. 2.

«. . . von der Trommel der Buchwerbung aufgerüttelt»

Hans Hagemeyer: Vortrag vor der Reichsarbeitsgemeinschaft für deutsche Buchwerbung am 28. 8. 1935; Manuskript im Besitz des Herausgebers; gekürzt.

Wenn heute im Interesse der Allgemeinheit der deutsche Staat irgendwelche propagandistischen und werbetechnischen Dinge durchzuführen gedenkt, so hat er sich im Gegensatz zu der Vergangenheit nicht mehr mit der Werbung des Einzelnen zu befassen, sondern stößt hier heute auf den Willensträger einer einheitlichen, zielbewußten Weltanschauung, auf eine große Gemeinschaft, auf die Partei. Es liegt auch gar nicht mehr im Interesse des Staates, unzählige – für unser Gebiet z. B. Literaturverbände und -vereine zu unterstützen, wie das früher einmal der Fall gewesen ist, sondern er hat als der große Träger aller Lebensäußerungen unseres Volkes die Partei im Rücken und kann sie bei großen Aktionen, wie es z. B. in der deutschen Buchwerbung ist, in vollstem Maße einspannen.

Wir müssen uns klar sein, daß über die Partei und die ihr angeschlossenen Verbände heute rund 30 Millionen Volksgenossen eines Volkes erfaßt sind, nicht mehr erfaßt und gesondert in kleinen Bünden, die über den Rahmen ihrer engen Ich-Perspektive und ihrer Berufssorgen zu gewinnen sind, sondern geeint und gesammelt in einer nationalsozialistischen Arbeiterpartei. Es gehen in dieser großen Gemeinschaft bestimmte lebenswichtige Sonderinteressen des Volkes nicht unter, sie haben aber die Einstufung bekommen, die sie immer in einem gesunden Volke zu erwarten haben, nämlich, sie haben sich der Totalität, der Ganzheit unseres Volkes unterzuordnen.

Wenn heute die deutsche Buchwoche mit der großen Aufgabe, das deutsche Schrifttum, als die stärkste Waffe des geistigen kulturpolitischen Kampfes, lebenskräftig und lebensfähig zu erhalten, eingesetzt wird, so wissen ihre aktiven Männer, daß diese großen Arbeiten, die hier unternommen werden, nicht nur dem Lebensstand der Buchhändler, sondern auch dem Schrifttum selbst gelten.

60 Millionen Menschen werden Ende Oktober von der Trommel der Buchwerbung aufgerüttelt. Nicht mehr literarische Kreise allein treiben mit Vorlesungen und Autorenabenden einige wenige Begeisterte zuhauf. Nein! Ein ganzes Volk soll mobil gemacht werden, wo es schon für andere große Aufgaben mobil gemacht worden ist. Ich denke hier an die große Wehrpflicht unserer Nation. Diese Wehrpflicht dient der äußeren Wehrhaftigkeit. Genauso müssen wir von der geistigen Front her die innere Wehrhaftigkeit im Interesse des Aufbaues unseres Volkes durchführen.

Und diese Mobilmachungstage bilden die Woche des deutschen Buches. Mobilmachungstage, wo die Waffen geprüft und Formationen gebildet werden.

Hamburg, den 22. Oktober 1936.
Harvestehuderweg 27
Fernsprecher: 44 36 51
Postscheck: Hamburg 725 79 SA Gruppe Hansa Hamburg

Abtlg.: PA 2 Bi/He.

Briefb. Nr.: 7939/36.

Betrifft: "Dichter der Bewegung
lesen aus eigenen Werken"

Bezug:

Beilagen:

Bei sämtlichen Beantwortungsschreiben stets
Abteilung und Briefbuchnummer angeben.

An

Brigade 11
Brigade 12
Mar.Brigade 3
Standortführer Rostock

Zu der Veranstaltungsreihe "Dichter der Bewegung lesen aus
aus eigenen Werken" hat die Reichspropagandaleitung auf Ersuchen der
Abteilung PK. folgendes Rundschreiben an alle Gaupropagandaleiter und an
alle Kulturhauptstellenleiter der NSDAP. herausgegeben:

"Die Oberste SA-Führung führt in der Zeit vom 15. Oktober 1936 bis
15. März 1937 eine Veranstaltungsreihe "SA-Dichter lesen aus eigenen
Werken" im ganzen Reich durch. Die Veranstaltungsreihe wird eröffnet
mit 2 Grosskundgebungen am 15. Oktober 1936 in München (mit Standartenführer Gerhard Schumann und Oberscharführer Herybert Menzel)
und in Berlin (mit Obersturmführer Herbert Böhme und Sturmführer
Bernd Lembeck).
Bei Inangriffnahme der Vorbereitungsarbeiten in den einzelnen Städten
werden sich die betreffenden SA-Dienststellen mit den zuständigen
Gau- bezw. Kreispropagandaleitungen rechtzeitig in Verbindung setzen.
Es ist selbstverständlich, dass die Partei den SA-Dienststellen ihre
Unterstützung bei der Durchführung dieser Abende leiht. Der Termin
der Veranstaltungen ist rechtzeitig den Gau- und Kreisringen für
nationalsozialistische Propaganda bekanntzugeben, damit der Ver-
anstaltungsabend tunlichst von anderen Veranstaltungen und Dienst
festsetzungen terminmässig freigehalten wird. Selbstverständlich soll
auch in den einzelnen Gliederungen empfehlend auf diese Veranstaltungen hingewiesen werden.

Heil Hitler!

gez. Franz Moraller

Amtsleiter

Die Gruppe Hansa hat sich in dieser Angelegenheit bereits mit
der Gauleitung Hamburg in Verbindung gesetzt und der Gauleitung auf
ihre Anfrage hin mitgeteilt, dass sie sich in dieser Angelegenheit
mit den veranstaltenden Einheiten, d.h. Brigade 12 und Mar.Brigade 3
direkt in Verbindung setzen möge. Die Brigade 11 und der Standortführer Rostock setzen sich deshalb mit der Gauleitung Mecklenburg-
Lübeck bezw. mit der Kreisleitung Rostock-Stadt in Verbindung.

S. A. Brigade 12 (Hamburg)

Eing. 24. OKT. 1936 20 Uhr.

Regt.:	Schrei.:	Erl.:	Beantw.:
			Durch:
			b. Zi.

Der Führer der Gruppe Hansa
i.A.

Standartenführer und
komm.Stabsführer

Dichter im Einsatz für die SA

Dichter und Volk

Georg Gnieser: *Dichter und Volk – Zur Woche des deutschen Buches 1935* in: *Theater-Tageblatt*, Beilage, vom 26. 10. 1935, gekürzt; siehe auch Will Vesper: *Vom Sinn der Buchwoche* in: *Die Neue Literatur*, November 1935, S. 641–642.

Auch in diesem Jahr werden in der Zeit vom 27. Oktober bis 3. November wieder alle am deutschen Schrifttum beteiligten Kräfte an der Durchführung der «Woche des deutschen Buches» mitarbeiten.

Wir alle haben jene Zeit erlebt und noch in Erinnerung, in der sich volksfremde, zumeist jüdische Geistes- und Sprachvergewaltiger gegenseitig darin zu überbieten trachteten, Absatzgebiete für ihre belanglosen oder irrigen, verrückten oder unsauberen, immer zerstörenden Modewerke zu finden. Darüber hinaus aber hielten sie ihre Erzeugnisse für richtungweisend und versuchten sie, ihre «Tendenzen» dem von ihnen im Grunde verachteten Volke aufzudrängen, das ihnen aber nicht zu bedeutungslos war, als daß sie nicht mit ihm ihr Geschäft machen konnten. Bezeichnenderweise wurde gerade in dieser Zeit ungewöhnlich viel von «Literatur» und «Literaten» gesprochen, ein Beweis dafür, wie sehr diese «Artisten» am Äußeren, am Buchstaben klebten. Massenauflagen ihrer Bücher wurden losgelassen, und je mehr eindeutige und zweifelhafte, von Juden und Marxisten redigierte ausländische Magazine «humanitäre» Gedanken in ihnen entdeckten, um so größer wurde ihr «Marktwert». Dichter war, wer es wagte, seine privaten Meinungen und Gefühlchen zu Papier zu bringen und sie geschäftstüchtig vertreiben zu lassen.

Auf den Trümmern dieser Dichterei hat das neue Schrifttum seinen Aufbau beginnen müssen. Der Dichter mußte immer wieder daran erinnert werden, daß Dichter sein eine besondere Verpflichtung dem Volk und Staat gegenüber darstellt. Ihm mußte ebenso wie der Leserschaft des gesamten Volkes klargemacht werden, daß Dichtung keine Angelegenheit für «schöne Geister», für einen selbstgefälligen Aesthetizismus ist. Das dichterische Werk hat vornehmlich nicht die Bestimmung, von gelehrten Literaturgeschichtlern in «Richtungen» eingeordnet zu werden und somit das Kunst- oder Geisteswerk «an sich» zu verkörpern.

Der politische Glauben

Karl Heinz Hederich: *Nationalsozialismus und Buch*, Mainz 1937, S. 4–5, gekürzt.

Wenn wir als Nationalsozialisten im Angesicht all der Tausende und Millionen sich regender Hände diesen Ruf zur Woche des Buches ergehen lassen, dann ist uns das kein Anlaß für Betrachtungen über den ästhetischen oder formalen Wert einer Dichtung, kein Anlaß zu Diskussionen über blasse Fragen jenseits der Zeit und mehr oder weniger hysterische und empfindsame literarische Bekenntnisse. Nein! Solche und ähnliche Fragen mögen ihre Bedeutung haben und ihre Behandlung am richtigen Ort erfahren. In der Woche des Buches aber legen wir ein Bekenntnis ab zu dem Deutschland von heute, ein Bekenntnis unseres politischen Glaubens. Wir bekennen uns nicht zuletzt zur Kraft der Idee, die, vom Genius eines Mannes angerührt, unser Volk heute im Aufbruch des Nationalsozialismus erfahren hat.

Die wunderbare Wandlung

Baldur von Schirach sprach in Wien, in: *Völkischer Beobachter* vom 5. 11. 1938, gekürzt.

Baldur von Schirach, Reichsjugendführer und Dichter, *1907; in der offiziellen Biographie heißt es über ihn: «Seit 1925 steht er in dauernder Verbindung mit Adolf Hitler und gehört heute zum engsten Vertrauenskreis des Führers, der auch außerhalb des Dienstes in seiner Privatwohnung in der Reichskanzlei oder in der Wohnung des Reichsjugendführers viel mit ihm zusammen ist»; «Der Gedichtband ‹Die Fahne der Verfolgten› enthält eine zahlenmäßig nicht reiche, aber in ihrer Beispielhaftigkeit als politische Dichtung bedeutsame Vereinigung der Gedichte Baldur von Schirachs» – in Hellmuth Langenbucher: *Volkhafte Dichtung der Zeit*, Berlin 1937, S. 464; «Er schrieb die Verse auf Hitler, in denen das Verhältnis zwischen Führer und Gefolgschaft am knappsten gefaßt ist» – in Paul Fechter: *Geschichte der deutschen Literatur*, Berlin 1941, S. 764; «Baldur von Schirach wies in seinem Buch ‹Die Hitler-Jugend – Idee und Gestalt› den Weg und das Ziel der nationalsozialistischen Jugendbewegung auf» – in Dr. Fritz Lübbe und Dr. Heinrich Fr. Lohrmann: *Deutsche Dichtung in Vergangenheit und Gegenwart*, Hannover 1940, S. 251.

Im großen Festsaal der Wiener Hofburg fand gestern vormittag eine feierliche Kundgebung zur ersten großdeutschen Buchwoche statt, bei der auch der Reichsjugendführer Baldur von Schirach sprach. Für die Eröffnung bot der große Festsaal der Wiener Hofburg einen feierlichen Rahmen. Fanfaren des Wiener Jungvolks begrüßten den Reichsjugendführer, als er mit Gauleiter Globotschnigg [1] vor der Hofburg eintraf.

Uns Deutschen wurde einst in manchen Teilen dieser Welt unsere stille Liebe zu den Büchern zum Vorwurf gemacht. Im Zerrspiegel gehässiger Darstellung erschienen wir dann häufig als weltfremde, zerstreute Professoren, als verstaubte Aktenmännchen und Spitzwegfigu-

---

1 Odilo Globocnik, 1904–45; als Chef des sogenannten *Einsatzes Reinhard* und Höherer SS- und Polizeioffizier in Lublin einer der Hauptliquidatoren des polnischen Judentums; ausführlich über ihn siehe Joseph Wulf: *Das Dritte Reich und seine Vollstrecker – Die Liquidation von 500 000 Juden im Ghetto Warschau*, Berlin 1961, S. 261–274.

ren. Ich glaube, daß die Welt inzwischen ihre Meinung über uns geändert hat. Statt, wie einst, spöttisch lächelnd auf unsere Bücher zu schauen, richtet sie nun ihre Blicke auf unsere Waffen. Ob das mit freundlichen oder unfreundlichen Empfindungen geschieht, ist uns gleichgültig.

Wie die wunderbare Wandlung unseres Volkes nicht zuletzt bestimmt wurde durch jenes leidenschaftliche Buch, das der Führer in seiner Zelle zu Landsberg hinter Gittern niederschrieb, so war auch in der Zeit von Deutschlands tiefster Schmach und Erniedrigung das Schrifttum unseres Volkes vielen Verzweifelten die letzte Zuversicht. In diesem Schrifttum bewahren wir, was die Großen unserer Nation an Worten des Glaubens einst gesprochen haben.

Demonstrative Bedeutung

Archiv des Instituts für Zeitungswissenschaft in München.

	Reichspropagandaamt Berlin
Geheim!	Berlin, den 17. Oktober 1941
Kulturpolitische Information Nr. 9	Leipziger Straße 81 Ruf: 16 39 54

Bei der Besprechung der deutschen Kriegsbuchwoche ist zu beachten, daß dieser keine werbeprogrammatische, sondern demonstrative Bedeutung zukommt. Die Berichte sind dementsprechend so abzufassen, daß ein Zunehmen des Käuferstromes bei den Buchhandlungen vermieden wird.

Denecke
Presse-Referent

Weimarer Dichtertreffen

Das Ziel dieses Dichtertreffens läßt sich am besten mit einem Vers von Hans Schwarz erklären:

«Dichter muß in Reih' und Glied
wie Soldaten wandern.»

– in Dr. Fritz Lübbe und Dr. Heinrich Fr. Lohrmann: *Deutsche Dichtung in Vergangenheit und Gegenwart*, Hannover 1940, S. 254; auf dem Weimarer Dichtertreffen 1940, genannt «Kriegsdichtertreffen», sagte Hanns Johst u. a.: «Mit seinen Soldaten schafft der Führer das Reich, mit seinen Baumeistern meistert er den gewonnenen Raum – und mit Euch, durch Eure Wortgewalt, ist er gewillt, in die Geschichte einzugehen» – in Hanns Johst: *Der Dichter in der Zeit* in: *Die Dichtung im Kampf des Reiches – Weimarer Reden 1940*, Hamburg 1941, S. 14.'

Unabhängig vom Weimarer Dichtertreffen wurden auch *Weimarer Festspiele der Jugend* organisiert. Nicht nur, daß diese Gedenkstätte an Goethe, Schiller und Herder dazu mißbraucht wurde, sie wurde auch noch mit einer Werbung für das NS-Schrifttum und NS-Parolen gekoppelt. Siehe Dr. Jürgen Petersen:

Musische Erziehung, und Peter Schmidt: *Das Weimar der deutschen Jugend* in: *Weimar, Bekenntnis und Tat, Kulturpolitisches Arbeitslager der Reichsjugendführung*, Herausgeber Otto Zander, Berlin 1938, S. 120–124; den gleichen Zwecken dienten außerdem die Veranstaltungen *Jugend und Buch*, siehe: *Stolzes Bekenntnis zum Buch – HJ-Feierstunden und Dichtertreffen im ganzen Reich*, in: *Völkischer Beobachter* vom 11. 12. 1939.

Über solche unzähligen öffentlichen Dichterveranstaltungen schrieb Hans Carossa trefflich und ironisch: «Man könnte glauben, es hätte nie ein so poetisches Zeitalter gegeben» – in: *Ungleiche Welten*, Wiesbaden 1951, S. 118–119.

Das großdeutsche Dichtertreffen 1938

Rudolf Erckmann: *Der Dichter im Volk* in: *Weimarer Reden 1938*, Hamburg 1939, S. 9–16, gekürzt; das Weimarer Dichtertreffen stand in enger Beziehung zur *Woche des deutschen Buches*.

Deutsche Dichter, meine Volksgenossen!
Als dem Sachbearbeiter für Autorenfragen im Propagandaministerium sei es mir gestattet, zu Eingang der Tagung einige grundsätzliche Ausführungen zu machen. Die nationalsozialistische Bewegung, die der Gesamtheit unseres Lebens als Volk einen völlig neuen, d. h. wieder den uralt ewigen Sinn gegeben hat, läßt uns Wesen und Wirkung des Dichters in völlig anderer Weise begreifen, als das unüberwundene Zeitalter getan hat.

Aus dem Erlebnis des Weltkrieges, an dessen Aufruf der letzten inneren Bestände unseres Volkes sich die Geister schieden, entsprang die deutsche Wiedergeburt. Der Führer begann seinen Kampf um das deutsche Volk und führte ihn in einzigartiger Weise zum siegreichen Ende. Die allumfassende nationalsozialistische Idee überwand die heillose Aufsplitterung des gesamten Volkes im politischen wie im seelischen Leben und richtete die großen Male wieder auf, von denen aus die Nation zur Gemeinschaft zusammenwachsen konnte. Alle schaffenden Menschen wurden nun im organischen Zusammenhang des Ganzen gesehen, mit ihnen auch die Schöpfer der Kultur. Im völkischen Organismus kommt dem kulturschaffenden Menschen als lebenswichtiges Glied eine durch nichts zu ersetzende einmalige Funktion zu.

Diese deutsche Idee der Persönlichkeit, wie sie in den einzigartigen Leistungen der Großen von Weimar ihren Ausdruck gefunden hat und wie sie durch die nationalsozialistische Bewegung dem gesamten Volke verpflichtend vor die Seele gestellt wird, schließt für den Schöpfer kultureller Werte, hier den Dichter, eine dreifache Bindung in sich. Er sieht sich zunächst wurzelhaft gebunden in seiner Seele selbst an das Leben des Volkes. Hinzu kommt eine zweite und wiederum entscheidende Bindung: die Bindung an das Werk und an dessen Wirkung.

Zu dieser Verantwortung vor seinem eigenen volksgebundenen Wesen und vor dem Werk und seiner Wirkung kommt eine dritte hinzu: die Verantwortung vor der Zeit selbst. Der volkhafte Dichter wird aufgeschlossen sein für das unmittelbare Erleben seiner Tage. Er will sich hineingestellt fühlen in den Kräftestrom der pulsierenden Gegenwart, die ihn davor bewahrt, sich seelisch zu isolieren und innerlich sich Welten zuzuwenden, die an der Unmittelbarkeit des Lebendigen nicht teilhaben und im Abgezogenen verdämmern.

Das großdeutsche Dichtertreffen 1940

Die europäische Sendung der deutschen Dichtung, in: *Der Mittag* vom 28. 10. 1940, gekürzt; siehe auch: *Kriegstreffen großdeutscher Dichter in Weimar* in: *Der Autor* vom 1. 11. 1940, S. 153; erstmalig nahmen auch ausländische Dichter Hitler-Europas an diesem Dichtertreffen teil.

Weimar, 27. Oktober. Den Auftakt zur Festsitzung des Großdeutschen Dichtertreffens bildete, wie bei früheren Dichtertreffen, eine Huldigung an die Großen Weimars. Bei Beginn der Feierstunde im Deutschen Nationaltheater ergriff Gauleiter Sauckel [1] das Wort zu einer Begrüßungsansprache. Dann sprach der Dichter Hermann Burte über «Die europäische Sendung der deutschen Dichtung». Der Dichter leitete seinen Vortrag ein mit der Feststellung, daß die Arbeit eines ganzen Lebens dazu gehöre, um die mit dem Thema gegebenen Zusammenhänge zu bewältigen. Hier in Weimar scheine es gut und fruchtbar, Goethe zum Mittelpunkt der Ausführungen zu machen. Alle elenden Versuche, Goethe gegen sein Volk auszuspielen oder ihm die Deutschheit abzusprechen, so führte Burte aus, schänden nur unser Volk und einen seiner echtesten Söhne. Goethes Wesen und Dichtung habe auch auf den Schotten Carlyle gewirkt und auf einen anderen geistig bedeutenden Engländer, der dem deutschen Wesen sich zuwandte: Houston Stewart Chamberlain [2] Eindringlich zeichnete Burte das Bild, wie Chamberlain in dem ihn am Krankenbett besuchenden Führer den Erwecker Deutschlands erkannte.

Die europäische Sendung der deutschen Dichtung sei in ihrem tiefsten Wesen gleich mit der europäischen Sendung des deutschen Volkes und

1 Fritz Sauckel, 1894–1946; 1921 NSDAP-Redner; 1927 Gauleiter in Thüringen; 1933 Reichsstatthalter; 1942 von Hitler zum Generalbevollmächtigten für den Arbeitseinsatz ernannt.

2 Houston Stewart Chamberlain, Schriftsteller, 1855–1927, Verf. von: *Die Grundlagen des 19. Jahrhunderts*; er verherrlichte den arischen Geist und wurde Hitlers begeisterter Anhänger, als er, Wagners Schwiegersohn aus zweiter Ehe, im Bayreuther Haus Wahnfried den «Führer» kennenlernte.

seines Führers. Burte sprach die bestimmte Erwartung aus, daß den Deutschen neben dem großen Führer der große Dichter nicht versagt sei. Er werde zu Adolf Hitler stehen, wie Goethe zu Friedrich d. Gr.

Bei der Festsitzung gab Generalintendant Staatsrat Dr. Ziegler [1] ein Telegramm des Reichsministers Dr. Goebbels bekannt. In einem Antwort-Telegramm dankten die Dichter dem Minister für seine großzügige Förderung und gelobten, den großen Aufgaben der Zeit mit ganzem Einsatz zu dienen.

1941: Die Werke der Ausländer sollen nicht herausgestellt werden

Reichspropagandaamt Berlin
Rundspruch Nr. 318
Berlin C 2, den 29. September 1941
Geheim!   Leipzigerstraße 81
Kulturpolitische Information Nr. 9   Tel: 16 39 54

Während der Kriegsbuchwoche vom 26. 10 bis 22. 11. d. J. werden diesmal bei dem Dichtertreffen in Weimar auch Vertreter der befreundeten Nationen anwesend sein. Bei den Besprechungen über die Dichterwoche ist darauf zu achten, daß wohl die Namen der ausländischen Autoren genannt, deren Werke aber nicht besonders herausgestellt werden. Die ausländischen Autoren werden vor Beginn des Dichtertreffens in Weimar eine Deutschlandreise unternehmen. Über die aus diesem Anlaß stattfindenden Empfänge und sonstigen Feierlichkeiten soll nur örtlich berichtet werden.

Renkewitz
Lektor

---

1 Dr. Hans Severus Ziegler, *1893, Organisator der Ausstellung *Entartete Musik*, 1938; ausführlich über ihn in: *Musik im Dritten Reich* (Ullstein Buch 33032).

In der Preußischen Akademie der Künste

Die folgenden drei Dokumente stammen aus dem Archiv der Preußischen Akademie der Künste.

An die Mitglieder

Der Brief wurde gekürzt.

Deutsche Akademie der Dichtung
Berlin W 8, den 28. Februar 1934
J. Nr. 228   Pariser Platz 4

An die Mitglieder der Deutschen Akademie der Dichtung
1. Der Börsenverein der Deutschen Buchhändler zu Leipzig hat für den Monat März besondere Maßnahmen für das Winterhilfswerk eingeleitet. Er bittet um Weitergabe der nachfolgenden Anregungen an die Mitglieder der Deutschen Akademie der Dichtung.
   «Durch die Aktion des Buchhandels ist in besonderem Maße die Möglichkeit gegeben, daß sich auch Dichter und Schriftsteller mit kurzen Beiträgen für das Winterhilfswerk einsetzen.»
2. Einzelne Mitglieder der Deutschen Akademie der Dichtung haben in letzter Zeit bei gelegentlichem Aufenthalt in Berlin vor der Reichsführerschule der Hitlerjugend in Potsdam unentgeltlich gesprochen oder gelesen. Diese Veranstaltungen haben großen Anklang gefunden und verdienen es, gefördert zu werden. Diejenigen Mitglieder, die zu Gleichem bereit sind, mögen sich unmittelbar mit der Reichsjugendführung, Berlin NW 40, Kronprinzenufer 10, in Verbindung setzen oder ihre Bereitschaft dem Sekretariat der Akademie kundgeben.
3. Die Reichsleitung des Deutschen Arbeitsdienstes im Reichsarbeitsministerium, Berlin NW 40, Scharnhorststr. 35, richtet an die Mitglieder der Akademie die Bitte, sich mit dem Gedanken und den Einrichtungen des deutschen Arbeitsdienstes zu beschäftigen. Es wäre lebhaft zu begrüßen, wenn einzelne Mitglieder die Gelegenheit wahrnähmen, Lager des Arbeitsdienstes zu besuchen und dort zu sprechen oder zu lesen. In technischer Beziehung ist die Reichsleitung des Arbeitsdienstes zu jeglicher Unterstützung bereit.

Im Auftrage
Werner Beumelburg

Jakob Schaffner

Jakob Schaffner, Schriftsteller (Erzählung, Roman), 1875–1944; «Er hat das Erlebnis des Dritten Reiches in sich aufgenommen. Er hat die Arbeitsdienstlager als ‹Offenbarung› in deutscher Landschaft 1934 gefeiert» – in Josef Nadler: *Literaturgeschichte des deutschen Volkes*, Band 4, Berlin 1941, S. 553; «Es geht ihm um die äußere und innere Befreiung des deutschen Menschen aus den Fesseln alter Zustände und Vorurteile, um die Schaffung wahrer Freiheit – der Schweizer Schaffner hat in dem Buche seiner ‹Kraft-durch-Freude-Fahrten›, ‹Volk zu Schiff› (1935) das Bekenntnis abgelegt, daß er als Schweizer ‹Demokrat› nach Abkunft und Herkunft die wahre ‹Demokratie›, die Verwirklichung aller seiner Vorstellungen vom freien Volkstum im Dritten Reich gefunden habe» – in Dr. Walther Linden: *Die Ernte deutscher Dichtung 1939/1940* in: *Jahrbuch der deutschen Sprache*, Leipzig 1941, S. 109.

Jakob Schaffner,
Berlin-Schöneberg, Bozenerstr. 17
den 13. 3. 34

Sehr geehrter Herr Beumelburg!
Auf Ihre Aufforderung hin habe ich mich bei der Führerschule und der angegebenen Stelle für die Arbeitslager zur Verfügung gestellt. Der Ordnung halber teile ich Ihnen mit, daß man bei der Führerschule überhaupt nicht wußte, um was es sich handelt, und das Arbeitslager hat sich vollends nicht gemeldet. Ich stelle Ihnen anheim, die Angelegenheit von sich aus zu behandeln.

Hochachtungsvoll ergebenst
Jakob Schaffner

Agnes Miegel

Dr. phil. h. c. Agnes Miegel, Schriftstellerin (Lyrik, Erzählung); «Ich bin 1879 in Königsberg in Preußen geboren. Meine Eltern stammen beide von längst mit dieser Heimat verwurzelten Familien. Ich habe in meiner Vaterstadt eine sehr glückliche Kindheit verlebt, von der meine Erinnerungsblätter ‹Kinderland› erzählen. Mein Wunsch, Lehrerin bei kleineren Kindern zu werden, ließ sich nicht ausführen. Nach dem Tode der Meinen war ich mehrere Jahre in einer Zeitung tätig. Nun lebe ich meinem Schaffen in meiner Heimat und Vaterstadt, die für mich elterlichgütig gesorgt hat. Mein Leben ist äußerlich sehr still und ereignislos verlaufen. Ich erhielt beim Kant-Jubiläum von der Universität meiner Vaterstadt den Ehrendoktor und bin seit dem Frühling dieses Jahres Mitglied der Deutschen Akademie der Dichtung» – in Herbert Böhme: *Rufe in das Reich*, Berlin 1934, S. 379.

An die Deutsche Akademie der Dichtung Kbpr. z. Zt. Varel/Oldenburg,
Berlin W 8, Pariser Platz 4   4. März 34

Sehr geehrter Herr Beumelburg!

Das Schreiben vom 28. 2. erhielt ich erst heute hier auf einer Vorlese-
fahrt. Ich lege den Glückwunschbogen bei.

Zu Nr. 3) Ich stehe schon mit dem Arbeitsdienst Ostpr. in Verbindung.

Da ich erst in der Stillen Woche durch Berlin komme und nach Hause
muß, so kann ich mich diesmal nicht in der Reichsführerschule der HJ
melden, werde es aber gern das nächste Mal tun.

Zu Nr. 1) Ich werde der Anregung folgen, wenn es mir auch nicht
leicht fällt, da solche Aufrufe, auch für so guten Zweck wie hier, mir
nicht liegen.

Ich freue mich, die Reden der Hermann-Stehr-Feier im Wortlaut zu
erhalten, gern wäre ich dabei gewesen.

Mit deutschem Gruß
Heil Hitler!
Agnes Miegel

Preise

Zur Lenkung gehörte es im Dritten Reich auch, daß Schriftstellern Preise verliehen wurden. Die folgenden Dokumente sind chronologisch geordnet, um die einzelnen Etappen, die ganze Regie und Entwicklung dieser literarischen NS-Werbung deutlich zu machen; allgemeine statistische Hinweise sowie eine Übersicht, was die verschiedenen Literaturpreise anlangt, s. Hellmuth Langenbucher in: *Wille und Macht*, 1935, Heft 20, S. 10; *Deutsche Literaturpreise*, in: *Der Autor*, Februar 1938, S. 20, und ebd. Dezember 1938, S. 10; siehe auch: «Preise» in: *Die bildenden Künste im Dritten Reich* (Ullstein Buch 33030) und *Musik im Dritten Reich* (Ullstein Buch 33032).

Amtlich wird mitgeteilt

Nationalpreis für Film und Buch, in: *Der Autor*, Ende Juli 1933, Heft 7, S. 4, gekürzt.

Der Sieger der nationalen Revolution hat das deutsche Volk aus dumpfer Lethargie zum Bewußtsein seiner Kraft und damit zu neuer Hoffnung und neuem Tatwillen emporgerissen. Wie alles, was das Volk im Tiefsten bewegt, drängt auch das gewaltige Geschehen und Erleben unserer Tage zu künstlerischer Gestaltung und stellt die Schaffenden vor eine Aufgabe, an deren Lösung nicht einzelne Schichten und Kreise, sondern die Nation insgesamt interessiert ist. Aus diesem Grunde hat sich das Reichsministerium für Volksaufklärung und Propaganda zur Stiftung eines jährlich zu verteilenden Nationalpreises für dasjenige Buch- und Filmwerk entschlossen, in dem nach dem Urteil Berufener das aufrüttelnde Erlebnis unserer Tage den packendsten und künstlerisch reifsten Ausdruck gefunden hat. Es ist nicht notwendig, daß in diesen Werken im engeren und begrenzten Sinne Zeitgeschichte gestaltet wird. Denn das ist ja das Große an der nationalen Revolution, daß sie das Volk zu seiner Geschichte zurückgeführt hat, und daß mit und in der nationalen Wiedergeburt auch die großen Gestalten der Vergangenheit dem Volk wieder lebendig geworden sind. Auch im Spiegel des Vergangenen läßt sich das gegenwärtige Geschehen erleben und gestalten.

Ist somit in diesem Jahr den zum Wettbewerb zugelassenen Büchern und Filmen, sofern sie in den angedeuteten Rahmen fallen, keine thematische Begrenzung gezogen, so behält sich die Reichsregierung für den

Wettbewerb der kommenden Jahre vor, das jeweils zu behandelnde Thema in dem einen oder anderen Sinne *genau festzulegen.*

Der Nationalpreis der Literaturklasse besteht in einem Betrag von 12 000 RM, der uneingeschränkt dem Verfasser zugesprochen wird. Das Preisgericht wird am 1. Januar jedes Jahres vom Reichsministerium für Volksaufklärung und Propaganda ernannt. Es besteht aus je fünf Mitgliedern. Die Preisverteilung wird jeweils am 1. Mai vorgenommen.

Der Hamburger Lessing- und Dietrich-Eckart-Preis

Titel der Nachricht in: *Der Autor*, Ende August 1933, Heft 8, S. 12–13.

Dietrich Eckart, Schriftsteller; durch Übersetzung von *Peer Gynt* stieß er aufs «Nordisch-Völkische»; Gründer des antisemitischen Blattes *Auf gut Deutsch*; erster Redakteur des *Völkischen Beobachters*; in ihm schrieb er schon am 11. 8. 1921: «In Fetzen die geile Satansbibel, das Alte Testament»; am Hitler-Putsch des 9. 11. 1923 in München beteiligt und verhaftet; kurz vor Weihnachten 1923 als Schwerkranker entlassen, starb er am 23. 12. 1923; Hitlers *Mein Kampf* endet mit der Widmung an Dietrich Eckart; siehe Eckart: *Der Bolschewismus von Moses bis Lenin – Zwiegespräch zwischen Adolf Hitler und mir*, in Ernst Noltes Aufsatz: *Eine frühe Quelle zu Hitlers Antisemitismus* in: *Historische Zeitschrift*, Heft 192/193, Juni 1961; «Dietrich Eckart, einer der ersten Dichter unserer Zeit, der die politischen Forderungen bejahte, die das Volksschicksal an den Dichter stellt, steht am Anfang eines neuen Zeitalters der deutschen Dichtung» – in Ernst Böttcher: *Deutsche Aufsätze im Anschluß an die Literaturgeschichte*, Berlin o. J., S. 154; «Von Dietrich Eckart stammt das Lied ‹Sturm, Sturm, Sturm› mit dem Volksbesitz gewordenen Kampfruf ‹Deutschland erwache!›; die Stücke schrieb ein aufrechter Mann» – in Paul Fechter: *Geschichte der deutschen Literatur*, Berlin 1941, S. 760–761; «Der Ahnherr der nationalsozialistischen Lyrik ist Dietrich Eckart» – in Arno Mulot: *Die deutsche Dichtung unserer Zeit*, 2. Teil, 1. Buch, *Das Reich in der deutschen Dichtung unserer Zeit*, Stuttgart 1940, S. 82.

Es ist eine typische Erscheinung des Dritten Reichs, ausgerechnet Gotthold Ephraim Lessing, 1729–81, den Dichter, der gegen jede Intoleranz und alle Vorurteile kämpfte, mit dem Dietrich-Eckart-Preis zu koppeln.

Der Hamburger Senat hat eine endgültige Regelung des Lessing- und des Dietrich-Eckart-Preises vorgenommen. Danach kommt der Dietrich-Eckart-Preis alljährlich am 2. Weihnachtstage[1] in Höhe von 5 000,- Mark an Gelehrte, Dichter und Schriftsteller zur Verteilung, die in ihren Werken die Ideen des nationalsozialistischen Deutschland vertreten, oder die die Einheit der deutschen Nation in irgendeiner Beziehung versinnbildlichen. Der Lessing-Preis wird in Zukunft alle drei Jahre in

---

1 Der Dietrich-Eckart-Preis wurde stets am 9. November und nicht am zweiten Weihnachtsfeiertage verteilt.

Höhe von 5000,– Mark verteilt. Als Preisträger kommen deutsche Dichter, Schriftsteller und Gelehrte in Frage, die durch ihre künstlerische Prosa die deutsche Sprache weiterzubilden oder auf den von Lessing bearbeiteten Wissensgebieten neue Resultate erzielen. Gestützt auf das Urteil eines Gremiums von drei Personen, die dem künstlerischen und wissenschaftlichen Leben angehören, fällt der Senat die Entscheidung.

Goethe-Preis für Hermann Stehr

Artikel in: *Deutsche Kultur-Wacht* vom 4. 11. 1933, S. 7, gekürzt; siehe hierzu Oskar Loerkes Brief an Stehr in Loerke: *Tagebücher 1903–1939*, Heidelberg/Darmstadt 1955, S. 287.
Der Goethe-Preis in Höhe von zehntausend Mark wurde alljährlich am 28. August verteilt.

Am Mittwoch, dem 17. Oktober 1933, erfolgte im Goethe-Hause zu Frankfurt a. M. die Übergabe des ersten Goethepreises im «Neuen Deutschland» an unseren tiefsten, epischen lebenden Dichter Hermann Stehr. Die Feier erhielt ihre besondere Würde durch die Anwesenheit des Staatskommissars Hinkel. Der Oberbürgermeister Pg Dr. Krebs, Landesleiter des Kampfbundes für Deutsche Kultur, würdigte das Lebenswerk Hermann Stehrs in einer gehaltvollen, temperamentsprühenden Ansprache, und Stehr antwortete mit einer tiefgründigen Rede über Goethes Persönlichkeitsreifung.

Am Abend ehrte die Ortsgruppe Frankfurt a. M. des Kampfbundes für Deutsche Kultur, Fachgruppe Dichtung, den Goethepreisträger durch eine Hermann-Stehr-Feier. Hermann Stehr las seine Novelle vom «Steinernen Mann» vor den andächtig lauschenden Zuhörern.

Mit diesem Hermann-Stehr-Abend leitete die Fachgruppe Dichtung des KfDK, Frankfurt a. M., eine Folge von Dichterabenden ein, die sie sich für das kommende halbe Jahr zum Ziele gesetzt hat.

Den Hermann-Stehr-Abend des KfDK leitete Gaukulturwart Friedrich Bethge [1], Leiter der Fachgruppe Dichtung.

1 Friedrich Bethge, Schriftsteller (Drama, Lyrik, Novelle, Kritik), *1891; «Frühe Eingliederung in die nationalsozialistische Kampfgemeinschaft; 1930 Mitarbeiter im Kampfbund für Deutsche Kultur»; «Reichskultursenator, SS-Sturmführer» – in Dr. Hermann Wanderscheck: *Deutsche Dramatik der Gegenwart*, Berlin 1938, S. 293; ausführlicher in: *Theater und Film im Dritten Reich* (Ullstein Buch 33031).

Bethge an Hinkel

Im folgenden Brief nimmt Friedrich Bethge Stellung zur nachstehenden Veröffentlichung des Deutschen Nachrichten Büros (DNB) vom 9. 5. 1935: *Keine Verteilung des Schillerpreises im Jahr 1935.*

«Berlin, 9. Mai DNB meldet: Der im Jahre 1859 gestiftete staatliche Schillerpreis in Höhe von 7 000 Reichsmark, der alle sechs Jahre für das beste dramatische Werk eines lebenden deutschen Schriftstellers zur Verleihung kommt, sollte am Todestage Friedrich von Schillers wieder verliehen werden. Reichsminister Rust hatte daher der Satzung des Preises entsprechend eine Preisverteilungskommission berufen, die sich aus Dr. Hermann Stehr, Dr. Rudolf G. Binding, Dr. Agnes Miegel, Werner Beumelburg, Reichsdramaturg Dr. Rainer Schlösser, Universitätsprofessor Dr. Petersen und Staatsschauspieler Friedrich Kayßler zusammensetzte.

Mit Rücksicht darauf, daß mit der Verleihung dieser außergewöhnlichen staatlichen Anerkennung nur ein im nationalsozialistischen Geiste schaffender Dichter größten Formats in Frage kommen kann, ein entscheidendes Übergewicht aber zur Zeit noch bei keinem Werke bzw. keiner Dichtererscheinung vorliegt, hat die Kommission vorgeschlagen, den Preis als solchen diesmal nicht zu vergeben, sondern nach Artikel 11 der Satzung als Werkhilfen oder in anderer Weise für dramatische Dichter zu verwenden.

Reichsminister Rust hat sich in seiner Eigenschaft als preußischer Minister für Wissenschaft, Erziehung und Volksbildung diesem Vorschlag angeschlossen und hat dem Ministerpräsidenten empfohlen, dem Vorschlage der Kommission zuzustimmen. Der Ministerpräsident hat die Zustimmung erteilt. Demgemäß wird die Preissumme der Notgemeinschaft des deutschen Schrifttums zur Verteilung an notleidende Schriftsteller überwiesen werden.»

Lieber Hans Hinkel!
Ein Kulturdokument! Nichtnationalsozialisten urteilen über nationalsozialistisches Schrifttum! (Leute, die ich sonst durchaus verehre. Wenn Sie Namen hören wollen: Kolbenheyer, Erler[1], Eberh. König[2], Kurt Gencke[3], Gustav Renner[4], Hans Rehberg[5] und nicht zuletzt noch als gewaltige Totenehrung: Paul Ernst[6]! Ich kann verstehen, wenn man sich (wie im liberalistischen Reichstag!) nicht einigen kann, aber dann muß man das sagen und sich nicht verstecken hinter der Ausflucht: es sind (noch) keine da! Dies Ergebnis ist die (unbewußte!) Rache der Draußenstehenden. Wird ihnen dauernd zu verstehen gegeben: ihr seid schon große Dichter, aber keine Nationalsozialisten, aber (noch) keine großen Dichter (wie wir!) Rache ist süß!

1 Prof. Dr. phil. Otto Erler, 1872–1943, Bühnendichter.
2 Eberhard König, Schriftsteller (Bühnendichtung, Erzählung, Essay), *1871.
3 Kurt Gencke, 1882–1941, Schriftsteller.
4 Gustav Renner, 1866–1945, Schriftsteller (Lyrik, Novelle, Bühnendichtung).
5 Hans Rehberg, Bühnendichter, *1901.
6 Paul Ernst, 1866–1933, einer der bedeutendsten Vertreter der sogenannten Neuklassik.

Daß dies nicht Schlössers Meinung sein kann, ist gewiß. Im übrigen – warum werden (außer Schlösser und Kayßler) lauter Epiker und Lyriker (ältesten und ehrfurchterregenden Semesters) herangezogen? Was verstehen die vom Drama? (und nun gar erst von unserm!)

Nur meine Parteidiziplin (und mein Urlaub!) haben mich am flammenden öffentlichen Protest gehindert. Entschuldige dies Urlaubselaborat. Der «Hungermarsch» wird viel besser jetzt!

	Heil Hitler!
	Herzlichst
Forsthaus Hubertus	immer Dein getreuer
Beim Windheim, Post Hafenlohr/Spessart	Friedrich Bethge

Der auslandsdeutsche Schrifttumspreis für Karl Goetz

Artikel von Rolf Cunz in: *Deutsche Bühnenkorrespondenz* vom 15. 5. 1935, Ausgabe A, S. 5, gekürzt.
Karl Goetz, *1903, Schriftsteller und Lehrer; Autor von: *Kolonistenkinder fahren nach Deutschland*, Berlin 1936, und *Die große Heimkehr*, Stuttgart 1944.

Am diesjährigen Todestag Friedrich Schillers wurde zum ersten Male die feierliche Verleihung des auslandsdeutschen Schrifttumspreises der Stadt Stuttgart und des Deutschen Ausland-Institutes [1] vollzogen. Die Feierstunde, der nicht nur vom literarischen, sondern auch vom gesamtdeutschen und volkspolitischen Standpunkt aus ganz besondere Bedeutung zukam, fand im Festsaal des Hauses des Deutschtums statt.

Die Feier, bei der auch Abschnitte aus dem preisgekrönten Werk vorgelesen wurden, war umrahmt von Darbietungen des Rundfunkorchesters. Die Festansprache hielt Gaukulturwart Dr. Georg Schmückle [2]. Seit Urzeiten, so führte er aus, hat das deutsche Volk immer wieder den Himmel gestürmt. Kein Volk hat aber auch soviel gelitten und sich so oft selbst zerfleischt. Erst Adolf Hitler hat uns diese tiefe Erkenntnis wiedergegeben. Unter den 30 Millionen Auslandsdeutschen befinden sich 8 Millionen Schwaben. Der große Rhythmus, der Adolf Hitler zu danken ist, schwingt hinüber und herüber. Jene 30 Millionen aber sind Vorposten der deutschen Nation. Die alte Heimat breitet wieder die Arme aus, sobald sie heimkehren. Mit einem warmherzigen Gruß an alle Deutschen in der Welt endete Pg Schmückle seine dichterisch untermauerte Ansprache.

1 Deutsches Auslands-Institut, 1917 als Museum und Institut zur Kunde des Auslanddeutschtums und zur Förderung deutscher Interessen im Ausland gegründet, 1934 als *Hauptstelle für auslandsdeutsche Sippenkunde* eingerichtet; siehe dazu: *Deutsches Auslands-Institut im Neuen Reich*, Stuttgart 1933.
2 Dr. jur. Georg Schmückle, *1880; seit 1931 in der NSDAP; Schriftsteller (Roman, Lyrik und Bühnendichtung); siehe sein Buch: *Mein Leben*, Berlin 1936.

Oberbürgermeister Dr. Strölin [1] versicherte in seiner Ansprache, daß Deutschland alles tut, um die Auslandsdeutschen zu immer festerem Zusammenhalt mit der Heimat zu gewinnen. Es ist das Recht des Volkes, sich in aller Welt zu seinem Wesen zu bekennen und es ist auch die Aufgabe der Dichter. Aus diesem Empfinden heraus gab Dr. Strölin Karl Goetz als Preisträger bekannt für sein Werk: «Das Kinderschiff». Es behandelt die Reise eines in Palästina wirkenden reichsdeutschen Lehrers, der uns die Inbrunst seines Deutschlanderlebens in diesem preisgekrönten Werk erleben läßt.

Zum Schluß grüßte Oberbürgermeister Dr. Strölin die Volksgenossen in aller Welt, die erkennen werden, daß der Geist und Wille Adolf Hitlers ihnen und uns das Heil engster Heimatverbundenheit gebracht hat.

NSDAP-Preis für Wissenschaft und Kunst an H. F. K. Günther und Hanns Johst

Der Führer auf der Kulturtagung in Nürnberg, in: *Berliner Lokal-Anzeiger* vom 12. 9. 1935, Auszug.

Prof. Dr. Hans F. K. Günther, *1891; ab 1920 veröffentlichte er viele Bücher über Rasse in Riesenauflagen; «In diesem Kampfe hat der Forscher Dr. Hans Günther Entscheidendes für die Rassenkunde und Ausbildung des heldischen Charakters unserer Zeitepoche beigetragen» – Alfred Rosenberg bei der Preisverleihung, in: *Sonderausgabe Deutsches Nachrichtenbüro,* Berlin, 12. 9. 1935, Nr. 9–10.

Über Hanns Johst, den Lyriker, sagt Paul Fechter in: *Geschichte der deutschen Literatur,* Berlin 1941, S. 763: «Man muß die Lieder der SA, der Hitlerjugend nicht nur lesen, man muß diese Verse gesungen hören, um das Neue in ihnen zu erleben.»

Der NSDAP-Preis für Kunst und Wissenschaft betrug zwanzigtausend Reichsmark.

Nürnberg, 11. September.

Im Nürnberger Opernhaus fand heute abend die große Kulturtagung des Reichsparteitages statt, auf der der Führer in einer grundsätzlichen Rede die Grundlagen einer schöpferischen deutschen Kultur entwickelte. Vorher sprach der Beauftragte des Führers für die Überwachung der gesamten geistigen und weltanschaulichen Erziehung der NSDAP, Reichsleiter Alfred Rosenberg, der die Verleihung von Preisen für dichterische und wissenschaftliche Leistungen an den Dichter Hanns Johst und den Rassenforscher Prof. Hans Günther verkündete.

Der Führer führte u. a. aus: «Ich bin überzeugt, daß wenige Jahre nationalsozialistischer Volks- und Staatsführung dem deutschen Volk grade auf dem Gebiet der kulturellen Leistungen mehr und Größeres schen-

1 Dr. rer. pol. Karl Strölin, *1890; seit 14. 3. 1933 Staatskommissar und ab 1. 7. 1933 Oberbürgermeister von Stuttgart.

ken werden als die letzten Jahrzehnte des jüdischen Regimes zusammengenommen.

Die Kunst muß, um ein solches Ziel zu erreichen, auch wirklich Verkünderin des Erhabenen und Schönen und damit Trägerin des Natürlichen und Gesunden sein. Ist sie dies, dann ist für sie kein Opfer zu groß. Und ist sie dies nicht, dann ist es schade um jede Mark, die dafür ausgegeben wird. Denn dann ist sie ein Zeichen der Degeneration.

Nationaler Buchpreis für E. W. Möller

Dr. Herbert Leisegang: Dichter und Künder des neuen Reiches in: Theater-Tageblatt vom 4. 1. 1936, Auszug; E. W. Möller erhielt den Preis für das Jahr 1935.

Die höchste Auszeichnung, die einem Schriftsteller widerfahren kann, die Verleihung des Dichterstaatspreises, dann kürzlich die Berufung in den Reichskultursenat haben Eberhard Wolfgang Möller, zu dem sich vor wenigen Jahren nur erst eine kleine Gemeinde bekannte, in einem Maße ins Licht der Öffentlichkeit gehoben, wie es nur selten bei einem Menschen geschieht, der eben die Schwelle seines vierten Lebensjahrzehntes überschreitet. An ihm, der als Dichter der Hitlerjugend zum Sprecher des jungen Deutschland wurde, erfüllt sich, was eine neue Kulturpolitik auf ihre Fahne geschrieben hat.

Nationaler Buchpreis für Gerhard Schumann

Verleihung der Kulturpreise durch Dr. Goebbels in der Festsitzung der Reichs-kulturkammer, in: Berliner Lokal-Anzeiger vom 2. 5. 1936, Auszüge; mehr über Gerhard Schumann s. «Porträts», S. 431 f.

Zwischen der Feier der Jugend und dem Aufmarsch der zwei Millionen hat der Reichsminister Dr. Goebbels zur Festsitzung der Reichskulturkammer in das Deutsche Opernhaus geladen. Der Minister verkündete in dieser Festsitzung im Beisein des Führers die Verleihung des Nationalen Buchpreises 1935/36 an den SA-Obersturmbannführer Gerhard Schumann aus Stuttgart für seinen Gedichtband «Wir aber sind das Korn». Auch Schumann ist Mitglied des Reichskultursenats.

Die «Heldische Feier» aus dem Gedichtband Gerhard Schumanns, ein Gesang vom Kampf und Opfer der Kämpfer Adolf Hitlers mit dem siegreichen Ausklang, zu dem Gegenwart und Zukunft Deutschlands berechtigen, leiteten die Kundgebung ein. Auf der Bühne, vor dem goldfarbenen, in riesigen Ausmaßen wiedergegebenen Mai-Abzeichen dieses Jahres, stand der Sprechchor der Wachstandarte der Obersten SA-Führung mit den Sturmfahnen der SA und der einzigen Standarte der

Reichshauptstadt, auf der der Name «Horst Wessel» steht. Staatsschauspieler Lothar Müthel [1] sprach im einfachen Braunhemd vor den Soldaten der Bewegung die Verse des preisgekrönten Dichters.

Die Fahnen fliegen hoch, der Sieg der Bewegung wird verkündet. Dr. Goebbels steht schon beim letzten Klang der Trompeten auf der Rednertribüne. Er spricht über die Leistungen der in der Kulturkammer zusammengeschlossenen schaffenden geistigen Menschen Deutschlands.

Adolf Hitler bleibt noch etwa eine halbe Stunde in der Oper. Dann jubeln ihm die Massen zu. Er beginnt die Triumphfahrt durch die Hauptstadt des nationalsozialistischen Deutschlands.

NSDAP-Kunst-Preis für Heinrich Anacker

Reichstagung in Nürnberg 1936 – Der Parteitag der Ehre, Herausgeber Hanns Kerrl, bearbeitet von Kurt Maßmann, Berlin 1937, S. 66, Auszug.

Das ist unsere Sendung. Um ihr auch von hier aus zu dienen und der drängenden Kraft immer neues Leben zu geben, hat der Führer im vergangenen Jahr einen «Preis der NSDAP für Kunst und Wissenschaft» gestiftet. Dieser Preis gelangt auch in diesem Jahr zur Verleihung. Den Preis für Kunst erhält der Dichter Heinrich Anacker. Seit vielen Jahren hat der junge SA-Mann Anacker den Kampf unserer Bewegung mit seinen Gedichten begleitet. Als ein Sänger unserer Zeit hat er immer wieder die Geister angefeuert und in stets sich erneuernder Leidenschaft starke Lieder unserer Sehnsucht gesungen. Viele dieser Gesänge erklingen aus unseren Kolonnen und sind wahrhafte Volkslieder geworden. Die Bewegung dankt dem Dichter deshalb an dieser Stelle für die Lieder der deutschen Revolution.

Deutscher National-Preis für Kunst und Wissenschaft

Erlaß des Führers und Reichskanzlers über die Stiftung eines Deutschen Nationalpreises für Kunst und Wissenschaft vom 30. 1. 1937, *RGBl.* 1937, Band I, S. 305; 1937 erhielten den Preis Prof. Ludwig Troost † (Architekt), Alfred Rosenberg, Prof. Dr. August Bier (Chirurg), Geheimrat Prof. Dr. Ferdinand Sauerbruch (Chirurg) und Wilhelm Filchner (Geophysiker); siehe *Deutsche Literaturpreise* in: *Der Autor*, Jan./Febr. 1938, Heft 1/2, S. 20.

Beim ersten Satz des Erlasses: «Um für alle Zukunft beschämenden Vorgängen vorzubeugen», handelt es sich um den Fall des Publizisten Carl von Ossietzky, *1889; er war einer der bedeutendsten Publizisten und Pazifisten der

---

[1] Lothar Müthel, Regisseur und Schauspieler, *1896; ausführlicher über ihn in: *Theater und Film im Dritten Reich* (Ullstein Buch 33031).

Weimarer Republik; 1921 außenpolitischer Redakteur der *Volkszeitung* und 1924 Mitherausgeber der Wochenzeitschrift *Die Weltbühne*, seit 1927 deren Chefredakteur; am 3. 2. 1933, als die SA die Straßen Berlins bereits beherrschte, sollte er auf einer Kundgebung der *Liga für Menschenrechte* einen Vortrag *Kultur und Barbarei* halten; das Berliner Polizeipräsidium verbot den Vortrag jedoch mit der Begründung, «es könne dabei zu Krawallen kommen»; am 26. 2. 1933 hielt Ossietzky den Vortrag in geschlossener Gesellschaft; in der Nacht des Reichstagsbrandes am 27. 2. 1933 wurde er festgenommen und in das Konzentrationslager Sonnenburg eingeliefert; von dort kam er in das Lager Papenburg-Esterwegen, deren Kommandant SS-Standartenführer Hans Loritz, einer der sadistischsten SS-Leute, war; Hans Loritz blieb bis April 1936 in Esterwegen, kam dann als SS-Oberführer und Kommandant ins Konzentrationslager Dachau und war von Anfang 1940 bis 31. 8. 1942 Kommandant des Konzentrationslagers Sachsenhausen; am 23. 11. 1936 erhielt der im Konzentrationslager eingesperrte Ossietzky den Friedensnobelpreis; zur gleichen Zeit gelang es dem Historiker Carl J. Burckhardt, *1891, mit viel List, als Professor des *Institut Universitaire des Hautes Études Internationales* in Genf im Namen des *Internationalen Roten Kreuzes* das Lager Esterwegen zu besuchen; Heinrich Himmler erlaubte ihm sogar, Häftlinge, die er sprechen wollte, selbst auszuwählen und sich ohne Zeugen mit ihnen zu unterhalten. In seinem Buche *Meine Danziger Mission 1937–1939*, München 1962, S. 60–61, erzählt C. J. Burckhardt von seiner Begegnung mit Carl von Ossietzky. Als er ihn zu sprechen wünschte, hatte Lagerkommandant Loritz zunächst mit hochrotem Kopf erklärt, dieser Häftling existiere in seinem Lager gar nicht. Selbst als Burckhardt ihm mitteilte, falls Ossietzky etwa nicht mehr am Leben sei, würde man Loritz dafür persönlich haftbar machen, blieb dieser bei seiner Behauptung. Burckhardt entschloß sich daraufhin ebenfalls zum lauten Kasernenhofton, und zehn Minuten später brachten zwei SS-Leute ein zitterndes, totenblasses Etwas mit verschwollenem Auge und offenbar eingeschlagenen Zähnen sowie einem gebrochenen und wohl schlecht verheilten Bein, das sich kaum aufrecht zu halten vermochte. Loritz verlangte eine Meldung, aber der Kehle des Gepeinigten entrang sich nur ein unartikulierter Laut. Auch als Burckhardt ihm Grüße seiner Freunde ausrichtete und darauf hinwies, er sei im Auftrage des *Internationalen Roten Kreuzes* gekommen, um Ossietzky zu helfen, erhielt er zunächst keine Antwort. Er trat deshalb näher an ihn heran und bemerkte, daß in dem noch sehenden Auge Tränen glänzten. Dann hörte er Ossietzky schluchzend stammeln: «Sagen Sie den Freunden, ich sei am Ende. Es ist bald vorüber, bald aus. Das ist gut. Danke, ich habe einmal Nachricht erhalten. Meine Frau war einmal hier. Ich wollte den Frieden.» Er zitterte heftig. Nur mühsam schleppte er sich hinkend davon.

Wenn man sich die Personalakte von Hans Loritz ansieht, so vermag man sich nur allzu gut vorzustellen, wie sich Carl von Ossietzky unter diesem Lagerkommandanten fühlte. Im *Personalbericht* der SS vom 31. 7. 1935 steht über Hans Loritz unter anderem als Antwort auf die Frage «Wille»: «Geht von einem ins Auge gefaßten Ziel nicht ab.» Die Frage nach der Weltanschauung wird mit «Hervorragend!» beantwortet. Charakteristisch in diesem *Personalbericht* ist auch die Stellungnahme der vorgesetzten Dienststellen. Dort heißt es: «Loritz führt zu meiner größten Zufriedenheit das Konzentrationslager Esterwegen. Dieses Lager ist von allen deutschen Konzentrationslagern am schwierigsten zu leiten, da es durchweg Verbrecher beherbergt, landschaftlich vollkommen abseits und umgeben von einer reaktionär eingestellten Bevölkerung liegt. Esterwegen stand abwechslungsweise unter dem Kommando der SS, Polizei, SA und hatte bis zur Übernahme der Lagerkommandantur durch SS-Staf. Loritz unzuverlässige Wachmannschaften und unfähige Führer. Loritz hat innerhalb kurzer Zeit nicht nur eine disziplinierte SS-Wachtruppe, sondern ein mustergültiges Gefangenenlager aufgebaut. Er hat bewiesen, daß er würdig ist, höherer SS-Führer zu werden.»

Als Ossietzky den Nobelpreis erhielt, schrieb das *Berliner Tageblatt* am 25. 11. 1936 unter der Überschrift *Ein Skandal* unter anderem: «Die Verleihung des Nobelpreises an einen notorischen Landesverräter ist eine derart unverschämte Herausforderung und Beleidigung des neuen Deutschland, daß darauf eine entsprechende deutsche Antwort erfolgen wird.» Albrecht Erich Günther, * 1893, schrieb am 1. 12. 1936 in: *Beiträge aus Politik und Geschichte – Nur zur Information für die Schriftleitung* wie folgt: «Die Verleihung des Friedens-Nobelpreises an Carl von Ossietzky muß jedem, der die Tätigkeit dieses Schriftstellers kennt, ebenso unverständlich wie empörend erscheinen, denn im Februar 1933 schrieb er noch: ‹Auf die Dauer wird mutuelle Teutonanie die Leute kaum befriedigen. Ob aber Psychopatriotismus heilbar ist, weiß ich nicht.›»

Auch das Geld des Nobelpreises gelangte niemals in Carl von Ossietzkys Hände. Sein Beauftragter, ein Dr. Kurt Wannow, veruntreute das Geld. Er kam zwar deswegen vor Gericht, aber der ganze Prozeß wurde so aufgezogen, daß er vielmehr einem Verfahren gegen den geschädigten Ossietzky selbst glich. Man nahm die Gelegenheit wahr, den Schriftsteller auch hierbei zu diffamieren und seinen aufrechten Kampf für den Frieden in Mißkredit zu bringen. Laut NS-Presse soll Carl von Ossietzky dabei vor Gericht erklärt haben: «Die Zuerteilung des Preises war nur eine politische Demonstration. Den Preis war ich auf Grund meiner früheren Tätigkeit gar nicht wert» – in: *Berliner Tageblatt* vom 26. 2. 1938; siehe auch dort am 3. 3. 1938 und am 4. 3. 1938; am 5. 5. 1938 meldete dann der *Völkische Beobachter* kurz: «Der wegen Landesverrat verurteilte pazifistische Schriftsteller Carl von Ossietzky ist am Mittwochnachmittag [am 4. 5. 1938] in einer Berliner Klinik an den Folgen einer Gehirnhautentzündung verstorben»; am 7. 3. 1938 verurteilte das Gericht Dr. Kurt Wannow zu einer Gesamtstrafe von zwei Jahren Zuchthaus und drei Jahren Ehrverlust; «In der Urteilsbegründung ging der Vorsitzende zum Komplex Ossietzky über, erörterte das frühere landesverräterische Treiben des Friedensnobelpreisträgers und streifte die politischen Gründe, die zur Verleihung des Preises an einen Landesverräter und folgerichtig zu dem Verbot des Führers für jeden Deutschen, den Preis noch einmal anzunehmen, führten» – in: *Völkischer Beobachter* vom 8. 3. 1938.

Bei der Verleihung des Preises 1936 sagte der Vorsitzende des Nobelpreiskomitees, Professor Fredrik Stang: «Ein Symbol mag seinen Wert haben; Ossietzky ist nicht nur ein Symbol, er ist etwas ganz anderes und mehr: er ist eine Tat, und er ist ein Mann.»

Um für alle Zukunft beschämenden Vorgängen vorzubeugen, verfüge ich mit dem heutigen Tage die Stiftung eines Deutschen Nationalpreises für Kunst und Wissenschaft.

Dieser Nationalpreis wird jährlich an drei verdiente Deutsche in der Höhe von je 100 000 Reichsmark zur Verteilung gelangen.

Die Annahme des Nobelpreises wird damit für alle Zukunft Deutschen untersagt.

Die Ausführungsbestimmungen wird der Reichsminister für Volksaufklärung und Propaganda erlassen.

Präsident Johst schlägt Hanns Johst zum Nationalpreis vor

Herrn Wilhelm Baur
Leiter des Deutschen Buchhandels
Berlin SW 68, Zimmerstr. 88   Oberallmannshausen, den 10. 5. 38

Mein lieber und sehr verehrter Wilhelm Baur!
Ich erhalte soeben Ihren Brief vom 7. 5. und als Beilage den vom 4. 5. Daß Sie für den Nationalpreis Max Amann [1] vorschlagen wollen, finde ich prachtvoll und unterschreibe ich hundertprozentig. Anstelle von Emil Strauss [2] würde ich Ihnen aber gern danken, wenn Sie mich nennen möchten.

Bereits voriges Jahr übrigens – dies im Vertrauen – hat Heinrich Himmler mich vorgeschlagen und Dr. Goebbels ist ganz seiner Ansicht gewesen. Es wäre nett, wenn Sie Heinrich Himmler von Ihrer Ansicht, mich vorzuschlagen, unterrichten möchten. Dann würde Ihr, Himmlers und Dr. Goebbels Vorschlag zusammentreffen.

Ich fahre morgen nun nach Glotterbad bei Freiburg i. Br., und ich hoffe, mich nach der Kur bei Ihnen gesund zurückmelden zu können. Inzwischen hatten Sie hoffentlich weniger Erregungen und Ärger mit der Kammer, die ich beruhigt und glücklich in Ihre Hand lege.

Ihnen und Ihrer Gattin auch von meiner Frau die alte Treue und Herzlichkeit. Mit lebendigem

Heil Hitler!
stets Ihr
Hanns Johst

1 Max Amann, 1891–1957, im Ersten Weltkrieg Hitlers Feldwebel; NSDAP-Mitglied Nr. 3; erster Geschäftsführer der NSDAP; ab 1933 Präsident der Reichspressekammer; ausführlicher in: *Presse und Funk im Dritten Reich* (Ullstein Buch 33028).

2 Dr. h. c. Emil Strauß, 1866–1960, Schriftsteller (Erzählung, Bühnendichtung).

Wolff an Baur

Der Reichsführer-SS
Der Chef des Persönlichen Stabes
Tgb. Nr. A/ ./. Bra/W.
Berlin SW 11, den 23. 5. 1938
Prinz-Albrecht-Str. 8

Lieber Parteigenosse *Baur!*
Der Reichsführer-SS läßt Ihnen für Ihr Schreiben vom 11. d. Mts. bestens danken. Er freut sich sehr, daß Sie – wie auch Reichsführer-SS – SS-Brigadeführer Hanns *Johst* für den National-Preis 1938 in Vorschlag gebracht haben.

Heil Hitler!
Ihr Wolff
SS-Gruppenführer

Gerhard Schumann an Ihde

Herrn Geschäftsführer Pg Ihde

Betrifft: Deutscher Nationalpreis 1939 für Kunst und Wissenschaft
Als Träger des Deutschen Nationalpreises 1939 für Kunst und Wissenschaft schlage ich nachstehend zwei Schriftsteller vor:
1. Hanns Johst   2. Emil Strauss
   Daß diese beiden Dichter im ganzen Bereich des deutschen Schrifttums heute die dieser höchsten Auszeichnung würdigsten sind, ist für mich keinen Augenblick zweifelhaft.
   Für Hanns Johst spricht die künstlerisch-politische Gesamtpersönlichkeit von einzigartigem Ausmaß, für Emil Strauss das reife Gesamtwerk einer tapferen, aufrechten Künstlerpersönlichkeit. Auch Emil Strauss hat übrigens schon sehr früh zur Bewegung des Führers gefunden und hatte darunter auch wesentlich zu leiden.
   Die etwas komische Situation, daß der Präsident der Reichsschrifttumskammer sich selber vorschlagen müßte, ist m. E. ohne weiteres dadurch zu beheben, daß Herr Vizepräsident Baur diesen Vorschlag einreicht.

2 Anlagen Gutachten   Schumann

Der Reichsführer-SS
Der Chef des Persönlichen Stabes

Berlin SW 11, den 23. 5.1938
Prinz-Albrecht-Straße 8

Tgb.-Nr. A/ ./.   Bra/W.
Bei Rückantwort bitte Tagebuch-Nummer angeben

Lieber Parteigenosse B a u r !

Der Reichsführer-SS lässt Ihnen für Ihr
Schreiben vom 11.d.Mts. bestens danken. Er freut
sich sehr, dass Sie – wie auch der Reichsführer-SS –
SS-Brigadeführer Hanns J o h s t   für den National-
Preis 1938 in Vorschlag gebracht haben.

Heil Hitler !

SS-Gruppenführer.

Hanns Johst wird für den National-Preis vorgeschlagen

Blunck an Hitler

Hans Friedrich Blunck
Greben/Holstein
Mölenhoffhuus, 13. 9. 38

Mein Führer!
Sie haben mich an meinem 50. Geburtstag durch die Verleihung der Goethemedaille geehrt.

Ich danke Ihnen herzlich dafür. Ich danke Ihnen zugleich im Namen jenes Schrifttums, das seinen Weg durch diese Jahre an Ihrer Seite suchte. Seien Sie versichert, daß wir unermüdlich fortfahren werden, das junge Deutschland im Geiste dieser Zeit zu erziehen und daß wir selbst, die wir erst auf die Höhe des schaffenden Lebens zuschreiten, darin nie ermüden werden. Immer werden wir unserem Volk das Bild seines Werdens und seiner Entfaltung vorhalten und ihm in Mären und Sagen und in den so vielfältigen und fruchtbaren Ausdrucksarten unserer Dichtung Freude schaffen und Freunde werben.

Ich bin, mein Führer, mit nochmaligem herzlichen Dank
Ihr Ihnen aufrichtig ergebener
Hans Friedrich Blunck

Mein liebes tapferes Schneiderlein

Der Brief ist gekürzt; wahrscheinlich handelt es sich hier um Fritz Schneider, *1902, Schriftleiter im Zentralverlag der NSDAP.

Der Präsident der Reichsschrifttumskammer
Oberallmannshausen
am Starnbergersee
am 12. Juni 1939

Mein liebes tapferes Schneiderlein!
In nicht allzu langer Zeit werden wir uns wieder an meinem Schreibtisch in Berlin gegenübersitzen und einen Haufen Angelegenheiten Auge in Auge erledigen.

Wegen des Berliner Preises [1] glaubte ich, die Angelegenheit geht in Ordnung, sehe aber eben zu meinem Schrecken, daß die Briefe hier ad acta gelegt sind. Ich sende Ihnen daher Original und Durchschlag und bitte Sie, die Angelegenheit schnellstens zu erledigen.

Ferner in der Anlage einen Brief von Dr. Knudsen [2], betrifft 60. Ge-

---

1 Es gab einen Literaturpreis der Stadt Berlin.
2 Prof. Dr. Hans Knudsen, *1886, Theaterwissenschaftler; ausführlich über ihn in: *Theater und Film im Dritten Reich* (Ullstein Buch 33031).

burtstag von Hans Franck [1]. Vielleicht fragen Sie Gerhard Schumann, wie er in diesem Falle zur Goethemedaille steht. Vielleicht gibt es eine mindere Ehrung, denn allen Sechzigjährigen kann man doch nicht gut die Goethemedaille verleihen. Andererseits gönne ich Hans Franck schon eine hohe Auszeichnung. Bei meinem nächsten Berliner Besuch werden wir darüber sprechen.

Hanns Johst

Paul Fechter wird abgelehnt

Paul Fechter hatte trotz seiner verschiedenen Anbiederungsversuche bei den Nationalsozialisten im Dritten Reich kein geneigtes Ohr gefunden; obwohl seine *Geschichte der deutschen Literatur* mit NS-«Gedankengut» reichlich gespickt und schon deshalb für die Begriffe jedes objektiv Denkenden unannehmbar ist, ordnete das Reichspropagandaamt in seiner *Kulturpolitischen Information* vom 15. 8. 1941 an: «Die von Paul Fechter herausgebrachte *Geschichte der deutschen Literatur* soll in der Presse nicht besprochen werden» – Archiv des Instituts für Zeitungswissenschaft, München.

Geschäftszeichen:
S 8070/6. 9. 39 – 38 1/13

An die
Akademie zur wissenschaftlichen
Erforschung und zur Pflege des
Deutschtums,
Deutsche Akademie in München

Reichsministerium
für Volksaufklärung und Propaganda
Berlin W 8, den 25. September 1939
Wilhelmplatz 8–9
Fernsprecher: 11 00 14
Stempel:
Reichsschrifttumskammer
26. Sep. 1939 II A 07059

Betr.: Verleihung von Preisen – Auf das Schreiben vom 4. Juli 1939 Tgb.Nr. 10932, V. an die Reichspressekammer.

Das obengenannte Schreiben ist hierher zur zuständigen Erledigung weitergeleitet worden. Die vorgeschlagene Preiszuteilung an Dr. Paul Fechter für das Werk «Dichtung der Deutschen» kann nicht befürwortet werden, da das Buch nicht den Anforderungen einer Literaturgeschichte der Moderne von heute entspricht und Fechter nicht als Repräsentant der Literaturvermittlung im Geiste der heutigen Zeit angesehen werden kann.

1 Hans Franck, *1879, Schriftsteller (Bühnendichtung, Novelle, Roman); über seinen Roman *Reise in die Ewigkeit* schreibt Christian Jenssen in: *Deutsche Dichtung der Gegenwart*, Leipzig/Berlin 1936, S. 88, daß er «zu den anregenden Erzählungen der Gegenwart gehört», die schon «um ihres Stoffes willen zu den wertvollen nordischen Quellen deutscher Art gerechnet werden müssen»; siehe auch Albert Soergel: *Dichter aus deutschem Volkstum*, Leipzig 1935, S. 118–133.

An den Herrn
Präsidenten der
Reichsschrifttumskammer
Berlin-Charlottenburg   Berlin, den 24. September 1939

Auf das Schreiben vom 6. September 1939 – II A – 07059 hal – Vorstehende Abschrift wird zur Kenntnisnahme übersandt.
                                        Im Auftrag gez. Dr. Erckmann

Stempel:
Reichsministerium für Volksaufklärung
und Propaganda – Ministerialkanzlei

Kolbenheyer an die NSDAP-Ortsgruppenleitung

Stempel:
NSDAP-Gauleitung
München-Oberbayern
Eing. 14. Mrz. 1940 Nr. 008993
Personalamt. Nr.
Erledigt: Rü 18. 3. 40

An die
Ortsgruppenleitung
der NSDAP   Dr. phil., Dr. med. h. c. E. G. Kolbenheyer,
Solln   Solln/München, Tel.: 79 40 91

Sehr geehrter Herr Pg Hasselbauer!
Ich bitte der Gauleitung für die mir im Namen des Führers verliehene Medaille zur Erinnerung an den 1. Oktober 1938 [1] meinen Dank zu übermitteln und danke gleichzeitig für deren Aushändigung.
                                        Heil Hitler!
Solln, 10. März 1940   Dr. E. G. Kolbenheyer

Volksdeutscher Schrifttumspreis für Wilhelm Pleyer

Überschrift der Nachricht in: *Der Autor* vom 1. 6. 1941, S. 107, gekürzt.
   Dr. phil Wilhelm Pleyer, Schriftsteller (Erzählung, Essay, Lyrik, Feuilleton, Kunst); Schriftleiter der *Sudetendeutschen Monatshefte*; der Volksdeutsche Schrifttumspreis betrug zweitausend Mark und wurde alljährlich am 9. Mai verteilt.

   1 Auf der Konferenz in München am 29. 9. 1938 wurde der Anschluß der sudetendeutschen Gebiete beschlossen; die Medaille zur «Erinnerung an den 1. Oktober 1938» ist zum Gedanken an diesen Anschluß gestiftet worden; Kolbenheyer war sudetendeutscher Herkunft.

Der Oberbürgermeister der Stadt der Auslandsdeutschen Stuttgart und Präsident des Deutschen Auslands-Instituts, Dr. Stroelin, hat den volksdeutschen Schrifttumspreis, der alljährlich am Todestag Friedrich Schillers vergeben wird, für das Jahr 1941 dem sudetendeutschen Dichter und Schriftsteller Dr. Wilhelm Pleyer für sein Buch «Das Tal der Kindheit» verliehen. Diese Ehrung gilt zugleich den früheren Werken Pleyers. Der diesjährige Preisträger hat sich als ein Vorkämpfer seiner sudetendeutschen Volksgruppe bewährt. Pleyer ist am 8. März 1901 in Eisenhammer geboren worden. Mehr als zwei Jahrzehnte hat er unerschrocken, allen gerichtlichen, politischen und persönlichen Bedrohungen trotzend, mannhaft für sein Volkstum gestritten. Daneben hat Wilhelm Pleyer, der im Jahre 1939 auch mit dem Literaturpreis der Reichshauptstadt ausgezeichnet wurde, mehrere Bände einprägsamer Gedichte geschrieben.

Kantate-Dichterpreis für Hanns Johst

Überschrift der Nachricht in: *Der Autor* vom 1. 6. 1941.

Auf einer Kundgebung im Leipziger Neuen Theater, die den Höhepunkt der diesjährigen Buchhändler-Kantate bildete, wurde der neugestiftete Kantate-Dichterpreis der Stadt Leipzig an den Präsidenten der Reichsschrifttumskammer, Staatsrat Hanns Johst, verliehen. Oberbürgermeister Freyberg [1] knüpfte an die Verleihung des Kantate-Dichterpreises an Hanns Johst den Wunsch, daß es dem politischen Dichter Großdeutschlands vergönnt sein möge, weiterhin unvergängliche Werke zu schöpfen.

Dietrich Eckart-Preis für Hans Baumann und Adolf Bartels

Hans Baumann und Adolf Bartels geehrt, in: *Hamburger Tageblatt* vom 8. 11. 1941; der *Dietrich-Eckart-Preis* in Höhe von fünftausend Mark wurde jährlich am 9. November – Hitler-Putsch 1923 in München – verteilt; von den typischen NS-Preisen gehörten in diese Kategorie noch *Hans-Schemm-Preis für das deutsche Jugendschrifttum* mit dreitausendfünfhundert Mark, *Preis des Stabschefs der SA für Dichtung und Schrifttum* mit zweitausend Mark, jährlich am Todestag Horst Wessels, dem 23. Februar.

Hans Baumann, Schriftsteller (Drama, Lyrik), * 1914; Referent für auslandsdeutsche Kulturarbeit in der Reichsjugendführung.

1 Alfred Freyberg, * 1892; 1925 Ortsgruppenleiter Quedlinburg; NSDAP-Nr. 5 880, SS-Nr. 113 650.

Adolf Bartels, 1862–1945, Pionier der antisemitischen Literaturgeschichte; ausführliches Porträt s. S. 509 f.

Außer den hier erwähnten, bekamen den Dietrich-Eckart-Preis noch folgende Schriftsteller: Ernst Karl Hintze und Sigmund Graff 1933; Alfred Karrasch und ·Heinrich Anacker 1934; Edwin Erich Dwinger und Thomas Westerich 1935; Walter Gross und Hermann Okrass 1936; 1938–40 sowie 1942 keine Verleihung; Friedrich Wilhelm Hymmen 1943; Angaben laut Brief des Regierungsoberinspektors Wülfken vom Staatsarchiv des Senats der Freien- und Hansestadt Hamburg vom 19. 7. 1962.

Der Reichsstatthalter hat zum 9. November den Dietrich-Eckart-Preis der Hansestadt Hamburg zu gleichen Teilen an Professor Dr. Adolf Bartels und Hans Baumann verliehen.

Das Preisrichterkollegium hat in seinem Vorschlag an den Reichsstatthalter ausgeführt, daß Adolf Bartels sowohl in seinen epischen als in seinen lyrischen Werken schon zu einer Zeit, in der dazu besonderer Mut gehörte, sich als kompromißloser Deutscher und Verfechter nordischer Geisteshaltung bewiesen habe. Insbesondere habe er als Literaturhistoriker schon früh einen völkischen Standpunkt vertreten. Seine Gesamt-Persönlichkeit und seine kämpferische Haltung ließen es als eine Pflicht des nationalsozialistischen Deutschland erscheinen, diesem Mann als einem seiner Vorkämpfer auf kulturellem Gebiet eine Ehrung zuteil werden zu lassen.

In Hans Baumann sieht das Preisrichterkollegium einen der hervorragendsten Vertreter der jüngeren Dichtergeneration, der – selbst aus der HJ hervorgegangen – der Jugend des Führers eine große Anzahl von Liedern geschenkt und sich darüber hinaus vor allem in seinen Werken «Rüdiger von Bechelaren» und «Alexander» als Dramatiker von beachtlichem Können bewiesen habe.

Literaturkritik

Am 28. 11. 1936 erschien die Anordnung des Reichsministers für Volksaufklärung und Propaganda über Kunstkritik. Damit wurde erstmals in der Geschichte Kunstkritik unter anderem als Ausdruck «jüdischer Kunstüberfremdung» *gesetzlich* verboten. An Stelle der *Kunstkritik* trat die nationalsozialistische *Kunstbetrachtung.* Text der Anordnung selbst und ausführliche Kommentare siehe in: *Die bildenden Künste im Dritten Reich* (Ullstein Buch 33030), S. 127 f. Hier soll lediglich die Literaturkritik bzw. *Literaturbetrachtung* dokumentiert werden; erwähnenswert ist vielleicht noch folgende Notiz in: *Börsenblatt für den Deutschen Buchhandel* vom 19. 8. 1937: «Der Präsident der Reichspressekammer weist noch einmal darauf hin, daß mit Ablauf des 30. Juni 1937 die von dem Herrn Reichsminister für Volksaufklärung und Propaganda erlassene Anordnung über das Verbot der Kunstkritik vom 26. November 1936 in Kraft getreten ist. Es dürfen jetzt also in der deutschen Presse nur solche Kunstbetrachtungen erscheinen, deren Verfasser in die Sonderliste der Kunstschriftleiter eingetragen sind oder deren Verfasser auf Grund der zweiten Anordnung über die Anlage der Sonderliste der Kunstschriftleiter vom 24. Juli 1937 die Genehmigung erhalten haben, sich als gelegentliche Mitarbeiter der Presse auf dem Gebiete der Kunstbetrachtung zu betätigen.»

Grundsätzliches

Hildegard Zimmermann (aus Leipzig): *Untersuchungen zur Literaturkritik in der Tagespresse.* – Inaugural-Dissertation zur Erlangung der Doktorwürde einer Hohen Philosophischen Fakultät der Bad. Ruprecht-Karl-Universität Heidelberg, Würzburg 1935, S. 2–5, gekürzt; Referent Dr. H. H. Adler, Korreferent Prof. Dr. E. A. Boucke, Dekan Prof. Dr. Hermann Güntert.

Einleitend soll hier einiges über Alfred Kerr gesagt werden, da er in nationalsozialistischen Auseinandersetzungen stets als Prototyp der «zersetzenden» und «entarteten» Literaturkritik bezeichnet wird. Alfred Kerr, Theaterkritiker, 1857–1946; seine wichtigste Buchausgabe ist das fünfbändige Werk *Die Welt im Drama,* Berlin 1917; im Buche *Die Juden in Deutschland,* herausgegeben vom Institut zum Studium der Judenfrage, München 1939, S. 182–192, ist u. a. zu lesen: «Ihm fehlt Charakter: das ist der Schlüssel zu seinem Wesen»; «In allem unstet, darin aber konstant: überzeugter Jude, überzeugter Deutscher und überzeugter Internationaler zugleich. Ein typischer Fall jüdischer Entwurzelung»; «Eine gewisse Schicht unter den ‹Deutschen› hat diesen Kerr mit Lorbeeren überhäuft wegen der angeblichen Prägnanz seiner Sprache, der Lebendigkeit seines Ausdrucks, der Lebhaftigkeit seines Rhythmus. Und was ist der Erfolg dieser Sendung? Bis in den Klang, die Melodie und den Rhythmus der deutschen Sprache hat sich das jüdische Element eingefressen. Die Hellhörigen – ungehört unter den Deutschen – verspürten es lange und beklagten den Untergang des lebendigen Sprachleibs durch die jüdische Infektion»; siehe auch: «Verbrennung undeutschen Schrifttums», S. 44 f und S. 50

Von den verschiedensten Standpunkten aus sind die Mißstände, die sich der Literaturkritik in der Zeitung entgegenstellen, aufgezeigt worden. Groth nennt die Buchbeilage die Ecke, in der vielerlei Schmutz abgelagert wird. Durch das ständige Sinken des Niveaus der Buchbesprechung kam es so weit, daß der Zeitung überhaupt die Berechtigung zur Literaturkritik abgesprochen wurde. Lothar Brieger [1] betrachtete die Buchkritik als einen Fremdkörper, der mit der heutigen, hastigen, aktuellen, auf den Tag eingestellten Form der Zeitung nichts mehr zu tun hat. Ein Artikel in einer großen Berliner Tageszeitung will die literarische Kritik aus der Zeitung überhaupt verbannen und an ihrer Stelle ausgewählte Stücke aus Büchern abgedruckt sehen. Noch vor kurzem wurde wieder eine Stimme laut, die behauptet, daß das kritische Gerede einer Besprechung nur die Aufgeschlossenheit des Lesers rauben kann, und daß das Buch selbst viel lebendiger zu ihm spricht.

Was geht das besprochene Kunstwerk die Kritiker an? Nur sich selbst beäugeln, bespiegeln, bewundern sie, gleichviel ob sie loben oder tadeln, und der unsachliche Stil verrät in jeder Zeile den wahren Zweck des Geschreibes. Kerr selbst bezeichnete Kritik als eine Art Dichtung, und zeigt damit den Weg zu ihrer Überschätzung. Alle die Bezeichnungen, die in der vergangenen Zeit als höchstes Lob einer Kritik galten, wie kapriziös, schmissig, spritzig, funkelnd, irisierend, haben den eigentlichen Sinn der Kritik verfälscht. Die zweite Hälfte des 19. Jahrhunderts kann uns nicht mehr als eine glänzende Periode der literarkritischen Tagespresse erscheinen, wie sie noch Tony Kellen [2] sieht. Er hebt Kritiker wie Maximilian Harden [3] hervor, der immer Opposition mache und das Publikum durch Paradoxe zu verblüffen suche, und lobt Paul Lindau [4], der den Geist der Verneinung in der kritischen Literatur repräsentiere.

1 Lothar Brieger, Kunsthistoriker, * 1879.

2 Tony Kellen, Schriftsteller (Literaturkritik, Roman), * 1869.

3 Maximilian Harden, Publizist, 1861–1927; Mitbegründer der *Freien Bühne*; gab ab 1893 die politische und Kultur-Zeitschrift *Die Zukunft* heraus; «In Harden drängte sich der jüdische Parasit in den politischen Riß zwischen Bismarck und Wilhelm II» – Prof. Dr. Walter Frank auf der dritten Arbeitstagung zur Judenfrage im Senatssaal der Münchner Universität, in: *Historische Zeitschrift*, 1938, S. 218.

4 Paul Lindau, Schriftsteller, 1839–1919; Herausgeber der Wochenzeitschrift *Die Gegenwart* und der Monatsschrift *Nord und Süd*; siehe auch seine beiden Bände: *Nur Erinnerungen*, Berlin 1917.

Der Besprecher schrieb sich einen Namen, und faßte die Kritik als Selbstzweck auf. Ihm fehlte die Demut vor dem Werk. Sein Urteil genügte ihm, Autor und Leser waren ihm gleichgültig. Er vergaß, zuerst einmal Kritik gegen sich selbst zu richten, wie es Wilhelm Stapel fordert. Er stellte sich über den Autor, gemäß dem paradoxen Ausspruch Oscar Wildes [1], daß die Kritik in höherem Maße schöpferisch sei, denn es sei schwieriger über etwas zu reden, als etwas zu schaffen. Im selben Sinne äußert sich Thomas Mann, wenn er sagt, es sei wichtiger zu unterscheiden als sich zu entscheiden. Der Führungswert der Kritik war verloren gegangen. Die zerstörende Kritik, so wie sie Goethe in seiner Rezension von Manzonis [2] «Il conte di Carmagnola» von der produktiven Kritik schied, herrschte. Es fehlte die souveräne, edle, wohlwollende Kritik, vermischt mit positiven und guten Ratschlägen, eine Forderung von Dr. Goebbels. Schon 1750 fand die Vossische Zeitung viel Ähnlichkeit zwischen dem Talent eines kritischen Journalisten und einer Frau, die Flecken aus den Kleidern entfernt. Die Kritik war nur kennerische Betrachtung, sie hatte ihr eigentliches Wesen verloren, die Leidenschaft für das geistige Schicksal unseres Volkes und die Mitwirkung an der Einarbeitung neuer Führungswerte.

Die nur verneinende und zerstörende Kritik, die keine neuen Wege weist, konnte weder dem Autor noch der Leserschaft etwas bedeuten. Ein Rezensent, der sich über den Autor stellt und ihm nur vorschreibt, für den als einzige und höchste Instanz nur sein persönlicher Eindruck gilt, konnte nie eine fruchtbare Kritik schaffen. Die Kritiken der Vergangenheit waren lyrische Kritik, ein Werten nur nach individualistischen Ambitionen, ein Schwelgen und sich Über-Steigern in eigenen Eindrükken, oder epische Kritik, ein anekdotenhaftes Plaudern, eine Darstellung ohne eigenes Urteil oder verknöcherte und volksfremde Kunsttheorie. Nur in seltensten Fällen gelang eine dramatische Kritik, ein verantwortungsbewußter Faktor des literarischen Fortschritts, ein Kampfmittel gegen Mittelmäßigkeit und Lauheit. In der Literaturkritik der Vergangenheit stand das Denken vor dem Erleben. Dichtung wurde als Analyse des Lebens, nicht als gesteigertes Leben gewertet.

Solange es keine einheitliche Entwicklung der Kultur gab, konnte es auch keine einheitliche und damit fruchtbare Entwicklung der Literatur und der Literaturkritik geben. Jede Zeitung arbeitete für ihre Auffassung, für ihre Meinung, für ihren Kreis. So wurde die literarische Kritik ein Aufeinanderprallen aller verschiedenen Meinungen und Räsonnements, ein Spiegel der politischen, ökonomischen und geistigen Zerrissenheit. In dem bunten, singenden Chor, der sich nach Meuniers und Jessens Wunsche aus vielen Besprechungen ergeben sollte, herrschte die

---

1 Oscar Wilde, englischer Dichter, 1856–1900.
2 Alessandro Manzoni, italienischer Dichter, 1785–1873.

Buntheit über der Harmonie. Weltanschauung und Parteibekenntnis schieden die Rezensenten in feindliche Gruppen. So wirkten die Buchbesprechungen eher verwirrend als klärend. Die Kritik war zum Selbstzweck entartet, sie wollte nur herrschen und nicht dienen. Diese Art von Kritik verhalf den schädlichsten und wertlosesten Büchern zum Erfolg.

Nach den vielen traurigen Ergebnissen, die die Buchbesprechungen der vergangenen Zeit gezeigt hatten, war es verständlich, daß von verschiedenen Seiten der Zeitung das Recht auf literarische Kritik verweigert wurde.

Geflügelte Worte

Die Autoren werden alphabetisch aufgeführt.

Wichtiger ist uns eine Auseinandersetzung über junge deutsche Dichtung, als eine Betrachtung, was Herr Thomas Mann doch für ein genialer Kopf sei. – Wilfried Bade: *Kulturpolitische Aufgaben der deutschen Presse*, Berlin 1933, S. 29.

Die «Kritik» ist abgeschafft. Aufbauend tritt an ihre Statt jene Art der Kulturbetrachtung, die das Wesen des Kunstwerks schaut und verkündet. – Richard Euringer: *Was ist schon ein Kritiker* in: *Der Autor*, Juli 1939, S. 3.

Erst auf dem Boden der allumfassenden nationalsozialistischen Weltanschauung kann der Buchbesprechung in der periodischen Presse ihre wahre Aufgabe, Hüterin und Dienerin nationalen Kulturgutes zu sein, zugewiesen werden, wofür die Vergangenheit in Vorbild und Irrtum überzeugende Beweise liefert. – Dr. phil. Gerda Victoria Förtsch: *Buchbesprechung und Zeitschrift* in: *Leipziger Beiträge zur Erforschung der Publizistik*, Band 3, Dresden 1940, S. 138.

Nationalsozialistische Kulturkritik wächst aus dem Instinkt. Instinkt ist Stimme des Blutes. Es bedarf für ihn keiner verstandesmäßigen Regeln und Gesetze. – Hellmuth Langenbucher in: *Völkischer Beobachter* vom 28. 11. 1934.

Dem künftigen Buchbesprechungswesen fällt eine andere Aufgabe zu als dem vergangenen: es soll in Erfüllung seiner wesenseigenen Bestimmung fester Bestandteil aller Literaturgebung dieses einzigartigen Volkes der Dichter, Denker und – Soldaten sein. – Kurt O. Fr. Metzner: *Geordnete Buchbesprechung, Ein Handbuch für Presse und Verlag*, Leipzig 1935, S. 5.

Was heute das Volk bewegt und die Nation durchrüttelt, was endlich den Weg dazu frei macht, damit deutsches Volk und deutscher Geist wieder in schöpferischen und weiterführenden Kontakt kommen, das ist mit den Mitteln gewesener Literatur bestimmt nicht zu erfassen. – Karl Rauch: *Gleichschaltung und Geisteswandel* in: *Film-Kurier* vom 14. 7. 1933, S. 2.

Die jüdische Literaturkritik vertrat, wie die jüdische Kritik auf anderen Gebieten auch, das Formalprinzip. Man hatte die Literatur ohne jede Beziehung zur Ganzheit des Lebens für sich genommen und ihre Eigengesetzlichkeit herauszupräparieren gestrebt. So hatte man den Begriff der Literatur als solcher gebildet und suchte nach den Gesetzen dieses aus seinem Zusammenhang gelösten Gebietes. Diese Gesetze waren dann freilich rein formaler Natur. – Dr. Wilhelm Stapel: *Die literarische Vorherrschaft der Juden in Deutschland 1918–1933*, Hamburg 1937, S. 22.

Die gesinnungslose, aber geschäftstüchtige Kritik der artfremden Presse fördert die Verrohung und verläßt sich auf die gemeinen Instinkte der artfremden Massen. – A.F.C. Vilmar und Johannes Rohr: *Geschichte der Deutschen National-Literatur*, Berlin 1936, S. 408.

Es ist für jeden Nationalsozialisten selbstverständlich, daß, wie das künstlerische und dichterische Schaffen selbst, auch die Kritik sich in Form und Inhalt denjenigen Bindungen einzuordnen hat, die heute für jeden gelten. Was der Liberalismus unter Freiheit verstand, lehnen wir sowohl für das Schaffen wie für die Kritik mit aller Entschiedenheit und Leidenschaft ab. – Dr. Heinz Wismann: *Geordnete Freiheit im Schrifttum* in: *Berliner Lokal-Anzeiger* vom 5. 6. 1936, Morgenausgabe.

Porträts

Eigentlich müßten hier zuerst Porträts von Joseph Goebbels und Alfred Rosenberg folgen; über ersteren gibt es jedoch einige ausgezeichnete Biographien, von denen *Joseph Goebbels* von Curt Riess, Baden-Baden 1950, und von Helmut Heiber, Berlin 1962, besonders erwähnenswert sind. Ein Porträt Alfred Rosenbergs aber würde weit über den Rahmen dieses Buches hinausgehen. Die beiden Bücher von Serge Lang und Ernst von Schenck: *Porträt eines Menschheitsverbrechers – Nach den hinterlassenen Memoiren des ehemaligen Reichsministers Alfred Rosenberg*, St. Gallen 1947, und von Dr. Hans-Günther Seraphim: *Das politische Tagebuch Alfred Rosenbergs 1934/35 und 1939/40*, Göttingen 1956, vermitteln einiges über sein Wirken im Dritten Reich. Ausführliche Charakteristika Alfred Rosenbergs siehe auch: *Das Dritte Reich und seine Denker* von Léon Poliakov und Joseph Wulf. Über den untergeordneten, aber äußerst aktiven Manager bei der Steuerung der Literatur im Dritten Reich, Hans Hinkel, siehe auch das *Porträt* in: *Die Bildenden Künste im Dritten Reich* (Ullstein Buch 33030), S. 145 f.

Wilhelm Baur

Lebenslauf

Einleitend ist über den Vizepräsidenten der Reichsschrifttumskammer noch zu sagen, daß er die Frage «Was veranlaßte Sie damals, in die Partei einzutreten?» im Fragebogen für die ersten Mitglieder der NSDAP (D. A. P.) mit dem Satz beantwortet: «Mit meiner Mutter, Schwester Pia, kam ich bereits 1919 wiederholt mit dem Führer in Verbindung»; Fragebogen im Besitz des Herausgebers; Baurs Mutter, Schwester Pia, pflegte den leicht verwundeten Hitler nach dem mißlungenen Novemberputsch 1923 in München; während des Zweiten Weltkriegs war sie Oberin eines Wehrmachtsbordells für höhere Offiziere. Das Etablissement befand sich in einem Wehrmachtswaggon und wurde nach einer Besichtigung von Reichsmarschall Hermann Göring lobend erwähnt. Als der Zweite Weltkrieg beendet war, wurde im Garten des Hauses von Schwester Pia vergrabener Schmuck von großem Wert gefunden. Ausführlicher darüber siehe David Rousset: *Le Pitre ne rit pas*, Paris 1948, S. 34.

Ich wurde am 17. April 1905 zu München geboren und besuchte die Volks- und Ludwigs-Kreisrealschule in München bis 1920. Durch die

Revolution wurde meine Absicht, die militärische Laufbahn zu ergreifen, vereitelt und kam deshalb Ende 1920 als Volontär zum Völk. Beobachter. Im Verlag habe ich dann nach meiner zweijährigen Lehrzeit alle Sparten durchgemacht. Bereits 1922 war ich Abteilungsleiter. Während der Verbotszeit 1923 bis 1925 war ich mit Reichsleiter Amann einer der wenigen Angestellten, die den Parteiverlag durchhielten. Nach Aufhebung des Verbotes der Partei und des Völk. Beobachters 1925 wurde mir vom Reichsleiter und SS-Obergruppenführer Amann die Führung des Partei-Buchverlags anvertraut. Im Januar 1935 wurde ich zum Verlagsleiter der Berliner Niederlassung des Parteiverlags ernannt.

Im November 1920 trat ich der NSDAP bei. Kurz darauf trat ich auch der SA bei, der ich bis zur Auflösung der Partei im November 1923 angehörte. Ich nahm an allen wichtigen Aktionen der SA teil und besitze auch den Blutorden.

Nach Wiederbegründung der Partei trat ich ihr wieder sofort bei und erhielt die Nr. 51. Der SA gehörte ich in den Jahren 1928 bis Ende 1930 an. Da ich von da ab im Parteiverlag besonders wichtige Aufgaben zu erfüllen hatte und auch bald als politischer Leiter berufen wurde, schied ich aus der SA aus. Reichsleiter Amann bestellte mich innerhalb seines Amtes noch vor der Machtergreifung zum Hauptabteilungsleiter. Seit 1934 bin ich Hauptamtsleiter beim Reichsleiter für die Presse der NSDAP.

Ehrenamtlich bin ich seit 1934 Vorsteher des Börsenvereins der Deutschen Buchhändler zu Leipzig und Leiter des Deutschen Buchhandels in der Reichsschrifttumskammer. Seit 1935 bin ich Mitglied des Präsidialrats der RSK und seit 1937 deren Vizepräsident. Außerdem gehöre ich dem Reichskultursenat an.

Außer dem Blutorden besitze ich das Coburger Ehrenzeichen und das gold. Ehrenzeichen der Partei. Ferner besitze ich eine Ehrenurkunde des Reichsleiters für die Presse für tatkräftige Mitarbeit in der Parteipresse während der Kampfzeit.

Berlin, den 25. Juni 1938 Wilhelm Baur

SS-Personalhauptamt

Der Reichsführer-SS
SS-Personalhauptamt

Personal-Akt Nr.: 3245
Dienstlaufbahn des
Name: Baur, Wilhelm   SS-Nr.: 293 750
geb. am: 17. April 1905   zu: München   PG-Nr.: 51

Jahr	Tag	Monat	Dienstgrad	Einheit	Art der Dienststellung
1938	1.	Juni	SS-Staf	SS-Hauptamt	F. 6. Stab/enth.
1944	1.	Aug.		Stab SS OA Spree	ern.
1945	30.	Jan.	SS-Ofhr.	SS-Oberabschnitt Spree	F. b. Stab

Stempel: SS-Eintritt lt. A. V.-Schein 28. 5. 38

Baur an Blunck

Herrn Dr. Hans-Friedrich Blunck
Präsident der Reichsschrifttumskammer   WB/E
Berlin W 8, Leipzigerstraße 19   Berlin, den 21. 8. 1935

Sehr verehrter Herr Doktor!
Heute muß ich Sie von einer Angelegenheit verständigen, von der ich wünsche, daß Sie selbst entscheiden wollen, denn ich halte die Sache für grundsätzlich wichtig und bezüglich der Zusammenarbeit innerhalb der Reichsschrifttumskammer von großer Tragweite.

Es handelt sich darum, daß ich in der letzten Zeit wiederholt sachliche Differenzen mit Ihrem Vizepräsidenten, Herrn Dr. Wismann [1] gehabt habe. Die gegenseitigen Auffassungen waren aber nicht dazu angetan, das sonstige Verhältnis irgendwie zu stören. Jedenfalls habe ich wiederholt auf Grund meiner persönlichen Ansicht und Erfahrung eine andere Auffassung gehabt. In einer der wichtigsten Fragen, die in der letzten Zeit zur Behandlung standen, der Exportfrage, wurde Herr Dr. Wismann ständig von Herrn Vowinckel [2] instruiert. Als sich nun vor 7 Wochen Herr Vowinckel mir gegenüber unverschämt benahm, indem er mir, weil ich meine eigene Meinung vertrete, bürgerliches Verhalten vorwarf, habe ich mit ihm jede weitere persönliche Verbindung abgebrochen. Da Herr Vowinckel die Folgerung aus seinem Verhalten nicht zog, habe ich ihm die Ehrenämter, die er im Börsenverein und im Bund reichsdeutscher Buchhändler besaß, entzogen.

1 Dr. Heinz Wismann wurde am 30. 6. 1937 von dem späteren Präsidenten der Reichsschrifttumskammer, Hanns Johst, entlassen, da es sich erwiesen hatte, daß er «jüdisch versippt» war. Baur war maßgeblich an den Intrigen gegen Dr. Wismann beteiligt.
2 Kurt Vowinckel, Verlagsbuchhändler, * 1895.

Diese interne Angelegenheit des Börsenvereins und des BRB hat Herrn Dr. Wismann derart entrüstet, daß er mich kurz darauf wissen ließ, daß er Herrn Vowinckel in den Verwaltungsbeirat der Reichsschrifttumskammer berufen habe. Obwohl diese Berufung eine glatte Brüskierung meiner Handlungsweise darstellt und ich in ihr ein Lob für das Verhalten Vowinckels mir gegenüber erblicken muß, habe ich dazu geschwiegen.

Nun wurde aber gestern der Leipziger Geschäftsstelle ein Schreiben Ihrer Kammer übermittelt, worin die Aufforderung enthalten ist, eine Notiz über die «ehrenvolle Berufung» des Herrn Vowinckel im Börsenblatt zu veröffentlichen.

Sehr geehrter Herr Doktor! Ich habe in Leipzig Anweisung gegeben, daß diese Notiz vorerst nicht zu erscheinen hat. Ich kann es nicht glauben, daß die Reichsschrifttumskammer offiziell einen Mann lobt, der, obwohl er nicht Parteigenosse ist, glaubt, mir, der ich immerhin schon fast 15 Jahre der Bewegung angehöre und meine Weltanschauung nicht nur allein mit geistigen Waffen, sondern auch mit anderen verteidigt habe, mit Taktlosigkeiten entgegentreten zu können. Ich muß nachdrücklichst Verwahrung dagegen einlegen, daß man glaubt, mich auf diese Weise provozieren zu können.

Ich habe von diesem Vorfall gestern meinem Reichsleiter Amann, dem ich als der von der Partei eingesetzte Vertreter für den Buchhandel allein unterstehe, parteioffiziell Kenntnis gegeben. In seinem Auftrage schreibe ich diesen Brief an Sie. Ich verwende bewußt keine Parteibriefbogen, um nicht diese Angelegenheit zu groß aufzubauschen, ich müßte sonst dem Parteigenossen Wismann, dem Pg von 1932, ein Parteigerichtsverfahren auf den Hals hängen, was ich aber im Interesse der weiteren Zusammenarbeit vermeiden will. Um was ich Sie aber bitte, ist, in dieser Angelegenheit, sehr geehrter Herr Doktor, selbst zu entscheiden, denn ich kann es, wie bereits ausgedrückt, nicht fassen, daß man einem Nichtparteigenossen besondere Ehrungen zuteil werden läßt, der von mir wegen seines Verhaltens aus seinen Ämtern hinausgeworfen wurde. Als ich vom Parteigenossen Reichsminister Dr. Goebbels zum Präsidialrat Ihrer Kammer ernannt wurde, habe ich nicht erfahren, daß die Kammer eine Notiz an das Börsenblatt bezüglich meiner ehrenvollen Berufung geschickt hat. Dabei bin ich der Auffassung, daß diese Berufung wirklich ehrenvoll war.

Wie ich die Veröffentlichung der mir von der Kammer zugegangenen Notiz zurückgestellt habe, so habe ich auch telefonisch die Leipziger Geschäftsstelle angewiesen, vorläufig keinerlei Mitteilung über die letzten Veränderungen im Kleinen Rat des Börsenvereins und des Rates des Bundes zu bringen.

Von diesem Schreiben habe ich Abschrift an Pg Staatskommissar Hinkel geschickt, weil ich es für notwendig erachte, daß auch dieser Mann, den ich schon seit Jahren durch die Bewegung kenne, über das Verhalten Ihres Vizepräsidenten unterrichtet sein soll.

Da ich morgen in München bin, bin ich erst am Freitag früh wieder in Berlin zu erreichen.

Heil Hitler!
Ihr ganz ergebener Baur

Karl Heinrich Hederich

Personalaufstellung

Dieses Aktenstück stammt aus dem Reichsministerium für Volksaufklärung und Propaganda.

ZU
I B 1205/...   Berlin, den 25. Februar 1938

Personalaufstellung
über den Leiter der Abteilung VIII, Karl-Heinrich Hederich, geboren am 29. Oktober 1902 in Wunsiedel, evgl., verheiratet.
Sachgebiet: Leiter der Abteilung VIII (Schrifttum).
Schul- und Berufsausbildung: Oberrealschule bis Obersekunda

1918–1920:	Schlosserlehrling
1920–1922:	Bürogehilfe, Bauarbeiter
1922–1924:	Studium techn. Lehranstalt Nürnberg, techn. Hochschule München (Werkstudent)
1925:	Abitur
1926–1928:	Werkarbeiter
1929–1931:	Studium techn. Hochschule Danzig und München – Diplom-Hauptprüfung
1931–1933:	Regierungsbauführer bei der Deutschen Reichsbahn
1934–1935:	Geschäftsführer der Parteiamtlichen Prüfungskommission
1935:	Präsidialrat der Reichsschrifttumskammer
1936:	Stellv. Vorsitzender und Reichsamtsleiter der Parteiamtlichen Prüfungskommission
1937:	Hauptamtsleiter der Parteiamtlichen Prüfungskommission, Vizepräsident der Reichsschrifttumskammer
Seit 1. 9. 1937:	Leiter der Abteilung VIII (Schrifttum)

Partei: 22. 11. 1922: Eintritt in die NSDAP, Mitgl. Nr. 11 340 (alt)
1. 3. 1932: Mitgl. Nr. 964 877 (neu)

Heil Hitler!
Unterschrift

Baur an Hanke

Karl Hanke, 1903–45; 1928 Gewerbelehrer in Berlin und Eintritt in die
NSDAP; 1932 Mitglied des Reichstages, Privatsekretär und persönlicher Referent von Goebbels; 1933–41 im Propagandaministerium; 1938 Vizepräsident
der Reichskulturkammer; 1941 Gauleiter und Oberpräsident von Oberschlesien;
1944 SS-Obergruppenführer; in seinem Testament bestimmte Hitler Hanke
zum Reichsführer SS an Stelle des abgesetzten Himmler; über die Affären von
Magda Goebbels mit Hanke und Karl Hankes Intrigen gegen seinen Chef Dr.
Goebbels siehe Curt Riess: *Joseph Goebbels*, Baden-Baden 1950, S. 217 f, und
Helmut Heiber: *Joseph Goebbels*, Berlin 1962, S. 275 f.

handschriftlich:
I B–H 82/21. 12. 38

Herrn
Staatssekretär *Hanke*
Reichspropagandaministerium
Berlin W 9
Wilhelmplatz 8/9

Zentralverlag der NSDAP
Franz Eher Nachf. GmbH.,
München-Berlin
Zweigniederlassung Berlin
Postscheckkonto: Berlin NW 7, 4454
Ruf: 11 00 22
Drahtanschrift: Eherverlag Berlin
Seit 1920 im alleinigen Besitz
der NSDAP
Berlin SW 68, den 21. 12. 38.
Zimmerstr. 87–91
Verlagsleitung: WB/P.

Sehr geehrter und lieber Herr Hanke!
Herr Reichsleiter Amann beauftragte mich vor kurzem nachzuprüfen, ob
sich Herr Hederich mit Recht «Diplomingenieur» bezeichnet. Auf der
von ihm herausgegebenen Broschüre «Der Marsch zur Feldherrnhalle»
führt er den Titel «Dipl.-Ing.».
    Eine Anfrage bei einem Auskunftsbüro ergab folgende Mitteilung:
«Hederich, dessen Geburtsdatum der 29. 10. 1902 und dessen Geburtsort Wunsiedel ist, ist der Sohn eines pensionierten Lehrers, welcher
früher in Nürnberg ansässig war und nunmehr im Fränkischen wohnt.
In der Zeit vom 14. 10. 1921 bis 14. 7. 1923 hat er an der höheren technischen Staatslehranstalt, dem jetzigen «Ohm-Poly-Technikum» in
Nürnberg Tiefbau studiert. Das Studium umfaßt im allgemeinen 5 Semester. Hederich hat nur 4 Semester studiert, weil er das Unterrichtsziel
des 4. Semesters nicht erreicht hat. Ob er an einer anderen Anstalt das

Studium fortsetzte, ist nicht bekannt. Der Titel Diplomingenieur kann an der Nürnberger Staatsanstalt nicht erreicht werden, sodaß also Hederich den Titel daselbst nicht erwerben konnte.»

Ich nehme nun an, daß Sie in der Lage sind mir mitzuteilen, wie und wo Hederich den Titel Dipl.-Ing. erworben hat, und wäre Ihnen für eine kurze Mitteilung sehr dankbar.

Heil Hitler!
Ihr Baur

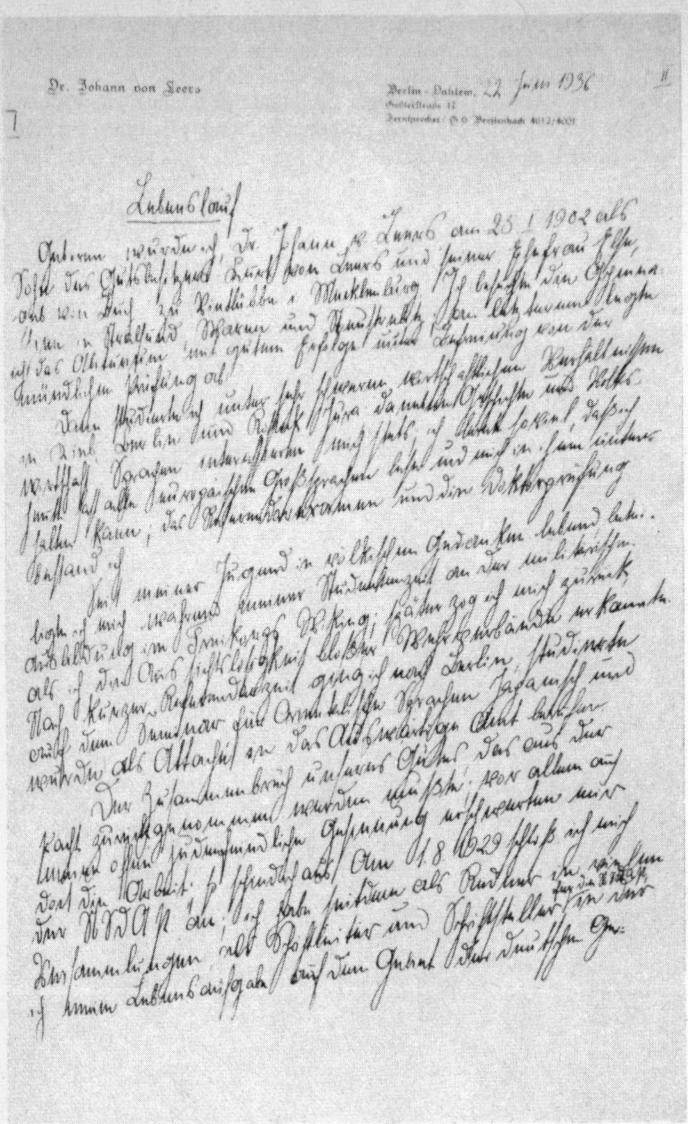
Dr. Johann von Leers

Berlin-Dahlem, 22 Juni 1936

Lebenslauf

Lebenslauf von Johannes von Leers, erste Seite

Schule im Sinne von Blut und Boden gefunden haben, gekränkt.

Eine besondere Beglückwünschung meiner Arbeit auf diesem Gebiet ist nur, daß mich der Rückschlußen ſ..., Krankenschaft deſſen, daß ich gesundheitlich immer etwas kränklich war und bin, mir Rücksicht auf meinen Einsatz auf diesem Gebiete in der ſſ aufgenommen hat, daß ich mit meinen Kräften für den Führer und die Bewegung noch beſſer wirken zu können hoffen darf.

Heil Hitler!

Dr. ... Laurs
ſſ-Untersturmführer

Zweite Seite des Lebenslaufs

Kapitel III

ARTEIGENE LITERATUR

Vorwort

Eine Weltanschauung, die gar keine ist, auf Literatur zu projizieren, ergibt eine Chimäre. Es kann niemals gelingen. «Es ist die größte aller Absurditäten», schrieb John Locke, «sich vorzustellen, daß das reine Nichts, die völlige Negation und Abwesenheit alles Seins je irgendeine Existenz hervorbringen sollte.»

Unter diesen Umständen und solchen Verhältnissen wird selbst der echte Dichter zu einem Reimeschmied.

Nationalsozialistische Miniaturen

Die «arteigene» Kunstauffassung des Dritten Reiches, seine Definitionen der nordischen, germanischen oder deutschen Kunst sowie Ästhetik, wurden hauptsächlich in *Die bildenden Künste im Dritten Reich* (Ullstein Buch 33030) ausgiebig dokumentiert, sie werden auch in *Musik im Dritten Reich* (Ullstein Buch 33032) wieder ersichtlich. Hier sollen lediglich Auffassungen von Schriftstellern oder Ansichten über sie illustriert werden. Bei der Überfülle des Materials können jeweils nur kleine Kostproben gegeben werden. Übrigens geben alle Dokumente und Aufsätze etc. dieses Kapitels nur kleine Auszüge, Kurzfassungen oder vielleicht einen Vers eines Gedichtes wieder, um Anschauungen und Begriffe möglichst vielseitig zu illustrieren.

Grundsätzliches

Die einzelnen Beispiele sind chronologisch aufgeführt, damit die Entwicklung dieser Gedankenwelt besser herauskommt.

Für Jahrtausende

Paul Schulze-Berghof: *Kampfbund-Akademie und mythische Weltanschauung* in: *Deutsche Kultur-Wacht* vom 30. 12. 1933, S. 9.
  Paul Schulze-Berghof, 1873–1947, Schriftsteller (Lyrik, Novelle, Roman, Bühnendichtung, Kulturphilosophie).

Der Nationalsozialismus ist eine Weltanschauung; aber kein wahrhaft politisch Einsichtiger wird sich darüber täuschen, daß von ihr in der breiten Masse, in der Volksseele, kaum mehr als einige große Grundempfindungen leben und weben, die durch den Führerwillen in das breite Strombett des herrschenden nationalen und sozialen Gedankens gezwungen wurden. Damit die Weltanschauung des Nationalsozialismus wirklich unserem Volke in Fleisch und Blut übergeht, geistiger Besitz und inneres Erbgut für Generationen, für Jahrtausende wird, will sie von uns seelisch erworben sein, geistig durchdacht und als Frucht vom Baume der Erkenntnis zur Frucht des Lebens gewandelt werden, das heißt, sie muß auf dem Wege schöpferischer Kultur gestaltet und im

Volkstum ihren Ausdruck in Wissen und Kunst, Brauch, Sitte und Religion finden.

Leib, Seele und Geist

Hugo Dingler: *Zur Philosophie des Dritten Reiches* in: *Zeitschrift für Deutschkunde*, 1934, S. 609–610.
   Prof. Dr. Hugo Dingler, Philosophie, * 1881.

Der Nationalsozialismus will den ganzen Menschen erfassen, Leib, Seele und Geist. Und der heutige Mensch, der Mensch des 20. Jahrhunderts und der Zukunft will sich auch geistig klar sein über das, was er tut und will. Darum hat auch der Führer sein großes Werk geschrieben, worin er die Gesamtheit der leitenden Gedanken niederlegt, die sich ihm in seinem vieljährigen Mitleben und Mitleiden am deutschen Volke ergeben hatten. Und nachdem es ihm gelungen war, politisch und machtmäßig die Situation zu schaffen, wo der neue Geist, das neue Wollen die Bahn frei haben (die ihnen früher von allen Seiten versperrt gewesen war) zur Betätigung und zum Ausbau, nun müssen alle Kräfte ans Werk. Auch das Denken. Und überall regt es sich bereits.

Neues Deutschland

Kurt Eggers: *Deutsche Gedichte*, München 1934, S. 8.
   Kurt Eggers war Schriftsteller (Roman, Bühnendichtung, Lyrik), * 1905; 1936 SS-Untersturmführer.

Nicht in Parlamenten und Regierungspalästen wird Deutschland.
Nicht bei schönen Reden und lärmenden Festen wird Deutschland.
Weit über Straßen und Plätze und Mauern,
Bei Ackersknechten, bei Säern und Bauern,
Wo die braune Erde die Frucht gebiert,
Wo die Hand des Herrn die Zügel führt, wird Deutschland.
Wo Hämmer Eisen schmieden, wo Maschinen dröhnen, wird Deutschland.
Wo Kolonnen marschieren und Schlachtrufe tönen, wird Deutschland.
Wo Armut und Opfer sich Stätten bauen
Und wo trotzige Augen feindwärts schauen,
Wo Herzen hassen und Fäuste beben:
Dort keimt, dort reift das neue Leben für Deutschland!

Die Vermählung

Prof. Dr. Hans Heyse: *Idee und Existenz*, Hamburg 1935, S. 349.
Prof. Dr. Hans Heyse, Philosophie, *1891.

Am Anfang war die Tat: das ist nicht eine Tat der Willkür, sondern die Tat, die entsprungen ist aus der Wesensgesetzlichkeit des deutschen Menschen, aus seinem Logos, aus seiner Idee, vollstreckt durch den Führer des deutschen Volkes. In der Vermählung von Logos und Leben, Idee und Existenz entsteht das Neue Reich, das «Germanische Reich deutscher Nation», das berufen ist, ein neues Weltalter heraufzuführen. Das Urgesetz der Idee, das sich in der ursprünglichsten Daseins- und Werthaltung des griechischen wie des germanisch-deutschen Volkes ausspricht, ist mit einem einzigen Ausdruck zu umschreiben: es ist Ganzheit. Die Idee ist die Form, in der und kraft der das Sein als Ganzheit, als allwaltende Ordnung erfahren und gelebt wird. Die Idee ist das ewige Urgesetz, die Seins- und Lebensordnung selbst. Aus dieser Idee leben, das bedeutet: aus der Wahrheit des Seins und Lebens existieren. Nicht zufolge einer Theorie, sondern als Ausdruck jener einzigartigen Daseinshaltung, jener heroischen Lebensform, die das «Sein als Sein», das Sein in allen seinen Bezügen, den rätselvollen und offenbaren, den dunklen und den lichten bejaht und vollzieht und darin das Sein heiligt. Das ist der letzte Sinn der Einheit von Philosophie und Leben, Idee und Existenz.

Die Blutfahne

Heinrich Anackers Gedicht in: *Feierabend*, Heft 13, S. 15, herausgegeben von der Reichsleitung des Reichsarbeitsdienstes, Buchreihe 1935 f.

Du trankest unsrer ersten Toten Blut,
Du Fahne vom November Dreiundzwanzig;
du trankest der gebrochenen Herzen Glut
und wardst Fanal vom Saarland bis nach Danzig.

Vor deinem heil'gen Tuche neigten tief
die Adler sich von sämtlichen Standarten,
eh' sie zum Siegesflug der Führer rief
und Bataillone braun sich um sie scharten.

Und wieder ist's, daß jener Tag sich jährt,
da opfergroß die sechzehn Helden starben –
Du aber, Fahne, flatterst ruhmverklärt,
und Millionen grüßen deine Farben.

Außerhalb der völkischen Bezirke

Karl Heinz Hederich: *Die Parteiamtliche Prüfungskommission zum Schutze des NS-Schrifttums, ihre Aufgaben und ihre Stellung in Partei und Staat*, Breslau 1937, S. 8–9.

So gibt es Revolutionen und Umwälzungen, die von Büchern ihren Ausgang genommen haben, und es gibt solche, deren Ausgangspunkte eine ursprüngliche Tat ist, oder anders ausgedrückt: es gibt Revolutionen vom Verstand und Intellekt her, und es gibt solche aus der Unmittelbarkeit des Lebens. Eine Revolution vom Intellekt her, die durch weitläufiges Schrifttum philosophisch vorbereitet war, war z. B. die große Französische Revolution von 1789 oder in unseren Tagen die große Russische Revolution. In beiden Fällen liegen die Triebfedern des Handelns außerhalb der völkischen Bezirke. Im Gegensatz hierzu ist die nationalsozialistische Revolution unmittelbar der Tat eines einzelnen Mannes entsprungen. Sie rief nicht den Intellekt an, sondern das Leben. Und so stand auch am Beginn der nationalsozialistischen Revolution kein Buch, sondern der unmittelbare und persönliche Einsatz Adolf Hitlers.

Die Glut

Jörg Lampe: *Geistig und Intellektuell* in: *Die Literatur* 1938/39, S. 327–329.

Revolutionen sind Vergegenwärtigungsprozesse. Hiermit ist grundsätzlich auch die geistige Situation in einer revolutionären Epoche unter besonderer Berücksichtigung der nationalsozialistischen Erhebung bezeichnet. Mehr vielleicht als irgendeine andere Revolution zuvor greift sie gerade auf das biologisch-natürliche Kraftvolumen des Volkes zurück, um von der organischen Substanz her seinen während der letzten hundert Jahre atomisierten Körper erneut zu einem einheitlichen Gebilde durchzuformen.

Man wird nun schwerlich behaupten können, daß das geistige Leben in Deutschland während des letzten halben Jahrhunderts, seiner unbestreitbaren Regsamkeit und Leistung zum Trotz, sonderlich einheitsbildend gewesen sei. Es hat vielmehr an seinem Teil zu eben jeder Atomisierung beigetragen. Wohl fehlte es nicht an Rufern und Warnern, die den Tod des Geistigen oder gar den Geist als Tod vor Augen führten. War auch nur einer dieser Rufer imstande, die Not zu wenden, die Revolution durch eine konstruktive Lösung zu ersetzen oder ihr führend beizustehen?

Die nationalsozialistische Bewegung hat diese Glut entfacht und ist zugleich aus ihr hervorgewachsen.

Der wahrhaft geistige Mensch jedoch wird heute zu seinem Wesen durchgeknetet. Wie die Revolution in ihrem Tatbereich die völkische Gesamtheit willentlich zusammenschweißt, so verdichtet sie dahinter das geistige Bereich zu neuer, lebendiger Bereitschaft. Je unnachgiebiger sie also die geistigen Gegebenheiten von gestern in Frage stellt, desto mehr treibt sie in die Tiefe, aus der allein das Feuer gestaltungsmächtiger Kultur hervorbricht.

Das biologische Kernproblem

Erwin Guido Kolbenheyer: *Neue Weltgestaltung* in: *Die Neue Literatur*, Heft 7. Juli 1939, S. 377–378.

Das biologische Kernproblem: Individuum und Allgemeinheit – muß eine Neubetrachtung und Neufassung erfahren. Es ist unter leidenschaftliche Erörterung gesetzt.

Die beiden Nationen, die bei höchster Kulturreife auch das kräftigste Innenleben des Volkskörpers besaßen, verkörperten in der Gefolgschaft ihrer genialen Führer zuerst vor allen Nationen diese innenvölkische Sammlung zu einer neuen Gemeinschaftsform, die den Nationalismus in ausgeprägter Weise zur Wirkung bringt: das deutsche Volk im Nationalsozialismus Adolf Hitlers und das italienische im Faschismus des Duce.

Dem Individuum kann in dieser neuen Weltgestaltung nur die Bedeutung eines eingeordneten Funktionsexponenten bleiben.

Lassen Sie uns das Schicksal preisen, das unser deutsches Volk durch seinen Befreier an die Führung dieses artumfassenden Neubaues gestellt hat.

«Ethos der Begrenzung» in Gesellschaft Heinrich Himmlers

Hanns Johsts Ostfahrt, in: *Die Literatur* 1939/40, S. 437; siehe auch Hanns Johst: *Ethos der Begrenzung* in: *Volkhafte Dichtung der Zeit*, Berlin 1937, S. 445–451.

Einen Tag lasen wir in einem Buch folgende Sätze: «Es wird einem erregend klar, daß wir uns zu lange wissenschaftlich träumend gewöhnten, Geschichte als reine Vergangenheit zu betrachten. Hier sieht man nun mit eigenen Augen, daß wir Zeugen geschichtsbildender Vorgänge sind.»

Das Buch, das uns so schlagend bestätigt, ist Hanns Johsts neue Schrift «Ruf des Reiches – Echo des Volkes!» Der Dichter nennt es

«Eine Ostfahrt»; es ist der Niederschlag einer Reise, die er in Gesellschaft des Reichsführers-SS nach dem Generalgouvernement unternommen hat.

Eine nichts-als-dichterische, vulgo literarische Betrachtungsweise hätte das nicht vermocht, sondern die Angelegenheiten wahrscheinlich ins Lyrische und Empfindlerische verschleppt. Johst, ohne daß er im geringsten den Dichter verleugnet, sorgt vor, daß die Dinge immer nur auf den ersten Blick als Impressionen, in Wahrheit aber als «erlebte Geschichte» erscheinen. Er tut es, indem er nicht etwa einen politischen Zeigefinger lehrhaft erhebt, sondern einfach sein ganzes Buch unter den selbstverständlichen Leitgedanken des Dienstes, des Uniformtragens stellt, wo immer man auch stehen möge – unter jenes «Ethos der Begrenzung», das in diesen Blättern vor Jahresfrist als Johsts Bekenntnis von jeher dargestellt worden ist.

«Halb, einseitig, alt»

Kurt Langenbeck: *Wiedergeburt des Dramas aus dem Geist der Zeit*, München 1940, S. 14–15.
Langenbeck war Schriftsteller (Lyrik, Bühnendichtung), * 1906.

Es gibt Menschen, die sagen, daß dieser Krieg hätte vermieden werden können, genau so wie es Menschen gibt, die der Meinung sind, daß der Siebenjährige Krieg sich niemals ereignet hätte, wenn Friedrich der Große nicht so übermütig und verrückt gewesen wäre, in Schlesien einzufallen.

Es hat gewiß, solange Völker auf der Erde leben, keinen Krieg von einigermaßen weltgeschichtlicher Bedeutung gegeben, der zu vermeiden, der also nicht notwendig gewesen wäre. Die, welche von der Vermeidbarkeit von Kriegen sprechen, sind halb, einseitig, alt, denn sie haben nicht den Mut zum Verhängnis, weil sie fühlen, daß sie nicht die Kraft und den Glauben haben, es zu durchdauern.

Die Wahl

Friedrich Sieburg: *France d'hier et de demain – Les Conferences du groupe Collaboration*, Préambule de Bernard Grasset, Paris 1941, S. 17; aus einer Rede Sieburgs 1941 in Paris.
Friedrich Sieburg, Schriftsteller (Essay, Kritik, Politik), 1893–1964; ausführlich über die faschistische *Groupe Collaboration* siehe Jean Weiland – René Pichard-du-Page – Ernest Fornairon: *Pourquoi nous croyons en la Collaboration*, Paris 1940; Bernard Grasset, der die Sieburg-Rede einleitete, pries schon lange vor 1939 die «nationalsozialistische Moral» und die «Tugend» Hitlers; ausführlich siehe: *L'Affaire Grasset-Document*, Paris 1949, S. 18–20.

Wie unser Schicksal es uns lehrte, muß ein Volk unter Umständen eines Tages zwischen sich selbst und der Humanität wählen. Wir sind uns doppelt bewußt, gute Deutsche zu sein, weil man uns zu oft vorgehalten hat, wir seien nicht human. Jedem kann man es eben nicht recht machen. Wer versucht, sich dem Rhythmus aller anderen anzupassen, erzielt lediglich eine Kakaphonie; immer sind die Ideen größter Menschlichkeit die am wenigsten humanen, und deshalb ist es vorzuziehen, in erster Linie ein guter Bürger seines eigenen Landes zu sein, als ein guter Weltbürger. Indem sie sich zu sehr an das Humane hielten, setzten sich die Franzosen Frankreich gegenüber ins Unrecht. Wenn man die unbestimmten und irrealen Forderungen der Humanität erfüllen will, ist man nicht mehr dazu fähig, den absolut eindeutigen, klar erkenntlichen und sehr harten Aufgaben, die das eigene Land stellt, gerecht zu werden.

Die Geschlagenen

Herybert Menzel: *Anders kehren wir wieder*, Hamburg 1943, S. 12.

Höhnen den Feind?
O, wer wüßte nicht um den Schlag auf sich selbst?
Aber er ist es nicht wert, dieser nicht, daß er uns leid tut.
Lange Kette der Wagen geschlagenen Volkes,
Wir vorüber in Waffen, sie auf türmigen Betten,
Elendem Plunder, der Hund schielt zwischen Rädern,
Geduckt. Er begreift seinen Herrn, der ihn nicht annimmt.
Rechnet mit Milde nicht, weil euch kein Blick trifft
Des Hasses. Das wäre der Mühe zuviel und der Ehre.
Gleiches mit Gleichem zu ahnden, sind wir zu wert uns.
Zieht hin, die ihr die Waffen zerschlugt, den Rock euch vom
Leib rißt und nun fahrt wie Zigeuner,
Den Topf des Unrats als Fahne.

Nordisch

«Am wirkungsvollsten wird der nordisch-germanische Kulturkreis durch das Schaffen Hans Friedrich Bluncks vertreten» – in Arno Mulot: *Welt und Gottschau in der deutschen Dichtung unserer Zeit*, Stuttgart 1942, S. 136.

Der Höhepunkt

Kultureller Gestaltungswille im Arbeitsdank, in: *Deutsche Bühnenkorrespondenz* vom 2. 11. 1935, Ausgabe A.

Wie in der kultischen Gestaltung des Gottesdienstes die Gemeinde sich vor der Verkündung des Wortes durch den Prediger noch einmal besinnend im gemeinschaftlichen Lied sammelt, so stand auch vor der großen Ansprache des Reichsarbeitsführers das im Arbeitsdienst[1] so gern gesungene und von tiefstem deutschen Gemütsleben zeugende Abend- und Abschiedslied: «Kein schöner Land in dieser Zeit, als hier das unsre weit und breit...»

Wenn nun der Reichsarbeitsführer zu seinen Männern sprach, war es fast so, als ob es nicht anders gesprochen sein könnte, denn was er sprach, war ja nicht mehr und nicht weniger, als was jeder Junge und jedes Mädel im Arbeitsdienst erlebt hatte und nun als Erlebnis ins Leben mitnehmen durfte. Als Höhepunkt dieser Zusammenfassung darf aber wohl das Bekenntnis gelten:

«Wir nordisch-arischen Menschen arbeiten, weil uns ein Leben ohne Arbeit unerträglich wäre.»

Gewaltsame Dinge

Ludwig Ferdinand Clauss: *Rasse und Seele*, München 1934, S. 32.

L. F. Clauss, *1892, schrieb unzählige Werke über die nordisch-germanische Rasse; Mitherausgeber der Zeitschrift *Rasse*; Begründer der Rassenseelenkunde als Wissenschaft und Methode; schon 1928 erschien von ihm: *Die nordische Seele*; darin proklamierte er die Alternative von «Wiking und Beduine»; bemerkenswert ist, daß er zweiundzwanzig Jahre lang diese Werke über Rasse gemeinsam mit seiner jüdischen Frau verfaßte.

Wenn der fälische Mensch aus seiner Heimat herausgerissen wird, dann ist es, als risse er sich vom Leben selber los und verlöre sein Wesen. Seine größte Gefahr ist die, daß er dann seinen inneren Halt und in ihm seinen wichtigsten Wert verliert. Die Gewalttat, die er an sich selbst verüben mußte, schlägt dann um gegen die Welt. Jede starke Gemütsbewegung einer solchen Seele geht nicht wie beim nordischen Menschen in gerader Linie vor sich, sondern ruck- und stoßweise als ein plötzlicher, aber dann unaufhaltsamer, krampfartiger Ausbruch. Eine Weile zwar kann der starre Riegel dieser Seele halten; wenn er zerbricht, müssen gewaltsame Dinge geschehen. Der nordische Leistungsmensch kann – auch in der heftigsten Erregung noch – sich selbst gegenübertreten, sich selber ins Antlitz sehen, sich unter sein Urteil stellen und schließlich sich beherrschen. Die Leistung am eigenen Selbst setzt sich durch gegenüber der Erregung. Wo aber nicht das Leistenmüssen der beherrschende Zug

---

1 Das Reichsarbeitsdienstgesetz vom 26. 6. 1935 führte für alle Deutschen vom vollendeten achtzehnten bis zum vollendeten fünfundzwanzigsten Lebensjahr die Arbeitsdienstpflicht ein; mit Erlaß vom 27. 6. 1935 wurde die Dienstzeit auf ein halbes Jahr festgesetzt; Reichsarbeitsdienstführer war Konstantin Hierl; über den Arbeitsdienst siehe Werner Beumelburg: *Arbeit ist Zukunft – Ziele des deutschen Arbeitsdienstes*, Oldenburg 1933; über den Reichsarbeitsdienstführer siehe Hans Henning von Grote: *Konstantin Hierl*, Berlin 1934.

der Seele ist, sondern wie hier das Verharrenmüssen, da ist kein Ende der Erregung abzusehen als nur das der völligen Erschöpfung.

Die Gesunden haben mehr Recht als die Kranken

Hans Grimm: *Gedanken* in: *Die Neue Literatur*, 1936, S. 376.
Hans Grimm war Schriftsteller (Roman, Essay), 1875–1959; siehe: «Exkurs über Hans Grimm», S. 337 f.

Was aber Deutschland heute versucht, recht und auch schlecht gewiß und wie mit guten so auch mit noch unzureichenden Kräften, das ist, den neuen Glauben an die Menschheit endlich wiederzuholen und ihn aus einer schönen Phrase zu einer Wirklichkeit für alle weißen Menschen zu machen.

Was ist der Menschheitsglaube, den Deutschland in einer schwankenden Zeit zur brauchbaren und verpflichtenden Wirklichkeit zu erwecken versucht? Der Glaube der Nordleute ist – ich will ganz kurze Sätze brauchen – daß die Tüchtigen mehr Recht haben als die Untüchtigen; der Glaube ist, daß die Ordentlichen mehr Recht haben als die Unordentlichen; der Glaube ist, daß die Gesunden mehr Recht haben als die Kranken; der Glaube ist, daß die Begabten mehr Recht haben als die Unbegabten; der Glaube ist, daß die Schöpfer mehr Recht haben als die Nachahmer. Aber zu dem Menschheitsglauben der Nordleute gehört noch eines, zu ihm gehört die unerschütterliche Überzeugung und der Wille und der Mut, daß eben wir Nordleute mit unseren verschiedenen Völkern mit unserem zutiefst gleichgearteten Wesen zu Vormännern dieser Erde berufen sind, und daß wir die Vormannschaft solange behalten werden, so lange wir uns nicht durch müdes und auflösendes Denken und durch schwächliches und eigensüchtiges Handeln selbst verneinen.

Entartung und Entnordung

Dr. Hans F. K. Günther: *Der nordische Gedanke unter den Deutschen*, München 1937, S. 109.

Durch die ganze moderne Literatur haben sich viele Deutsche vorschreiben lassen, daß sie die schillernde, die differenzierte, die interessante Frau lieben sollen oder das rassige Weib oder gar den Dämon Weib oder irgendeine von der Großstadtliteratur mit dem Flitterwerk brüchiger und zersetzter Worte zurechtgeputzten Gestalten. Gerade dadurch, daß auch viele erblich wertvolle junge Männer sich durch ein Niedergangsschrifttum vorschreiben ließen, wen sie lieben sollten, ist Entartung und Entnordung gefördert worden. Gerade dadurch, daß von Literaten eine Reihe so bezeichnend nicht-nordischer und eine Reihe so bezeichnend entarteter Frauenbilder mit schwülen Vorstellungen als Genossinnen eines dem freien Menschen einzig würdigen «Auslebens» angepriesen worden sind, mußte der Niedergang deutschen Lebens beschleunigt werden.

Demgegenüber richtet der nordische Gedanke sein Vorbild der Ertüchtigung auf, das dem deutschen Volk zur Ertüchtigung schicksalsmäßig zugewiesene Vorbild des gesunden, wirkenden nordischen Menschen.

Das wesentliche Element

Dr. Walter Gross in: *Kunst und Volk*, November 1937, S. 323.
Prof. Dr. Walter Gross, *1904; NSDAP-Nr. 2 815; Leiter des Rassenpolitischen Amtes der NSDAP.

Wir haben im Auslande und Inlande manchmal gehört, daß der Rassismus des heutigen Deutschland deshalb kulturmörderisch sei, weil er in stiernackiger, enger Begrenztheit nur ganz wenige, uns gerade in Staat- und Parteiprogramm passende Themen zulasse und alles andere mit einer Handbewegung als rassenfremd ausradiere, daß in dieser Zeit nur das Heroische, das Militärische und das Chauvinistische genießbar seien. Alle diese Dinge bekamen den Stempel des Nordisch-Germanischen, und alles, was sich nicht dem deutschen Maßstab unterwerfe, sich ihm nicht einfüge, das sei im Deutschland Adolf Hitlers nicht tragbar, sei ungenießbar. Mit anderen Worten: man hat behauptet, es gäbe eine Begrenzung in der Wahl der Themen für den Künstler, der nun bewußt oder unbewußt mit innerlich nordischer Haltung seinem Volk von heute oder für morgen künstlerische Werte zu schaffen versucht. Demgegenüber müssen wir feststellen, daß gerade ein wesentliches Element nordischer Kulturgestaltung es ist, daß sie sehr umfangreich und umfassend eine Unzahl Themen und Vorbilder der Welt des Geschehens zu begreifen und zu gestalten versteht. Gerade für den Menschen nordisch-deutscher Art ist das Enge, das Abgekapselte, das Begrenzte, das Dogmatische im Innersten wesensfremd.

Der Charakter-Pol des deutschen Volkes

Johannes Bertram: *Grabbe im deutschen Schicksalskampf* in: Jahrbuch der Grabbe-Gesellschaft, Band 3, Detmold 1940, S. 61.

Der nordische Mensch wurzelt in den bodenverbundenen Volks- und Stammeskräften der nordisch-deutschen Völkerschaften. Er krallt sich in den Muttergrund seiner Heimat und seines Stammes, wird bodenständig und fest, ein Eigener, und treibt machtvollen Wollens wie ein Eichenbaum die Kräfte und Säfte, seine innersten Anlagen zu selbständiger Entfaltung empor. Jeder, so hoch und stark er kann! Das nennt der nordische Mensch Freiheit. Wie Urwaldriesen recken sich die Charaktere. Wer darüber herrschen will, muß selbst ein Eigener sein, ein Freier, voller mächtiger, erdverwurzelter Ichhaftigkeit, die sich bis an die Wolken reckt. Je freier und eigener der Einzelne, desto stolzer der Herrscher, desto mächtiger das Volk. Das ist der nordische Charakter-Pol des deutschen Volkes.

Exkurs über Hans Grimm

Gedanken

Zitate aus Hans Grimm: *Von der bürgerlichen Ehre und bürgerlichen Notwendigkeit*, München 1932, S. 4 und 15.

Ich weiß, daß es größere Bereitschaft zu Opfer und Hergabe, als sie von deutschen Jungen von 1914 bis auf diesen Tag, also bis zur SA, bestanden hat und besteht, bei uns und in der Welt nicht gegeben hat.

Ich sehe im Nationalsozialismus mit einigen andern die *erste* und bisher *einzige echte* demokratische Bewegung des deutschen Volkes.

Die drei grundsätzlichen Fragen

Edgar Kirsch (aus Westerwitz bei Döbeln): *Hans Grimm als Wegbereiter nordischer Gedankenschau*. – Inaugural-Dissertation, genehmigt von der philologisch-historischen Abteilung der Philosophischen Fakultät der Universität Leipzig 1937, S. 49–50.

Diese Dissertation wurde auf Grund der Gutachten folgender Professoren angenommen: Werner Schingnitz, Otto Reche und Erich Bräunlich; siehe auch Edgar Kirsch: *Hans Grimm und der nordische Mensch*, München 1938, und Alfred Hoffknecht: *Hans Grimm, Weltbild und Lebensgefühl*, Dissertation, Münster 1934.

Adolf Hitlers und Hans Grimms politische Ideen begegnen sich in vier wesentlichen Punkten: in der Rassenfrage als Ganzem, in der besonderen Frage der Stellung der Juden, in der Betonung der Bedeutung des Ariers – der Begriff Arier soll dabei mit dem Begriff Nordmann gleichgesetzt sein – und endlich in der Frage unserer deutschen Stellung zu England, im Sinne Grimms also zu dem anderen Europäer unter den drei großen Nordmännern.

Die Stellung zur Rassenfrage ist für Adolf Hitler entscheidend für die Stellung zum Nationalsozialismus überhaupt, so wie für Grimm die Stellung zur Rassenfrage entscheidend ist für Gedeih oder Verderb eines

Menschen im kolonialen Neuland. Der Satz: «Das Ergebnis jeder Rassenkreuzung ist also, kurz gesagt, immer folgendes: a) Niedersenkung des Niveaus der höheren Rasse, b) körperlicher und geistiger Rückgang und damit der Beginn eines, wenn auch langsam, so doch sicher fortschreitenden Siechtums», stammt von Adolf Hitler. Ihm entsprechen die durch Anschauung der Rassenmischungen in Südafrika gewonnenen Ergebnisse und die daraus gewonnenen Lehren Hans Grimms in jeder Weise. In der Ablehnung jeder Form der Rassenmischung und in der Meinung, daß nichts so unglücklich sein kann wie eine Bastardierung, kurz in allen wesentlichen Punkten stimmen die Richtlinien, die dem Rassenkampf durch den Führer in seinem Buche gegeben sind, und die Richtlinien, die der Dichter aus der Erfahrung gewann, zusammen. «Mein Kampf» und das Gesamtwerk Grimms teilen weiterhin die Hochschätzung der Arbeit und der Aufgabe des nordischen Menschen, denn was vom Arier bei Adolf Hitler gesagt wird, gilt eben für den Leistungsmenschen Hans Grimms, für seinen Nordmann. Die von Hans Grimm immer wieder betonte Abhängigkeit der Gesamtkultur von dem Schicksal des Nordmannes sagt das Gleiche wie Hitlers Feststellung: «Alles, was wir heute auf der Erde bewundern – Wissenschaft und Kunst, Technik und Erfindungen – ist nur das schöpferische Produkt weniger Völker und vielleicht ursprünglich einer Rasse. Von ihnen hängt auch der Bestand der ganzen Kultur ab. Gehen sie zugrunde, so sinkt mit ihnen die Schönheit dieser Erde ins Grab.»

In diesen drei grundsätzlichen Fragen: Rasse, Judentum und Arier (= Nordmann) stimmt Grimm mit den Grundsätzen des Führers nicht nur in den Ergebnissen überein, sondern auch in den Überlegungen, die zu diesen Ergebnissen führen mußten.

Germanisch-deutsch

Siehe hierzu Friedrich Neumann: *Wie entstand das Wort Deutsch* in: *Zeitschrift für deutsche Bildung*, 1940, S. 201–221; Ernst Krieck: *Volk unter dem Schicksal*, Heidelberg 1933, S. 10; Johannes Eilemann: *Deutsche Seele, deutscher Mensch, deutsche Kultur und Nationalsozialismus*, Leipzig 1933, S. 7–8; aber darüber hinaus beschäftigten sich unzählige andere Wissenschaftler und Schriftsteller ebenfalls unermüdlich mit dem Problem «germanisch-deutsch»; Prof. Dr. Erich Rothacker hatte sogar die Idee, einen «Reichsvolksdienst» für die Verbreitung des «germanisch-deutschen» Gedankens einzuführen, und Mitte 1933 reichte er einen detaillierten Entwurf *Reichsvolksdienst im Winter 1933/34* im Propagandaministerium ein; dem Entwurf zufolge sollten Themen wie: *Deutsche Selbstbestimmung, Deutsche Führer-Ideale, Deutsche Heldenideale* – Odin als Held, dann natürlich Siegfried, Hagen usw. –, *Was undeutsch ist, Das deutsche Gesicht* u. a. m. zu denen des «Reichsvolksdienstes» gehören; im Entwurf heißt es wörtlich: «Die Vorbereitungen müssen *umgehend* getroffen werden, um sich bereits in diesem Winter verwirklichen zu lassen (was eine Ehrensache des nationalsozialistischen Staates ist). Die Redner müssen jetzt schon bestimmt werden, um die Vorbereitungen treffen zu können. Einzelne sind zu Verbilligung des Verfahrens für den Winter fest anzustellen. Die Filme müssen gedreht werden.» Am Ende des Entwurfs steht schließlich noch: «Die Vorschläge sind reich zu ergänzen. Listen von Vortragenden und geschlossenen Kursen sind bereits entworfen.» Entwurf im Besitz des Herausgebers.

Jede kleine Spur

Dr. Walther Linden: *Geschichte der deutschen Literatur*, Leipzig 1937, S. 12–13. Dr. phil. Walther Linden, deutsche Literaturgeschichte, * 1895.

So ist das deutsche Volk der wahre Erbe des Germanentums geworden, seines nordischen Blutes, seines Artbewußtseins, seiner sittlichen und religiösen, kriegerischen und staatlichen Anlagen. So erwächst die Verpflichtung, das Deutschtum zu begreifen aus dem Bluts- und Artgrunde des Germanentums, als dessen Kernvolk es ums Jahr 800 in die Geschichte eingetreten ist. Die Dichtung des Altgermanentums ist nicht nur der zeitliche Beginn, sondern die ewige und unzerstörliche Grundlage der deutschen Dichtung. Stark und unerschütterlich wirkt dieses Erbe in alle Jahrhunderte deutschen Lebens hinaus, und was altgermanische Dichtung kündet, lebt heute noch in deutschen Herzen – lebt fast einzig und allein noch in der Welt in deutschen Herzen. Jede kleine Spur muß verfolgt, jede spätere Wirkung zusammengefaßt werden, um diesen unvergänglichen Artuntergrund der deutschen Dichtung vor unsern Augen neu erstehen zu lassen.

«Dauerndes Neuschaffen durch Zerstören»

Ilse Münch: *Die Tragik des germanischen Wesens im Drama Hebbels* in: *Zeitschrift für Deutschkunde*, 1937, S. 356–357.

In Hebbel waren alle jene Kräfte der germanischen Seele wirksam, die zu tragischen Entwicklungen führen können, aus eigenem Erleben kannte er die Spannungen, die sich im Nibelungenlied [1] so furchtbar entladen. Stärker als die meisten deutschen Dramatiker seiner Zeit empfand er es, daß Leben ein unaufhörlicher Kampf ist, ein dauerndes Neuschaffen durch Zerstören, daß auch das Größte und Wertvollste den Keim des Todes, der Vernichtung in sich trägt und da, wo es sich voll und un-

1 Es handelt sich hier um Friedrich Hebbels Trilogie: *Die Nibelungen – Ein deutsches Trauerspiel.*

gehemmt entfaltet, eine Gegenkraft herausfordert, mit der es auf Tod und Leben kämpfen muß. Das Gefühl für diese Tragik des Lebens an sich, die kein menschlicher Wille aus der Welt schaffen kann, spricht schon aus den altgermanischen Dichtungen, aus der Edda, aus dem Hildebrandslied und am stärksten aus der Nibelungendichtung. Was als dunkle Ahnung die Seele unserer Vorfahren erfüllte, hat Hebbel ins Licht des Bewußtseins gerückt. Scharf und deutlich arbeitet er in seinem Nibelungendrama den tragischen Zug heraus, daß gerade in den Kräften, welche den sittlichen Kern des Germanentums ausmachen, auch die Gefahr einer furchtbaren Zerstörung ohne Maß und Ziel gegeben ist.

Blutliche und geistige Grundlage

Dr. Fritz Lübbe und Dr. Heinrich Fr. Lohrmann: *Deutsche Dichtung in Vergangenheit und Gegenwart*, Hannover 1940, S. 1.

Woher kam das deutsche Volk? Es ist vergleichbar einem Strom, der aus drei Quellflüssen anwuchs: Germanentum, Christentum und Antike. Der wichtigste und stärkste unter ihnen ist das Germanentum; denn es ist die blutliche und geistige Grundlage unseres Volkes. Die anderen beiden sind fremde Flüsse, die deutsches Wesen mitgestalten halfen. Weder christliche Lehre noch griechisch-römische Bildung hätten ein deutsches Volk aufbauen können; dazu gehörten Menschen von Fleisch und Blut, Menschen mit Seele und Geist. Und diese Menschen waren Germanen. Das Germanentum ist die Grundlage für alle Schöpfungen des deutschen Geistes, auch für die Dichtung; denn die Dichtung begleitet ein Volk auf seinem Lebenswege, sie ist ein Spiegelbild seines Schicksals.

Das Nibelungenlied

Elisabeth Gerth (aus Königsberg): *Eine Untersuchung über Rasse, Volk und Umwelt im Nibelungenlied.* – Inaugural-Dissertation zur Erlangung der Doktorwürde der Hohen Philosophischen Fakultät der Albertus-Universität zu Königsberg, Preußen, 1937; Referent: Prof. Dr. Arved Schultz.

Die rassenkundliche Seite des Nibelungenliedes bietet in ihrer Eigenart als Charakterdeutung keine so fest umrissenen Grenzen. Manches ist an Widersprechendem vorhanden. Vor allen Dingen fehlt die körperliche Beschreibung fast ganz. Hier und da hat sich der Dichtung mit Andeutungen begnügt, wir sind deshalb hauptsächlich darauf angewiesen, die einzelnen Personen bei ihren Handlungen und ihren Aussprüchen zu belauschen. Die führenden und handelnden Personen sind Gunther, Hagen, Siegfried, Brünhild und Kriemhild. Besonders unklar wird die Person Siegfried bleiben. Das Alte Sigurdlied hat nur eine einzige Strophe, in der er selbst auftritt. Sie beschreibt, wie er die Waberlohe Brünhilds durchreitet. Erst die spätere Thidrekssaga vermittelt uns die sagenumwobene Jugend dieses Sagenhelden. Was das Nibelungenlied an mannigfachen Siegfriedschilderungen hinzufügt, ist nicht mehr als Ursprünglichkeit zu werten. Die Siegfriedgestalt ist im Liede zu einem höfischen Ritter geworden. Germanisches Reckentum der einstigen heldenhaften Zeit der Völkerwanderung ist vielfach überdeckt.

Der Zwiespalt

Prof. Dr. Franz Koch: *Das deutsche Schrifttum von der Romantik bis zur Gegenwart* in: *Handbuch des deutschen Schrifttums*, Lieferung 3, Potsdam 1941, S. 10.

Siehe hierzu die Dissertation von Ingeborg Heiting: *Der Muttergedanke als Zeitausdruck in neuerer Literatur*, Köln 1938, S. 53 f; Referent: Prof. Dr. K. J. Obenauer.

Prof. Dr. Franz Koch, *1888, deutsche Literaturwissenschaft und Geistesgeschichte.

Wie die Frauen im germanischen Lied gesehen und gezeichnet werden, zeigt den Unterschied der Völker besonders scharf. Gestalten wie Klytämnestra [1] oder auch nur Helena [2] sind undenkbar, und eine Welt von völlig fremder Art erscheint in den Dichtungen der Kelten, wenn das Liebesabenteuer eine Rolle spielen, wenn das Begehren leicht entflammt ist, die Leidenschaft auflodert, das Empfinden allen Sinnenreizen offensteht und der Held durch solche Züge nur zu gewinnen scheint. Gegen keltische Entzündlichkeit steht die sprödere Art germanisch-nordischen Menschentums. Über das sinnliche Begehren, das hier in der Dichtung der Größe ohne Recht ist, heben sich die ethischen Werte. Solcher Zwiespalt eben ist kennzeichnend für die germanische Heldendichtung. Stand ihr die sittliche Kraft seit je im Sinn und stellte sie seelische Stärke dar, die zu jedem Opfer fähig ist, dann mußte ihrem Gipfelstreben höchste Größe aufgehen, wo der Mensch in unlösbarem Widerstreit der Bindungen und Pflichten unbeirrt und ungebeugt den Weg der Ehre geht. Wenn es in den Liedern der Frühzeit nur das Leben gilt, dann hallt es

---

[1] Klytemnästra, Gattin des Agamemnon von Mykenä, den sie tötete, weshalb ihr Sohn Orest sie aus Blutrache erschlug.

[2] Helena, Tochter der Leda und des Zeus, Gattin König Menelaos' von Sparta, von Paris entführt und Ursache des Trojanischen Krieges; schönste Frau des Altertums.

bald von solcher Tragik wider, die von der Seele bittere Entscheidung fordert. Im tiefsten mißverstanden hat man germanische Dichtungen, wenn man darin nur den Spiegel wilder Leidenschaften sieht.

Auf neuer Grundlage

Maria Jacoba Hartsen (aus Baarn bei Utrecht/Niederlande): *Die Bausteine des Gudrunepos.* – Inaugural-Dissertation zur Erlangung der Doktorwürde; genehmigt von der Philosophischen Fakultät der Rheinischen Friedrich-Wilhelms-Universität in Bonn, 1941; Berichterstatter: Prof. Dr. Hans Naumann, Dekan Prof. Dr. Hans Herter.

Mit dem Leben des kämpfenden Menschen ist notwendig Tragik verbunden. Aber diese Tragik braucht nicht zum Untergang zu führen, wie dies in der germanischen Zeit noch meistens der Fall war. Im Laufe der Zeit bemerken wir eine fortschreitende Umbiegung und Überwindung der Tragik. Man lernte es, sich geistig und körperlich gegen die widrigen Mächte zu wappnen und sie zu meistern, wozu ritterlich-höfische Lebensauffassung nicht wenig beigetragen hat. Gudrun ging nicht zu Grunde, sondern trug mit Hilfe ihrer germanischen Treue und Beständigkeit den Sieg über die widrigen Lebensverhältnisse davon.

Heute brauchen wir nicht mehr über den Untergang des Abendlandes zu philosophieren, denn wir erleben den Aufstieg des Dritten Reiches. Heute ist der germanische Gedanke, insbesondere der des Führertums und der Gefolgschaft auf neuer Grundlage wieder zu Ehren gekommen.

Der ganzen Menschheit zum Heil

Dr. phil. Johannes Bühler: *Spannweite der deutschen Seele*, Köln 1934, S. 62. Bühler ist Schriftsteller und Privatgelehrter.

Wie einst die Germanen, als sie nach dem Zerfall von Karls des Großen Staat zu einer neuen, der deutschen Schicksalsgemeinschaft zusammengeschlossen waren, das Erste Reich der Deutschen, über ein Vierteljahrtausend die tragende Säule der abendländischen Ordnung, gegründet haben; wie die Deutschen des ausgehenden Mittelalters die Zeitwende der Reformation herbeigeführt haben; wie unsere Vorfahren dreihundert Jahre später die Welt des deutschen Idealismus geschaffen haben, aus dem das Zweite Reich hervorging: so wird auch jetzt bei dem Zusammenbruch der mannigfachen wirtschaftlichen, politischen und weltanschaulichen Gestaltungen vom ersten Drittel des zwanzigsten Jahrhunderts abermals die Spannweite und Spannkraft der deutschen Seele die mit der Aufrichtung des Dritten Reiches neu aufsteigende Welt der Tat und des Geistes ausbauen, unserem eigenen Volke und damit der ganzen Menschheit zum Heil.

«Deutsche Jugend, werde mir wieder blond!»

Otto Hauser: *Rasse und Politik*, Weimar 1934, S. 127–128.

Hauser – nicht zu verwechseln mit dem gleichnamigen Vorgeschichtler –, Schriftsteller (Erzählung, Lyrik), 1876–1944; Autor von: *Die Juden und Halbjuden in der deutschen Literatur*, war in die Blondheit so vernarrt, daß er in seiner *Geschichte des Judentums*, 1934, sogar Heinrich Heine seiner Blondheit wegen für sympathischer als dunkle Deutsche erklärte; siehe dazu: *Musik im Dritten Reich* (Ullstein Buch 33032). Darüber wurde übrigens in der Literatur des Dritten Reichs sehr viel diskutiert. So schreibt beispielsweise Dr. H. F. K. Günther in seinem Buch: *Der nordische Gedanke unter den Deutschen*, München 1937, S. 67: «Nicht minder betont wird die Abweisung sein, mit welcher die Nordische Bewegung bei aller Hochwertung des Bildes der Nordischen Rasse als Vorbild sich hohler Schwärmerei für den ‹Blonden Menschen›, für die ‹Blondheit› usw. fernhält. Der in Rassenkunde Erfahrene weiß ja, daß mancher Dunkelhaarige und Dunkeläugige nordischer ist als mancher Blonde und Blauäugige, zumal es genug vorwiegend ostbaltische Menschen mit hellen Haar- und Augenfarben gibt.»

Deutsche Jugend, werde mir wieder blond,
Laß aus blauen Augen, vom Stahl durchsonnt
Inneren Feuers, den wahren Himmel leuchten!
Wieder auf zarter Wange in schöner Glut
Glühe das götterhafte Germanenblut,
Rein von den trüben Tropfen, die es durchseuchten!

Blonde Jugend, die du wiedererstehst
Aus dem Volke, das dann mit dir genest,
Die eine Phalanx du bildest von Edelingen:
Mag es sein, daß mein Auge dich immer sieht,
Doch wie im Traum ein süß bezauberndes Lied
Hör' ich aus der Zukunft dein goldenes Singen.

Fröhliche Hitlerjugend

Dokument PS – 3751; dieses Lied wurde auf dem Reichsparteitag 1934 von der Hitlerjugend gesungen.

Wir sind die fröhliche Hitlerjugend,
Wir brauchen keine Christentugend,
Denn unser Führer Adolf Hitler
Ist stets unser Mittler.

Kein Pfaffe, kein böser, kann uns hindern,
Uns zu fühlen als Hitlerkinder;
Nicht Christus folgen wir, sondern Horst Wessel,
Fort mit Weihrauch und Weihwasserkessel.

Wir folgen singend unseren Fahnen
Als würdige Söhne unserer Ahnen.
Ich bin kein Christ, kein Katholik,
Geh mit SA durch dünn und dick.

Die Kirche kann mir gestohlen werden,
Das Hakenkreuz ist Erlösung auf Erden,
Ihm will ich folgen auf Schritt und Tritt,
Baldur von Schirach, nimm mich mit!

Hakenkreuz

Otto Glaunings Gedicht in: *Die völkische Schulfeier*, Herausgeber Hubert Breuer, Bochum 1937, S. 59; «Das Symbol der organischen germanischen Wahrheit ist heute bereits unumstritten das schwarze Hakenkreuz» – in Rosenberg: *Der Mythus des 20. Jahrhunderts*, München 1935, S. 689; siehe auch Jörg Lechler: *Vom Hakenkreuz*, Leipzig 1934; B. Bauer: *Hakenkreuz und Mythos*, München 1934, und Wilfried Daim: *Der Mann, der Hitler die Ideen gab*, München 1958, S. 70–82.

Hakenkreuz, du Kreuz der Wende,
leuchtest uns auf unsrer Bahn.
Schwörend heben wir die Hände:
Immer sei uns du voran!

Du bist uns das heilige Zeichen
wie das Sonnenlicht so rein.
Alles Heil ist zu erreichen,
darfst uns du der Weiser sein.

Hakenkreuz, du Kreuz der Ahnen;
läutern wollen wir das Blut,
immer sollst du uns ermahnen:
Volkes Freiheit – höchstes Gut!

Anhang: Horst Wessel

«Der große Deutsche»

Wilfried Bade: *Horst Wessel* in: *Die großen Deutschen*, Herausgeber Willy
Andreas und Wilhelm von Scholz, Band 4, Berlin 1936, S. 595–596.
Bade, Schriftsteller (Lyrik, Roman, Kulturpolitik), *1906; Ministerialrat im
Propagandaministerium; er veröffentlichte u. a.: *Joseph Goebbels*, 1933; *Der
Weg des Dritten Reiches*, 1933–37; *Horst Wessel*, 1936; am bekanntesten
war damals sein Roman: *SA erobert Berlin*, 1933.

Es gibt wenige große Opfer in der Weltgeschichte. Wenn aber sie geschehen, dann wirken aus ihnen Kräfte, die Jahrtausende umwerfen
und für neue Jahrtausende neue Formen prägen. Es sind elementare
Geschehen, die, weder bewußt herbeigeführt, noch mit Überlegung gewollt, im Augenblick des Geschehens sich als solche erweisen und auch
sogleich, zumindest mit einem unaussprechlichen Gefühl, einer dunklen
Ahnung, daß nunmehr etwas nicht wieder Aufzuhebendes geschehen
sei, erkannt werden.
   Die Erde bebt, und ein Vorhang zerreißt von oben bis unten. Aus
dem hingemordeten Menschen wird im Augenblick der Tat selbst eine
unüberwindliche, weil außermenschliche Kraft, und sie erfüllt sogleich
undämpfbar die Idee, für die der Tote geopfert wurde. Sein Blut fließt
unmittelbar in den Strom des ewigen Lebens, das dem Glauben, für das
es ausgegossen wurde, die Berufung durch das Schicksal verbürgt. Menschen nennen solche Opfertode ein Mysterium, ihre Wirkungen Wunder.
Dieses Wunder geschah 1930 an der nationalsozialistischen Bewegung.
   Auf dem Friedhof von St. Nikolai wurde der Mensch Horst Wessel,
Sturmführer der SA der Nationalsozialistischen Deutschen Arbeiterpartei, zur ewigen Ruhe bestattet. Fahnen senkten sich über sein Grab,
Fahnen, die ein halbes Jahrzehnt später als Banner des Dritten Reiches
über Deutschland wehten, und ein Lied stieg auf, gleichsam als sänge
es der Tote noch aus dem Sarge: «Die Fahne hoch, die Reihen dicht geschlossen, SA marschiert mit ruhig festem Schritt. Kameraden, die Rot-
front und Reaktion erschossen, marschiern im Geist in unsren Reihen
mit!» – Das Lied, das ebenfalls wenige Jahre später zur Nationalhym-
ne eines nationalsozialistischen Volkes wurde, so, wie der Tote es geglaubt. Und überall, wo nun Deutsche marschieren, marschiert der Tote
vom 23. Februar in ihren Reihen mit.

Das Urbild

Prof. Dr. Wolf Meyer-Erlach im Geleitwort zur Dissertation von Hans Joachim Düning: *Der SA-Student im Kampf um die Hochschule* (Universität Jena), Weimar 1936.

Prof. Dr. Wolf Meyer-Erlach, *1891, evangelischer Pfarrer und Autor von: *Der Pfarrer im Dritten Reich*, Berlin 1933; *Juden, Mönche und Luther*, Weimar 1937; u. a. m.

Horst Wessel ist für alle Zeiten das Urbild der SA-Studenten der Kampfzeit, die verachtet und verlacht von den anderen, mißverstanden und bekämpft von ihren Professoren, den Kampf aufnahmen um die deutsche Hochschule. Als Kampfgenosse von Bauern und Arbeitern, als Soldaten des Führers haben sie im Sturme gegen eine volksfremde und lebensferne Gelehrtenschaft, gegen eine Studentenschaft, die schon, in der Jugend vergreist, nur noch das Vergangene hüten wollte, die Pforten der Universität von innen gesprengt. Sie haben unter Einsatz ihrer ganzen Existenz dem Strom des Lebens, der durch unser Volk schon jahrelang hindurchflutete, auch im Bereich der Hochschulen freie Bahn gebrochen.

«Lied des 30. Januar»

Carl Maria Holzapfel: *Einer baut einen Dom – Freiheitsgedichte*, Berlin 1934, S. 50.

Carl Maria Holzapfel, *1890, Schriftsteller (Lyrik, Märchenspiel), Leiter des Reichsamtes *Feierabend* bei *Kraft durch Freude*.

Der Sang, den Horst Wessel verkündet,
Lied, das Horst Wessel erdacht,
hat Millionen entzündet,
hat uns geführt in die Macht!

Wir haben uns Hitler verschworen,
den uns der Himmel gesandt!
Aus allen Fenstern und Toren
weht heute sein Hakenkreuzband!

Haltet die Reihen geschlossen,
Kampfreiche Fahnen voran!
Kam'raden, die man erschossen,
haben ein Wunder getan!

«Horst Wessel»

Baldur von Schirach in: *Das Neue Deutschland im Gedicht*, Herausgeber Dr. Hans Gille, Bielefeld/Leipzig 1936, S. 192.

Kaum einer von uns, der dich gekannt,
Und doch auch keiner, der dich nicht kennt!
Dein Name brennt
Wie ein Feuer dem Vaterland!

Kameraden alle: ihr braune Schar,
Die Fahne pflanzt auf der Türme Knauf!
Das Wort macht wahr:
Horst Wessel fiel, und Deutschland steht auf!

Heroisch

«Die deutsche Kunst des nächsten Jahrzehnts wird heroisch, sie wird stählern-romantisch, sie wird sentimentalitätslos-sachlich, sie wird national mit großem Pathos und sie wird gemeinsam, verpflichtend und bindend sein, oder sie wird nicht sein» – Dr. Goebbels in: *Deutsche Dichtung in Vergangenheit und Gegenwart* von Lübbe/Lohrmann, Hannover 1940, S. 276.

Unbeschwert

Hans Schemms Geleitwort zu dem Jugendschriftenverzeichnis: *Das Jugendbuch im Dritten Reich*, Berlin 1933.

Im Dritten Reich soll deutsches Wesen in der schöpferischen Ganzheit all seiner Quellen und Kräfte, unbeschwert von allen zersetzenden und hemmenden Mächten, zur Auswirkung kommen. Das deutsche Buch ist Ausdruck und Niederschlag deutschen Geistes, deutscher Seele, deutschen Blutes. Aber nicht ein Volk weltferner Träumer, nicht nur ein Volk der Dichter und Denker, sondern auch ein Volk des politischen Willens kann und will das Buch mitgestalten helfen. Das gute deutsche Jugendbuch ist mitberufen, ein Geschlecht heranzubilden aus der großen fruchtbaren Dreieinigkeit von Körper, Seele und Geist, von Rasse, Volk und Gott, eine Jugend, die weiß, daß man fest auf der Erde, auf dem Boden der Heimat, des Vaterlandes stehen muß, wenn man nach Idealen streben, nach den Sternen greifen will. Keine lebensfremden Stubenhocker und bleichwangigen Bücherwürmer, sondern ganze Kerle, echte deutsche Männer und Frauen sollen aus unserer Jugend hervorwachsen. Das rechte und das rechtgebrauchte Jugendbuch kann dem dienen.

Die Grundlage

Johannes Eilemann: *Deutsche Seele, deutscher Mensch, deutsche Kultur und Nationalsozialismus*, Leipzig 1933, S. 12; siehe auch: *Weltanschauung, Erziehung und Dichtung – Einige Kapitel einer arteigenen Ethik*, Frankfurt a. M. 1935.

Wurden deutsche Menschen gewertet, so war immer deren seelische Haltung Grundlage für das Urteil. Heroisch war die Haltung der Männer, die Krieger waren, die sich Besitz erst errangen. Heroisch ist die Haltung der besten deutschen Herrscher gewesen.

Unerschütterlich eingepflanzt

Max Kullak: *Heroische Weltanschauung im geschichtlichen Roman der Gegenwart – Otto Gmelin* in: *Zeitschrift für Deutschkunde*, 1934, S. 165; der Text ist seiner Besprechung von Otto Gmelins (1886–1940) Roman *Das Angesicht des Kaisers* entnommen.

Prof. Dr. Max Kullak, *1892, Germanische Sprachwissenschaft.

Dem Deutschen eigentümlich ist jene Sehnsucht in die Ferne, in die Weite fremder Länder. So wird Alarich mit seinen Goten in die Ferne des römischen Kaiserreiches getrieben von dem Gedanken der heldischen Sendung, das «Neue Reich» zu gründen. «Warum denn», so ruft er seinen Goten zu, «warum wollt ihr Diener sein? Uns gehört ja die Welt. Wir wollen fliegen in den Abendsturm, wir wollen das neue Reich. Jetzt greift das Schwert, schirrt die Wagen, packt Hab und Gut zusammen, knallt mit den Peitschen! Die Welt erwartet uns, die Welt fordert uns, ruft uns, braucht uns!» Dieser Gedanke von der nordischen Sendung wird von Alarich bekräftigt durch den Schwur: «Bei lichthellem Tag, wenn die Sonne in Gold geht, soweit der Wind weht, Hahn kräht, soweit Erde grünt, Kind nach Mutter schreit, Föhre wächst, Donner grollt, Sturm braust... wir beugen uns nicht, unser Schwert spricht.» Diese Sehnsucht nach dem «Neuen Reich», der tiefe Glaube daran und das faustische Suchen danach ist ein urdeutscher Zug, der die deutsche Geschichte von der Wanderzeit bis zur Gegenwart durchzieht. Das Neue Reich findet man aber nicht durch Berechnung, auch nicht durch Gewalt; es ist eine tief innerliche deutsche Idee, die Alarich so ausdrückt: «Aber Brot und Friede genügt nicht. Das Neue Reich muß doch in den Herzen sein. Man muß es wachhalten. Wir wollen es nicht verlieren, wenn auch Verwüstung und Not um uns ist; es gehört uns.» Der Glaube an das Neue Reich ist unerschütterlich eingepflanzt in die Brust des Gotenkönigs und aller deutscher Führer bis hin zu Adolf Hitler. Alarich spricht: «Denn ich bin ein Kämpfer für das Neue Reich. Ihr werdet untergehen, auch ich werde es vielleicht nicht mehr sehen, auch ich werde untergehen. Aber das Neue Reich wird leben!» So geschah es. So schließt das Buch mit Alarichs Tod: «Die Welt fiel in Verwirrung. Die Städte zerfielen, die fruchtbaren Landschaften verödeten. Verwüstung, Plünderung, Armut zog durch die Länder. Aber der Glaube an das Neue Reich ging nicht unter.»

Das Zielbild

Helmut Kallenbach: *Die Kulturpolitik der deutschen Tageszeitungen im Krieg*, Dresden 1941, S. 31, Leipziger Beiträge zur Erforschung der Publizistik, Band 6.

Im Kampf bewährt sich der Mann, doch die Kraft zur Bewährung erwächst ihm aus dem Vorbild, nach dem er sich ausrichtet. Dieses Vorbild ist für den deutschen Menschen der germanische Held, wie er uns in den Gestalten eines Arminius, Siegfried, Widukind, eines Prinz Eugen, Blücher oder Hindenburg entgegentritt. In der Kunst ist der Held im höchsten Maße seit jeher als das Zielbild alles menschlichen Sterbens dargestellt worden. Es ist bemerkenswert, daß es fast ausschließlich die Kunst ist, und hier in erster Linie Dichtung und Plastik, die dazu bestimmt sind, Künder des heroischen Lebensgefühls zu sein. Die Heldenlieder des deutschen Volkes sind entstanden in Zeiten des Schicksalkampfes, nicht, um fern der Gefahr die Ruhmestaten der Helden nachzuleiern, sondern um das heroische Lebensgefühl wachzuhalten und stets aufs neue zu entflammen.

«Marsch ins Dritte Reich»

Heinrich Anacker: *Die Fanfare – Gedichte der deutschen Erhebung*, München 1933, S. 60.

Das ist der Marsch, von dem wir träumten,
Der große Marsch ins Dritte Reich...
Die Wunden, die sich blutend bäumten,
Die Toten, die den Kampfweg säumten,
Sie segnen uns, verklärt und bleich.

Das End' sei würdig dem Beginnen!
In unerhörtem Siegeslauf,
Den Helden gleich an Geist und Sinnen –
Hoch auf der deutschen Gralsburg Zinnen,
Da pflanzen wir das Banner auf!

Lied der Kämpfer

Gerhard Schumann in: *Auswahl deutscher Gedichte von den Anfängen bis zur Gegenwart*, neugestaltet von Dr. Richard Wittsack, Halle/Saale–Berlin 1936, S. 731.

Schumann, Schriftsteller (Lyrik, Bühnendichtung), * 1911 war Chefdramaturg der Württembergischen Staatstheater; «Bei Gerhard Schumann ist die Entkrampfung seit der furchtbaren Kraftzusammenballung der stürmisch-steilen Aufstiegszeit der Bewegung am weitesten fortgeschritten» – in Walther Linden: *Die völkische Lyrik unserer Zeit* in: *Zeitschrift für Deutschkunde*, 1935, S. 455; sieh auch W. Linden: *Gerhard Schumann* in: *Die Neue Literatur*, Oktober 1936, S. 570–578; «Noch leidenschaftlicher, tiefer als seine Kameraden empfindet und gestaltet er das Erlebnis der Gemeinschaft, der Aufgabe des Ich und der Geburt des Wir im Reich» – Dr. Fritz Lübbe und Dr. Heinrich Fr. Lohrmann: *Deutsche Dichtung in Vergangenheit und Gegenwart*, Hannover 1940, S. 256; ausführlicher s. «Porträts», S. 431 f.

Als wir die Fahne durch das Grauen trugen –
Wir fragten nicht und wußten kaum warum.
Wir folgten, weil die Herzen herrisch schlugen,
Durch Hohn und Haß, marschierten treu und stumm.

So sind wir drohend in den Sieg gezogen.
Wir fragten nicht. Wir dienten unserm Schwur.
Die Banner rauschten und die Lieder flogen –
Wir ruhten nicht. Uns riß des Sternbilds Spur.

Die Vielzuvielen sind versprengt, verlaufen,
Vom Feuer blind, das über uns gebraust.
Die heut marschieren in den erznen Haufen,
Wir fragen nicht. Wir sind des Führers Faust.

Die Welt gehört den Führenden

Herybert Menzel in: *Die Literatur*, 1936/37, S. 25.

Die Welt gehört den Führenden,
Sie gehn der Sonne Lauf.
Und wir sind die Marschierenden,
Und keiner hält uns auf.
Das Alte wankt,
Das Morsche fällt.
Wir sind der junge Sturm.
Wir sind der Sieg!

Sprung auf, marsch, marsch,
Die Fahne auf den Turm!

Der Kerl muß nicht geraten sein,
Den unser Lied nicht packt.
Ein Kerl muß bei Soldaten sein,
Gleich schlägt sein Herz im Takt.
Das Alte wankt,
Das Morsche fällt.

Kantate

Herbert Böhmes Gedicht in Kurt Fischers Buch: *Herbert Böhme*, München 1937,
S. 17.
    Dr. phil. H. Böhme, Schriftsteller (Lyrik, Drama, Prosa), * 1907; ausführlicher
s. «Porträts», S. 427 f.

Fanfaren, kündet mit ewigem Ton
der Stufen zur Feldherrnhalle,
die Trommeln wirbeln: Revolution
wie einst, daß die Fahne nicht falle.
Ihr seid unseres Blutes Morgenrot
einer großen neuen Zeit.
Wir grüßen euch, das Aufgebot
für die Unsterblichkeit.

Blut und Boden

«Diese beiden Worte», heißt es in fast allen NS-Nachschlagewerken, «schließen
das gesamte nationalsozialistische Programm in sich ein»; die Begriffe «Blut»
und «Rasse» im NS-Sinn werden im vierten Kapitel dieses Buches ausführlich
dokumentiert; hier nur einige Streiflichter auf «Boden», «das Zurückführen des
deutschen Volkes zum natürlichen, zum volkhaft Naturgegebenen», wie es im
NS-Jargon hieß; siehe hierzu auch R. Petsch: *Der deutsche Bauernroman* in:
Ostdeutsche Monatshefte, 1933, S. 313 f, sowie A. Mulot: *Das Bauerntum in
der deutschen Dichtung unserer Zeit*, Stuttgart 1937.

Warum bleiben wir in der Provinz?

Aufsatz von Martin Heidegger in: *Der Alemane – Kampfblatt der Nationalsozialisten Oberbadens* vom 7. 3. 1934, S. 1.

Prof. Dr. M. Heidegger, Philosoph, *1889; über seine rege NS-Tätigkeit siehe auch: *Die bildenden Künste im Dritten Reich* (Ullstein Buch 33030); über Heideggers folgenden Blut- und Boden-Gedanken schreibt Paul Hühnerfeld in: *In Sachen Heidegger*, München 1961, S. 111, wie folgt: «Nun gibt es nichts Törichteres als einen Salon-Tiroler. Man erinnere sich an Defreggers Bild: wie der Zugereiste in Lederhosen, Hut mit Gamsbart, mitten unter Tirolern sitzt.»

Der Städter meint, er ginge «unter das Volk», sobald er sich mit einem Bauern zu einem langen Gespräch herabläßt. Wenn ich zur Zeit der Arbeitspause abends mit den Bauern auf der Ofenbank sitze oder am Tisch im Herrgottswinkel, dann reden wir meist gar nicht. Wir rauchen schweigend unsere Pfeifen.

Der Städter wird durch einen sogenannten Landaufenthalt höchstens einmal «angeregt». Meine ganze Arbeit aber ist von der Welt dieser Berge und ihrer Bauern getragen und geführt.

Neulich bekam ich den zweiten Ruf an die Universität Berlin. Bei einer solchen Gelegenheit ziehe ich mich aus der Stadt auf die Hütte zurück. Ich komme dabei zu meinem alten Freund, einem 75jährigen Bauern. Er hat von dem Berliner Ruf in der Zeitung gelesen. Was wird er sagen? Er schiebt langsam den sicheren Blick seiner klaren Augen in den meinen, hält den Mund straff geschlossen, legt mir seine treu-bedächtige Hand auf die Schulter und – schüttelt kaum merklich den Kopf. Das will sagen: unerbittlich Nein!

Asphaltreklame

Gaukulturtagung der NS-Kulturgemeinde, in: *Deutsche Bühnenkorrespondenz* vom 7. 8. 1935, Ausgabe A, S. 2.

Eine Kulturtagung in Mecklenburg? Der «kultivierte» Großstädter lächelt mitleidig: «Was kann dabei schon wichtig sein!» Mecklenburg ist bekannt als eine der reinsten bäuerlichen Landschaften unseres Reiches. Außer dem abgelegenen Rostock mit seiner Universität und der Landeshauptstadt Schwerin mit den Regierungsbehörden ist keine Stadt im ganzen Gau, die irgendwie ein geistiges Gepräge, ein kulturell wesentliches Gesicht hätte. Der mecklenburgische Bauer und der Bürger der kleinen und mittleren Landstadt sind nie sehr stark von großstädtischer Kultur beleckt gewesen. Soll von ihnen jetzt mit einem Male ein Antrieb für die kulturelle Erneuerung unseres Volkes erwartet werden? Ja, gerade von ihnen! Das Ziel, das die beauftragten Träger der nationalsozialistischen Kulturarbeit sich unter dem Namen Volkskultur gesetzt haben, findet gerade in einem solchen Lande, bei solchen Menschen, die glücklichsten Voraussetzungen.

Es gilt, den schlichten Volksgenossen von den Minderwertigkeitsgefühlen zu befreien, die die Asphaltreklame für jene artfremde «Kultur» und «Bildung» ihnen planmäßig anerzogen hatte. Es gilt, ihnen die Besinnung wiederzugeben auf ihre Seelenverwandtschaft mit allem, was im Reich deutscher Kunst an Großem und Schönem geschaffen worden ist, und mit den Menschen, die es schufen.

Das Thema

Hellmuth Langenbucher in seiner Einleitung zu: *Deutsche Landschaft und Bauerntum*, Berlin 1935, Heft der Zeitschrift *Ich lese*, Mitteilungsblatt für die Bezieher der deutschen Kulturreihe; als Künder der Blut- und Boden-Dichtung bezeichnete Langenbucher Friedrich Griese – * 1890, Roman, Novelle, Drama, Mitglied der Deutschen Akademie der Dichtung –: «Grieses Dichtung ist im besten Sinne, fern aller Phrase und Konjunktur, Dichtung aus ‹Blut und Boden›. Denn die Menschen, die in ihr sind, sind Träger eines Schicksals, das aus diesen beiden mächtigen Strömen, ‹Blut› und ‹Boden›, Herkunft und Erde geformt ist, das die einen zerbricht, gleichsam knackt, wie wir ein dürres Stück Holz knakken, aus ein paar anderen aber, Ahnen künftiger Geschlechter, ausbricht in überquellender Kraft und sie an einen neuen Beginn stellt. Grieses Kunst ist im besten Sinne ‹politische Kunst› – Politik begriffen ganz einfach als Dienst am Volk. Dienst am Volk ist bei ihm aber: die Klarheit, die der Dichter bringt über eine Zeit, die nur Taumel war und Raserei; und der vom Dichter gezeigte Weg in die Ewigkeit der Erde, der in seinen Schilderungen so zum Zwang wird, daß sie von uns nicht übersehen werden können. Es ist der Mythos des ‹Neuen Menschen›, den Griese in allen seinen Werken formt, des Menschen, von dem aller Flitter der Zivilisation abgeglitten ist.» Hellmuth Langenbucher: *Dichter im Dritten Reich – Friedrich Griese* in: *Neues Volk*, Mai 1936, S. 27.

Diejenigen Dichter, die sich um die Gestaltung bäuerlichen Lebensgefühls mühen, werden sich nie zu drücken vermögen um das eine große Thema, das hier alle literarischen Einzelgruppen beherrscht und das darum, bald stärker, bald weniger deutlich ausgeprägt, im Mittelpunkt all dieser Dichtungen steht: das Thema des Kampfes landschaftsgebundener, bäuerlicher Menschen gegen den Einbruch zivilisatorischer Lebensmächte.

Es ist ein historisches Verdienst unseres Reichskanzlers Adolf Hitler, gerade in diesen Dingen eine neue Sehweise proklamiert und allmählich zum Allgemeingut aller verantwortlichen Schichten des deutschen Volkes gemacht zu haben. Nur ein neues; bäuerliches, landschaftsverbundenes Denken wird uns zu befreien vermögen aus dem irren Zwange, den die Magie des sogenannten Fortschrittsglaubens um uns schloß.

Und weil nur aus einem so gewendeten Denken der Anfang eines neuen organischen Kulturaufbaues erwachsen kann, kommt der künstlerischen Betätigung, die innerhalb dieses Raumes sich vollzieht, eine so außerordentliche Bedeutung zu.

Eines Morgens im grünen Mai

Besprechung von Konrad Weiß in: *Münchener Neueste Nachrichten* vom 28./29. 3. 1937.
Konrad Weiß, 1880–1940, Lyriker.

«Eines Morgens im grünen Mai erwacht auch der Hedwigshof wieder zum Leben.» Mit diesen Worten hebt ein neues, unerwartetes Buch des Kriegsschriftstellers Edwin Erich Dwinger[1] an, das den Titel hat «Ein Erbhof im Allgäu» (Verlag F. Bruckmann, München 1937, 144 S.) «Einst war er Soldat, jetzt ist er Bauer», das ist eine der kurzen Selbstbesinnungen in dem Buche, die ein wenig vom Erstaunen des Lebens über sich selbst enthalten. Auch gibt es da noch Stellen über die Pflicht des Bauern gerade im heutigen politischen Tage.

Also ist das Buch keine Dichtung? Nein. Und auch kein Vergnügen? Zum mindesten nicht im üblichen Sinne des älteren Bauernschrifttums. Aber es ist ein rechter und voller Genuß für den Leser, der etwas Rechtes vom Lande wissen will, und noch mehr für den, der selber vom Lande ist. Wer aus einer Ackergegend kommt, lernt hier die Schönheit der Wiesenhöfe kennen, samt den besonderen Gesichtspunkten der Hochlage im Allgäu. Der Hofherr des Hedwighofes ist stolz auf sein Bauernwesen. Die Siloeinrichtung, die Düngungsarbeit, das Heumachen mit den Heintzen, die Rodung und Urbarmachung, die Viehzucht und noch ein Stück Pferdedressur, das ist im Laufe des Jahres der Stolz und das wechselnde Thema.

---

1 Edwin Erich Dwinger, Schriftsteller (Roman, Drama, Lyrik), *1898; seine Werke erschienen in mehr als zwei Millionen Auflage; SS-Obersturmführer mit SS-Nr. 277 082; am 18. 10. 1938 stehen im *SS-Personal-Bericht* noch folgende Angaben über ihn: «Nationalsozialistische Weltanschauung: gefestigt, einwandfrei»; «Grad und Fertigkeit der Ausbildung im SS-Dienst: Besitzt die notwendigen Kenntnisse im SS-Dienst.» Siehe auch «Porträts», S. 425 f.

«Nicht anders müssen wir Goethe sehen»

Walther Tröge: *Goethes Ahnenschaft in landschaftlicher und ständischer Gliederung* in: *Goethe – Vierteljahresschrift der Goethe-Gesellschaft,* 1937, Band 2, Heft 4, S. 248–249.
Tröge war Schriftsteller (Kurzgeschichte, thüringische Mundart), *1888.

Bei aller erbkundlichen und psychiatrischen Betrachtung wurde gar oft ein Grundlegendes vergessen, daß nämlich zu höchster Geistigkeit eine mindestens ebenso hohe Urlebenskraft hinzutreten muß, um die Überfüllung genialer Leistung überhaupt zu ermöglichen. Bauernerbe ist wie jungfräulicher Boden, der Jahrhunderte, Jahrtausende brach lag und zum erstenmal vielfältige Frucht tragen darf. Geheimnisvolle Wechselbeziehungen spielen herüber und hinüber, von gleichsam unberührtem schlummerndem Bluterbe, das natur- und schollennah von Bauernsippen in unendlicher Kette weitergegeben wird, bis zu solchem hin, dessen Erbträger Gaben vom Baume der Erkenntnis zu pflücken vermag. Beides vereint gibt schöpferische Kraft von ungeheurer Spannweite. Nicht anders müssen wir Goethe sehen, der bis an das Ende seiner Tage noch als Zweiundachtzigjähriger schöpferisch gewirkt hat. Von seinen Bauernahnen her kam ihm die Kraft für seine Sendung.

Die Grundwahrheit

Reichskulturwalter SA-Brigadeführer Franz Moraller: *Bauerntum, Volkstum und Kultur* in: *W. z. R.-Dienst – Im Auftrage des Kulturkreises der SA,* 1. Dezemberfolge 1938, S. 1.

Nichts wäre falscher, als etwa die Erkenntnis vom Wesen des Bauerntums lediglich aus seiner praktisch-volkswirtschaftlichen Bedeutung herleiten zu wollen. Wohl ist ihm hier eine Aufgabe von schicksalhafter Bedeutung für die ganze Nation anvertraut – aber unvergleichlich größer ist seine Sendung als lebendige Grundlage unseres völkischen Daseins und unserer kulturellen Gestaltung!
Die meisten unserer in den Städten lebenden Volksgenossen stoßen schon bei der Ermittlung ihres arischen Nachweises auf ihre bäuerliche Herkunft, sicherlich aber gibt es nur wenige Stammbäume, die nicht bei weiterem Zurückverfolgen irgendwo ins Bauerntum einmünden beziehungsweise aus ihm herkommen.
In dieser Erkenntnis aber ist auch bereits die Bedeutung deutschen Bauerntums für unser kulturelles Leben umschlossen. Denn es ist eine der Grundwahrheiten der nationalsozialistischen Weltanschauung, daß alle schöpferischen Kräfte eines Volkes gebunden sind an das Blut, durch welches seine völkische Eigenart bestimmt wird. Wenn also das Bauern-

tum der gesündeste und fruchtbarste Blutträger innerhalb des Volksganzen ist und damit zum wesentlichsten Faktor seiner unaufhörlichen Regeneration wird, dann kann es gar nicht anders sein, als daß auch die schöpferischen Kräfte eines Volkes von dieser Seite her mittelbar oder unmittelbar ihre immerwährende Erneuerung erfahren!

Düngung und Vieh

Günther Schulz: *Goethe und die bäuerliche Welt*, Goslar 1940, S. 177–178; das Buch erschien im Verlag *Blut und Boden* und wurde 1943 neu aufgelegt.

Das Düngen durch Pferche (der beweglichen Einzäunung der Schafherden) nimmt Goethe in der Rodacher Gegend wahr. Bei Alexandersbad nahm Goethe viele vierspännige Ochsenfuhren wahr, die Dünger und Kartoffeln zugleich auf die Äcker fuhren. In Heilbronn bemerkte er, daß die Straße jedem kleineren Hausbesitzer zum Misthof diene. Es war damals eine kleine Ackerbürgerstadt. Miststätten besah sich Goethe auch bei seinem Aufenthalt bei Meyer in Stäfa; daß Mistsotte auf die Saat gegossen wurde, fiel ihm am 26. Oktober 1797 in Eglisau auf. Das Gehöft des Landgeistlichen in den «Wanderjahren» wird auch durch die Erwähnung des Misthaufens geehrt.

Schöne Ochsen bewunderte Goethe nicht nur auf seiner Italienreise. In einem Ort an der Bergstraße sah er im Jahre 1797 «zwei schöne Ochsen, die der Postmeister im Frühjahr für 23 Karoli gekauft hatte. Jetzt müßten sie vor 18 zu haben sein. Die Kühe sind im Preis nicht gefallen.» In Sinsheim und Heilbronn, bemerkt er, habe das Vieh viel von der Viehseuche gelitten. Die Straße des Gotthards findet Goethe während der Zeit des Bellenzer Marktes mit Zügen sehr schönen Viehes belebt. Daran knüpft er Berechnungen über den Reichtum des Landes.

Zwischen Pyrmont und Lüde sieht er in Abteilungen, wo das Vieh der Pyrmonter gegen Erlegung einer Pacht vom Frühjahr bis zum Herbste weidet. Über Viehbestand und spanische Schafe spricht Goethe auch gelegentlich mit dem Landwirt Tischner in Köttendorf, (Tagebuch, 22. Oktober 1810). Im Haslital während des Schweizer Aufenthalts besieht sich Goethe mit seinen Freunden einen Käsespeicher (12. Oktober 1779).

Anhang: Nationalsozialistischer Realismus

Diese Bezeichnung ist von der in der Sowjetunion sanktionierten «Literatur-theorie», genannt «Sozialistischer Realismus», abgeleitet; ausführlicher darüber siehe: *Die bildenden Künste im Dritten Reich* (Ullstein Buch 33030), S. 216 f.

Jungnickelaugen

Klaus Gundelach: *Volk und Vaterland* in: *Deutsche Kultur-Wacht*, 1933, Heft 1, S. 18.
   Max Jungnickel war Schriftsteller (Erzählung, Lyrik, Feuilleton, Bühnendich-tung), *1890.

Da leuchtet aus einem Wust von Zeitungen und Zeitschriften von einem ziegelroten Umschlag der steinerne Roland, und in weißen, gotischen Lettern: Volk und Vaterland. Ein Buch von Max Jungnickel. Es be-ginnt im Vorwort mit einer Diagnose des Zeitalters. Der Liberalismus liegt in den letzten Zügen. – Aus dem Ich wurde das Wir. Das Volk ist im Aufbruch. Es ist ein Buch des Aufbruchs, ein Buch des Volkes. Jung-nickel ist durch Deutschland gewandert mit offenen Augen und offenem Herzen, mit echten, guten Jungnickelaugen und echtem, gefühlvollem Jungnickelherzen. Trotz seines großen, barmherzigen Mitgefühls zeich-net er nicht wehleidig die vom Kriege Zerbrochenen.
   In der deutschen Kulturgeschichte verfolgt Jungnickel den Weg und den Kampf der deutschen Seele und des tapferen deutschen Herzens. Er verfolgt deutend immer das unbedingt Deutsche unter dem zurückge-bliebenen Überschwemmungsschlamm der jeweiligen historischen Über-fremdungswellen, die eine große Linie und den ewigen Kräftestrom su-chend, der auch heute wieder in unser deutsches Schicksal und in unse-ren deutschen Kampf mündet.

Beginn einer neuen Sprache

Hans-Friedrich Geist: *Die Wiedergeburt des Künstlerischen aus dem Volke*, Leipzig 1934, S. 222.
   Geist war Schriftsteller (Erzählung, Kritik), *1901.

Jetzt haben wir die angeordneten Feste, die Feiern nach Richtlinien, die gedruckten und vervielfältigten Verehrungsformen. Das ist ein not-wendiger Übergang. Die schöpferische Indifferenz des Volkes muß erst durch die Wiederbelebung alter und durch sinnvolle Anwendung neuer Formen gelockert und beseitigt werden, von Formen, die der Phantasie jedes Einzelnen wieder Spielraum lassen. Die heranwachsenden Generationen werden neue Formen prägen, die sie als eine innerlich geeinte und gläubige Gemeinschaft aus eigener Kraft hervorbringt. Diese Formen werden kommen. Wenn am Denkmal der Novembergefallenen in München die lebendige Wache in eiserner Haltung steht und alle Vorübergehenden das Ehrenmal grüßen, wenn am Feiertag der Arbeit jede Stadt ihre Häuser und Straßen schmückt, wenn da ein Junge seine schönsten Bilder an die Fahne heftet, um seinen Beitrag zu geben, wenn auf ein Zeichen ein ganzes Volk schweigt, um die Helden der Arbeit zu ehren, wenn wir alle diese neuen Formen bedenken, die sich bereits gebildet haben, dann fühlen wir den Beginn einer neuen Sprache.

Nur senkrecht

Neue Wege der Volkstumsarbeit, in: *Deutsche Bühnenkorrespondenz* vom 20. 7. 1935, Ausgabe A, S. 1.

Mit den Begriffen, die ein überwundenes Zeitalter von außen her an den lebendigen Organismus des deutschen Kulturlebens legte, hat die Zeit der nationalen Selbstbesinnung gründlich aufgeräumt. Zu diesen Begriffen gehörte die Vorstellung von einer Kultur als für sich bestehender Selbstzweck, einer Kultur, die als ein Erzeugnis des Intellekts irgendeine Routine voraussetzte; und die daher bei einem gewissen Stande der Zivilisation beliebig erlernbar und übertragbar sei – unabhängig von den Volkstumsgrenzen. Man sah die Kultur als eine Art von horizontaler Schichtung an und gab sich mehr oder weniger redliche Mühe, mit Hilfe der Bildungspumpe die «Kultur» der vermeintlich «höheren» Schichten auch den «niederen» Schichten zugänglich zu machen.

Wir sehen die Dinge heute grundsätzlich anders, da wir auch die Beziehung von Einzelwesen, Nation und Menschheit grundsätzlich anders sehen. Wir kennen keine Kultur mehr, die sich als ein Bildungslack von oben her über beliebige Rassen und Völker verteilen läßt; wir erkennen die vertikale Bedingtheit aller Kultur, ihr organisches Wesen, das sich nicht in mechanisch übereinander gelagerten Schichten, sondern in der organischen Gewachsenheit aus Boden und Wurzel in Stamm und Blüte ausdrückt. Wir kennen keine internationale Kultur, die unabhängig ist von der Art der einzelnen Träger; wir kennen nur eine senkrecht von unten nach oben aufsteigende Volkskultur, wobei «unten» und «oben» nur eine sinnbildliche, keine wertende Bedeutung haben.

Ästhetik

«Der gelebte Primat der Kunst ist erledigt»

K. J. Obenauer: *Die Problematik des ästhetischen Menschen in der deutschen Literatur*, München 1933, S. 404–405.
Prof. Dr. Karl Julius Obenauer, Neuere deutsche Literatur, * 1888.

Die Epoche des neuromantischen Ästhetizismus liegt weit schon hinter uns, als historische Erscheinung abgelöst und überschaubar, dem sachlichen Studium geschichtlicher Forschung zureifend. Die nun führenden Dichter leben seit langem in anderen Wertsystemen, in denen die Kunst nicht mehr einziger und höchster Wert ist. Die politische, d. i. die national-soziale, nicht die ästhetische Erziehung steht heute im Vordergrund; ihr kommt der Primat zu, und indem sie das Hauptgewicht auf sittliche Werte, auf das neue Ethos der Arbeit, auf Charakterbildung, und intelligente Willensschulung legt, die allein ein härteres, zu heroischen Opfern bereites Geschlecht ermöglichen, wird auch die Pathologie der ästhetischen Typen mehr und mehr verschwinden, diese Kulturkrankheit, die aus einer Überbildung entwurzelt-subjektiver Phantasie, passiven Einfühlungsvermögens und verfeinerter Sinnlichkeit entstand. In diesem Bewußtsein sind wir traditionsgebundener als die Zeit des Relativismus, Naturalismus und Ästhetizismus.

Der gelebte Primat der Kunst ist erledigt; er gehört einer individualistischen Vergangenheit an.

Die klassische Form

Dr. J. Haupt: *Klassik, Romantik und Nationalsozialismus* in: *Völkischer Beobachter* vom 5. 8. 1934.
Dr. phil. Julius Haupt, Schriftsteller (Literatur, Philosophie, Kritik), * 1893.

Der Nationalsozialismus bedeutet in der deutschen Geistesgeschichte eine durchaus klassische Bewegung. Ihm ist nicht wie den Naturalisten französischer Herkunft gelegen an Wiederholungen zufälliger Eindrükke und Sinneswahrnehmungen, wie der Impressionismus sie uns zeigt. Im wesenlosen Schein liegen ihm die Äußerungen überreizter und kranker Seelen nach der Manier der Expressionisten der letzten Jahre. Auch die Stimmungen und Launen des Individuums, schwankend zwischen Begier und Langeweile im Stil der Literaten-Romantik gehen ihn nichts an.

Das Deutschtum ist in seinem Kern wohl in höherem Grade dynamisch geartet, mehr auf innere Kraft gegründet als das Griechentum. – Über die Literaten-Romantik geht der Nationalsozialismus, wie über alles Krankhafte, zur Tagesordnung über. Die deutsche Volkstumsromantik ist ihm aber wie jede völkische Bewegung ein Versuch zur Gestaltung der klassischen deutschen Form aus der Mitte der völkischen Substanz. Diese Romantik ist für uns durchaus das Gesunde. Sie ist der Weg des deutschen Volkstums zu seiner klassischen Form.

«Nicht unsere Wege»

Prof. Dr. Herbert Cysarz: *Schillers Sendung* in: *Bausteine zum deutschen Nationaltheater*, November 1934, S. 342.
Cysarz, Prof. für Philosophie, Schrifttums- und Volkstumskunde, *1896.

Schillers menschliche Wege sind nicht mehr unsere Wege. Die Schwärmer der Schönheit sind tot, die ästhetischen Außenseiter des Lebens seit langem entartet. Doch wieder lenkt unsere Dichtung in die gemeinsamen Urkräfte ein, in die Wahrhaftigkeit und die Tapferkeit, in das auf fernste Sicht gefügte, beginnliche Leben. Wieder ist unsere Dichtung ein Zielen und Wählen, ein Sich-Rüsten zum äußersten Dienst. Unsere Besten nähern die Glaubwürdigkeit ihres Wortes der Überzeugungsmacht der Tat. Sie sammeln Kräfte, tief wie unser Wesensgrund, groß wie die deutsche Aufgabe und unbezwinglich wie der deutsche Glaube.

Der wesentliche Charakter

Carl Werckshagen: *Die deutsche Romantik und der junge Schiller* in: *Der neue Weg* vom 15. 11. 1934, S. 378.
Carl Werckshagen, *1903, seinerzeit Schriftleiter der *Essener Theater-Zeitung*.

Die absurde Idee, Homer oder Shakespeare als Romantiker anzusprechen, beweist schon, daß das Wesensmerkmal der Romantik nicht in ihrer mythologischen Reichweite und auch nicht in ihrem rein künstlerischen Stilwillen beschlossen liegen kann. Die Romantik muß zunächst verstanden werden als ein neues und durchaus selbständiges Kulturideal, das sich zwar in erster Linie der literarischen Ausdrucksmittel bedient hat, seinem wesentlichen Charakter nach aber erst in weltanschaulichem Zusammenhange sinnvoll gedeutet werden kann. Die Romantik bedeutet eine Einheit theoretischer und künstlerischer Tendenzen, in der das künstlerische Moment keineswegs den Vorrang innehat. Es ist gerade ein wesentliches Verdienst der Romantik, daß sie die Geistesgeschichte nicht mehr als Gegensatz, sondern als einen unlöslichen Bestandteil der Geschichte im politisch-nationalen Sinne und demgemäß auch das geistige und künstlerische Schaffen als eine Funktion des nationalen Daseins und Zusammenhanges aufgefaßt hat. Daher beschränkte sich auch der Kulturwille der Romantik nicht auf eine neue nationale ästhetische Erziehung, wie es der Auffassung mancher Literarhistoriker entspricht, sondern er erstrebt eine neue nationale Erziehung durch die Ästhetik, was sehr viel mehr bedeutet und gerade im Augenblick einer nationalen Selbstbesinnung der Kunst Veranlassung geben sollte, der Romantik eine gerechtere Beurteilung hinsichtlich ihrer unmittelbaren Verbundenheit mit dem deutschen Volkstumsgedanken zuteil werden zu lassen.

«Wie man früher sagte»

Eberhard Wolfgang Möller: *Dichtung und Dichter im nationalsozialistischen Staat* in: *Bayerisches Staatstheater*, München 1936, Heft 12, S. 180.

Wenn schon heute die Gesichtspunkte des Nationalen, des Völkischen, des Rassischen allgemein und unverrückbar feststehen, so sind die Gesichtspunkte für die Bewertung des Künstlerischen oder wie man früher sagte, die neuen ästhetischen Maßstäbe nur sehr zum Teil erst gefunden und anerkannt. Hier kommt es darauf an, erst den ganzen ungeheuren ästhetischen Schutthaufen des vorigen Jahrhunderts wegzuräumen, welcher der Entwicklung der Dichtung im Wege liegt. Denn die Dichter schaffen zwar aus einer inneren Notwendigkeit heraus und ohne sich um irgendwelche dramaturgischen Zwangsjacken zu kümmern, aber das unterscheidet sie gerade von ganzen Generationen Früherer, daß sie nicht nur dem einzelnen Leser gefallen, daß sie nicht nur schön schreiben wollen, sondern auch gut und richtig. Ihre Dichtungen sind nicht mehr Unterhaltungen, sondern öffentliche Maßnahmen, und hier sind sie darauf angewiesen, daß ihnen die öffentliche Diskussion den Weg bereitet.

Von untergeordneter Bedeutung

Karl Hans Bühner in: *Die Auslese*, 1938, S. 144.
  Bühner, Schriftsteller (Lyrik, Erzählung, Essay, Feuilleton), * 1904.

Im Angesicht der schwebenden Fragen der Gegenwart haben alle formalischen Stilfragen eine untergeordnete Bedeutung. Es ist im Augenblick belanglos, ob und wieviele dichterischen Stile nebeneinander bestehen. Die Gewißheit ist vorhanden, daß ein einheitliches Daseinsgefühl der Nation, ein Lebens- und Denkstil auch einmal einen literarischen Stil im ernsten Sinn des Wortes schaffen wird, der sich auf alle Dichtungsgattungen gleichmäßig auswirkt. Eine neue Ästhetik wird aber ebensoweit entfernt sein von einem Formalismus, der das Schöne lediglich nach den vorhandenen Formgesetzlichkeiten beurteilt und immer zur blutleeren Artistik führt, wie von einer sich bedeutsam gebenden Gefühls- und Gehaltsästhetik, die die Form geringer schätzt.

Mit Hilfe unserer kultivierten, durchgebildeten Sprache, unserer geistigen Disziplin wäre eine neue Blüte der deutschen Dichtung, eine neue Klassik wohl denkbar. Vorerst besteht die schönste Aufgabe der Dichtung doch wohl darin: in einer Zeit des Kampfes zwischen einer jungen Weltanschauung und einer auf Dogmen festgelegten Religion, in einer Zeit des Streites zwischen alten und neuen Werten und Wertmaßstäben die Bewährung des neuen deutschen Menschen und der nationalsozialistischen Haltung zu schildern, die seelische Tapferkeit darzustellen und den Mut zum Wagnis – des gegenwärtigen Menschen Sehnsucht nach den Ufern neuer Seligkeit.

Ein Unbehagen

Hans Arnold in: *Nationalsozialistische Monatshefte*, September 1936, S. 836.
  Arnold, Schriftsteller und Lehrer, * 1886.

Nationalsozialistische Ästhetik? Diese Wortzusammenstellung wird sicher zunächst einiges Unbehagen hervorrufen, denn der Begriff des Ästhetischen ist für uns mit der Vorstellung von etwas Angekränkeltem, Unmännlichem, Verweichlichtem verbunden. Man empfindet weithin das Wort ästhetisch als den denkbar schärfsten Gegensatz etwa zu kämpferisch, männlich, hart. Die Vorstellungsbilder, die der Klang des Wortes Ästhetik bei den einzelnen hervorruft, mögen verschieden sein. Immer aber werden wir im Geiste sofort eine Abwehrstellung einnehmen.

Das Ziel

Dr. Hans W. Hagen: *Deutsche Dichtung in der Entscheidung der Gegenwart*, Dortmund/Berlin 1938, S. 45.
Hagen war Referent in der Schrifttumsabteilung des Propagandaministeriums.

Eine der größten Errungenschaften, auf der wir aufbauen können, ist die Überwindung der weltanschaulichen Sektiererei in jeder Beziehung und die Forderung der ganzheitlichen Ausrichtung aller Lebensäußerungen auf ein Ziel. Dieses Ziel ist nicht mehr eine bestimmte ästhetische Entscheidung oder eine philosophische These, ist auch nicht «das größtmögliche Glück einer größtmöglichen Zahl von Menschen» noch ein so oder so ausgelegtes Bibelzitat, sondern dieses Zitat ist dasselbe, für das die Regimenter in die Schlacht gegangen sind. Für Deutschland fiel mit dem erhabenen Lied auf den Lippen die Jugend von Langemarck; für nichts anderes als für Deutschland fielen die Männer vor der Feldherrnhalle, mit diesem Lied zog auch die deutsche Revolution in der Nacht der Machtübernahme durch das Brandenburger Tor.

Was ist Dichtung?

Die Frage

Deutsches Schrifttum als Ausdruck nationalsozialistischen Lebensgefühls, in: *Film-Kurier* vom 15. 9. 1933, S. 2.

Der Vortrag besagte unter anderem, der Nationalsozialismus habe sich zum Ziele die Deutschheit gesetzt. Keine Kunst und ganz besonders die Dichtkunst sei überflüssig, denn sie sei die Kontrolle des Bewußtseins. Für den Nationalsozialismus sei längst die Frage der Dichtung, sofern sie wahr sei, entschieden und jeder polemischen Sphäre entrückt. Jede Art Dichtung sei ein Produkt des Unbewußten. Im Gegensatz hierzu stehe die Schriftstellerei, die dem Bewußtsein entspringt. Durch diese Tatsache müsse auch die Schriftstellerei in den Dienst der Volkserziehung gestellt werden. Ausschlaggebend hierfür sei allein der Grundsatz, daß das Gefühl des Einzelempfindens der Gemeinsamkeit gegenübergestellt werden müsse. Mit einem bloßen Kostümwechsel werde die Wandlung des Geistes nicht erreicht, es komme entschieden und allein auf den Wesensinhalt an. Der Nationalsozialismus stelle an das Schrifttum die Hauptaufgabe, das Gesunde zu fördern. Er verlangt daher unbedingt positivistische Betonung dem Leben gegenüber.

Die Frage gehe nicht darum, ist dieser Mensch ein Künstler, sondern ist dieser Mensch ein deutscher Künstler.

Undenkbar

Herbert Müllenbach: *Kleine Einführung in die deutsche Dichtung der Gegenwart*, Berlin/Leipzig/München 1934, S. 5.

Dr. phil. Herbert Müllenbach, Schriftsteller (Erzählung, Geschichte), * 1909; Leiter der technisch-literarischen Abteilung der Junkers-Werke.

Dichtung ohne Besinnung auf Volk und Boden ist undenkbar. Der echte Dichter weiß im Dienst seines Volkes, dem er verhaftet ist durch die Bande des Blutes und der Sitte, in dessen urewigem, durch die Jahrtausende dahinrauschendem Blutstrome er einen lebendigen Tropfen bedeutet. Der echte Dichter wächst mit dem Glücke seines Volkes, ihm blutet aber auch das ganze Leid dieses Volkes durchs eigene Herz.

Sauerteig des Lebens

Richard Euringer: *Gibt es nationalsozialistische Dichtung?* in: *Wille und Macht* vom 15. 8. 1935, S. 13–14.
Euringer war Schriftsteller (Roman, Lyrik, Bühnendichtung, Hörspiel, Feuilleton, Film), * 1891.

Nationalsozialistische Dichtung, vor allem aber ihr Gesetz, trägt nicht der einzelne aus, sondern der Nationalsozialismus schlechthin. Ich scheue mich nicht auszusprechen, daß ich geradezu von der Partei die geforderte Dichtung erwarte. Die Partei ist der Körper des nationalsozialistischen Geistes, und im nationalsozialistischen Körper wird wohl der nationalsozialistische Geist wohnen, der seine typische Dichtung austrägt. Damit ist nun nicht gesagt, daß die nationalsozialistische Dichtung «Parteidichtung» sein müsse; denn für den Nationalsozialisten ist die Partei ja nicht «Partei», sondern Sauerteig des Lebens. Sie ist das ewig wirkende Deutschland dieser Zeit und ihrer Zukunft. Sie ist nicht allein der Staat des Dritten Reiches, sondern das Volk in seiner Verkörperung, und sie ist das werdende Reich.

Das innere Recht

Dr. Hellmuth Langenbucher: *Nationalsozialistische Dichtung*, Berlin 1935, S. 7–9; siehe auch H. Langenbucher: *Volkhafte Dichtung der Zeit*, Berlin 1937, S. 27.

Wer sollte es vermögen, die Glut unseres Willens löschend, die Unruhe unseres Strebens lähmend, uns herumzureden um das erhabenste Vorbild, an dem unser Eifer entbrannte, das Vorbild, das uns der Führer durch sich selber gab, und das er uns wies, in der unsterblichen Größe dessen, was der deutsche Genius im Chor der Jahrhunderte geschaffen, und derer, die im Reigen der Zeiten immer wieder unter seinen schmerzlichen Auftrag sich beugten?

Wir sprechen von nationalsozialistischer Dichtung und meinen es als einen Glauben an das, was kommen wird, weil es kommen muß. Wir «erwarten» nichts; wir melden keine «Ansprüche» an, wir stellen keine «Forderungen» auf, weil all dies Sünde wäre gegen das innere Recht, das jede Kunst, die im Volke wurzelt, aus sich selber hat. Sollten wir so kleingläubig sein können und dürfen, anzunehmen, daß das Deutschland Adolf Hitlers sich eine Kunst gefallen lassen werde, die nicht im Volke wurzelt, die jene Bindungen leugnet und die sich frech außerhalb des völkischen Gesamtschicksals stellt? Dann allerdings wären wir schlechte Gärtner des neuen künstlerischen Wachstums, das allenthalben aus deutschem Boden hervorbricht!

Eine Begegnung mit Hanns Johst

Überschrift eines Interviews in: *Deutsche Bühnenkorrespondenz* vom 16. 10. 1935, Ausgabe A.

Die beste Interpretation des Begriffs «Neue deutsche Dichtung» wird Hanns Johst selbst in seinem neuen Drama prägen. Der Dichter erzählt kurz den Inhalt des Werkes. Das Stück wird in der Kampfzeit spielen. Ein Hitlerjunge kommt mit eingeschlagenem Schädel ins Krankenhaus. Die Professoren untersuchen, schütteln ernst den Kopf – hoffnungslos – nicht mehr zu helfen. Nur ein junger Assistenzarzt will und kann nicht glauben, daß das junge Leben so hinsterben muß. Er schlägt einen schwierigen Eingriff vor, der dem Jungen noch einmal das Bewußtsein schenkt, und in dem wiedererwachten Bewußtsein soll der Junge die große Freude erleben, daß der Führer zu ihm kommt. Die bärtigen Professoren sehen ihren jungen Kollegen mit einem mitleidigen Lächeln an – kindlicher Wunderglaube –, der Fall ist wirklich hoffnungslos – dutzendmal im Weltkrieg erlebt. Aber der junge Arzt läßt sich nicht beirren – er macht den Eingriff –, der Führer wird benachrichtigt und kommt. Im wiedererwachten Bewußtsein wird der schönste Traum des Jungen Wirklichkeit. Der Junge kommt durch – Zeichen und Wunder –, und die bärtigen Professoren räumen der Jugend das Feld, der Jugend, die noch die Kraft des Glaubens hat. Das ist es, was unsere Zeit so groß macht und was der Dichtung unserer Zeit das Gesicht gibt. Nicht mehr die Realität allein entscheidet, hinter der Realität steht der Glaube.

Der heiße Atem

A. F. C. Vilmar: *Geschichte der Deutschen National-Literatur*, bearbeitet und fortgesetzt von Johannes Rohr, Berlin 1936, S. 432.
August Vilmar, 1800–68, Literarhistoriker; Dr. Johannes Rohr, Schriftsteller (Bühnendichtung, Sprachwissenschaft, Kunst), *1885, Oberstudienrat.

Die Dichter des Mythus und Heroismus inmitten des liberalistischen Vorkriegsdeutschlands und die Dichter des Weltkrieges waren als Vortrupp dem Geist eines neuen Reiches vorangeschritten. Die Dichter der Volksnot und des neuen Gefühls der Bindung an Rasse und Boden und die Dichter der deutschen Charakterwerte halfen ihm die Wege bereiten in Tiefe und Breite. Den Durchbruch des Nationalsozialismus, wie etwa in seinen Großbauten, in einer Monumentaldichtung geformt zu sehen, ist der Gegenwart naturgemäß versagt und wird der Ruhm künftiger Zeiten sein. Aber sein heißer Atem weht durch seine Kampflieder und durch die charakteristischen Geistesdokumente der Gegenwart: die Reden der führenden Männer.

Der heldische Mensch

Josef Nadler: *Die nationalen Kräfte im Lichte der deutschen Dichtung* in: *Das Innere Reich*, 1. Halbjahresband 1936, S. 173.
  Prof. Dr. Josef Nadler, Literarhistoriker, 1884–1963; seine Neubearbeitung der vierbändigen *Literaturgeschichte des deutschen Volkes*, Berlin 1939–41, gehörte der NS-Auffassung nach zu den wichtigsten Werken seiner Art.

Die deutschen Feldzüge des neunzehnten Jahrhunderts sind fast spurlos an der dichterischen Legende der Führergestalt vorübergegangen. Erst die Erneuerung germanischen Lebensgutes im Werk von Bayreuth[1], Julius Langbehns[2] kühne Vorschau eines heroischen deutschen Menschen und das spät erwachte dichterische Gedächtnis des großen Krieges lassen in der deutschen Dichtung die Gestalt des heldischen Menschen ausreifen.
  Das Zukunftsbild eines neuen Reiches, in dem sich Schicksal und Natur der Nation erfüllen wollten, konnte nicht früher gefaßt werden, ehe diese neue Gesinnung aufgegangen war. Schon am Vorabend des großen Krieges beginnt in der Dichtung ein neues Reich mit seiner fast mystischen Sehnsucht, die Deutschen unruhig und kommender Dinge gelüstig zu machen. Diese Unruhe wurde im Kriege zur Hoffnung und in den Jahren, die ihm unmittelbar folgten, zum Schmerz. Ein neues Reich wächst mit hörbarer Gegenwart in der Dichtung aller deutschen Stämme heran.

Männlichkeit

Felix Lützkendorf: *Dichtung der Männlichkeit* in: *Die Bühne*, 1936, Heft 8, S. 232–233.
  Dr. Felix Lützkendorf, Schriftsteller (Schauspiel, Roman, Hörspiel), *1906.

Verlangte man von uns ein Wort zu finden, das die Haltung der jungen Dichtung umschreibt, so möchten wir sie die Dichtung einer neuen

---

1 Richard Wagner.
  2 August Julius Langbehn, 1851–1907, Schriftsteller; «Sein berühmtes Buch ‹Rembrandt als Erzieher› wurde eine scharfe Waffe gegen die einseitige Herrschaft von Verstand, für eine aus deutschen Gemütstiefen wachsende gemeinschaftsfrohe und rassenbewußte Lebenshaltung» – in Dr. Fritz Lübbe und Dr. Heinrich Fr. Lohrmann: *Deutsche Dichtung in Vergangenheit und Gegenwart*, Hannover 1940, S. 193.

Männlichkeit nennen. Denn dieses Wort enthält zugleich: Knabenhaftig-
keit, ewige Sehnsucht nach dem Abenteuer, Ernst, Verantwortung und
eine gemessene Haltung des Herzens inmitten der Begierden. Schon deutet sich hier und da die Dichtung dieser neuen männlichen Haltung an.
Ihren wahren Charakter werden jedoch erst die Kommenden offenbar
machen.

Diese Dichtung wird zunächst von dem Gefühl einer neuen starken
Gesundheit erfüllt sein. Was heißt das? Das heißt, sie wird bewußt wieder zu einer Dichtung des Zustandes, der Erscheinung und der großen
Symbole werden, ganz im Gegensatz zu der bisherigen Dichtung, die
vornehmlich eine Dichtung der Analyse war. Diese Dichtung wird wieder begeistern können und nicht mehr, wie bisher, nur demütigen und
lähmen.

Und welches werden die wahrscheinlichen Motive dieser Dichtung
sein? Sie sind mit wenigen Worten zu nennen. Das Motiv der Kameradschaft wird beherrschend sein, da es das tägliche Leben und den Staat
bewegt. Der Soldat und der geistige Arbeiter, als der geistige Soldat,
werden die hauptsächlichen Träger männlicher Rollen sein. Die Über-
betonung männlicher Kameradschaft wird notwendig zu einer grundlegenden Diskussion des Verhältnisses zwischen Männern und Frauen
führen. Trotzdem wird diese Dichtung der neuen Männlichkeit eine tiefe
Sehnsucht nach Liebe und Hingebung spüren lassen. Die Frauen werden
dargestellt als überlegene Führerinnen, sehr mütterlich, von einer hellen
und klaren Keuschheit erfüllt.

Füreinander und ineinander

Prof. Hermann Kluge: *Geschichte der Deutschen National-Literatur*, Altenburg/
Thüringen 1937, S. 298; diese 58. Auflage wurde von Prof. Dr. Reinhold Besser,
Prof. Dr. Otto Oertel und Studienassessor Manfred Kluge neu bearbeitet.

Wir und die Dinge sind nicht nur nebeneinander und miteinander, sondern auch füreinander da, und wir leben nicht nur auseinander und
durcheinander, sondern auch ineinander und gemeinsam zugleich in der
Gottheit.

Wenn die neue Dichtung eine Synthese werden sollte, so hat sie vieles
Gegensätzliche auszugleichen, vieles wenigstens scheinbar Feindliche zu
versöhnen und vieles Falsche zu berichtigen. Um das tun zu können,
sahen ihre Schöpfer mit dem durch den Impressionismus geschärften
Auge in die sichtbare Welt und versenkten sie sich mit dem durch den
Expressionismus verfeinerten Gefühl in die unsichtbare Welt. Als wahre Deutsche entnahmen sie daraus die heilige Verpflichtung, zu singen
und zu sagen vom deutschen Menschen, von seinem Land und Volk, von

deutscher Art und Un-Art, von dem heiligen Dienst an Volk und Vaterland, von der Aufopferung edler Deutscher für die von Urmächten
gezeugte Gemeinschaft der Schwestern und Brüder deutschen Blutes, von
deutscher Treue bis zum Tode, von deutscher Not und deutschem Glück.
Indem die deutschen Dichter das taten, schufen sie die neue deutsche
Dichtung.

Die Zeiten müssen überwunden sein

Dr. Paul Gerhard Dippel: *Kulturpolitik und das Gedicht* in: *Deutsche Presse*,
Berlin 1936, S. 17.

Die Zeiten müssen überwunden sein, wo die Lyrik nicht als dekoratives
oder füllendes Beiwerk einer Zeitung betrachtet und gehandhabt wird.
Die Verpflichtung, die die neue Zeit gerade gegenüber der Dichtung
hat, soll auch eine Verpflichtung für die Zeitung sein, die – im Vergleich
mit einer sehr rührigen Verlegertätigkeit – ihr immer neue Aufgaben
stellt. Das Gedicht ist heute nicht mehr ausschließlich Reflexion, Ich-
Rausch oder seelische Stimmungsmalerei. Diese Grenzen hat es längst gesprengt. Es ist jetzt auch: Ruf, verdichtete Volksstimme, Nationalakkord.

Ballade

Hildegard Hell (aus Herne/Westf.): *Studien zur deutschen Ballade der Gegenwart.* – Inaugural-Dissertation zur Erlangung der Doktorwürde, genehmigt von
der Philosophischen Fakultät der Rheinischen Friedrich-Wilhelms-Universität
zu Bonn, 1937, S. 106–108; Berichterstatter: Prof. Dr. K. J. Obenauer und Prof.
Dr. H. Naumann; siehe auch die Dissertationen von Hedwig Nell: *Die gestaltenden Kräfte in der neuen deutschen Tierdichtung,* Philosophische Fakultät der
Universität München, 1937, und Ernst Jelken: *Die Dichtung des deutschen Ar-
beiters,* Philosophische Fakultät der Universität Jena, 1938.

Die Ballade der Gegenwart bedeutet keinen radikalen Bruch mit derjenigen früherer Zeiten, sie wurzelt im Gegenteil in der besten Überlieferung. Sie gewährt den Gestalten Raum, in denen deutsches Wesen in
seiner Vielfalt, seiner Kraft und seinem schlichten Adel zu möglichst
voller Entfaltung kommt. Da sie die deutsche geistige und politische
Führerpersönlichkeit zeigt, wächst sie über die alte Ballade, deren Interesse mehr den Großen aus Sage und Geschichte anderer Völker gehörte,
hinaus. Daß schon vor und während des Niedergangs in Staat und Kultur bis herauf zu unseren Tagen der Wende diese großen Namen unseres Volkes in unserer Dichtungsgattung Eingang fanden, beweist, daß
auch sie vom Willen zur deutschen Selbstbesinnung ergriffen ist, ja,

daß ihre Dichter damit dem Erwachen des ganzen Volkes seherisch vorauseilten. Auch die andern, arttreu und unlöslich bodenverwurzelt in ihrer Heimatlandschaft gesehenen Menschen reihen sich doch der übergeordneten Schau des Gesamtvolkstums, der die Ballade sichtlich zustrebt, ein. Neu ist die Einheit von Bauern- und Soldatentum, die sie darstellt, neu auch, daß viele ihrer Frauen und Mädchen, bei aller Ausprägung von weiblicher Güte, doch die Mütter eines härteren, stärkeren Geschlechts zu sein scheinen.

Da unsere Ballade nun, was ihr innewohnendes Wesen und ihr äußeres Bild betrifft, nicht nur überkommenes Gut pflegt, sondern zugleich schon Trägerin und Künderin seelisch-geistiger Grundkräfte ist, die an unserer völkischen Erneuerung mitgewirkt haben, ist sie als lebendige, echt volkhafte, deutsche Dichtung zu werten.

Wehrhafter Charakter

Heinz Kindermann: *Kampf um die deutsche Lebensform*, Wien 1941, S. 16.

Weil die Bindung des Dichters an sein Volk und an seine Heimat für ihn zur ersten und wichtigsten Quelle seiner schöpferischen Kraft wird, wundert es uns nicht, daß wir nun entdecken, jede volkhafte Dichtung trage – im weitesten und im innerlichsten Sinn des Wortes – wehrhaften Charakter. Wie alles Große und Schöne in der Natur dem Beharrungs- und Anpassungskampf dient, so auch im Bereich des Menschenwerks, der Kunst. Jede große volkhafte Dichtung dient bewußt und unbewußt der Arterhaltung. Um «deutsche Art und Kunst» kämpften einst die jungen Stürmer und Dränger unter Herders und Goethes Führung. Um deutsche Art und Kunst kämpft – in jeder Gestalt und auf allen Wegen – jede volksbedingte Dichtung unserer Nation.

Die endgültige Entscheidung

Arno Mulot: *Welt- und Gottschau in der deutschen Dichtung unserer Zeit*, Stuttgart 1942, S. 183.
Arno Mulot war Professor an der Lehrerbildungsanstalt in Darmstadt.

Im Kampf gegen individualistische Auflösung und Bindungen strebt die deutsche Dichtung der Gegenwart der volkhaft gebundenen und geordneten Lebensform und Weltanschauung entgegen. Das Kampffeld ist auf den verschiedenen Abschnitten unterschiedlich abgesteckt. Hier ragen Positionen der Vergangenheit noch bis in die Gegenwart, dort ist der Durchbruch des Neuen von Anfang an entschieden; hier stellt sich die Überlieferung gegen die volkhafte Wiedergeburt, dort verbindet sich die Besinnung auf Überlieferung gegen die volkhafte Wiedergeburt, dort verbindet sich die Besinnung auf die wertvollsten Kräfte der Tradition mit dem Willen zur schöpferischen Neugestaltung unseres Weltbildes. Die endgültige Entscheidung aber ist nirgendwo zweifelhaft.

Orientierung

Waldemar Oehlke: *Deutsche Literatur der Gegenwart*, Berlin 1942, S. 26.
   Prof. Dr. Waldemar Oehlke 1879–1949, war Schriftsteller (Literaturgeschichte, Roman).

Der politische Dichter der Gegenwart könnte überhaupt nicht dichten, fehlte ihm der politische Boden des neugewonnenen deutschen Volkstums, fühlte er sich nicht als Soldat des Hitlerreiches. So konnte ein junger Betrachter und Hüter nationalsozialistischer Dichtung, H. Langenbucher, diese in den Vorlesungen bei Marburger Ferienkursen und dann in einem seiner Bücher zusammenfassen als «Dichtung der jungen Mannschaft» (Hamburg 1935). Von hier also geht unsere Orientierung aus: vom Soldatischen.

Herbstlied der SA

Heinrich Anacker in: *Schutz und Trutz, Liederbuch für die deutsche Jugend*, Herausgeber Traugott Niechciol, Berlin 1934, S. 23.

Braun ist unser Kampfgewand,
Braun ist Wald und Heide.
Früher Frost liegt überm Land,
einmal gib mir noch die Hand,
Bruder, eh ich scheide.

Braun ist unser Kampfgewand,
Schmach will harte Sühne!
Uns're Toten sind das Pfand,
daß dereinst im deutschen Land
neu ein Frühling grüne.

Sprache

Grundsätzliches

Dr. Rudolf Hermann Buttmann: *Die Sprache, ein Kampfmittel unserer Zeit* in: *Jahrbuch der deutschen Sprache*, Leipzig 1941, S. 7.

Manchem mag es ein Wagnis scheinen, mitten im Kriege den ersten Band eines Jahrbuchs der deutschen Sprache erscheinen zu lassen. Sind doch alle Gedanken auf Kampf und Sieg in dem großen, entscheidenden Freiheitskampf unseres Volkes gerichtet.

Ein höheres Ziel des Kampfes gibt es nicht als: deutsches Wesen nach außen und innen zu entfalten. Wir wollen, nachdem wir Jahrhunderte hindurch dem Fremden nachgelaufen sind oder uns gespalten und untereinander bekämpft haben, wieder ein Herrenvolk, wieder unserer eigenen Art gewiß und froh werden. Wir wollen mit einem Wort wieder Deutsche sein, ganz Deutsche und nur Deutsche!

«In bewußter Einfachheit»

Herbert Wünsch: *Die Sprache des neuen Geistes* in: *Berliner Lokal-Anzeiger* vom 29. 11. 1933, Sonntagsausgabe; siehe hierzu H. Beythan: *Eine neue Deutung des Germanennamens* in: *Zeitschrift für Deutschkunde*, 1935, S. 375–376; Wilhelm Scheuermann: *Woher kommt das Hakenkreuz?*, Berlin 1933, S. 44—48; Dr. Werner Schulze: *Zum Beginn* in: *Jahrbuch der deutschen Sprache*, Leipzig 1941, S. 5–6.

Auch in unseren Tagen stehen wir wieder in einer Zeit des Umbruchs. Mit unserer Volkwerdung hat sich auch hier der Prozeß der Wiedergeburt vollzogen. Und nicht zuletzt liegt darin auch die packende Kraft der Reden unseres Reichskanzlers, der in dem von ihm geprägten Stil den Weg der Erneuerung – einer Zurückführung zu den alten Quellen – beschritten hat. Wie kein zweiter haben er und Dr. Goebbels dem Empfinden unserer Zeit und dem Ringen des deutschen Menschen um diese Zeit auch in sprachlicher Form Ausdruck verliehen. Diese Wandlung auf dem Wege einer grammatikalischen Analyse erfassen zu wollen, wäre allerdings ein vergebliches Bemühen! Es ähneln dem neuen Sprechstil auf künstlerischem Gebiete der gotische Dom und die Fuge von Bach! Aus einer Fülle rationeller, effekthascherischer, kausaler Wendungen und Satzgefüge ist in bewußter Einfachheit ein Stil entstanden, der eben deutsch ist. Sehen wir uns eine der Reden des Kanzlers daraufhin an, und es zeigt sich, daß sie Meisterstücke in ihrem Aufbau sind. Vermieden sind Satzperioden, die sich endlos dahinschlängeln, um schließlich in Unverständlichkeit oder Unklarheiten zu enden; bezeichnend ist vielmehr, daß sie das Wesentliche in einem für sich gegliederten Hauptsatz markant und bestimmend vorwegstellen. Liegt aber nicht gerade darin ein deutliches Zeichen für unsere gesamte Zeit und vielleicht sogar für den deutschen Menschen überhaupt?

«Harms bringt es fertig»

Ernst Krieck: *Vom Deutsch des deutschen Sprachvereins* in: *Volk im Werden* 1934, S. 128–129.
  Ernst Krieck: 1882–1947, «Begründer der nationalsozialistischen Erziehungslehre» – in: *Männer des Dritten Reiches*, Bremen 1934, S. 131; «Der revolutionäre Vorfechter des Nationalsozialismus im Felde der Wissenschaft» – in A. Hohlfeld: *Auseinandersetzung mit dem Westen*, Straßburg 1942, S. 166.

Man kann der Sprachpflege der Zeitschrift «Muttersprache», Zeitschrift des Deutschen Sprachvereins, oft nur mit grimmiger Verwunderung zuschauen. Die Mehrzahl der Herren, die dort Sprachpflege betreiben, scheint die deutsche Sprache als ein Gefüge von einzelnen Worten, als einen Mechanismus anzusehen, dem man nach Belieben einzelne Bestandteile einfügen oder wegnehmen kann.

Es gibt keine deutsche Sprache ohne deutschen Sinn und Gehalt – von hier hat die Sprachpflege auszugehen. Die wirkliche große Gefahr, in der die deutsche Sprache heute in einer Zeit des Umbruchs steht, ist vom Deutschen Sprachverein überhaupt nicht gesehen.

Im Zuge solchen Wahns steht die Empfehlung Heideggers als eines Meisters deutscher Philosophensprache, die J. Harms unter der Überschrift «Vom Deutsch deutscher Philosophen» in «Muttersprache» veröffentlicht. Sehen wir einmal davon ab, daß der ganze Beitrag nur ein durchsichtiger Vorwand ist, um Heideggers Philosophie unter falscher Flagge an den Mann zu bringen, so muß festgestellt werden, daß Harms selbst ein bemerkenswert schlechtes Deutsch schreibt[1], und zwar, weil

1 Johannes Harms bemühte sich, in seinem Aufsatz klarzumachen, daß die Sprache des Philosophen Karl Jaspers «undeutsch» sei. Harms schreibt: «Das offenbart geradezu das *Sein* der Heideggerschen Sprache auf dem Grunde des *Nichts* des Jasperschen Deutsch» – in: *Muttersprache*, Zeitschrift des Deutschen Sprachvereins, Januar 1934, S. 1.

er nicht deutsch denken kann. Was ist z. B. ein «schulphilosophischer Laie»? Das ist doch ein hölzernes Eisen! Darum wird Heideggers Satz: «Das Nichts nichtet» von Harms als vorbildlich dargeboten, ein Satz, der wahrscheinlich weder von einem Philosophen, noch von einem Mitglied des Deutschen Sprachvereins jemals verstanden worden ist. Aus demselben Grund bringt es Harms fertig, mit Heidegger zugleich die Sprache des «Berliners», das heißt des jüdischen Philosophen Simmel [1] als vorbildlich anzupreisen. Um mit Herrn Harms selbst zu reden: «Beidemal ist der Gebrauch oder Mißbrauch der deutschen Sprache der Grund.» [2]

«Man kann es heute kaum noch begreifen»

A. E. von Hake: *Betrachtungen über die deutsche Sprache* in: *Bausteine zum deutschen Nationaltheater*, April 1935, S. 107–108.

In den deutschen Mythen zeigen sich die rassischen Merkmale der Sprache am schönsten. Wie heroisch-begeistert im Grunde die Sprache der germanischen Seele ist, zeigt das Nibelungenlied. Germanische Wahrträume, symbolisch aus Naturerscheinungen, die wie Offenbarungen aus einer anderen Welt klingen. Hier vereinigt sich in der deutschen Seele heroische, rauhe Tatenlust mit unendlicher feiner, frommer, göttlicher Empfindung.

Aus starker Leidenschaft wird sich die neue deutsche Rasse die neue volkhafte Ausdrucksmöglichkeit schaffen, die auch immer aufgebaut sein muß auf dem Fundament einer starken mythischen Tradition! Diese muß dem gesamten Volk die Wurzelkraft des Heroismus vererben! Denn daß wir unser höchstes Gut, die deutsche Sprache, relativ rein erhalten haben, das verdanken wir einzig unseren arischen Dichtern und Philologen, sowie nicht zuletzt dem werterhaltenden Stand des Bauernvolkes. Man kann es doch heute auch kaum noch begreifen, daß wir uns so lange von übel gearteten Menschen eine Geistes- und Sprachrichtung haben aufzwingen lassen, durch die arisch-nordisches Denken hinabgeschleudert wurde in die Klüfte verlogener Rabulistik und Kasuistik. Dieser Systemlosigkeit hat allein germanische Erbsubstanz und Transzendenz Stand gehalten, und sie allein ist es, die auf der Welt kosmischen Wert besitzt.

1 Georg Simmel, 1858–1918, Philosoph und Soziologe.
2 Pikant an dieser Auseinandersetzung ist, daß der erst von den Nationalsozialisten ernannte Universitätsprofessor Ernst Krieck keine Gelegenheit ungenutzt ließ, Martin Heidegger, der mit großer Propaganda spät in der NSDAP aufgenommen worden war, etwas am Zeuge zu flicken. Siehe auch: *Die Bildenden Künste im Dritten Reich* (Ullstein Buch 33030), S: 182.

«Mit aller Sprachpflege können wir keine einzige Granate drehen»

Typisch für die Zustände im Dritten Reich ist es, daß Schriftsteller ausgerechnet mit Wilhelm Baur über Sprachprobleme diskutieren.

Stempel:
Verlagssekretariat
eingegangen
10. Jan. 1939

Herrn
Wilhelm Baur
Vizepräsident der
Reichsschrifttumskammer
Berlin-Charlottenburg

Hans Friedrich Blunck
Altpräsident e. h. der
Reichsschrifttumskammer
Mitglied des Reichskultursenats und
des Senats der Akademie der Dichtung
Mölenhoffhuus, den 6. 1. 39
Post Greben/Holstein
Fernruf: Greben 1

Lieber Herr Baur!
Ich hatte vor einigen Tagen persönlich den beiliegenden Brief [1] an den Herrn Reichsminister geschickt, der wesentlich mit aus meinen Sorgen um die Verbindung zu den außerhalb liegenden, sprachdeutschen Landschaften entstanden war. Wir wissen ja außerdem von jenen Schmocks [2], die wir auch heute haben, die sich mit bombastischen Fremdworten umkleiden und meinen, damit ihre Parteitreue erweisen zu können. «Mit aller Sprachpflege», so las ich damals in einem Parteiblatt, «können wir keine einzige Granate drehen.»

Nun hat Reichsminister Goebbels selbst neulich jene Art Schrifttum, das hauptsächlich aus Angst vor Disziplin in Stil und Wortbildung gegen die Sprachpflege ist, Stellung genommen. Er hat der Dichtung die Sammlung und Fortbildung des Wortschatzes aufgetragen. Ich glaube aber nicht, daß man ohne freiwillige Helfer bei der Sammlung der Mundarten, wie auch bei der wissenschaftlichen Arbeit um unsere Sprache auskommen kann.

Mit freundlichen Grüßen

Heil Hitler!
Ihr Hans Friedrich Blunck

1 Dieser Brief ist leider in der Akte nicht vorhanden.
2 Schmock = Bezeichnung für gesinnungs- und kenntnislosen Journalisten; bezieht sich auf eine Gestalt Gustav Freytags in dessen Lustspiel *Die Journalisten*; nach Ansicht des Jiddisch-Philologen J. Mark aus New York – Brief an den Herausgeber vom 16. 1. 1963 – meinen viele, das Wort stamme aus dem Türkischen; Mark jedoch vertritt den Standpunkt, es komme aus dem Mittelhochdeutschen; in der jiddischen Sprache bedeutet es jedenfalls Phallus.

«Wahre Volkskönige»

Werner Schulze: *Schrifttum* in: *Jahrbuch für deutsche Sprache*, Leipzig 1941, S. 99–100.

Emil Dovifat [1]: Rede und Redner – Ihr Wesen und ihre politische Macht. Bibliographisches Institut, Leipzig 1939. 151 Seiten. 2,60 RM.

Was uns Dovifat vorlegt, ist eine höchst moderne, aus unserer Zeit geborene Schau des politischen Redners. Denn nur von der Rede, die den Anspruch erhebt, das schönste und wirksamste Mittel der Volksführung zu sein, ist hier die Rede. Nur von der, die die Tat als einziges Ziel vor sich sieht, die im Kampf um die Seelen selbst als stärkste Kraft auftritt, hie und da in der Geschichte der Völker als Predigt, meist aber auf politischem Felde. Je nach der Erreichung des Zieles mißt der Verfasser alles, die Mittel der Kunst, denen die erste Hälfte des Buches gehört, und die Redner selbst, mit deren Bildern er die zweite füllt. Überall, in Stil und Inhalt, weht hier die herbe Luft eines kämpferischen Zeitgeistes; überall aber bricht auch der Idealismus stärkster Forderungen durch. Dovifat verlangt Letztes vom großen Redner: daß er seine rednerischen Erfolge und sein ganzes persönliches Schicksal den Pflichten für das Volk unterordnet, dem er angehört und dienstbar ist.

Eindrucksvoller noch als die Ausführungen über die Redekunst ist die geschlossene Reihe der Redner in und nach dem Weltkriege. Ein halbes Dutzend rednerischer Charakterbilder, scharf gegeneinander abgesetzt, in Licht und Schatten fast grell beleuchtet: Kaiser Wilhelm II., der trotz zweifelloser Begabung, starker Phantasie, trotz der Fülle seiner sprachlichen Mittel doch scheitern mußte, weil er allzu selten die tiefe Kluft zwischen Redner und Hörer zu überbrücken wußte; Lloyd George, der Meister der unfeierlichen, humorvollen Rede; Clemenceau, dem kalte Vernunft und haßberstender Vernichtungswille seine Worte eingab; endlich Wilson, der lehrhafte Typus. Von diesen Männern des Weltkrieges läßt Dovifat sich am Ende die beiden großen Redner der folgenden Zeit abheben, Mussolini und Hitler, «wahre Volkskönige». An dem, was diese Männer, mit den verschiedensten Mitteln, geleistet haben, hat unsere Zeit, hat auch diese Schrift ihren Maßstab für den größten politischen Redner gefunden. [2]

1 Prof. Dr. Emil Dovifat, *1890, Zeitungswissenschaft; ausführlich siehe: *Presse und Funk im Dritten Reich* (Ullstein Buch 33028).

2 Auf Seite 143 seines Buches schreibt Emil Dovifat: «Sprechend legt Adolf Hitler gleichsam Quadern über Quadern, baut er die Sätze zunächst nebeneinander, um sie dann auf breiter Grundlage übereinander hoch und immer höher, fest und massiv zu türmen. Da stürzt nichts ein und bricht nichts zusammen! Kleinen Zierat liebt er nicht, dafür aber quillt oft unvermittelt in seiner Rede der Zauber echter Menschlichkeit. Den Gegner erledigt er nicht mit schlankem

«Heil» und «Heilig»

Pastor Hans Hartmann (aus Lenglern): *«Heil» und «Heilig» im nordischen Altertum. Eine wortkundliche Untersuchung.* – Dissertation zur Erlangung des Doktorgrades der Philosophischen Fakultät der Georg-August-Universität zu Göttingen, Göttingen 1941, S. 150–151; Berichterstatter: Prof. Dr. Wolfgang Krause und Prof. Dr. Friedrich Neumann.

Siehe auch die Dissertation von Manfred Pechau: *Nationalsozialismus und Sprache,* Greifswald 1935, und die Dissertation von Kurt Pipgras: *Faschismus und Sprache,* Philosophische Fakultät der Universität Kiel 1941, Berichterstatter: Prof. Dr. Hermann Gmelin und Prof. Dr. Erich Burck.

Die Wortsippe «heill» stand zur Untersuchung. Wir begannen mit dem Adjektivum «heill», das zunächst ganz einfach und sachlich nichts anderes bedeutete, als daß irgend jemand oder irgend etwas unversehrt sei.

Aber diese Bedeutung des Wortes schließt eine zeitliche Begrenzung ein, d. h. es kann in bezug auf den Menschen eine Unversehrtheit nur für einen gegebenen Augenblick oder eine Zeitspanne ausgesagt werden, es kann aber niemals «Unversehrtheit an sich» d. h. für die Dauer dem Menschen oder überhaupt irdischen Dingen eigen sein. Diese «Unversehrtheit an sich» ist höheren Gewalten vorbehalten.

Die Wirkungen dieser Macht auf das Erdenleben sind vielfältiger Art und werden auf mannigfaltige Weise vorgestellt und benannt. Das Substantivum «heill» bezeichnet diese Macht als «Unversehrtheit an sich», aber nicht als ruhender Pol, sondern als ein ungemein Wirksames, das in seinen Wirkungen kennbar wird, und den, den es trifft, zu positiven Leistungen befähigt.

Und in diesem Sinne einer numinosen Kraft ist es aufgenommen worden in die Dynamik des nationalsozialistischen Sprachschatzes. So treffen wir es in guter Wiedererneuerung des alten Sinnes, wenn wir heute z. B. vom «heiligen Vaterland» reden, wie wir auch den deutschen Gruß «Heil Hitler» auf Grund dessen, was wir über die Grußformen des Altertums gesagt haben, einreihen müssen in die Kategorie derer, die Ellipse des Verbums erlitten haben und imperativisch ergänzt werden müssen auf: «ver pu heill Hitler!», wodurch dem Begrüßten der Wunsch ausgesprochen wird: «Sei du glücklich in Hitler!» d. h. durch die Weltanschauung, deren Exponent Adolf Hitler ist, also durch die nationalsozialistische Weltanschauung.

Degen, wie das Dr. Goebbels tut, sondern mit dem breiten Zweihänder, dem Schwerte der gründlichen und einmaligen Exekution.»

«Führer befiehl, wir folgen Dir»

Georg Kühn: *Der Befehl – Eine sprachkundliche Betrachtung* in: *Zeitschrift für Deutschwissenschaft und Deutschunterricht*, 1943, S. 169.

Daß keine menschliche Gemeinschaft ohne Sprache gedacht werden kann, ist eine bekannte Tatsache. Aber man hat dabei meist zu einseitig jene geistige Gemeinschaft im Auge, die auf dem Verstehen des Wortes und damit auf der Teilhabe an einem gemeinsamen Gedankengut beruht. Wir sahen, daß die Tatgemeinschaft von Führer und Gefolgschaft in gleicher Weise durch die Sprache getragen wird. Das gilt auch für die umfassendste Sprachgemeinschaft, das Volk. Gewiß bedeutet für unser völkisches Leben die Muttersprache in erster Linie ein Band der Verständigung und damit die Voraussetzung für den gemeinsamen Besitz unserer geistigen Kultur. Aber gerade heute, in unserem Daseinskampf, spüren wir, daß sie mehr ist. Sie schweißt uns zu einer unlöslichen Willenseinheit zusammen. Der Befehl des Führers ruft das Volk zu geschichtlicher Tat: «Führer befiehl, wir folgen Dir.»

Schrift

All dies liegt auf der Hand

Johannes W. Harnisch: *Deutsche Schrift* in: *Berliner Lokal-Anzeiger* vom 21. 6. 1933, Morgenausgabe.
  Harnisch 1883–1947, war Schriftsteller (Roman, Novelle, Politik).

Wenn man die kleine, aber aufschlußreiche Schriftausstellung in der staatlichen Kunstbibliothek aufmerksam durchwandert, dann ist der stärkste Eindruck, den man erhält, der: Wie unvergleichlich formenreicher und schöner ist die sogenannte deutsche Schrift als die sogenannte lateinische!

Solche Dinge sind nie ein Zufall. Die Wissenschaft ist noch nicht so weit und wird sehr möglicherweise auch nie so weit kommen, daß sie zu erklären vermöchte, aus welchem Grunde der Germane, der Deutsche, seine Schrift so ausgestaltet hat, wie er dies tat. Stellt man aber ein Runen-Alphabet, ein deutsches und ein lateinisches, miteinander zusammen, so sieht der erste Blick des Unbefangenen, was zusammen gehört und was einander fremd ist. Runen und gotisches Alphabet tragen deutlich spürbar gemeinsame Charakterzüge; ganz fremd steht in seiner langweiligen Gleichförmigkeit, die nur gerade Striche und Kreisbogen kennt, das lateinische Alphabet daneben.

All dies liegt auf der Hand. Und doch hat man es übersehen? Man hat. Daß man es übersah, übersehen konnte, ist das nicht sehr aufschlußreich? Zeugt es nicht dafür, daß auch beim Liberalisten, der reine Vernunftgründe anzuführen glaubt, ihm selbst unbemerkt Dinge des Blutes auch hier mitsprechen? Mustert man die alten Kampffronten der Deutsch-Schriftler und der Latein-Schriftler, so ergibt sich die aufschlußreiche Tatsache, daß die Front der Latein-Schriftler genau so weit reichte, wie in den Parteien und in der Presse jüdischer Einfluß herrschend war. Das gilt fast ohne jede Ausnahme.

Wir sind von dem Wahn geheilt

Rudolf Koch: *Die deutsche Schrift* in: *Die Neue Literatur*, 1937, Seite 537–538.

Es ist noch gar nicht gesagt, daß die lateinische Schrift auch weiterhin die Welt beherrschen wird, weil fast alle Kulturvölker sie zur Zeit angenommen haben. Diese Kulturwelt ist es ja gar nicht mehr gewöhnt, daß ihr ein Volk mit eigener Art entgegentritt. Bis jetzt hat sich alles vor ihr gedemütigt, alles, was in ihren Kreis trat, sollte und wollte auch ihr Sklave sein.

Wir sind von dem Wahn geheilt, daß wir sein müßten, wie die anderen sind, um leben zu können und zur Geltung zu kommen. Wir wollen den Widerstand ruhig wagen und auch unsere deutsche Schrift wieder hervorholen, die schon halb vergessen schien und deren man sich schämte. Wir wollen auch in diesem Stück wieder wir selbst sein und der matten Gleichmacherei der anderen unser eigenes, besonderes, kräftiges und ungeteiltes Wesen mit um so größerer Entschiedenheit entgegenzusetzen.

Wir fragen gar nicht nach der reinen Zweckmäßigkeit, für uns ist die deutsche Schrift viel mehr, als für die anderen die Latein-Schrift ist. Sie ist uns Ausdruck unseres eigentümlichen und besonderen, eben unseres deutschen Wesens, das sich mit Worten gar nicht weiter umschreiben läßt.

Historisch nicht haltbar

Aus dem Archiv des Instituts für Zeitungswissenschaft, München. Hinsichtlich der Schriftart herrschte im Dritten Reich ein ziemlicher Wirrwarr; 1933 verfügte Reichsminister Wilhelm Frick, für Schreibmaschinen sei «deutsche Schrift» einzuführen; am 23. 1. 1941 gab der Reichsschatzmeister der NSDAP, Franz Xaver Schwarz, die Anordnung 2/41 heraus, derzufolge die «gotische Schrift keine deutsche Schrift» sei, sondern «auf die Schwabacher Judenlettern zurückzuführen» war. Siehe Dokument CXLIII – 274 und Joseph Wulf: *Martin Bormann – Hitlers Schatten*, Gütersloh 1962, S. 124–125.

	Reichspropagandaamt Berlin
	Z. I. Nr. 4/41 Sta.
Geheim!	Berlin C 2, den 13. Januar 1941
Presse-Rundschreiben Nr. II/19/41	Leipzigerstr. 81 Tel.: 16 39 54

Betr.: Vertrauliche Mitteilungen! (Nur zur Information, nicht jedoch zum Abdruck bestimmt!)

Da für die Zukunft mit einer schrittweisen Umstellung von der sogenannten gotischen Druckschrift zur Antiquaschrift, die als Normalschrift anzusehen ist, zu rechnen sein wird, ist von jeder Art Bezeichnung der gotischen Schrift als deutscher Schrift Abstand zu nehmen. Eine solche Bezeichnung ist historisch auch nicht haltbar.

Presse-Referat
i. A. Unterschrift
(Hans)
m. d. L. b.

Rundschreiben

Rundschreiben Nr. 22/40

An alle Landeskulturwalter
und die Landesleitungen
in Wien

Der Präsident der Reichskulturkammer
Berlin, den 6. Februar 1941
118/8. 2. 41–9/5
Ref. Knittel/Be

Nachstehend gebe ich Ihnen einen Erlaß des Reichsministeriums für Volksaufklärung und Propaganda mit der Bitte um Kenntnisnahme und Beachtung bekannt:

«Der Führer hat entschieden, daß die Antiqua-Schrift künftig als Normalschrift zu bezeichnen ist und daß sämtliche Druckerzeugnisse auf diese Normalschrift umgestellt werden müssen. Die Anordnung des Führers, *die nicht veröffentlicht werden soll,* wird hiermit zur Kenntnis gebracht.»

i. A. Hinkel

Eine kostspielige Änderung

Herrn Wilhelm Ihde zur Kenntnis
handschriftlich:
ges. Ihde 20. 2. z. d. A.

Stempel:
Reichsschrifttumskammer
20. Feb. 1941

Aktenvermerk

Betr.: Sitzung im Reichswirtschaftsministerium wegen der Einführung der Antiquaschrift als Normalschrift.

Die Sitzung wurde von einem Ministerialrat des Reichswirtschaftsministeriums geleitet. Es nahmen daran teil u. a. der Beauftragte für den Vierjahresplan, die Wirtschaftsgruppe Druck, die Vertretung des Schriftgießereigewerbes, das Reichspropagandaministerium, die Reichspressekammer und die Reichsschrifttumskammer. Zunächst wurde von Herrn Dir. Bartosch, dem Vertreter der Wirtschaftsgruppe Druck, dargelegt, daß für ungefähr 4–500 Millionen RM Schriftmaterial in den Druckereien investiert sei. Davon entfielen etwa 200 000 000 RM auf

381

die Fraktur. Er wies darauf hin, daß die Umstellung wirtschaftlich nicht ganz einfach zu bewältigen wäre. Selbstverständlich würde das Druckereigewerbe alles tun, um dem Befehl des Führers so schnell wie möglich nachzukommen. Der Referent des Wirtschaftsministeriums wies darauf hin, daß es in der heutigen Sitzung lediglich darauf ankäme, festzustellen, wo die Umstellung auf die Antiquaschrift am dringlichsten wäre, und das sei ja vor allem auf dem Gebiete der Reichspressekammer und der Reichsschrifttumskammer. Der Vertreter der Reichspressekammer machte kurze Andeutungen, daß der Präsident der Reichspressekammer zunächst angewiesen habe, daß die wichtigsten neun Zeitungen und Zeitschriften, die auch für das Ausland in Frage kommen, im Laufe der nächsten sechs Monate ganz auf Antiqua umgestellt werden können.

Ein Vertreter des Schriftgießereigewerbes begann ein langes Exposé vorzulesen, das vor allen Dingen darauf hinwies, welche Kapitalien in den Frakturschriften investiert seien und daß durch das Zurückdrängen der Fraktur auch die Schriftgießereien erheblich geschädigt würden. Der Vorsitzende dieser Sitzung wies diese Ausführungen aber zurück mit dem Bemerken, daß hier im Ausschuß zunächst nur besprochen werden solle, welche Schritte notwendig wären, um die Umstellung auf die Antiqua vor allem auf dem Gebiete der Presse und des Schrifttums so schnell wie möglich sicherzustellen. Es warf jemand ein, daß z. B. das Postministerium von heute auf morgen alle seine Formulare in Antiqua drucken lassen und also noch nicht einmal die alten Bestände aufbrauchen wolle. Es wurde darauf hingewiesen, daß das ja eine Papier- und Arbeitsverschwendung wäre und daß dies wohl langsam übergeleitet werden könnte, abgesehen davon, daß die Druckereien einem derartigen Ansturm nicht gewachsen seien. Vom Reichspropagandaministerium und von der Reichsschrifttumskammer wurde bemerkt, daß eine langsame Überleitung auch dadurch gesichert sei, daß Stehsätze weiterhin benutzt werden sollen und nur Neusatz in Antiqua, und zwar in den bereits vorgesehenen Fällen genehmigt werden würde. Der Ministerialrat aus dem Reichswirtschaftsministerium schloß die Sitzung mit der Bemerkung, daß er sein Ziel durch diese Sitzung vollauf erreicht hätte, nachdem er von der RPK und RSK derartige Vorschläge habe entgegennehmen können. Inwieweit die Metallfrage, die Herstellung neuer Matrizen im Schriftgießereigewerbe von Bedeutung sei, würde noch in besonderen Sitzungen besprochen werden müssen. Es sei gewissermaßen Aufgabe des Wirtschaftsministeriums, die Erfüllung des Befehls des Führers so weitgehend wie möglich, selbstverständlich im Rahmen des Gegebenen (Arbeitskräfte und Material) zu fördern.

Leipzig, am 14. Februar 1941   Unterschrift

Falsch

Dr. G. Krause: *Nur noch deutsche Normalschrift* in: *Völkischer Beobachter* vom 17. 8. 1941.

Vom Beginn des Mittelalters an bis etwa in die Zeit hinein, wo Gutenberg seine erste Bibel druckte, schrieb das ganze Abendland – soweit es überhaupt schreiben konnte – dieselbe Schrift. Diese entstammte zwar der Schrift Roms, hatte aber durch Einführung von kleinen Buchstaben in der Karolingerzeit und durch den Stilwandel von der romanischen zur gotischen Zeit erhebliche Wandlungen erfahren; insbesondere waren die Schriftlinien gebrochen worden: daher heute noch der Name «Fraktur» für diese Schrift in der Druckerfachsprache, vom lateinischen frangere = brechen.

Erst in der Zeit der Renaissance kam neben ihr eine zweite Schriftart auf, entstanden im Zuge der Wiederentdeckung der Antike aus dem Zurückgehen ebenfalls auf die Schrift Roms, aber unter Außerachtlassung aller seit der Völkerwanderung eingetretenen Wandlungen und darum «Antiqua» oder Altschrift genannt, und eroberte sich allmählich das ganze Abendland mit Ausnahme Deutschlands, wo die beiden Schriftarten bis in die Gegenwart hinein im Streite gelegen haben.

Wenn in diesem Streit die «Fraktur» als deutsche gegen die «antiqua» als lateinische Schrift abgesetzt, und wenn behauptet worden ist, jene entspräche allein der deutschen Eigenart, so ist das genau so falsch, als wenn man sagen wollte, die romanischen Kaiserdome von Speyer, Worms und Mainz oder die Bauten Schinkels oder die des Führers seien weniger deutsch als die Bauten der Gotik. Ähnlich steht es mit dem Neben- oder Gegeneinander von «deutscher» und «lateinischer» Schreibschrift: auch diese beiden entstammen einer gemeinsamen, frühmittelalterlichen Wurzel.

Das Nebeneinander der «lateinischen» und «deutschen» Druck- und Schreibschriften mußte einmal ein Ende haben.

Die Entscheidung ist gefallen.

Skizzen

Goethe

Bei den folgenden Goethe-Auslegungen handelt es sich um für die Öffentlichkeit – in Wort und Schrift – bestimmte offizielle Versionen. Heinrich Himmler und Reinhard Heydrich hatten beispielsweise ganz andere Vorstellungen von Goethe. Im berüchtigten Gestapo-Haus in der Prinz-Albrecht-Str. 8 befand sich nämlich ein Museum, das zu besichtigen Prof. Carl J. Burckhardt 1936 in Gesellschaft Heydrichs Gelegenheit hatte, s. *Meine Danziger Mission 1937–1939*, München 1962, S. 58; in jenem «Museum» gab es auch eine Goethe-Abteilung, über die Prof. Burckhardt berichtet: «Bevor wir die aus allen Freimaurerlogen Deutschlands zusammengeplünderte Dekoration verließen, öffnete der Obergruppenführer noch einen schmalen Raum, der hell erleuchtet war, und von der Wand strömte mir aus drei gerahmten Manuskripten, wie Trost, Goethes vertraute Handschrift entgegen. ‹Goethe als Lügner› stand über den gerahmten Manuskripten, und ich las zuerst zwei kurze Briefe; im ersten teilte Goethe seine Zugehörigkeit zu einer Rosenkreuzergesellschaft mit, im zweiten, bei Anlaß seines Aufnahmegesuches in eine Loge, versicherte er eidesstattlich, nie einer Geheimgesellschaft angehört zu haben. Dann waren drei weitere Briefe vorhanden. Im ersten versprach Goethe Frau von Stein, sie am späten Nachmittag aufzusuchen, im zweiten teilte er einem vorübergehend in Weimar weilenden Reisenden mit, daß er ihn um jene selbe Zeit nicht empfangen könne, da er sich zu einer Persönlichkeit, deren Name mir entfallen ist, verfügen müsse, und diesem Betreffenden schreibt er in einem dritten Billett, er sei durch das Kommen des Reisenden daran verhindert, seiner Einladung zu folgen.»

Zitate

Alfred Greiss: *Goethe und das neue Deutschland* in: *Deutsche Bühne*, Dezember 1933, S. 133–134.

Der Geist der Zersetzung und der Herabwürdigung alles Deutschen, der jahrelang in Wort und Schrift dem deutschen Volke eingeimpft wurde von jenen verantwortlichen Herren, die heute vom Auslande her eine um so maßlosere Hetze gegen das neue Deutschland betreiben, muß ausgerottet werden. Für sie gelten die Worte aus Goethes Faust: «Und wenn ihr schreiet, wenn ihr klagt, – daß ich zu grob mit euch verfahre, –

und wer euch heut recht derb die Wahrheit sagt, – der sagt sie euch auf
tausend Jahre.»

Daß Goethe die Notwendigkeit des Zusammenwirkens der Nation
mit dem Künstler empfunden hat, ergibt sich aus verschiedenen Stellen
seiner Werke, die eine aus «Tasso» möge hier genügen:
«Ein edler Mensch kann einem engen Kreis
Nicht seine Bildung danken, Vaterland
Und die Welt muß auf ihn wirken, Ruhm und Tadel
Muß er ertragen lernen. Sich und andere
Wird er gezwungen, recht zu kennen, ihn
Wiegt nicht die Einsamkeit mehr schmeichelnd ein,
Es will der Feind – es darf der Freund nicht schonen;
Dann übt der Jüngling streitend seine Kräfte,
Fühlt was er ist, und fühlt sich bald ein Mann.»

Sehschärfe

Dr. Arthur Dix: *Politik als Staatslehre, Staatskunst und Staatswille* in: *Zeitschrift für Politik*, Berlin 1934, Band 24, S. 539.

Dr. phil. Arthur Dix, 1875–1935. Gegen seine Ausführungen protestierte Dr.
Willi Kunz in seinem Buch: *Goethe und das Politische*, Frankfurt a. M. o. J.,
S. 68–69, scharf und meinte: «Die nationalsozialistische Weltanschauung ist
nicht die Synthese aus Goethe und dem friderizianischen Staat. Sie ist und
bleibt für das deutsche Volk schicksalhaft die Tat Adolf Hitlers.»

Adolf Hitler ist nicht nur der Erneuerer echt friderizianischer Staatsführung, er ist auch der Erfüller des politischen Testaments des großen
deutschen Universalgeistes Goethe. Goethe läßt am Ende seines gewaltigen Lebenswerkes Faust als Propheten der Bauern- und Siedlungspoli-
tik erscheinen. Mehr noch: Goethe läßt durch den Verlust des physischen
Augenlichtes Faust geistig um so heller sehend werden. Auch Adolf Hitler ist nach zeitweiligem Verlust der körperlichen Sehkraft mit um so
stärkerer Sehschärfe begnadet worden.[1] Und gerade im Moment der
äußeren Erblindung läßt Goethe den geistig um so klarblickender gewordenen Faust das ewige Leitwort des Führerprinzips prägen: «Daß
ich das größte Werk vollende, genügt ein Geist für tausend Hände.»

1 Im Oktober 1918 lag das Regiment Hitlers in Werwick südlich von Ypern;
in der Nacht vom 13. zum 14. Oktober unternahmen die Engländer einen
Gegenangriff, bei dem Hitler einen Augenschaden erlitt; er wurde ins Lazarett
nach Pasewalk in Pommern geschafft, und während er dort noch behandelt
wurde, endete der Erste Weltkrieg mit dem Waffenstillstand am 11. 11. 1918.

Ein Kommentar

Das Nationale in der Kunst, in: *Theater-Tageblatt* vom 19. 10. 1935; der folgende Kommentar erschien im Zusammenhang mit einem Programmheft des Bayerischen Staatstheaters, in dem von dem Historiker Heinrich von Treitschke, 1834–96, der Satz zitiert wurde: «Niemand hat die Wandlung im deutschen Volksgemüt, das Erstarken des freudigen nationalen Selbstgefühls mächtiger gefördert als Goethe.»

Als Goethe? Mancher, der dies liest, wird glauben, sich verschaut zu haben. Man hat ihn gelehrt, daß Goethe ein großer Dichter, aber ein Mann war, dessen antikische und weltbürgerliche Neigungen ihn gleichgültig gemacht hätten gegen das Nationale – was sein vielgerügtes Sichzurückhalten während der deutschen Befreiungskriege bezeuge. Indessen, lassen wir beiseite, wieweit dies wahr oder schief gesehen, eines bleibt: da jenen Satz Heinrich von Treitschke verantwortete: der leidenschaftliche nationalste Historiker von Rang, den Preußen-Deutschland hervorgebracht.

Dieser unverdächtige Kronzeuge hat aber seinen Satz nicht hingeschrieben, um eine Legende über Goethes Nationalverhalten zu zerstören. Ihm kam es auf etwas anderes an.

Indem die Deutschen an Goethes Werk, durch Goethes herrlich innige Sprache erlebten und erfuhren, wie hoch hinauf, in welche Tiefen deutsches Wesen reicht, und dieses also gestaltete, ans Licht gehobene Wesen obendrein die Bewunderung der ganzen Welt erfuhr, mehrte sich ihr freudiges nationales Selbstgefühl mächtig – dank Goethe. Das ist es, was Treitschke dankbar bestätigen und dem Nachdenken überliefern gewollt.[1]

Gesetz zum Schutze der Großen der Nation

Hauptversammlung der Goethe-Gesellschaft in Weimar, in: *Völkischer Beobachter* vom 9. 6. 1936; die Hauptversammlung fand am 6. und 7. 6. 1936 statt; die *Goethe-Gesellschaft* ist am 21. 6. 1885 gegründet worden mit dem Sitz in Weimar; ihr Vorsitzender war 1936 Prof. Dr. Julius Petersen, Vorsitzender des Ortsausschusses war Oberbürgermeister a. D. Dr. Martin Donndorf und Geschäftsführer Freiherr Dr. Hellmuth von Maltzahn.

1 Im ähnlichen Sinne interpretierte auch E. G. Kolbenheyer Goethe; «Als Kämpfer für eine volksgebundene Weltanschauung *reinigt* er [Kolbenheyer] das Goethebild von der Mißdeutung einer internationalen Geistigkeit» – in Georg Kabitzky: *Kolbenheyers Goethebild* in: *Goethe, Viermonatsschrift der Goethe-Gesellschaft,* 1939, Band 4, S. 289.

In seiner Ansprache wies Professor Petersen [1] auf die Schriften der Gesellschaft hin, insbesondere auf die Schrift des Herausgebers des Goethejahrbuches, Prof. Max Hecker [2], Weimar, «Schillers Tod und Bestattung», in der alle Dokumente gesammelt sind, die sich auf dieses Thema beziehen. Die Schrift habe außerordentlich befreiend gewirkt angesichts einer tendenziösen Legendenbildung, die Goethe in Beziehung zu Schillers Tod setzte (Goethe soll Schiller angeblich vergiftet haben) und das Andenken dieses Großen unverantwortlich in Mißkredit bringe. [3]

An Stelle des verhinderten Ministerpräsidenten und Reichsstatthalters ergriff dann der Gaukulturwart, Staatsrat Ziegler [4], das Wort, um die Grüße des Reichsstatthalters und der thüringischen Regierung zu überbringen. Er eröffnete der Versammlung, daß er anläßlich des Aufenthalts des Führers in Weimar Gelegenheit haben werde, im Hinblick auf die von Prof. Petersen erwähnten Angriffe auf Goethe ein Gesetz zum Schutze der Großen der deutschen Nation anzuregen. Selbstverständlich wird es stets ein besonderes Anliegen der nationalsozialistischen Wissenschaft sein, das Andenken der Großen der deutschen Nation rein zu erhalten und dem deutschen Volke die Größe und die Bedeutung seiner geistigen Heroen nahe zu bringen. Auch wird das eine Wissenschaft, die bisher bewußt am Nationalsozialismus vorbeigegangen ist, nicht als einen Freibrief auffassen können, im alten Geiste weiter fortzufahren; sondern die nationalsozialistische deutsche Wissenschaft ist aufgerufen, hier kämpferisch einzugreifen und sich ihrer geistigen Heroen würdig zu erweisen.

1 Prof. Dr. Julius Petersen, 1878–1941, Sprachwissenschaft, Literaturgeschichte, Theaterwissenschaft; siehe auch: *Deutschland und Goethe*, Vortrag von Prof. Petersen in: *Kölnische Zeitung* vom 29. 8. 1935.

2 Prof. Dr. Max Hecker, 1870–1948, Philosophie, deutsche Literaturgeschichte, Herausgeber des *Jahrbuchs der Goethe-Gesellschaft*.

3 Es handelt sich um Mathilde Ludendorff, die noch 1929 in Veröffentlichungen den Standpunkt vertrat, Schiller sei mit Wissen Goethes von den Freimaurern vergiftet worden. Siehe M. Ludendorff: *Der ungesühnte Frevel an Luther, Lessing, Mozart und Schiller*, Frankfurt a. M. 1929; *Schillers Krankheit und Tod*, in: *Frankfurter Zeitung* vom 10. 6. 1936; *Goethe, Vierteljahresschrift der Goethe-Gesellschaft*, 1936, Band 1, S. 229 f.

4 Dr. Hans Severus Ziegler.

«Du handelst im Sinne des Mannes, dem du dienst»

Baldur von Schirach vor der Hitlerjugend in Weimar, in: *Frankfurter Zeitung* vom 16. 6. 1937; aus Baldur von Schirachs Eröffnungsrede zu den *Weimarer Festspielen der deutschen Jugend*; siehe auch: *Erwin Guido Kolbenheyer über Goethe*, in: *Goethe, Viermonatsschrift der Goethe-Gesellschaft*, 1938, Band 3, S. 226–227.

Ein zum Götzen eines abstrakten Ästhetentums und einer demokratisch-liberalen Vaterlandslosigkeit verfälschter Goethe habe nichts mit den marschierenden Kolonnen der Jugend des Dritten Reichs zu tun. Für manche habe wohl Goethe das Ideal einer durchaus individualistischen Bildung verkörpert und die «klassische» Schulbildung habe das bestätigt. In Goethes Werken aber solle man nachlesen, um zu finden, daß er eines anderen Geistes sei, als seine Interpreten es vielfach zu deuten versucht hätten. In Goethes Wahlverwandtschaften stehe das Wort: «Männer sollten von Jugend auf Uniform tragen, weil sie sich gewöhnen müssen, gemeinsam zu handeln.»

Beginne die heutige Jugend wieder in zunehmendem Maße Gott in einfacher und klarer Gläubigkeit zu erleben, so lasse ein tiefes Wort Goethes auch dies verständlich erscheinen: «Keine Religion, die sich auf Furcht gründet, wird bei uns geachtet!» Zum Schluß sagte Baldur von Schirach, Adolf Hitler habe die Ehrfurcht gelehrt und damit die großen Geister der Nation beschworen, die gegenwärtigen und die vergangenen. Der Reichsjugendführer rief der deutschen Jugend zu: «Du handelst im Sinne des Mannes, dem du dienst, wenn du den Inhalt dessen, was der Begriff Weimar und Goethe umschließt, in dir aufnimmst und in einem neuen und tapferen Herzen einschließt.»

Das Urteil

Heinz Kindermann: *Persönlichkeit und Gemeinschaft in Goethes dichterischem Werk* in: *Goethe, Viermonatsschrift der Goethe-Gesellschaft*, 1938, Band 3, S. 83.

Vom genialischen Stürmer und Dränger, vom trotzigen Sänger des prometheischen Selbstgenusses hat Goethe sich in schweren Erschütterungen und oft in hartem Widerspruch zu seiner individualistischen Mitwelt durchgerungen zu einem willenhaft-organischen Bild der typisch germanischen Haltung, vor der Persönlichkeit und Gemeinschaft keine Gegensätze mehr sein dürfen, soll die Nation nicht schlimmsten Gefahren ausgesetzt werden.

So wird es uns nicht wundern, daß der Dichter, dem wir das wundersame Wort «Volkheit» verdanken, aus diesem Verantwortungsbewußtsein der schöpferischen Persönlichkeit vor der Gemeinschaft seines Volkes seherisch auch schon das Urteil fällte, das Irrwege von der Art der Revolte von 1918 verurteilt, jeden Akt der Wiedergeburt unserer Nation dagegen als organisch gewachsene arteigene Erneuerung von ganzem Herzen bejaht.

Seltsamerweise

Goethe an uns, in Hermann Gerstner und Karl Schworm: *Deutsche Dichter unserer Zeit*, München 1939, S. 439. Dr. phil. Hermann Gerstner, Schriftsteller (Lyrik, Roman, Novelle), *1903; Karl Schworm, Schriftsteller (Roman, Erzählung), *1890

In den «Wahlverwandtschaften»[1] begegnete mir einst das seltsame Wort: «Männer sollen von Jugend auf Uniform tragen, weil sie sich gewöhnen müssen, zusammen zu handeln, sich unter ihresgleichen zu verlieren, in Masse zu gehorchen und ins Ganze zu arbeiten.» Es wurde mir damals schlagartig offenbar, daß Goethe in einer Zeit, da Deutschland aus drei Dutzend Staaten bestand, die innere Schau einer einheitlichen idealen deutschen Nationalerziehung besaß.

Seltsam, daß das Erziehungssystem Adolf Hitlers begründet wird durch Gedanken und Ratschläge, die dieses ganze vergangene Jahrhundert hindurch von den zünftigen Erziehern überlesen oder gar mißachtet wurden. Solche sehr klugen Geister meinten wohl mitunter, man solle Goethe als Dichter bewundern, von anderen Geschäften habe er weniger verstanden. Nun ist das gerade das Besondere der Goethischen Gestalt, daß sie eine, ich möchte sagen, universale Offenbarung ist und wir an den Dichter Goethe nicht denken können wie an einen Schriftsteller, dessen literarisches Werk uns Genüge tut und nicht zu einem ständigen Forschen nach seinem Leben antreibt.

Vorahnend

Hitlerjugendtagung in Weimar, in: *Völkischer Beobachter* vom 16. 6. 1941.

Mittelpunkt der Reichskulturtagung der Hitlerjugend, die zur Zeit in Weimar stattfindet, war der Festakt im Deutschen Nationaltheater, wo Obergebietsführer Dr. Rainer Schlösser sich in grundlegenden Ausfüh-

---

[1] *Die Wahlverwandtschaften*, Roman von Goethe.

rungen mit dem Lebenswerk Goethes – auf den großdeutschen Raum und die Reichsidee bezogen – auseinandersetzte.

Dr. Schlösser unterstrich einleitend in seinen Betrachtungen, daß Weimar der versammelten großdeutschen Jugend nicht nur das Anschauen der Gedächtnisstätten und nicht nur die Überzeugung, daß hier neben der Stille auch der Fleiß unvergängliche Früchte getragen hätte, zu vermitteln habe, sondern daß diese Kulturstätte durch Goethe und die Unvergeßlichen neben ihm immer schon das heute vom Führer verwirklichte Großdeutschland vorahnend gefordert haben.

Rainer Schlösser belegte dann durch eine Fülle von Bezogenheiten aus dem Werk und dem Leben Goethes, wie sehr Dichter und Mensch stets die Deutschheit dieser Landschaften empfindet.[1]

Das neue Weimar

Das neue Weimar Adolf Hitlers, in: *Die Kunst im Dritten Reich*, 1937, S. 22; siehe auch Wolfgang Goetz: *Fünfzig Jahre Goethe-Gesellschaft*, Weimar 1936, S. 88: «Und nun geschah das große Wunder: In der letzten Stunde des Tages, an dem Friedrich Schiller vor einhundertfünfundsiebzig Jahren geboren wurde, vernichtete Adolf Hitler mit einem Federstrich Trauer und Schmach.»

Das einst von der Sonne Goethes beschienene Weimar, die Stätte klassischer deutscher Dichtkunst, ein Hort der bildenden Künste, der Musik und des Theaters, die Stadt, in der sich neben München als Hauptstadt der Bewegung die neue deutsche Wiedergeburt «markant, rasch und geradlinig» vollzog, erhält nunmehr am Eingang zu der geschichtlichen Stadt eine ihrer Tradition und wiederum erneuten Bedeutung im Dritten Reiche zukommende monumentale Repräsentation im Platz Adolf Hitlers.

Weimar ist mit dem Führer und der Geschichte der Bewegung aufs engste verbunden. Hier wurde das sogenannte krampfhaft aufgerichtete «Weimarer System» der Novemberdemokratie mit am schnellsten und gründlichsten überwunden. Schon im Jahre 1924 nimmt die Bewegung Adolf Hitlers entscheidend Einfluß auf die Regierungsgesetze. Seit der Neugründung der Partei im Jahre 1926 gewann der Nationalsozialismus in Thüringen seine Vormachtstellung. Am 3. Juli 1926 fand hier der erste Reichsparteitag statt. 1930 wurde der jetzige Reichsminister Par-

---

1 Im *Hamburger Tageblatt* vom 15. 6. 1941 ist Rainer Schlössers Rede noch folgender Satz wörtlich entnommen: «Nur als Goethe nach Krakau kam, blieben ihm die Spuren [der Deutschheit] verborgen, desto deutlicher erkennen wir sie heute.»

teigenosse Dr. Frick thüringischer Innen- und Volksbildungsminister.[1]
1932 konnte bereits auf Grund eines überwältigenden Wahlergebnisses
eine rein nationalsozialistische thüringische Regierung aufgestellt werden.

Schiller

Der Wesenskern

Der Führer ehrt Friedrich von Schiller, in: *Völkischer Beobachter* vom 13. 2.
1934; siehe auch Eberhard Wolfgang Möller: *Die Entdeckung Schillers* in: *Der
neue Weg* vom 15. 11. 1934, S. 37–72.

Weimar, 12. November
Der Liberalismus vergangener Epochen hat immer wieder versucht, die
beiden Weimarer Dichterfürsten Friedrich von Schiller und Wolfgang
von Goethe für sich in Anspruch zu nehmen.

So wurde das Beste und Edelste ihres Schaffens verfälscht und der Nation ein Zerrbild ihres wirklichen Seins gezeigt. Friedrich von Schiller
war ein Revolutionär, und so versuchten die Männer der Revolte nach
dem Weltkriege aus dem glühenden Nationalisten Schiller einen Jakobi-
ner zu machen. Zeigte er uns den wahren Begriff der Freiheit, der nur in
der Gemeinschaft fußen kann, so versuchten sie ihrer Zügellosigkeit den
Mantel einer Freiheit Schillerscher Prägung umzuhängen.

Erst dem Nationalsozialismus blieb es vorbehalten, den wahren Friedrich von Schiller dem deutchen Volk wiederzugeben und ihn als das
zu zeigen, was er wirklich ist: der Vorläufer des Nationalsozialismus,
ein deutscher Dichter und Idealist, der jene Worte poetisch formte, die
heute den Wesenskern des Nationalsozialismus ausmachen: «Immer
strebe zum Ganzen, und kannst du selber kein Ganzes werden, als die-
nendes Glied schließ an ein Ganzes dich an!»

1 Dr. jur. Wilhelm Frick, 1877–1946; nach dem Hitler-Putsch in München
1923 zu Festungshaft verurteilt; 1924 Reichstagsabgeordneter der NSDAP;
hier wird allerdings nicht erwähnt, daß Dr. Frick sich noch 1930 vergeblich
bemühte, den staatenlosen Adolf Hitler in Hildburghausen zum Gendarmerie-
kommissar zu machen, um ihm auf diese Weise die reichsdeutsche Staatsbür-
gerschaft zu beschaffen. Ausführlicher darüber Rudolf Morsey: *Hitler als
Braunschweiger Regierungsrat* in: *Vierteljahreshefte für Zeitgeschichte*, Oktober 1960, S. 419–448. Dr. Frick war der erste nationalsozialistische Minister in
Deutschland.

Auch

Prof. Dr. H. A. Korff: *Schiller, ein Wahrzeichen deutscher Art* in: *Illustrierte Zeitung – Zu Schillers 175jährigen Geburtstag* vom 8. 11. 1934.

Prof. Dr. Hermann August Korff, Neue deutsche Literaturgeschichte, 1882–1963.

Schiller ist nicht nur der große Dichter sittlicher Weltanschauung und des Glaubens an die Weltmacht des Sittlichen, sondern (das Entscheidende) auch der Selbstherrlichkeit sittlichen Menschentums. Und er ist in diesem Sinne die Vollendung des Christentums aus dem Geiste des Germanentums. Sittliche Lebensauffassung ist *auch* Bestandteil christlicher Kultur, wie jeder höheren Kultur überhaupt. Aber germanischen Geistes ist es, daß sittliches Menschentum sich selbst genügt und zu seiner Existenz weder eines christlichen Himmels als Motivs nach göttlicher Gnade zu seiner «Rechtfertigung» bedarf. Denn der Germane lebt des Glaubens, daß es genügt, sich immer mit seinen besten Kräften einzusetzen und zu streben, das getan zu haben, was der Mensch sich selber schuldig ist.

Ordensgeist

Walther Linden: *Schiller und die deutsche Gegenwart* in: *Zeitschrift für Deutschkunde*, 1934, S. 529–530.

In Schillers soldatischer Natur lebt jener echte Ordensgeist, der auf Unterwerfung und Gehorsam heldischer Kriegernaturen gerichtet ist. Von hier aus erst erschließt sich Schillers überragende Bedeutung als eines politischen Dichters. Er hat nicht nur das politische Drama der Deutschen begründet, indem er als erster Deutscher große Geschichte, Weltgeschichte von inneren Erlebnissen her bewegte und durchgestaltete; er hat in dieses Drama eine wahrhaft politische, echt geschichteschaffende Kraft einfließen lassen, indem er es mit Willensentscheidungen und überindividuellen Überwindungen, mit Todesentschlossenheit und Einsatzwilligkeit, mit Härte und Schicksalstrotz, mit bewußter Wahl des Untergangs und heldisch-feierlichem Sterben anfüllte. Er hat dem politischen Drama der Deutschen Willensmenschen gegeben, das aber heißt echte und kraftvolle Führernaturen, Menschen, die das Irdisch-Natürliche um des Göttlich-Übernatürlichen mißachteten und besiegten, Menschen, die das Schicksal aus innerer Todesbereitschaft zwangen, Helden nicht der Phrase, sondern der lebendigen und darum unauslöschlichen Tat. Das ist Schillers politische Tat, die zur Umwandlung des deutschen Volkscharakters seit dem Beginne des 19. Jahrhunderts unendlich viel mit beigetragen hat. Der barocke und der aufklärerische Schiller verschwinden, wo dieser nordische Schiller mit seiner todestrotzenden Willensmacht lebendig und zukunftweckend auf die Bühne des neunzehnten Jahrhunderts tritt.

Das gräkojudaische Weltbild

Werner Deubel: *Umrisse eines neuen Schillerbildes* in: *Jahrbuch der Goethe-Gesellschaft,* 1934, Band 20, S. 62–64.

Deubel, Schriftsteller (Novelle, Bühnendichtung, Philosophie), *1894.

Über W. Deubels Buch: *Schillers Kampf um die Tragödie,* 1934, schreibt Wolf Braumüller in: *Bausteine zum Deutschen Nationaltheater,* Dezember 1935, S. 379 u. a. wie folgt: «Schiller erhält durch Werner Deubels Zeichnung jene Gestalt, die allein für unser Denken wie für unsere kulturpolitische Aufgabe, ohne tendenziöse Vorstellung, maßgebend und richtungsweisend ist. Hier ist das Bild des heroischen und nicht das des moralistischen Schillers aufgezeigt, und unsere Aufgabe wird es sein, dieses neue Schillerbild auch auf der Bühne zur Gestaltung und zum Ausdruck zu bringen.»

Im selben Maße, als in den letzten Jahren das Versagen der logozentrischen Denk- und Wertungsweise offenbar geworden ist und das gräkojudaische Weltbild an Überzeugungskraft verloren hat, ist auch die innere Widersprüchlichkeit Schillers mehr und mehr gesehen worden. Man hat auf Auswege gesonnen, sich ihrem quälenden Anspruch auf Ausdeutung und grundsätzliche Erneuerung unseres Schillerbildes auf zweierlei Weise zu entwinden. Die einen versuchten es damit, den Dichter und zumal den Dramatiker Schiller beinahe zu verleugnen, um desto eindringlicher auf den Kulturlehrer und ästhetischen Erzieher hinzuweisen, damit man nur ja im Rahmen des üblichen Wertschemas der europäischen Bildungsgemeinschaft bleiben könne. Sie sahen nicht, daß in Schiller der erste Durchbruch des germanischen Wesens zur Tragödie und damit zu einer tragischen Kultur geschah, vor der die Wertungen der sokratisch-christlichen Zivilisation nicht mehr bestehen können. Die anderen aber, in dem unausrottbaren bürgerlichen Hang, Widersprüchlichkeiten und selbst metaphysische Gegensätze dadurch aus der Welt zu schaffen, daß man sie für «Polaritäten» erklärt, brachten es fertig, den tödlichen Kampf Schillers gegen Schiller als «Grundspannung» zwischen «Gestalt und Seele», «Materie und Idee», «Gesetz und Freiheit», «Ästhetischem und Ethischem», «Südlichem und Nordischem», «Welt und Gott» auszugeben und gar als seine «deutsche Sendung» zu verhöhnen.

Demgegenüber begreifen wir Schiller als den ersten Erneuerer der Tragödie aus deutscher Seele, aber zugleich auch als das edelste Opfer der Geisterschlacht, deren Ausbruch den Beginn einer «deutschen Kulturrevolution» bezeichnet und die bis zum heutigen Tage noch nicht entschieden ist.

Die gleichen Kraftquellen

Dr. Hans Fabricius: *Schiller als Kampfgenosse Hitlers*, Berlin 1934, S. 127–128; vom gleichen Autor erschien: *Schiller, unser Kampfgenosse*, Berlin 1940.

Dr. jur. Hans Fabricius, *1891, Geschäftsführer der NSDAP-Reichstagsfraktion; er veröffentlichte u. a. noch: *Dr. Wilhelm Frick*, Berlin 1938; *Dr. Frick, der revolutionäre Staatsmann*, Berlin 1940; *Geschichte und Programm der NSDAP*, Berlin 1939; siehe auch Alfred Bäumler: *Schiller als politischer Dichter* in: *Festschrift des Schiller-Theaters der Reichshauptstadt zur Wiedereröffnung am 15. November 1938*, ohne Seitenangabe, und Prof. Dr. Karl Wesle: *Schiller, Idealismus und Tragik* in: *Jenaer Akademische Reden*, Jena 1939, Heft 26, S. 1 f.

Schiller als Nationalsozialist! Mit Stolz dürfen wir ihn als solchen grüßen. Mit Stolz und mit Dankbarkeit. Denn niemand weiß, ob und was wir ohne ihn wären. Er war es, der mächtiger vielleicht als irgendein anderer den Idealismus des deutschen Volkes auch in der Zeit des Niederganges am Leben erhalten hat. Mancher, dessen Zunge über den Dichter spöttelte, trug dennoch unbewußt in verborgenen Winkeln seines Herzens das Erbe des Großen, und eines Tages brach dieses Erbe sich Bahn, und sein Träger erwachte zu neuem Leben. Kein Zweifel: in unzähligen jungen Seelen hat kein anderer als Schiller die Keime späterer Wiedergeburt gepflanzt.

Der Nationalsozialismus schöpft aus den gleichen, ewigen Kraftquellen deutscher Art, aus denen auch Schiller schöpfte. In seinem Werke aber hat der Dichter dem erwachenden Deutschland eine weitere unversiegbare Kraftquelle hinterlassen. Aus ihr wollen wir schöpfen und trinken. Aus ihr wollen wir auch unseren dürstenden Volksgenossen Kraft spenden.

Unaufhaltsam marschieren unsere Kampfkolonnen. Kameraden, die den Opfertod starben, und die Toten aus den Kriegen der deutschen Vergangenheit «marschieren im Geist in unseren Reihen mit». An der Spitze aber, dem leuchtenden Hakenkreuzbanner voran schreiten Seite an Seite mit den lebenden Führern die großen Geister, deren Leiber die Erde deckt. Aufrecht und stolz ragt unter ihnen die Lichtgestalt Friedrich Schillers hervor.

Kleist

Galoppierfähigkeit

R. Walter Darré: *Zucht und Sitte – 80 Merksätze und Leitsprüche*, ausgewählt von Marie Adelheid Reuß zur Lippe, Goslar o. J., ohne Seitenzahl.

Bei edlen Pferden hat man öfter den Fall, daß das Pferd wohl das Temperament und den Willen zum Sieg erbt, aber nicht über einen genügend kräftigen Körperbau verfügt, um diese Gaben voll zur Auswirkung kommen zu lassen. Es verbraucht sich dann sehr schnell, und man sagt von ihm, daß die Galoppierfähigkeit das Fundament überstiegen habe.

Wenn man sich nun mit der Lebensgeschichte einiger bedeutender Geister, z. B. des Dichters Heinrich von Kleist, beschäftigt, so möchte man auch oftmals die Vermutung hegen, daß die Galoppierfähigkeit das Fundament überstiegen habe, d. h. der Geist im Körper keinen genügenden Halt fand und der Geist daher mit sich und der Umwelt nicht fertig wurde.

«Finger weg von Kleist!»

Notiz in: *Deutsche Kultur-Wacht*, 1933, Heft 14, S. 14.

Der Erotomane Ferdinand Bruckner[1] – alias Theodor Tagger – vollendet zur Zeit ein Drama von Heinrich von Kleists Novelle «Die Marquise von O.»[2] Wer die bisherigen Bühnenstücke Taggers kennt, weiß, daß sie alle nach der beliebten Melodie komponiert sind: «Das Lieben bringt viel Freud', das wissen unsere Leut'.» Gegen die Schändung Heinrich von Kleists durch diesen Konjunkturerotomanen erheben wir jedenfalls rechtzeitig unmißverständlichen Einspruch. Wir werden die Aufführung eines Stückes, das eine der keuschesten Dichtungen unserer Literatur durch bloßes Berühren mit bewährt unsauberen Fingern besudelt, nicht dulden!

---

1 Ferdinand Bruckner, 1891–1950, Dramatiker, gründete 1917 die avantgardistische Zeitschrift *Marsyas*; 1923 gründete er das Berliner Renaissance-Theater; 1933 emigrierte er nach Frankreich; 1936 nach den USA; sehr viele seiner Dramen sind stark von Sigmund Freud beeinflußt.

2 Die *Marquise von O.* erschien erstmals 1808; es handelt sich um die Geschichte einer Frau, die bewußtlos vergewaltigt wurde.

Die neue Zielsetzung

Prof. Dr. Horner: *Die Kleist-Gesellschaft in der NS-Kulturgemeinde* in: *Deutsche Bühnenkorrespondenz* vom 6. 11. 1935, Ausgabe A; siehe hierzu Alfred Hoppe: *Die Staatsauffassung Heinrich von Kleists.* – Dissertation der Philosophischen Fakultät der Rheinischen Friedrich-Wilhelm-Universität zu Bonn 1938; Berichterstatter: Prof. Dr. Karl Julius Obenauer.

Der Vorsitzende der Kleist-Gesellschaft[1], Prof. Dr. Minde-Pouet[2], brachte auf der diesjährigen Tagung in Kiel die völlige Eingliederung der Kleistgesellschaft in die NS-Kulturgemeinde formell zur Kenntnis. Die Aufgabe der Kleistgesellschaft, sich gegen Liberalismus und Marxismus für deutsche Art und deutsche Kunst einzusetzen, decke sich derart mit dem Bildungsziel der NS-Kulturgemeinde, daß eine gemeinschaftliche Arbeit selbstverständlich sei.

Der neuen Zielsetzung der Kleistgesellschaft galt eine öffentliche Kundgebung für Volk und Jugend, in der die tiefe Verbundenheit Heinrich von Kleists mit deutschem Wesen und deutscher Kultur den breiten Schichten des Volkes in Vorträgen und Aufführungen zum Bewußtsein gebracht wurde und die beweisen sollte, daß zu Kleist stehen deutsch sein heiße. Der Amtsleiter der NS-Kulturgemeinde, Dr. Walter Stang, führte sodann in einem Vortrag «Kleists Weltanschauung» in das Seelenleben des Dichters hinein, der in faustischem Drange die letzten Geheimnisse des Menschenschicksals zu erforschen versuchte und sich scharf gegen die landläufigen Ideen des Liberalismus erhob. Aber erst das Schicksal des am Boden liegenden Vaterlandes weckte die vollen Kräfte seines Dichtertums und machte ihn in seinen nationalen Dramen zum Vorbild und Wegweiser in echter Vaterlandsliebe und artdeutscher Gesinnung.

«Wir sind stolz»

Werner Kuhnt: *Des Preußen Kleist Bekenntnis zum Volk und zur Persönlichkeit*; Vortrag auf der gemeinsamen Tagung der Kleist-Gesellschaft und der Hitlerjugend in Frankfurt a. O. am 28. 11. 1937, in: *Jahrbuch der Kleist-Gesellschaft*, 1938, Heft 1, S. 8.

Nun ist Heinrich von Kleist 126 Jahre tot. Was ihm die Mitwelt nicht gab, reicht ihm die heutige Zeit. Wir Jungen legen ehrfurchtsvoll den Kranz des Ruhmes vor ihm nieder. Wir bekennen, daß die Tat seines Le-

---

1 Die Kleist-Gesellschaft ist 1920 in Frankfurt a. M. gegründet worden; ihr Geschäftsführer war Dr. W. Vogel.
2 Prof. Dr. Georg Minde-Pouet, 1871–1950, Literatur- und Kunstgeschichte.

bens war, Rufer zu sein, und daß wir seinen Ruf hören. Wir sind stolz, in unserer Stadt die Wiege des einen Menschen zu wissen, der für sich ein Leben wählte und uns allen von einem Leben kündet, das nun der Führer von uns zu leben fordert.

Die neue Deutung

Dieses Gutachten wurde auf Wunsch Heinrich Himmlers von Prof. Dr. Gerhard Fricke verfaßt und vorgelegt.

Institut für Literatur
und Theaterwissenschaft
an der Universität Kiel
Theater-Museum
Hebbel-Museum
Kiel, Niemannsweg 11, Fernruf 6910
Der Direktor Prof. Dr. Fricke
Kiel, Niemannsweg 123

Gunther Haupt, Der Empörer.

Gunther Haupt erzählt und deutet in schlichter, eindringlich-lebendiger und innerlich ergriffener Sprache die Geschichte des Menschen und Dichters Heinrich von Kleist. Sein Leben und Werk war in besonderem Maß der Tummelplatz der zersetzenden, reizlüsternen, zumeist jüdischen Psychologie und Psychoanalyse. Die Versuche wiederum, Kleist vor solchen Mißdeutungen ins Pathologische zu «retten», verharmlosten sein Bild z. Tl. allzusehr ins Bürgerlich-Gesunde und -Normale.

Gunther Haupt stellt die adlige und tragische Größe dieses heldischen Dichterlebens und -werks wieder her, in dem sich die kompromißlose Unbedingtheit nordischer Art, die nach dem Größten und Gefährlichsten greift, um an ihm sich zu bewähren, mit der erdnahen und bluthaften Leidenschaft und mystischen Inbrunst des ostdeutschen Menschen vereint. Dabei läßt die Darstellung das letzte menschliche und schöpferische Geheimnis dieser rätselvollen, flammenden Seele überall ehrfürchtig unangetastet.

Haupt gibt die erste und umfassende Lebensbeschreibung Kleists, die wirklich aus der *Tiefe* nationalsozialistischer Überzeugung erwächst und daher auf jede oberflächliche und gewaltsame Angleichung verzichten kann. Aus gründlicher Bearbeitung der vorliegenden wissenschaftlichen Literatur und aus sicherer Beherrschung der geschichtlichen Quellen und Überlieferungen erwächst von innen her ein geschlossenes und im wesentlichen überzeugendes Bild Kleists, das ihn aus sich, aus seiner Zeit und seinen Voraussetzungen erstehen läßt und darin die innerste Nähe zur Gegenwart und seine zeitüberlegene deutsche Art und Größe erkennbar werden läßt.

Daß auf diesem Wege seit mehr als zehn Jahren auch deutschempfindende Literaturforschung vorangegangen ist, hätte wohl noch deutlicher ausgesprochen werden können.

Zusammenfassend: Haupt gibt eine Biographie des größten deutschen Tragikers, in der sich sachliche Zuverlässigkeit und Gegründetheit, nationalsozialistische Haltung und lebendige kraftvolle Darstellung vereinen. Seine Hauptleistung liegt nicht so sehr auf dem Gebiet neuer Erforschung als auf dem neuer Deutung. Diese Deutung kommt dem geschichtlichen Kleist näher als die meisten bisherigen Arbeiten über den Dichter. Sie bringt ihn zugleich unserem Volke und der deutschen Gegenwart zurück.

Dr. Fricke

Lessing

Merkwürdige Situationen

Der Brief befindet sich im Archiv der Preußischen Akademie der Künste und ist hier gekürzt. Da in ihm so viel von Lessings Herkunft die Rede ist, sei erwähnt, daß schon der Großvater von Gotthold Ephraim Lessing – der Theologe Theophilus Lessing – 1669 seine Dissertation *De tolerantia religionum* veröffentlichte.

9. Mai 33

handschriftlich:
Herr v. Molo hat mir dieses Schreiben übergeben. Er wünscht, in der Sache nichts zu veranlassen.

Amersdorffer

Sehr geehrter Herr von Molo [1]!
Anbei sende ich Ihnen eine Notiz, die hier in der Danziger Zeitung stand. Ich glaube, daß Sie, Herr von Molo, der Berufene dazu sind, zu versuchen, die Sache der Hamburger rückgängig zu machen. [2] Entsinnen Sie sich bei den Lessing-Feiern, Bibliothek, wobei Sie damals die wunderbare Rede hielten, von der wir gern eine Abschrift gehabt hätten, des alten, auffallenden großen Herrn, mit dem Sie sich längere Zeit unter-

1 Reichsritter Walter von Molo, 1880–1958, Schriftsteller (Drama, Roman); seine Werke sind in drei Millionen Exemplaren verbreitet; siehe seine Erinnerungen: *So wunderbar ist das Leben*, 1957, *Wo ich den Frieden fand*, 1959, sowie: *Walter von Molo – Erinnerungen, Würdigungen, Wünsche* mit Bibliographie, 1950.

2 Der Notiz zufolge sollte der Lessing-Preis der Stadt Hamburg «in einen Dietrich-Eckart-Preis umgewandelt werden», was aber den Tatsachen nicht entsprach; der Dietrich-Eckart-Preis wurde nur neu gestiftet.

hielten? Er war ein Nachkomme des Dichters und der Sohn des bekannten Historien-Malers C. F. Lessing [1], welcher Galeriedirektor in Karlsruhe war. Er und sein ältester Sohn, der Bildhauer Otto Lessing [2] waren Inhaber des Pour-le-Mérite für Kunst und Wissenschaft, und C. F. Lessing, mein Schwiegervater, Ehrenmitglied des Düsseldorfer Malkastens. Alles Beweise, daß die Lessings keine Juden sind.

Sie, Herr von Molo, und der Herr, der diese seltsame Verfügung in Hamburg angesetzt hat, können jeder Zeit die Familiengeschichte der Lessings einsehen.

Mein Mann ist vor zwei Jahren gestorben, aber ich glaube, in seinem Sinne und der anderen Lessings, die alle so stolz auf die Abstammung des Dichters (und von seinem Bruder Carl) sind, zu handeln. Vielleicht würde eine Rede von Ihnen, Herr von Molo, im Rundfunk und ein Schreiben nach Hamburg helfen, diesen für die Welt beschämenden Schritt rückgängig zu machen. Auch hier in Danzig glauben die Menschen, wenn sie hören, daß wir vom Dichter abstammen, wir seien Juden.

Indem ich hoffe, daß Sie mir nicht böse sind, daß ich Ihnen diese Mühe mache, und Sie mein Schreiben nicht übelnehmen, bin ich mit ergebenem Gruß

hochachtungsvoll
Frau Kunstmaler Heinrich Lessing
Danzig-Langfuhr, Friedrich Allee 8 aI

Die nordischen Helden

Georg Stark in: *Deutsches Bildungswesen*, 1935, S. 523–524; es handelt sich hier um Lessings Lustspiel *Minna von Barnhelm*; die Helden sind Major von Tellheim und Minna; bemerkenswert im Zusammenhang mit den folgenden Ausführungen ist die Auslegung des Lustspiels aus der Feder eines Zeitgenossen Lessings: «Die Anmut und Liebenswürdigkeit der Sächsinnen überwindet die Würde, den Starrsinn der Preußen» – in J. W. v. Goethe: *Dichtung und Wahrheit*, Siebentes Buch.

Wir wußten schon immer: der Major Tellheim ist ein ganz anders gearteter Mensch als Minna von Barnhelm. Den eigentlichen Grund für diese Wesensverschiedenheit der beiden Hauptgestalten der Dichtung glaubten wir früher kurzweg in dem scharf ausgeprägten Stammesgegensatz zwischen Preußen und Sachsen suchen zu müssen. Heute vermögen wir in diesem Punkte tiefer zu blicken: im Lichte nationalsoziali-

1 Carl Friedrich Lessing, 1808–80, Maler und Großneffe von Gotthold Ephraim Lessing.
2 Otto Lessing, 1846–1912.

stischer Kunstauffassung erscheint das Drama «Minna von Barnhelm» als eine künstlerische Gestaltung klar ausgeprägter rassischer Gegensätze, ja als ein Musterbeispiel dafür, daß für das Wesen und Handeln des Menschen das rassische Erbgut entscheidend ist. Gewiß hat Lessing den rassischen Gegensatz nicht bewußt als solchen gestaltet. Aber er hat instinktiv aus seinem persönlichen, lebendigen Erleben heraus das Bluterbe seiner Personen zu deren Charakterzeichnung benutzt. Im Banne eben dieses starken Erlebens der preußisch-nordischen Wesensart vermochte Lessing die Person des Tellheim in solch meisterhafter Weise nordisch zu zeichnen, daß man das Charakterbild Tellheims als Einzelbild ohne Bedenken irgend einer allgemein gehaltenen Schilderung des nordischen Rassetyps (z. B. bei Günther) gleichsetzen könnte.

Gedankentiefe

Dr. Hellmuth Fechner in: *Nationalsozialistische Erziehung*, 1935, S. 321.

Mit Recht feiert man Heinrich von Kleist als den Klassiker des Nationalsozialismus. Noch aber fehlt einer, der die Blütezeit unserer Literatur und des deutschen Geisteslebens eingeleitet hat: Gotthold Ephraim Lessing. Wir sollten uns auch auf ihn besinnen.

Auf Lessing? Den Dichter des «Nathan»[1], den Philosemiten? Auf Lessing, den typischen Vertreter der Ich-Zeit, den Vorkämpfer der Aufklärung, die unsere arme, kleine, ach so schwache Vernunft zur Gottheit erhob? Die verschwommenen Menschheitsideen anhing und sogar begann, das religiöse Empfinden naiv-gläubiger Christenmenschen zu zersetzen?

Ja! Wer anders denkt, kennt Lessing nicht. Wer sich mit solchen einfachen Erklärungen wie «liberal», «Aufklärer», «Judenfreund» zufrieden gibt, darf nicht den Anspruch erheben, zur wirklichen Gedankentiefe nationalsozialistischer Weltanschauung gedrungen zu sein.

Wir dürfen doch niemals vergessen: auch die starke Persönlichkeit ist gebunden an ihre Zeit. Nur wenige ganz Große weisen über ihre Gegenwart hinaus und gestalten von sich aus die Zukunft neu. Aber selbst diese zollen bewußt oder unbewußt den Strömungen ihrer Tage einigen Tribut. Wieviel Mittelalter steckt doch noch in einem Martin Luther? Wieweit ist Bismarcks staatsmännisches Genie noch von dem volksdeutschen Gedanken des 20. Jahrhunderts entfernt! Und dennoch wäre es

1 Die Handlung des aus fünf Akten bestehenden dramatischen Gedichtes *Nathan der Weise* spielt im mittelalterlichen Palästina zwischen Christentum, Islam und Judentum; die Hauptfigur Nathan trägt die Züge von Moses Mendelssohn, dessen Freund Lessing war.

Pharisäertum, wollten wir uns erhaben über ihre Fehler dünken und ihnen in jüdisch-krämerhafter Weise die Fehlleistungen ihres Schaffens oder die Grenzen ihrer Wirksamkeit vorrechnen.

Die jammernden Griechen

Hermann Harder: *Das germanische Erbe in der deutschen Dichtung – Ein Überblick*, Potsdam 1939.
  Dr. phil. Hermann Harder, Schriftsteller (Lyrik, Roman, Drama, Germanenwissenschaft), * 1903, Studienrat.

Lessing war nicht nur Aufklärer, auch Klassizist. Früher wurde sein *Laokoon* [1] auf höheren Schulen allgemein, heute noch gelegentlich gelesen. Darin findet sich eine Stelle, die zeigt, daß Lessing schon die Saga von den Jomswikingern gekannt hat. Es fällt ihm auf, daß diese nordischen Helden jede Äußerung des Schmerzes als unmännlich verachten, während die Helden Homers laut weinen und jammern, wenn sie eine Wunde empfangen. Anstatt dieses Nordmannshochziel zu bewundern, verwirft Lessing es als barbarisch, zieht stattdessen die jammernden Griechen vor und tadelt die Ansicht des germanischen Schotten Adam Smith [2], der da schreibt: «Aus diesem Grunde ist nichts unanständiger und eines Mannes unwürdiger, als wenn er den Schmerz, auch den allerheftigsten, nicht mit Geduld erringen kann, sondern weint und schreit.»

Die Frage

Ernst Suter: *Lessing politisch gesehen* in: *Zeitschrift für Deutschkunde*, 1938, S. 415.

Wir suchen nicht nach Nationalsozialisten der Literaturgeschichte. Die zahlreichen geschichtlichen Romane, in denen Cäsar, Cromwell, Hannibal oder wer sonst als verkleidete Adolf Hitler vor uns aufmarschieren,

  1 *Laokoon, oder über die Grenzen der Malerei und Poesie.*
  2 Adam Smith, 1723–90, englischer Moralphilosoph und Volkswirtschaftler; der nationalsozialistische Mißbrauch mit Namen, wie hier «germanischer Schotte», ist gerade bei Smith eindeutig. Smith legte als erster die liberalistischen und individualistischen Wirtschaftslehren des achtzehnten Jahrhunderts vollständig aus. Der Verfasser des Aufsatzes vergaß hier, auf einen anderen grundsätzlichen Satz von Smith hinzuweisen, den dieser gemeinsam mit einem anderen «germanischen Schotten», David Hume, über die Grundlage des Begriffs «Sympathie» festlegte, nämlich: «Handle so, daß ein unparteiischer Beobachter mit dir sympathisieren kann.»

sind der Wissenschaft kein Vorbild. Nein, auch Lessing war kein Nationalsozialist, und wer ihn dazu machen möchte, der treibt nicht nationalsozialistische Wissenschaft, sondern einen gesinnungstollen Mummenschanz. Die Fragestellung einer neuen Wissenschaft heißt nicht: War Lessing Nationalsozialist? Sie heißt: Hat Lessing in seiner Zeit und ihren Möglichkeiten mitgewirkt bei dem Ringen des deutschen Volkes um sich selbst, um die Erkenntnis seiner Werte, um die Bildung seiner Menschen? Oder anders: War Lessing ein politischer Dichter?

Tendenzstück

Adolf Bartels: *Deutsche Dichter – Charakteristiken*, Leipzig 1943, S. 89; schon 1918 veröffentlichte Adolf Bartels sein Buch: *Lessing und die Juden*, das 1934 neu aufgelegt wurde.

«Nathan der Weise» ist keine Tragödie. Wer die Maßstäbe dieser Form an das Werk legt, wie es u. a. Schiller getan hat, begeht ein Unrecht, er ist aber in der Charakteristik (bis auf Nathan selbst, dessen Großmut übertrieben, und Recha, deren Naivität die der Judenmädchen auf den Bühnen unserer jüngsten Vergangenheit ist) gelungen und als Drama so gut gebaut, wie es bei einem Tendenzstücke, das um eine Parabel herum kristallisiert wurde, möglich war. Ein «dramatisches Gedicht» hat Lessing selber das Werk genannt, und wir haben, was wir jetzt auch dagegen zu sagen haben, seinesgleichen seit seinen Tagen nicht mehr gesehen; denn der «Faust» gehört einer höheren Sphäre an. Recht vertragen können wir Deutschen den «Nathan» heute freilich nicht mehr.

Nicht volle zwei Jahre nach dem Erscheinen des «Nathan» ist Lessing ins Grab gesunken, erst 52 Jahre alt, nachdem in der letzten Zeit seines Lebens seine geistige Kraft beinahe erloschen und er auch in seinem Verkehr etwas herabgekommen war. Für mich wenigstens ist es geradezu schauerlich, daß ihm da der Jude Alexander Daveson [1] am nächsten stand.

[1] Lessing empfahl 1780 den Schriftsteller Alexander Daveson an Moses Mendelssohn.

Apotheose

Prosa

Alfred Bäumler

Prof. Dr. Alfred Bäumler: *Männerbund und Wissenschaft*, Berlin 1937, S. 127.

Es ist durchaus nicht gleichgültig, ob man sagt: Hitler oder: die Idee. Überall, wo man «Geist» und «Idee» sagt schlechthin, dürfen wir auf die Philosophie des bildlosen Idealismus schließen, auf jene Philosophie, die da meint, die Idee an sich sei mehr als ein Mensch, mehr als eine Verwirklichung. Bis vor kurzem konnte man noch hören: es heißt Heil Deutschland, nicht Heil Hitler. Der allgemeine Begriff: Deutschland bedeutet mehr als der individuelle Begriff Hitler, und es sei parteiisch und engstirnig, wenn man nicht «Heil Deutschland» sage. Als ob wir nicht, wenn wir Heil Hitler sagen, Heil Deutschland meinten! Aber wir meinen es konkret, wir meinen es eindeutig, wir meinen es politisch. Hitler ist nicht weniger als die Idee – er ist mehr als die Idee, denn er ist wirklich.

Werner Beumelburg

Werner Beumelburg: *Wo steht der geistige deutsche Mensch?* in: *Berliner Lokal-Anzeiger* vom 19. 8. 1934, Unterhaltungs-Beilage.

Niemals hat der Führer, dessen Name das neue Reich trägt, eine Gelegenheit vorübergehen lassen, die unvergänglichen Werke des deutschen Geistes und der deutschen Kunst in Ehrfurcht zu grüßen und sich zu ihnen zu bekennen, weder aus Berechnung noch aus Notwendigkeit, sondern aus der inneren Andacht des Herzens, aus jenem deutschesten Gefühl heraus, das uns das Leben als arm und hohl empfinden läßt, wenn es ohne das Wort unserer Dichter, ohne die Werke unserer Maler und Bildhauer und ohne die ewigen Klänge unserer Musik sei.

Wenn aber der geistige Mensch und der Künstler den Anruf des Führers und seine eigene Pflicht begreift, so ist es in seinen eigenen Willen gegeben, zu hören und zu verstehen und aus der Bereitschaft der Persönlichkeit und aus seinem Können heraus zu gestalten, was seinem Volke nottut.

Er wird aus der eigenen Seele heraus die Stellung zu dem Führer finden, dem wir uns in der Einmütigkeit des Wollens anvertrauen, ein Bekenntnis zu uns selbst ablegend und in ihm das Beste, was uns bewegt, verkörpernd.

Gustav Frenssen

Gustav Frenssen: *Der Weg unseres Volkes*, Berlin 1938, S. 241–242.
Dr. h. c. Gustav Frenssen, 1863–1945, Schriftsteller (Roman); ehemaliger Pfarrer, Mitglied der Deutschen Akademie der Künste.

Es war nun für die Masse des deutschen Volkes, das damals noch ganz unpolitisch war, ein Wunder, wie, von der deutschvölkischen, nationalsozialen Idee erdrückt, die eine jener fremden Ideen und Mächte nach der anderen zusammenbrach. Oh, diese fremden Machthaber über die deutschen Seelen! Diese Sicheren! Diese Prahler bis zuletzt!

Man kann nicht aufzählen, was zu diesem Ende an starken deutschen Taten geschehen ist, da dieser deutscheste aller deutschen Menschen die Führung hatte und seinen klugen und tapferen Getreuen die Macht geben konnte, seinen Willen durchzuführen.

Wer kann mit rechten, heiligen Worten berichten, wie nun alle Wertungen dem Völkischen untergeordnet wurden?! Wie, zum erstenmal in der Geschichte des deutschen Volkes, der Bestand und die Pflege des Völkischen bestimmend für die Nation wurde?

Die Enkel und Nachfolger des jetzt lebenden Geschlechts werden noch mehr staunen als wir, die jetzt Lebenden, über die großen deutschen Dinge, die durch den einen deutschen Mann geschehen sind! Und sie sollen achtgeben, von Geschlecht zu Geschlecht, als auf ihr Teuerstes, daß es weiterbestehe in seinem ganzen reinen Willen und Mut! Das Dritte Reich der Deutschen, das Reich Adolf Hitlers, das germanische Reich deutscher Nation!

Carl Maria Holzapfel

C. M. Holzapfel: *Deine innere Entscheidung* in: *Deutsche Bühnenkorrespondenz* vom 18. 8. 1934, Ausgabe A.

Auch du bist erfaßt von der Kraft des Führers, auch auf dich wirkt sie, auch du kannst dich ihr nicht entziehen, wo du auch weilst. Du mußtest dich mit ihm auseinandersetzen, ob du wolltest oder nicht. Er hat seine Kraft in dich hineingetragen, und nun beginnst du, dich mit ihm auseinanderzusetzen. Von Tag zu Tag mehr gewinnt die Auseinandersetzung Tiefe. Ist die Entscheidung des Volkes, das Ja zum Führer, äußerlich immer gleich stark, so gewinnt es doch mit jeder neuen geheimen Wahl an Bedeutung, weil der einzelne unter uns Volksgenossen diese Entscheidung in sich selbst, in seinem Herzen getroffen hat.

Wir werden es ihm beweisen, daß er die Wahrheit in uns, das Ja zu ihm und mithin das Ja zu uns aus dem Todesschlaf erweckte.

Arno Mulot

Arno Mulot: *Die deutsche Dichtung unserer Zeit*, Teil 2, 1. Buch, *Das Reich in der Dichtung unserer Zeit*, Stuttgart 1940, S. 81.

Der Führer rief das deutsche Volk aus dumpfem Verzagen und heillosem Verfall zum Kampf um das volksdeutsche Reich auf. Die braunen Bataillone marschierten, nationalsozialistische Kampflieder auf den Lippen. Wort und Tat, Bekenntnis und Bereitschaft waren eins. Aus der Gemeinschaft der Kämpfer hervorgegangen, griffen diese Lieder wiederum als wirkende und werbende Macht in das Leben der stetig wachsenden Bewegung ein. Einige wenige Symbole und Motive – Fahne, Trommel, Flamme, Blut, Kameradschaft, Gefolgschaft – kehrten immer wieder; die Härte des Kampfes und die Leidenschaft der Hingabe verliehen diesen Leitmotiven den Adel erlebter Wahrheit und Dichtung. Zuoberst stand das Bekenntnis zum Führer.

Ina Seidel

Ina Seidel: *Zum Geburtstag des Führers* am 20. 4. 1942 in: *Der deutsche Schriftsteller*, April 1942.

Ina Seidel, Schriftstellerin (Lyrik, Roman, Essay), *1885; sie schrieb dieses Bekenntnis, laut Brief an den Herausgeber vom 2. 1. 1963, zum fünfzigsten Geburtstag Hitlers 1939 – also fünf Monate nach der Kristallnacht –, und es wurde ohne ihr Wissen in: *Der deutsche Schriftsteller* 1942 nochmals abgedruckt.

Im obenerwähnten Brief schreibt Ina Seidel dem Herausgeber noch folgendes:
«1.) Ich befand mich 1939 noch in dem Irrtum, es würde Hitler gelingen, die

von ihm proklamierten sozialen Reformen zu verwirklichen und ein Zeitalter sozialer Gerechtigkeit und friedlichen Zusammenlebens heraufzuführen. Ich mißverstand sein Pathos als Ausdruck eines reinen Willens und unterstellte seinen Parolen den Sinn, den ihre Begriffe für mich selbst hatten. Die schon damals – also vor 1939 – nicht zu übersehenden Grausamkeiten des Regimes schob ich auf die im ersten Stadium jeder politischen Umwälzung nachweisbaren Machtkämpfe innerhalb einer Kamarilla fragwürdiger Paladine und der Partei, der ich bewußt fernstand. In den Jahren zwischen 1933–1938 war ich vollauf damit beschäftigt, mein Buch ‹Lennacker› zu schreiben, das kein denkender Mensch als Dokumentation nationalsozialistischer Gesinnung bezeichnen wird, es ist ein Bekenntnis zur Kirche. Meine Einstellung zu Hitler beruhte z. T. auf irreführenden Informationen über seine Persönlichkeit, außerdem auf dem Mangel an politischer Erziehung, an dem viele Menschen meiner Generation krankten, die über die Hälfte ihres Lebens in einem heute sagenhaft anmutenden Zustand des Friedens und der Sicherheit aufgewachsen waren.

2.) Jene Hitler Anfang 1939 gewidmeten Sätze, ebenso wie ein gleichzeitig anläßlich des 50. Geburtstages geschriebenes Gedicht, waren noch von der Illusion getragen, daß das Münchener Abkommen vom Herbst 1938 in der Hauptsache ihm zu danken wäre, und daß er es nie zum Kriege kommen lassen würde. Der Ausbruch des Krieges bedeutete für mich eine nachhaltige Erschütterung dieses Vertrauens, die in der Folge zur Ernüchterung führte.

3.) Ich möchte nochmals darauf hinweisen, daß jener Beitrag zu einer Glückwunschkundgebung 1939 geschrieben wurde. Ein Abdruck befindet sich im 2. Band des Werkes: Rudolf Schmidt, Geschichte der Stadt Eberswalde (Rudolf Müller Verlag/Eberswalde 1939). Als das Fachblatt ‹Der Schriftsteller› ihn 1942 ohne mein Wissen nochmals abdruckte, hätte ich mich infolge inzwischen gewonnener Erfahrungen und Einblicke nicht mehr in dieser Weise zu äußern vermocht.»

Wir Mit-Geborenen der Generation, die im letzten Drittel des vergangenen Jahrhunderts aus deutschem Blute gezeugt ward, waren längst Eltern der gegenwärtigen Jugend Deutschlands geworden, ehe wir ahnen durften, daß unter uns Tausenden der eine war, über dessen Haupte die kosmischen Ströme deutschen Schicksals sich sammelten, um sich geheimnisvoll zu stauen und den Kreislauf in unaufhaltsam mächtiger Ordnung neu zu beginnen. Erst als wir uns nach den gewaltigen Erschütterungen und Umwälzungen als auferstehendes Volk so wie niemals zuvor in deutscher Geschichte auf den lebendigen Pol in unserer Mitte bezogen fanden, ein jeder dort, wo er dem Ganzen nach seinen Gaben am besten zu dienen vermochte, als wir erlebten, wie in diesem verjüngten Volkskörper das Wunder der Wiedergeburt spürbar wurde an unsern Kindern – da begriffen wir ehrfürchtig, was uns geschehen war. Dort, wo wir als Deutsche stehen, als Väter und Mütter der Jugend und der Zukunft des Reiches, da fühlten wir heute unser Streben und unsere Arbeit dankbar und demütig aufgehen im Werk des einen Auserwählten der Generation – im Werk Adolf Hitlers.

Hans Zöberlein

Hans Zöberlein: *Der Befehl des Gewissens — Ein Roman von den Wirren der Nachkriegszeit und der ersten Erhebung*, München 1937, S. 234, Schluß.

Zöberlein, Schriftsteller (Erzählung, Roman), *1895; SA-Brigadeführer, Präsident des Ordens der bayerischen Tapferkeitsmedaille; «‹Lieber den Krieg als die Treue verlieren›, ist ein Satz aus Zöberleins ‹Glauben an Deutschland› und könnte in jedem heldischen Kriegsbuch stehen» — in Heinz Kindermann: *Kampf um die deutsche Lebensform*, Wien 1941, S. 268.

Wenn die Nacht still ist, und du träumst, dann hörst du auf einmal, wie sie dich rufen, die Kameraden von drüben. Und wo du gehst und stehst, da geht unsichtbar einer nebenher und spricht mit dir. Er sitzt mit zu Tisch, wenn du dein karges Brot verzehrst, und er steht an der Wiege, wenn dein Kind lacht oder weint. Ihn bringst du nicht mehr los, er weicht dir nicht von der Seite, so lange nicht erfüllt ist, wofür er starb... Und er zwingt dich, daß du es weitergeben mußt — heimlich in der Nacht — von Mund zu Mund — wo du gehst oder arbeitest oder rastest — was er dir ins Gewissen raunt: «Das Reich wird kommen! Das Reich, von dem du so hoffnungsfroh geträumt.»

Einer von uns, Dietrich Eckart, hat zuerst von ihm gekündet. Denn er hat es ja schon gesehen. Noch fern — ganz fern — aber er hat doch schon sehen können: Adolf Hitler wird euch hinführen. Der allein ist es, der das kann! — Sonst keiner!

Das Werk des Führers bietet so viel Stoff

Im Archiv des Instituts für Zeitungswissenschaft, München.

Reichspropagandaamt Berlin
Z. I. Nr. 52/40/Bu
Berlin C 2, den 1. April 1940

Geheim! Leipzigerstr. 81

Presse-Rundschreiben Nr. II/247/40 Tel.: 16 39 54

Betrifft: Vertrauliche Mitteilungen! (Nur zur Information, nicht jedoch zum Abdruck bestimmt!)
Anläßlich des bevorstehenden Geburtstages des Führers werden die Zeitungen hiermit an die Sprachregelung erinnert, wonach Artikel, die sich mit angeblichen persönlichen Erlebnissen und Erinnerungen aus dem Leben des Führers befassen, in jedem Falle untersagt sind. Das Werk des Führers bietet so viel Stoff, daß es bei der Würdigung der Persönlichkeit Adolf Hitlers eines Zurückgreifens auf angebliche Erlebnisse aus der Kindheit, der Jugend- und Militärzeit nicht bedarf.
Stempel: Im Auftrag: Wittenberg
Reichspropagandaamt Berlin Presse-Referent

Lyrik

Heinrich Anacker

Heinrich Anackers Gedicht: *Ritter, Tod und Teufel* in: *Das Schwarze Korps* vom 27. 2. 1936; siehe auch Anackers Gedichte: *Fahneneinmarsch* in: *Nationalsozialistische Monatshefte*, Januar 1934, S. 1; *Der Führer spricht*, in seinem Buch: *Wir wachsen in das Reich hinein*, München 1938, S. 45, und *Der Adler* in: *Der deutsche Erzieher* vom 1. 8. 1938, S. 242.

In Dürers Bild erkennen wir dich tief,
Dich, den der Herr zum Führertum berief:
Einsam, dem erzgeschienten Ritter gleich,
begannst du deinen Ritt ins ferne Reich.

Am Weg, der hart und steil und dornig war,
Lag hundertfältig lauernd die Gefahr,
Und listiger Verführer suchten viel
Dich wegzulocken vom erkor'nen Ziel.
Du aber bliebest klar und unbeirrt,
Kein Trugbild hat dir je den Sinn verwirrt.

Dein Blick, von einer innern Schau gebannt,
Blieb streng zur deutschen Gralsburg hingewandt.
Unsichtbar zogen Tod und Teufel mit,
Bis Kraft und Reinheit dir den Sieg erstritt!

Otto Bangert

Otto Bangert: *Zu Adolf Hitlers Geburtstag* in: *Nationalsozialistische Feierstunden – Ein Hilfsbuch für Parteistellen, SA, SS, HJ, NSDAP*, verfaßt und zusammengestellt von Franz Hermann Woweries, Mühlhausen in Thüringen 1934, S. 44–45.
    Bangert, Schriftsteller (Lyrik, politische und philosophische Aufsätze, Roman), *1900.

Er stieg empor aus Urwelttiefen
Und wurde ragend wie ein Berg.
Und während wir ins Elend liefen
Und bebend nach dem Retter riefen,
Begann er groß sein heilig Werk.

Er steht mit aufgereckten Händen
Im Untergange einer Welt,
Verzweiflung zuckt an allen Enden,
Doch wie mit heißen Feuerbränden,
Sein Geist die wüste Nacht erhellt.

Ins ferne Morgenglühen weist er,
Und alle Herzen sind entbrannt.
Die Fäuste beben und die Geister –
Nun baue deinem Volk, o Meister,
Ein neues hohes Vaterland!

Gerda von Below

Gerda von Below: *An den Führer* in: *Die völkische Schulfeier*, Herausgeber Hubert Breuer, Bochum 1937, S. 99.

Gerda von Below, Pseudonym von Gerda Freifrau Treusch von Buttlar-Brandenfels, Schriftstellerin (Lyrik, Novelle), *1894; ihr Urgroßvater mütterlicherseits war Johann Gottfried Herder; «Auch eine Frau, Gerda von Below, hat an dieser heldischen Dichtung teil und bekundet, daß sie das Geschehen der Zeit heißen Herzens miterlebt» – in: *Das Neue Deutschland im Gedicht*, Bielefeld/Leipzig 1936, S. XIII.

Du, der uns ward bescheret,
der rings den Teufeln wehret,
der uns das Kreuz beschwöret
uralten Sonnentums, –
du Träger höchster Stunden,
du Mensch, an Gott gebunden,
inbrünstig aufgefunden
schon vor dem Tag des Ruhms, –
Gewaltiger auf Erden,
laß du uns sein und werden,
und stähle die Gebärden
zu reiner Jüngerschaft,
dir untertan und hörig,
in frommer Zucht gelehrig,
gehorsam und willfährig,
Erheber deiner Kraft!

Richard Billinger

Richard Billinger: *Adolf Hitler*, zum 13. März 1938, in: *Das Innere Reich*, 1. Halbjahresband 1938, S. 1.
Richard Billinger, Schriftsteller (Lyrik, Drama, Erzählung), *1893.

Wes Geist vom Feuer stammt,
Wird nie vergehn!
Des Zeichen ewig flammt –:
ein Auferstehn!

Hans Friedrich Blunck

Hans Friedrich Blunck: *Wir wissen* ... in: *Erika*, April 1942, Nr. 7/8.

Nun, da's vollendet, preist ein jeder weise
des Reiches Einheit. Jeder Narr vermeint,
sie sei sein Recht, er selbst hab' sie ertrotzt,
sein Eigensinn belehrte Haß und Feind.

Wir aber wissen, wieviel hundert Jahre
ein Volk in Sehnsucht lebte, sich verträumt',
wir wissen, daß der Besten Blut die Wurzeln
der Fremden speiste, da die Heimat säumt'.

Wir wissen, daß du, Führer, das Verlangen
und alle Hoffnung schmerzvoll auf dich nahmst
und, was die Größten unerfüllt verließen,
vollendet hast, du, Volk, aus dem du kamst.

Und stehn vor dir, von unsrer Stund' befangen,
und finden kaum das Wort, das Dank genug.
Glück ist zu groß. In jeder Kammer grüßt
Deutschland dich heute, das du trugst – das dich trug.

Herbert Böhme

Herbert Böhme: *Der Führer* in: *Völkische Musikerziehung*, 1936, S. 161; es gibt unzählige «Führer»-Gedichte von ihm: *Bekenntnis zum Führer, An Adolf Hitler, Adolf Hitler* etc.; im Dritten Reich gab es kaum eine wichtige Zeitung oder Zeitschrift, die gerade sein folgendes Trommelgedicht nicht gedruckt hätte.

Eine Trommel geht in Deutschland um,
und der sie schlägt, der führt,
und die ihm folgen, folgen stumm,
sie sind von ihm gekürt.

Sie schwören ihm den Fahnenschwur,
Gefolgschaft und Gericht,
er wirbelt ihres Schicksals Spur
mit ehernem Gesicht.

Er schreitet hart der Sonne zu
mit angespannter Kraft.
Seine Trommel, Deutschland, das bist du!
Volk, werde Leidenschaft!

Bruno Brendel

Bruno Brendel: *Erster Abend* in: *Kampf um die deutsche Lebensform* von Heinz Kindermann, Wien 1941, S. 427.
    Bruno Brendel, Dichter und Lehrer, * 1914.

Der Jubel ruht.
Der laute Schrei verklang.
Doch singt das Blut,
Und auf die Stirnen sprang
des Führers Stern.

Es greift das Herz
Der Erde auf uns über
Wie ein Strom.

Und himmelwärts
Wölbt sich im Sternenglanz darüber
Wie ein Dom
Das Reich.

Inge Capra

Inge Capra: *Bekenntnis zum Führer* in: *Musik in Jugend und Volk*, 1937/38, S. 227.
Ingeborg Capra, *1914.

Wir hörten oftmals Deiner Stimme Klang
und lauschten stumm und falteten die Hände,
da jedes Wort in unsre Seelen drang.
Wir wissen alle: Einmal kommt das Ende,
das uns befreien wird aus Not und Zwang.

Was ist ein Jahr der Zeitenwende!
Was ist da ein Gesetz, das hemmen will –
Der reine Glaube, den Du uns gegeben,
durchpulst bestimmend unser junges Leben.
Mein Führer, Du allein bist Weg und Ziel!

Hermann Harder

Hermann Harder: *An den Führer* in: *Nationalsozialistische Erziehung*, 1936, S. 201.

Wir lieben dich, Führer, weil wir Deutschland lieben.
Wir kämpfen für dich, weil du für Deutschland kämpftest.
Wir sterben für dich, weil du Deutschland groß machst.

Einst ehrten wir Preußen, den Ruhm seiner Heere.
Wir liebten Bayern und König Ludwig.
Das Herz hing an Wien, an der schimmernden Hofburg.

Nun aber neigt sich der Preußenadler,
Der Löwe Bayerns und Österreichs Zwie-Aar
Vorm Ahnenzeichen, das du erhöht hast.

Jetzt lieben wir eins nur: das größere Deutschland
Und dich, unsern Führer, der Deutschen Herzog
In schlichtem Kleide. Dich hüllt nicht Purpur.

Carl Maria Holzapfel

Carl Maria Holzapfel: *Hitler* in: *Tat gegen Tinte – Hitler in der Karikatur der Welt*, Herausgeber Ernst Hanfstaengl, Berlin 1934, S. 11; siehe auch das Gedicht: *Dem Führer* von C. M. Holzapfel, in: *Deutsche Bühne*, Doppelheft Januar/Februar 1934, S. 5; unter den humorlosen Nationalsozialisten geschah es tatsächlich, daß sie ein Buch mit ausländischen Hitler-Karikaturen erscheinen ließen. Die Idee stammte von dem ehemaligen Harvard-Studenten Dr. Ernst Franz (Putzi) Hanfstaengl, der schon seit 1922 ein Intimus von Hitler war und ihn mit seinem Klavierspiel – hauptsächlich Wagner – begeisterte. Als der Auslandspressechef Hanfstaengl 1937 aus dem Dritten Reich flüchtete, erklärte er öffentlich, er sei sich wie «ein Klavierspieler im Bordell» vorgekommen. Trotzdem versuchten Himmler und Martin Bormann über verschiedene NS-Unterhändler, Putzi Hanfstaengl nach Deutschland zurückzuholen, und Bormann versprach ihm sogar im Schreiben vom 15. 8. 1939 nach seiner Rückkehr eine gute Position sowie Begleichung seiner Schulden; Brief im Besitz des Herausgebers; über Ernst Hanfstaengl siehe auch Georg Maria von Coellen: *Das musikschöpfende Gesicht des neuen Reiches* in: *Der Artist* vom 18. 8. 1933.

Einmal nur,
lassen Götter
in Jahrhunderten einmal
einen kämpfen,
einen gegen Millionen!
Einmal nur,
in Jahrtausenden einmal,
schenken die Götter
einem die Kraft,
sich von der Erde
ins All zu schrauben, –
nur durch den Glauben, –
und alle Brüder,
wir, du und ich,
erleben die Heimat wieder
und finden sich!

Anne Marie Koeppen

Anne Marie Koeppen: *Die deutsche Frau an Adolf Hitler*, in ihrem Buch: *Wir trugen die Fahne*, Leipzig 1938, S. 36.

Anne Marie Koeppen, 1899–1940, war Schriftstellerin (Roman, Lyrik); Schriftleiterin der *Deutschen Landfrau*; «Als eine der ersten unter den deutschen Dichtern hat sie ihr ganzes Künstlerschaffen aus dem aktiven Erlebnis des Kampfes hinaus in den Dienst der nationalsozialistischen Erneuerung gestellt, wofür ihr der Führer das Goldene Ehrenzeichen der NSDAP verliehen hat» – in: *Deutsche Presse*, 1940, S. 216.

Wenn unsre Kinder deinen Namen nennen,
Dann klingt es wie ein frohes Lerchenlied.
Ein Jubel ist's, ein dankbares Bekennen,
Das durch die jungen, reinen Seelen zieht.

Du hast ihr Herz in deine Hand genommen
Und formst es nun mit echter Meisterschaft.
Du bist in jedes deutsche Haus gekommen,
Ein Freund, ein Helfer, eine stille Kraft.

Wir taumelten in blindem Unverständnis.
Du rangst für uns mit einer Höllenmacht.
Du trugst für uns die Qualen der Erkenntnis,
und gingst für uns alleine durch die Nacht.

Johannes Linke

Johannes Linke: *Der Führer* in: *Nationalsozialistische Erziehung* vom 18. 4.
1938, Folge 2.
    Johannes Linke, Lehrer, Schriftsteller (Roman, Lyrik), *1900.

Wer von den also Gestürzten
den Tod ertrug und heil aus der Tiefe emporstieg,
den hat das Grauen verwandelt.
Der ist kein einzelner mehr, der ward
wiedergeboren in seinem Volk,
der bringt aus der Finsternis
das hellste Licht heim,
der ward geläutert, der ist gefeit,
seiner Sendung gewiß, der weiß,
daß ihm nichts geschieht,
als was ihm Gott zuschickt.

Theodor Lüddecke

Theodor Lüddecke: *Der ewige Führer* in: *Auswahl deutscher Gedichte von den
Anfängen bis zur Gegenwart*, Halle/Saale 1936, S. 712.
    Dr. rer. pol. Theodor Lüddecke, *1900, seinerzeit Leiter des Instituts für Zei-
tungswesen an der Universität Halle.

Und immer wieder aus der Tiefe
Steigt ein Gesicht und ragt wie Felsgestein
In eine späte Zeit.

Es wacht der Held und ruft, sonst schliefe
Das Heldentum als Sage ein.

Aus namenloser Tiefe steigt
Ein Mann und sammelt, was zerstreut.
Es ist der Retter, der sich zeigt.
Es ist die Erde, die sich hier erneut.

Herybert Menzel

Herybert Menzel: *Marsch ins Jahrtausend* in: *Das Schwarze Korps* vom 31. 1.
1936.

Einer ist als Führer auferstanden,
Und er hat die Schau und das Gebot.
Und wie sie sich alle zu ihm fanden,
Färbt ihr Blutschwur seine Fahne rot.
Sie sind wie dem Meer, dem Land entstiegen,
Neues Volk in einer alten Welt,
Seht den jungen Tag die Nacht besiegen,
Unaufhaltsam steigt er und erhellt!

Herta Meyer zur Heyde

Herta Meyer zur Heyde: *Chor* in: *Die völkische Schulfeier*, Bochum 1937, S. 91.

Vorsprecher:	Es klingt ein Name mit gutem Klang
	in allen germanischen Gauen!
1. Chor:	Und ist euch um Deutschlands Zukunft noch bang,
Ganzer Chor:	uns nicht mehr, denn wir vertrauen!
	Wir vertrauen auf den Namen mit gutem Klang,
	auf den Mann mit ehernem Wollen,
	der ohne Versprechen und Überschwang
	nur fordert und sagt, was wir sollen. –
Vorsprecher:	Es steht am Himmel ein leuchtender Stern,
	symbolisch für Freiheit und Liebe ...
2. Chor:	Und mögen die andern auch spotten noch fern
	und hassen in dunkelm Triebe,
Ganzer Chor:	wir folgen dem Manne, der ernst und kühn
	dasteht mit erhobenem Arme,
	und fühlen in unserm Herzen erglühn
	das Blut unsrer Ahnen, das warme.

Wir heben die Rechte zu echtem Eid,
wir alle: Männer und Frauen,
wir kämpfen für Deutschlands bessere Zeit!
Heil Hitler! Vertrau'n um Vertrauen!

Eberhard Wolfgang Möller

E. W. Möller: *Der große Gärtner* in: *Die Bühne* 1939, Heft 8, S. 181.

Du großer Gärtner, der in seinem Garten
vollenden sieht, was er mit Fleiß begann.
Die Straße braust vom Sturme der Standarten,
doch in der Stille wächst die Zeit heran.

Und deine Bäume werden groß und breiten
die hohen Kronen über deinem Haupt.
Jahrhunderte vergehn, doch Ewigkeiten
noch werden glauben, woran du geglaubt.

Dann wirst du groß in ihrem Schatten sitzen
und wissen: alles, was du pflanztest, lebt,
indes sich über den begrünten Spitzen
die Sonne der Unsterblichkeit erhebt.

Josef Moder

Josef Moder: *Unser Dank* in: Dr. Heinz Kindermann: *Der Großdeutsche Gedanke in der Dichtung*, Münster 1941, S. 55–56.
  Josef Moder, Dichter und Lehrer, *1909.

Ein Volk, ein Reich, ein Führer, riefen sie,
wer aber wußte, ob du jemals kämest?
Wer durfte sagen, daß du je uns nähmest,
als wären all die schweren Bürden, die

uns drückten, nicht, die wir so stöhnend trugen?
Und dennoch brauste unsere Melodie
des Glaubens auf, und wir verzagten nie,
wenn sie uns noch so hart in Fesseln schlugen.

Fast ward das Tor des Daseins uns verschlossen.
Da dröhnten deine Worte in die Welt,

so wie die Stimme der Posaune gellt,
die mächtig ist und groß und erzgegossen,

am Tage des Gerichts: sühnend, befreiend.
Die Menschheit bebend, sprach: Dein Wille sei.
Ein Volk, ein Reich, ein Führer. Wir sind frei!
Und wir empfingen dich: vor Schluchzen schreiend.

Fritz Nölle

Fritz Nölle: *Der Führer* in: *Das Schwarze Korps* vom 18. 6. 1936.
Fritz Nölle, Lehrer und Schriftsteller (Roman, Lyrik), *1899.

Das war die wurzellose Masse, schwelend, wild,
ein Chaos an Gesinnung, ein Vulkan
an Leidenschaft – und vor sie trat ein Mann.

Sie lachten, drohten, schrien. –
Er sprach und sah sie an,
und seiner Augen Treue, seiner Worte
Herzblut ergriff sie, daß sie alle lauschten

und stille wurden rings im weiten Rund,
und über ihnen war's als neigte sich
die Gottheit selbst und sprach:
Nun seid ein Volk!

Fritz von Rabenau

Fritz von Rabenau: *Stille Nacht*, in seinem Gedichtband: *Weihnachten im 3. Reich* (über dem Titel befindet sich ein großes Hakenkreuz), der 16 Gedichte enthält; Berlin 1934. Eines der Gedichte, *Der Erlöser*, hat die Strophe: «Für unser deutsches Land / hat Christus uns gesandt / den Führer, der uns all' entzückt». Die Seiten des Bandes sind nicht numeriert.
Fritz von Rabenau, 1873–1948.

Stille Nacht, heilige Nacht,
Alles schläft, einsam wacht
Nur der Kanzler treuer Hut,
Wacht zu Deutschlands Gedeihen gut.
Immer für uns bedacht.

Stille Nacht, heilige Nacht,
Alles schläft, einsam wacht
Adolf Hitler für Deutschlands Geschick,
Führt uns zur Größe, zum Ruhm und zum Glück,
Gibt uns Deutschen die Macht.

Stille Nacht, heilige Nacht,
Alles schläft, einsam wacht
Unser Führer für deutsches Land,
Von uns allen die Sorgen er bannt,
Daß die Sonne uns lacht.

Baldur von Schirach

Baldur von Schirach: *Der Größte* in: *Tagebuch aus Politik, Kultur und Wissenschaft* vom 19. 4. 1937.

Das ist an ihm das Größte: daß er nicht
nur unser Führer ist und vieler Held,
sondern er selber: grade, fest und schlicht,

daß in ihm ruhn die Wurzeln unsrer Welt,
und seine Seele an die Sterne strich
und er doch Mensch blieb, so wie du und ich.

Gerhard Schumann

Gerhard Schumann: *Gelöbnis an den Führer* in: *Nationalsozialistische Monatshefte*, November 1939, S. 976; siehe auch seine Gedichte: *Der Führer* in: *Das Reich* vom 18. 4. 1943, und *Feldherrnhalle* in: *Frontzeitung einer Armee – Raupe und Rad*, vom 5. 11. 1944.

Wir stehn wie Mauern um dich her
In Treue und Geduld.
Kein Opfer ist so groß und schwer.
Wir sind in deiner Schuld.

Wir kämpfen stumm den heiligen Krieg,
Dem uns dein Wort geweiht.
Wir kennen nur das eine: Sieg,
Der Volk und Reich befreit.

Martin Simon

Martin Simon: *Der Führer* in: *Das Innere Reich*, Dezember 1938, S. 970.
Martin Simon, Lehrer und Schriftsteller (Lyrik, Freilichtspiel), *1909.

Uralter Traum, den wir geträumt,
und den der Besten Blut verschäumt,

Jahrtausendtraum, der wandellos
in den Geschlechtern weste, groß,

nach Leid und Irren den Täter fand,
darin sich einte Volk und Land

und Blut und Schicksal, Traum, o Traum!
O, endlich brachst du in den Raum

der Erde, Gottes Stürmen gleich,
und schufst das Volk und schufst das Reich!

Fritz Sotke

Fritz Sotke: *So ist es* in: *Wille und Macht* vom 15. 1. 1934, S. 1.
Fritz Sotke, Lyriker, *1902; von ihm erschien auch: *Deutsches Volk und deutscher Staat – Staatsbürgerkunde für junge Deutsche*, Leipzig 1938.

Führ uns hinein.
Und ist dein Weg nicht eben,
und führt er über Abgrund,
Fels und Eisenwüste,
wir folgen dir.

Verlangst du alles, was wir nur besitzen,
wir geben es, denn wir glauben an dich.

Wir schwören dir Gefolgschaft.
Diesen Eid kann keiner lösen –
Selbst du nicht – nur der Tod!
Und der ist unseres Seins Erfüllung.

Carl Emil Uphoff

Carl Emil Uphoff: *Der Führer spricht* in: *Neues Volk*, Gilbhardt 1935, Nr. 10, S. 38.
Uphoff, Schriftsteller (Roman, Bühnendichtung, Lyrik, Kurzgeschichte, Kunst-Essay), *1885.

Der Führer spricht! Da fallen die Lügen,
sieghafte Wahrheit überwindet dumpfen Wahn,
sagt Kampf an allem hohlen, feilen Trügen,
Verachtung allem satten Selbstgenügen.

Der Führer spricht! Die Rede wird zum Werke,
dem Wort, das gestern noch Ohnmachtsgeschwätz –
aus Schöpfertum erwächst ihm höchste Stärke.
Der Führer spricht:
Da wird das Wort Gesetz.

Will Vesper

Will Vesper: *Der Führer* in: *Die Neue Literatur*, August 1941, S. 191.

Eine Hand, die Segen ausströmt,
liegt dir unsichtbar auf dem Haupte.
Als du vortratest, ein Mann aus dem Volke,
sahen nur sieben, wie von dir ein Glanz ausging
und eine Kraft über Menschenkräfte.
Aber dann sahen es hundert, dann tausend
und zuletzt Millionen: Dein Volk sah es!
Und langsam dämmert's der Welt: dieser Mann ist
seinem Volke von Gott gesendet.
Was er anrührt, hat Segen.

Was er bedenkt, ist gut bedacht,
was er plant, weise geplant,
und was er sich vornimmt, wird groß vollendet.
Hier ruht er nicht, darf er nicht ruhen.
Denn ihm ward Beifall, dem er gehorchen muß.
Und weil er selber gehorcht, gehorchen ihm alle,
die sehend sind.

Max Wegner

Max Wegner: *Gelöbnis* in: *Nationalsozialistische Monatshefte*, Juli 1940, S. 225.
Max Wegner, Schriftsteller (Roman, Lyrik, Geschichte, Kunstgeschichte, Hörspiel), *1915.

Du, Führer, bist für uns Befehl!
Wir stehn in deinem Namen.
Das Reich ist unseres Kampfes Ziel,
ist Anbeginn und Amen.

Dein Wort, ist Herzschlag unserer Tat.
Dein Glaube baut uns Dome.
Und holt der Tod die letzte Mahd,
nie fällt des Reiches Krone.

Wir sind bereit, dein stummer Bann
schweißt erzen unsere Reihe
wie eine Kette, Mann für Mann,
ein Wall um dich in Treue.

Josef Weinheber

Josef Weinheber: *Dem Führer* in: *Das Innere Reich*, April 1939, S. 1.
Josef Weinheber, 1892–1945, Dichter.

Deutschlands Genius, Deutschlands Herz und Haupt.
Ehre Deutschlands, ihm so lang geraubt.
Macht des Schwerts, daran die Erde glaubt.

Fünfzig Jahre, und ein Werk aus Erz.
Übergroß, gewachsen an dem Schmerz.
Hell und heilig, stürmend höhenwärts.

Retter, Löser, der die Nacht bezwang.
Ernte du auch, dulde Kranz und Sang:
Ruh' in unsrer Liebe, lebe lang!

Wilhelm Wirbitzky

Wilhelm Wirbitzky: *Adolf Hitler Marsch* in: *Schutz- und Trutzliederbuch für die deutsche Jugend*, Berlin 1934, S. 19.
Wirbitzky, Schriftsteller (Erzählung, Lyrik), *1885; Verleger des *Ostdeutschen Musenalmanachs*.

Wer zerbricht die Ketten?
Wer macht Deutschland frei?
Hitler nur kann retten
uns aus Sklaverei.

Hitler wird erlösen
uns von Schmach und Not.
Hitler trotzt dem Bösen,
fürchtet nicht den Tod.

Anhang: «Mein Kampf»

In der 815.–820. Auflage von *Mein Kampf*, München 1943, findet sich der Hinweis: «Gesamtauflage sämtlicher Ausgaben bisher 9 850 000 Exemplare»; siehe auch: *The Story of Mein Kampf* in: *The Wiener Library Bulletin* Nr. 5/6, Bd. 6, September–Dezember 1952, S. 31–32, und Hermann Hammer: *Die deutschen Ausgaben von Hitlers «Mein Kampf»* in: *Vierteljahreshefte für Zeitgeschichte*, April 1956, Heft 2, S. 160–178.

Schon 1927

Dr. Rainer Schlösser: *Adolf Bartels – Wesen und Werk*, Einleitung zu Adolf Bartels: *Deutsche Dichter – Charakteristiken*, 1943, S. 22–23.

Bis zum Durchbruch des Nationalsozialismus nahm Bartels politisch etwa die Haltung eines sozialgesinnten Bismarck-Anhängers ein. Dann stellte er sich sofort hinter den Führer. Im Frühsommer 1927, zu einem Zeitpunkt also, da die abgefeimteste Perfidie noch die Parole des Tages war, wenn es um den Retter Deutschlands ging, erklärte Bartels in seiner Besprechung der beiden «Mein Kampf»-Bände im «Deutschen Schrifttum», daß sie «die bedeutendste politische Veröffentlichung seit Bismarcks ‹Gedanken und Erinnerungen›» seien, und fuhr dann fort: «Es ist zweifellos ein biographisches Werk mit einer so gründlichen Darstellung persönlicher politischer Entwicklung und auch politischer Ideen wie das Hitlers nicht zum zweitenmal in deutscher Sprache vorhanden, vor allem keins, das so bedeutende Zukunftswerte aufweist.

Alle ernsten Deutschen sollten Hitlers Werk in die Hand nehmen und es gründlich studieren. Die Zukunft Deutschlands ist ohne das Bekenntnis zu ihm nicht möglich.»

Das heilige Buch

Will Vesper in: *Die Neue Literatur*, November 1935, S. 689–690.

Der deutsche Buchhandel stellt sich für die Buchwoche folgende besondere Aufgabe: Es gibt in Deutschland noch Volksgenossen, Häuser und Familien, die des Führers Werk «Mein Kampf» nicht besitzen. «Mein Kampf» aber ist das heilige Buch des Nationalsozialismus und des neuen Deutschland, das jeder Deutsche besitzen muß. Es ist kein Buch zum Durchlesen, sondern ein Buch zum Durcharbeiten und Durchleben. Der Buchhandel sorge dafür, daß nach dieser Buchwoche «Mein Kampf» in jeder deutschen Familie zu finden ist. Dem ärmeren Volksgenossen müßten für den Erwerb des Buches besondere erleichternde Möglichkeiten geschaffen werden, die der Buchhandel in gemeinschaftlicher Überlegung mit dem Verlag gewiß finden kann.

«Es ist noch nicht abzusehen»

Josef Weinheber: *Die deutsche Dichtung und die Wirklichkeit des Volkes* in: *Weimarer Reden des Großdeutschen Dichtertreffens 1938*, Hamburg 1938, S. 67 und 69.

Es reicht nicht hin, daß der Dichter seine Sprache kennt, daß er ein richtiges, schönes Deutsch schreibt. Das kann oder sollte wenigstens jeder Deutsche können. Nein, es geht um mehr. Es geht darum, den Erscheinungen unserer neu heraufkommenden Welt den neuen, ihr gemäßen Ausdruck zu finden.

Wir haben auch in unserer Zeit gültige Beweise dafür, in welch großem Maß Bücher zersetzend beziehungsweise aufbauend an Kern und Wesen des Volkes zu wirken vermögen. Über Remarques «Im Westen nichts Neues» sind heute die Akten geschlossen. Die böse, hinterhältige, weithin tragende, auf die Vernichtung des deutschen Wesens abzielende Wirkung dieses Buches ist ja wettgemacht. Sie ist wettgemacht durch dasjenige Buch, das uns Deutschen, allen Deutschen in der Welt, das Bewußtsein unseres Wesens, unserer Kraft, unserer Größe und unserer Pflicht wieder zurückgegeben hat: Adolf Hitlers «Mein Kampf». Es ist heute noch nicht abzusehen, in welchem Maße dieses Buch dazu beigetragen hat, jene großen Tatsachen zu verwirklichen, in deren überwältigendem Bann wir alle noch stehen.

Grundlage einer Literatur

Paul Fechter: *Geschichte der deutschen Literatur*, Berlin 1941, S. 758–759.

Das Buch, das alle die verschiedenartigen Strebungen und Tendenzen der großen nationalsozialistischen Bewegung in sich zusammenfaßt, das den Übergang zu der neuen Form des Sprechens zum Leser am schärfsten vollzieht und damit die Grundlagen der Literatur schafft, die zur Gesamtseele, nicht mehr zum Einzelnen reden will, ist Adolf Hitlers großes Bekenntnisbuch «Mein Kampf». Es ist ein entscheidendes Erlebnis, wenn man im Lesen des Buches allmählich jeden Satz unmittelbar hört, wenn man fühlt, wie es Seite für Seite nicht an das Individuum im Lesenden, sondern an den hörenden Teilhaber an der großen allgemeinen Volksseele appelliert, ja wie es im Grunde immer zu dieser Seele redet, wie es zu allen spricht, nicht zu dem Einzelnen, der gerade vor dem Buch sitzt. Die leidenschaftliche Diktion greift in ganz andere Bereiche des Lebens. Es ist, als ob ein Mann nicht mehr allein sich selber Ausdruck gibt, sondern dem gesamten Willen des Volkes, der Gesamtseele der Nation, als ob er nicht mit einer Stimme, sondern aus seiner Seele mit den Stimmen von all den Tausenden redet, die er zugleich in sich fühlt.

Um Hitlers Werk kreist das ganze große Schrifttum des Nationalsozialismus, das politische wie das kulturpolitische, das philosophische wie das künstlerisch bestimmte.

Edwin Erich Dwinger

Gutachten

Nationalsozialistische Deutsche Arbeiterpartei
Postscheckkonto: Adolf Wagner 27 588 München
Fernruf: 12343 Parteiverkehr: 15¹/₂–17¹/₂ Uhr, Samstags 10–11 Uhr
Gauleitung München-Oberbayern
Amt für Erzieher – NS-Lehrerbund – Gauamtsleiter: Josef Streicher
München, Mainzerstr. 7/3, F.: 596 433
Geschäftsstelle
München, Gabelsbergerstr. 26–F: 596 433
Postscheckkonto 10 910, NS-Lehrerbund

An die   München, den 30. 12. 35
Reichsamtsleitung der NSDAP   Ihre Nachricht vom: 20. 12.
Begutachtungsstelle   Ihr Zeichen: 5345
für das päd. Schrifttum   Unser Zeichen: M/K.
Bayreuth, Schließfach 6   Abteilung: Geschäftsführung

Betreff: Gutachten über Edwin Erich Dwinger
Den Fragebogen zur Begutachtung Edwin Erich Dwingers haben wir zu-
ständigkeitshalber der Gauamtsleitung Schwaben zugesandt.
    Pg. Karl Lenz [1] kennt Dwinger persönlich und tritt für ihn ein. Daß
Dwinger einwandfreier Gesinnung ist, geht aus seinen früheren Werken «Die Armee hinter Stacheldraht» [2], «Zwischen Weiß und Rot» [3] und

1 Karl Lenz, *1899, Schriftsteller und Lehrer; seit 1921 SA-Führer und politischer Leiter der NSDAP; seit 1930 Mitglied des Reichstages.
2 *Die Armee hinter Stacheldraht*, Jena 1929, berichtet von den Jahren seiner
Gefangenschaft bis 1918.
3 *Die russische Tragödie 1919–1920 – Zwischen Weiß und Rot*, Jena 1930,
schildert den Bürgerkrieg in Sibirien.

«Wir rufen Deutschland»[1] hervor. Pg. Lenz gegenüber bewährte er sich außerdem als guter Kamerad, der ihm in Zeiten der Gefahr Unterschlupf gewährte.

Heil Hitler!
Mai

Stempel:
Nationalsozialistische
Deutsche Arbeiter Partei
Gau München Oberbayern
Amt für Erzieher NS-Lehrerbund.

Stempel:

NSLN-Reichsleitung Bayreuth
Eingeg. 2. Jan. 36 000 119
Weitergel. n. Hrl.

Ausweis

Stempel:
Persönlicher Stab Reichsführer-SS – Schrifttumsverwaltung –
Ull/Hu. 2. Sept. 41 W. V. 10 G 306 Ablage: 13. 10. 41

Der Inhaber dieses Ausweises, SS-Obersturmführer Dwinger (Sonderführer) befindet sich auf persönlichen Wunsch des Reichsführers-SS im Ostgebiet, um dort den Einsatz und die Arbeit der SS (Waffen-SS, Polizei, SD etc.) in den bis jetzt besetzten Teilen der Sowjetunion zu studieren und kennenzulernen. Der Reichsführer-SS hat es SS-Obersturmführer Dwinger freigestellt, seine Aufgaben so zu wählen, wie es ihm für seine künftige Arbeit wünschenswert erscheint. Ihm sind aus diesem Grunde alle Freiheiten zu gewähren. Er ist jederzeit weitgehendst zu unterstützen.

Der Stabsführer des Pers. Stabes Reichsführer-SS
Ullmann
SS-Standartenführer

Die Art der Neuordnung

Den Brief schrieb Dwinger an Heinrich Himmler.

Edwin Erich Dwinger
Wiesengut Hedwigshof, Heeg im Allgäu, 5. X. 41

Sehr verehrter Reichsführer!
Vor wenigen Tagen von meiner ersten Reise im Sinne Ihres Wunsches zurückgekehrt, möchte ich kurz über die Gestaltung dieser ersten Fahrt berichten, zuvor aber meinen aufrichtigen Dank für jene Großzügigkeit

1 *Wir rufen Deutschland,* Jena 1932, umfaßt die Jahre von Dwingers Heimkehr 1921–24.

abstatten, mit der Sie mir diese Fahrt bei allen Stellen ermöglichten, denn sie bewies mir genau jenes tiefe Verständnis für die Notwendigkeiten meiner künftigen Arbeit, das mir glücklicherweise auch bisher von der Wehrmacht dafür entgegengebracht wurde.

Ich hielt mich zuerst einige Tage in Warschau auf, wo mich der Kommandeur des SD ausgezeichnet informierte.

Leider war Gruppenführer von dem Bach[1] weder in Baranowitsche noch in Minsk, sondern hatte schon nach Mogilew vorverlegt – bei ihm mein weiteres Studium fortzusetzen, war mir aber leider nicht mehr möglich, da die mir belassene freie Zeit derweil abgelaufen war, wurde ich doch inzwischen vom OKW mit einem Ostkriegsfilm betraut, zu dessen ersten Besprechungen ich nach Berlin zurückkehren mußte. Ich möchte hierzu jedoch gleich gebeten haben, meine Reise im bisherigen Sinne fortsetzen zu können, sobald es mir die Arbeit an diesem Film wieder ermöglicht. Da ich nach Beendigung dieser Arbeit ohnedies wieder für Ihre Aufgabe beurlaubt bin, darf ich diese Aufgabe alsdann wohl ohne weiteres fortsetzen. Ihr gütiges Einverständnis voraussetzend verbleibe ich daher bis dahin, daß ich mich wie bisher beim Standartenführer Ullmann melde, sobald ich wieder für Ihre Aufgabe frei bin, um auch weiterhin in der von Ihnen angeregten Art an der Neuordnung Rußlands teilzunehmen.

In aufrichtiger Dankbarkeit
Heil Hitler!
Edwin E. Dwinger

Herbert Böhme

Kurt Fischer: *Herbert Böhme* in der Reihe *Künder und Kämpfer*, Herausgeber Paul Gerhard Dippel, München 1937, S. 3–4 und 15–16.

Wenn es jemanden geben sollte, der nach diesen Blättern greift, ohne je eine Zeile von Herbert Böhme gelesen zu haben, so hat er gewiß im Kreise seiner Kameraden von der SA[2], SS oder HJ manches Wort dieses Dichters oder vielleicht gar ihn selbst an einem Abend sprechen hören. Das allein ist entscheidend: Das Hören und der Kreis, den die Gemeinschaft schließt.

Herbert Böhme schuf einmal aus solcher Erkenntnis sein Buch «Rufe in das Reich», die erste bedeutende Anthologie deutscher Dichtung von Langemarck bis zur Gegenwart, und er nannte jene, die auf den

---

1 SS-Gruppenführer Erich von dem Bach-Zelewski, Himmlers Bevollmächtigter für die «Bandenbekämpfung» und später *Chef der Bandenkampfverbände*.

2 In der *Beurteilung für SA-Führer* heißt es unter «Leistungen» über Böhme: «Bemüht sich sehr, seinen Dichtungen SA-mäßige Formen zu geben.»

Stufen in das Vaterland ihre Bekenntnisse formulierten, zum ersten Male: Rufer.

Rufer in das Reich waren die wenigen Unbekannten, die dem Marsch zur Revolution ihren Gesang gaben. Rufer in das Reich sind alle, die der Sehnsucht des Volkes die Macht des Wortes zu geben vermögen. Denn die letzte Sehnsucht ist immer nur Deutschland.

Bei der Sonnenwende oder Totenfeier, zum Appell der SA und zum Aufmarsch der HJ und des Arbeitsdienstes spricht ein unbekannter Kamerad die Worte Böhmes oder Baumanns[1] oder eines anderen. Es braucht keinen Schauspieler dazu, der das Sprechen in jahrelanger Übung erlernt hat. Jeder kann es sprechen, jeder versteht die Worte. Die Gemeinschaft trägt den Dichter. Und er gehört zu ihr, zu ihren schönsten Stunden. Wir fühlen, was er sagt. Seine Deutung, Formung, Gestaltung der Welt ergreift und verpflichtet uns, stärkt uns in unserer Haltung.

1928 bis 1932 studierte Böhme in München und Marburg Germanistik und Philosophie. In diesen wechselreichen Jahren geschah auch der Durchbruch zur eigenen Form: «Morgenrot, Deutschland» und andere bekannte vaterländische Gedichte entstanden.

Durch diese Dichtungen, die frischen, nationalsozialistischen Geist atmeten, kam Böhme frühzeitig mit Nationalsozialisten zusammen, die in ihm einen Künder des Kampfes und Glaubens sahen.

«Morgenrot, Deutschland» hatte Herbert Böhme seinen Gedichtband begonnen, und mit diesem Ruf begann er auch die ersten Worte im neuen deutschen Rundfunk des 30. Januar. Die Partei stellte ihn an manchen hervorragenden Posten, «ihr», so schrieb er, «gehört mein Leben».

Hans Friedrich Blunck, der als erster Dichter der Kriegsgeneration den jungen Rufer entdeckt hatte, schrieb 1931 schon über seine Gedichte: «Ich glaube, einen starken und eigenwilligen Dichter in Ihnen begrüßen zu können.»

Sein äußerer Lebensweg führte ihn bald zur Reichshauptstadt, wo er nach einem richtunggebenden Wirken am Berliner Sender Reichsfachschaftsleiter für Lyrik in der Reichsschrifttumskammer wurde.

Nachdem ihn sein Lebensweg kurze Zeit in das Saarland geführt hatte, wirkt Böhme nun in München, der Hauptstadt der Bewegung und der Kunst, dem Gruppenführer seiner Heimat, Obergruppenführer Siegfried Kasche, verdanken viele Dichtungen ihr Entstehen und vor allem gelang das SA-Spiel «Volk, deine Ehre!», das anläßlich des Gruppenaufmarsches aufgeführt wurde.

Böhme wurde Kulturreferent der Gruppe Ostmark, jetzt ist er zur Obersten SA-Führung versetzt und in den Kulturkreis der SA berufen.

1 Hans Baumann.

Beurteilung für SA.-Führer

Gruppe: OSAF Erziehungshauptamt

Name und Vorname: B ö h m e   Herbert

Geburtsdatum: 17.10.1907   Derzeitiger Beruf: nebenamtl.SA-Führer

sonst freier Schriftsteller

(Falls in der SA. hauptamtlich, auch den früheren Beruf angeben.)

SA.-Dienstgrad: Sturmhauptführer   Dienststellung: nebenamtlich Referent

NSDAP. seit: 1.5.1933   Mitgl.-Nr.: 2 828 213   SA. seit: 1.9.1933

1. Allgemeiner Teil:

(Charakter, körperliche und geistige Veranlagung; Verhalten gegen Untergebene und Vorgesetzte, Auftreten und Verhalten im und außer Dienst.)

Charakter: gefestigt.

Körperliche Veranlagung: entspricht den Anforderungen.

Geistige Veranlagung: intelligent, rege, schnelle Auffassung.

Verhalten und Auftreten usw: einwandfrei.

2. Leistungen:

(Können und Wissen auf den einzelnen Gebieten des SA.-Dienstes, Eindruck von der Einheit und von der Dienststelle, besonders ausgeprägte Eigenschaften und Fähigkeiten, gegebenenfalls auch vorhandene Mängel.)

Können und Wissen auf den einzelnen Gebieten des SA-Dienstes können nur in Bezug auf die von ihm bearbeiteten kulturellen Angelegenheiten beurteilt werden, er besitzt gute Urteilskraft und ist einer Kritik an seinen eigenen Werken zugänglich, bemüht sich sehr, seinen Dichtungen SA-mäßige Formen zu geben.

Fragebogen der SA für Herbert Böhme

Baldur von Schirach

Hermann Gerstner und Karl Schworm: *Deutsche Dichter unserer Zeit*, München 1939, S. 432–433.

Diese seelische Haltung hat Baldur von Schirach, der am 9. Mai 1907 geboren ist, bereits sehr frühzeitig zum Nationalsozialismus geführt. Schon 1924 wurde er Mitglied der Bewegung, widmete sich dann in München kunstgeschichtlichen und germanistischen Studien, wurde der Führer der nationalsozialistischen Studenten und leitet seit 1933 die Jugend Adolf Hitlers.

Dies geradlinige Leben ist vom Dienst für den Führer und für Deutschland bestimmt. Und in gleicher Weise erfahren wir aus den Gedichten Baldur von Schirachs den unbändigen Glauben an den Führer und unser großes Vaterland. Für ihn ist die Standarte ein Zeichen des Sieges, er spürt die geheime Kraft, die von ihm ausgeht, und ruft zur Sammlung um die flatternde Fahne auf.

Schönste, tief erfühlte und doch wieder so klare Verse weiht er mit unerschütterlichem Vertrauen seinem Führer. Er wußte schon damals, als er mit einem Gedicht «Nürnberg» verherrlichte, daß dereinst dieser Mann, der die Parade der braunen Kämpfer abnimmt, Deutschland selbst verkörpern werde. Und er formuliert in diesem frühen Zyklus bereits jene Verse, die seitdem so oft in Versammlungen und Feiern gesprochen worden sind, und die das Wesen unseres Führers in einer ergreifend reinen Art spiegeln und verkünden.

Auch Alfred Rosenberg errichtet er mit dem Gedicht «Einem Führer» ein ehrendes Denkmal aus kristallklar geprägten Versen.

Ein anderer Gedichtband Baldur von Schirachs «Die Fahne der Verfolgten» (1933) vermehrt die erste Sammlung um wesentliche Beiträge und ist ebenfalls dem Führer Adolf Hitler gewidmet. Hinreißende Verse «An die Fahne» eröffnen das Buch, melden die heiligende Kraft der Standarten und bekennen sich abermals zum kämpferischen Geist, zur willensstarken Tat und zum Opfermut. Damit ist gleichsam das Motto gegeben, das diesen nationalsozialistischen Gedichten vorgezeichnet ist. Ob der Dichter eine Gestalt wie Herbert Norkus rühmt, ob er Horst Wessel beschwört oder den unbekannten SA-Mann sprechen läßt, immer sind seine Strophen von dem Gesetz kämpferischer Jahre bestimmt.

Das Gedichtbuch ist in seiner Gesamtheit ein Ehrenspiegel der Bewegung und bestätigt die Worte Rainer Schlössers[1], daß diese Versbände am Anbeginn nationalsozialistischer Dichtung stehen. Sie sind die künstlerisch geformten Ehrenhallen, die in eine neue Epoche unseres Schrifttums geleiten.

---

[1] Rainer Schlösser in *Wille und Macht* vom 1. 6. 1934, S. 13–15.

Gerhard Schumann

Ich bin am 14. 2. 1911 in Esslingen a. N. als 2. Kind des Albert Schumann und seiner Ehefrau Mathilde geb. Ruttmann geboren. Im selben Jahr wurde mein Vater an die Lehrerbildungsanstalt nach Künzelsau a. Kocher versetzt, wo ich meine Jugend verbrachte. Im Elternhaus stand die Pflege des völkischen Gedankens und die Liebe zur Kunst an erster Stelle, was für meinen Lebensweg von entscheidender Bedeutung wurde.

Nach dem Besuch der Volksschule in Künzelsau, der Lateinschule in Ingelfingen, der ev. Seminare in Schöntal und Urach (Humanistisches Gymnasium) bis zur Reifeprüfung, nahm ich 1930 in Tübingen das Studium der Germanistik auf (Deutsch, Philosophie, Geschichte, Englisch) mit dem schon damals klaren Ziel, später sowohl als Schriftsteller wie als Kulturpolitiker innerhalb des deutschen Theaters zu wirken.

Hier in Tübingen begann bald mein Einsatz innerhalb der Nat. Soz. Bewegung. Auf dem politischen Sektor bekleidete ich in rascher Folge die Ämter eines Zellenobmanns, Hochschulgruppenführers, Bezirksführers und Landesführers des NSDSTB. Das silberne Ehrenzeichen der NSDSTB wurde mir 1933 verliehen.

Innerhalb der SA bekleidete ich in Tübingen die Stellung eines Scharführers, Truppführers, Sturmführers, Sturmbannführers, Standartenführers und Führers des SA-Hochschulamtes.

Im Jahre 1934 wurde ich nach Stuttgart als Hochschulverbindungsführer beim Landesführer V des Chefs des Ausbildungswesens versetzt, um dann 1935 ganz in die kulturelle Arbeit geholt zu werden. Hier in Stuttgart bekleidete ich die Ämter des Kulturreferenten des Reichspropagandaamtes Württemberg und Gaukulturhauptstellenleiters der NSDAP sowie des Kulturreferenten der SA-Gruppe Südwest, deren Stab ich zunächst als SA-Standartenführer, heute als SA-Oberführer angehöre.

Im Mittelpunkt meines Wirkens stand neben dem politischen und beruflichen Einsatz meine schriftstellerische Arbeit. Diese hatte schon in früher Jugend begonnen. Veröffentlichungen waren seit 1929 erschienen. Auf Grund meines dichterischen Werkes erhielt ich 1935 den Schwäbischen Dichterpreis, 1936 den Nationalen Buchpreis und wurde in den Reichskultursenat sowie den Präsidialrat der Reichsschrifttumskammer berufen. Neben lyrischen Arbeiten veröffentliche ich dramatische Werke und kulturpolitische Betrachtungen. Meine Vorlesungen und Vorträge führten mich durch ganz Großdeutschland und einen großen Teil der europäischen Länder.

1938 wurde ich als Leiter der Gruppe Schriftsteller in die Reichsschrifttumskammer nach Berlin berufen. 1939 rückte ich freiwillig ein, nahm als Zug- und Kompanieführer am West- und Ostfeldzug teil und wurde mehrfach ausgezeichnet. Am 18. 8. 41 wurde ich im Osten verwundet und am 12. 1. 42 nach Entlassung aus dem Lazarett uk. gestellt, um einem Ruf als Chefdramaturg, später stellv. Generalintendant der Württ. Staatstheater in Stuttgart zu folgen.

Auf Grund meiner im Februar 1944 erfolgten freiwilligen Meldung zur Waffen-SS wurde ich nunmehr einberufen und zum SS-Hauptamt CI2 versetzt.

Berkenbrück/Spree, 22. 11. 44   Gerhard Schumann

Karl Baur

Karl Baur, Vorsitzender des Verlags Georg D. W. Callwey in München, der 1884 von Georg Dietrich Wilhelm Callwey gegründet wurde; im Verlag erschien u. a. die Zeitschrift für Kunst und Literatur *Der Kunstwart*.

Politische Beurteilung

Gekürzt.

	Nationalsozialistische Deutsche Arbeiterpartei
	Gau München – Oberbayern
	Kreisleitung München
	Geschäftsstelle: Prannerstraße 20
	Ortsgruppe Wittelsbacherplatz,
An die	Geschäftsstelle: Gabelsbergerstr.
Gauleitung München	17/0 S. B. Telefon Nr.: 29 63 49
Personalamt	München, Hauptstadt der Bewegung,
München	22. Mai 1936

Betreff: Politische Beurteilung
Zum Schreiben vom 6. Mai 1936 – H/Ka. No. 4916/110/35
Karl Baur, München, Finkenstr. 2, Verleger, ist Pg seit 1. 8. 1930 unter Mitgl. Nr. 286 881, Träger des Blutordens, ein sehr fester verlässiger Charakter, ein Ehrenmann, überzeugter Anhänger der Bewegung und somit politisch zuverlässig.

Zum Schreiben vom 7. Mai 1936, H/Ka. No. 4916/110/35

Stempel: Heil Hitler!
Nationalsozialistische Deutsche Arbeiterpartei   R. Cott
Ortsgruppe München Wittelsbacherplatz   stellv. Ortsgruppenleiter

Höflichkeitsformeln fallen bei allen parteiamtlichen Schreiben weg.

Politische Verdienste

Verlag Georg D. W. Callwey, München
Karl Baur
Mitglied des Reichskultursenats
Leiter der Fachschaft Verlag
München 36, Finkenstr. 2, Schließfach
Fernruf 2 61 98, Privat 79 46 88
11/11/40

Lieber Herr Böhm,

Ihr Brief, mit dem Sie Angaben über meine «politischen Verdienste» erbitten, hat Frl. Kluge ebenso in Verlegenheit gebracht wie mich. Wenn ich auch nicht von Verdiensten berichten will, so kann ich Ihnen nur kurz meine politische Vergangenheit und Laufbahn schildern:

Ich war bereits seit der Befreiung Münchens 1919 im Freikorps Epp und in der weiteren Entwicklung in den verschiedenen mehr oder minder getarnten Verbänden, um schließlich 1922/23 mit meiner Kompanie im Bund Oberland einzutreten. Im Frühjahr 1923 wurde ich erstmals Mitglied der NSDAP. Im Verband des Bundes Oberland nahm ich aktiv an den Vorgängen des 8. und 9. November in München teil, auf Grund dieser Teilnahme bin ich Träger des Blutordens.

Bei Neugründung der Partei war ich nicht in München, sondern in Dresden und Berlin, um zur Ausbildung für den Verlegerberuf in verschiedenen Betrieben zu arbeiten, da ich ursprünglich ja Architekt war. Ich trat dann 1926 in den Verlag Callwey ein, war aber durch die Einarbeitung in einen neuen Arbeitskreis, ja vollkommen neuen Beruf so stark in Anspruch genommen, daß ich den Wiedereintritt in die Partei verzögerte. Konnte ich so in diesen Jahren nur passiv Mitglied sein, so trat ich in der Vorbereitung des Wahlkampfes 1930 wieder aktiv in die Partei ein. Ich wurde zuerst als Zellenwart und Sektionspropagandaleiter, dann als Ortsgruppen-Propagandaleiter eingesetzt, trat in die SA ein und war bei der Machtübernahme Sturmführer. 1935/36 führte ich einen Sturmbann.

Mit der Machtübernahme wurde ich außerdem in den Aktionsausschuß des Börsenvereins berufen, später als Leiter der Fachschaft Verlag eingesetzt. Diese Arbeiten im Berufsstand nahmen immer größeren Umfang an, eine ganze Reihe von weiteren Ämtern verband sich mit den alten; ich wurde Präsidialrat der Reichsschrifttumskammer, Obmann im Reichsverband der Zeitschriftenverleger, Mitglied des Reichskultursenats, Präsident des Internationalen Verleger-Kongresses. Alle diese Arbeiten zwangen mich zu so vielen Reisen, daß ich schließlich zu meinem größten Leidwesen gezwungen war, den aktiven SA-Dienst niederzulegen. Ich stehe seither als Obersturmbannführer z. b. V. der Standarte 16/List in München.

Ich hoffe, daß Ihnen diese Angaben genügen und bin mit freundlichen Grüßen und

Heil Hitler!
Ihr
Karl Baur

Hugo Bruckmann

Hugo Bruckmann, *1863, Vorsitzender der F. Bruckmann Verlag A. G.; der F. Bruckmann-Verlag wurde 1858 von Friedrich Bruckmann, 1814–98, in Frankfurt a. M. gegründet; 1863 ist er nach München verlegt worden; im Verlag erschienen u. a. die Schriften von H. St. Chamberlain.

Politische Beurteilung

	Nationalsozialistische Deutsche Arbeiterpartei
	Gau München – Oberbayern
	Kreis München, München, Prannerstr. 20
	Ortsgruppe München-Siegestor
	Städt. Spar-Giro-Konto-Nr. 20 275
	Zweigst. Leopoldstr.
	Fernsprech-Nummern:
	Geschäftsstelle: 30 553
	Stellvertreter: 34 064
An die	Kassenleiter: 32 436
Gauleitung	Propagandaleiter: 31 158
München Oberbay.	München, den 13. Mai 36
München	Hauptstadt der Bewegung
Prannerstr. 20	Giselastr. 29/II

Betrifft: Abteilung Gaupersonalamt Diktat H/Ka Nr. 4916/110/35
Politische Beurteilung des Pg Hugo Bruckmann, München, Leopoldstr. 10

Die Ortsgruppe der NSDAP Siegestor meldet über den Genannten folgendes: Bruckmann ist in aller nächster Nähe des Führers, in Berlin tätig. Er ist seit dem Bestehen der Bewegung Parteigenosse. Seine Mitgliednummer ist 91. Seine Frau ist ebenfalls Parteigenossin Mitglied Nr. 92. Der Führer verkehrt persönlich bei der Familie Bruckmann. Uns ist nur die Frau Bruckmann persönlich bekannt, da diese hin und wieder auf die Ortsgruppe kommt und auch unsere Veranstaltungen besucht. Über

Bruckmann Hugo bestehen in politischer Hinsicht keine Bedenken, sonst wäre er nicht in dieser Stellung, in der er ist.

Stempel: Heil Hitler!
NSDAP Gauleitung München-Oberbayern   Unterschrift
Eing.: 14. Mai 1936 No. 039 984   Ortsgruppenleiter
Abt.: Pol. Beurteilungen 4916/58/36

Stempel:
Nationalsoz. Deutsche Arbeiterpartei
Ortsgruppe München Siegestor.

Amann an Bruckmann

Herrn   Nationalsozialistische Deutsche Arbeiterpartei
Hugo Bruckmann   Reichsleitung
München 2 NW   Der Reichsleiter für die Presse – München 2 NO
Nymphenburgerstr. 6   München, den 24. Jan. 35

Sehr geehrter Herr Bruckmann!
Ich danke verbindlichst für Ihren Brief vom 22. Januar und bitte Sie, zur Kenntnis zu nehmen, daß der Zentralverlag der NSDAP bereits vor längerer Zeit den Hauptschriftleiter des Völkischen Beobachters damit beauftragt hat, ein Ehrenbuch der Gefallenen der NSDAP in Bearbeitung zu nehmen. Durch eine allzu starke Inanspruchnahme ist dieser jedoch noch nicht dazu gekommen, das Werk abzuschließen, sodaß der Verlag eine Vorankündigung noch nicht erlassen konnte. Der weitaus größte Teil des Materials liegt schon fertig im Manuskript vor.

Ich bedaure daher, Ihnen mitteilen zu müssen, daß die Herausgabe eines gleichen Buches in einem anderen Verlag von Seiten der Parteiamtlichen Prüfungskommission zum Schutze des NS-Schrifttums nicht genehmigt wird.

Mit den besten Grüßen und   Heil Hitler!
                                   Ihr Amann
                                   Reichsleiter

Bedenken

F. Bruckmann Verlag
Kommandit-Gesellschaft
Fernruf 6494
Drahtanschrift: Bruckmannkoge München
Postscheckkonto: München 158
München, den 4. Mai 1940
Nymphenburger Straße 86 K/Be.
handschriftlich:
Ihr Zeichen: II A–020190–Ja

An die
Reichsschrifttumskammer
Berlin-Charlottenburg 2
Hardenbergstr. 6

Wir haben am 27. 2. folgende Anfrage an Sie gerichtet: «Es wird unserem Verlag vorgeschlagen, eine Auswahl des Briefwechsels zwischen Kaiser Wilhelm I. und seiner Gemahlin, Kaiserin Augusta, herauszubringen, nachdem die Kaiser-Wilhelm-Gesellschaft ihre ursprüngliche Absicht, den im Hausarchiv liegenden sehr umfangreichen Briefwechsel im gesamten herauszugeben, aufgegeben hat. Mit der Aufgabe der Auswahl ist Herr Professor Windelband [1] beauftragt worden.

Wir richten an Sie die ergebene Anfrage, ob gegen die Person des Herrn Professor Windelband irgendwelche Bedenken bestehen. Die letzten Veröffentlichungen von Professor Windelband sind in der Essener Verlagsanstalt erschienen, die auch, wie wir hören, im Frühjahr eine Bismarck-Publikation von Windelband herausbringt.

Heil Hitler! F. Bruckmann Verlag

Sie hatten uns mit Ihrem Schreiben vom 6. März 1940 – II A-020190-Ja – eine Mitteilung in Aussicht gestellt. Nun ist es uns nicht möglich, den Autor länger hinzuhalten. Wie Sie sehen, liegt unsere Anfrage bei Ihnen über zwei Monate zurück. Wir wären Ihnen also dankbar, wenn Sie unsere Anfrage möglichst postwendend beantworten wollten, oder dürfen wir den Umstand, daß Sie auf die Sache nicht zurückgekommen sind, so auslegen, daß von Ihrer Seite keinerlei *Bedenken bestehen*?

Heil Hitler!
F. Bruckmann Verlag
Unterschrift

---

1 Prof. Dr. Wolfgang Windelband, 1886–1945, Mittelalterliche und Neuere Geschichte.

Kapitel IV

ARTFREMDE LITERATUR

Vorwort

Gott schuf den Menschen nach seinem Bilde. In diesem Glaubenssatz wurzeln unsere Rechte und Pflichten. Daraus ergibt sich unsere Pflicht, jedem Geschöpf – und sei es auch noch so verschiedenartig – das gleiche Recht zu gewähren.

Die Totalitären jeder Schattierung umgehen jedoch diesen höchst menschlichen Grundsatz; sie verwechseln sittliche Gerechtigkeit mit Paragraphen-Recht wie Autorität mit Macht.

«Wenn aber einmal dieser Glaube des Menschen wankt» – Schiller sagte dies über die Religion –, «so wankt nicht er allein!»

Rasse

Kultur und Nation

Aufsatz von Reinhold Conrad Muschler, in: *Deutsche Kultur-Wacht*, 1933, Heft 3, gekürzt.

Man spricht von europäischer Kultur und europäischer Kunst. Das ist nur bedingt richtig, insofern auch Goethe, Schiller, Shakespeare, Beethoven und andere Geistesheroen zum Weltbesitz geworden sind. Kunst und Künstler können selbst niemals europäisch sein.

Alle Werke jener intellektualistischen Internationalen zerflattern, sind ohne Atem, besitzen kein Rückgrat und sind in Wirklichkeit weder international noch national.

Tolstoi zeigt die Gefahr und Zersetzung des sogenannten Internationalismus. Wo seine Probleme aus dem russischen Empfinden kommen, sind sie groß, gerade und stark. Im gleichen Augenblick, da Tolstoi bewußt in westliche Geistigkeit versinkt, also international wird, verliert er den Atem, seine Sätze werden zu aphoristischen Spielereien und die Gedanken entbehren des Individuellen. Und diese Eigenschaften haften allen Geistesprodukten jener heimatlosen Verstandesmenschen an, die es verlernt – oder nie gekannt haben –, mit dem Herzen zu denken. Kultur wächst aus dem Boden eines Landes auf.

Wenn deshalb fremdartige Verführer den billigen zerstörenden und den Aufbau unfähigen Internationalismus verkünden, so sind sie mit ihren Formulierungen auf dem Irrweg.

Ehrfürchtig

Pfarrer Kurt Engelbrecht: *Deutsche Kunst im totalen Staat*, Lahr i. Baden 1933, S. 18–19, gekürzt.

Rasse und Weltanschauung.
Die Tage des naturwissenschaftlichen Materialismus und der materialistischen Naturbetrachtung sind vorüber. Wir sehen Rasse nicht mehr als etwas rein Physiologisches, materiell Naturhaftes an. Wir erkennen, daß Geist und Gestalt, Seele und Form tief ineinander verankert und ge-

genseitig verpflichtet und verbunden sind. Wir wissen, daß nicht die Materie sich etwa zufällig den Geist und die Seele schafft, sondern daß Geist und Seele planmäßig sich die ihnen adäquate Gestalt und Form herausbilden. Wir sind nicht mehr blindlings Anbeter des Kausalitätsgesetzes, das in allem äußeren, mechanischen Geschehen Gültigkeit besitzt, wir beugen uns vielmehr ehrfürchtig der Finalordnung, der Zwecksetzung, die wir überall auch in der Natur unerforschlich geistvoll befolgt sehen. So erkennen wir denn auch, daß Rasse und Weltanschauung in tiefen, inneren, der naturwissenschaftlichen Erforschung unzugänglichen Zusammenhängen und Abhängigkeiten zueinander stehen.

Der wesentliche Bestandteil

Erich Rothacker: *Geschichtsphilosophie*, München/Berlin 1934, S. 147, Auszug. Prof. Dr. Erich Rothacker, Philosoph, 1888–1965.

Neben Staatsgedanke, Deutschtumsgedanke, Volksgedanke steht als wesentlicher Bestandteil aller zugleich der Rassegedanke. Freilich ist gerade er, rein für sich betrachtet, nicht ohne innere Spannungen zu den übrigen Leitideen. Wie er überhaupt in seiner vollen kulturpolitischen Tiefe und Tragweite noch längst nicht bis ins Letzte durchdacht ist.

Zunächst fällt die Spannung der Rasseidee zur Idee des Staates ins Auge, dessen Rahmen durch eine Normierung des Handelns an einem Gemeinschaftsbewußtsein, das noch über die Volks-, Sprach-, Sitten- und Geschichtsgemeinschaft hinausreicht, vollends gesprengt zu werden droht. Das eigentliche Gewicht der übrigen politischen Konsequenzen des Rassegedankens liegt aber vor allem in seinem unzerstörbar aristokratischen Charakter. Daß dieser Zug zunächst mit dem Führergedanken in besonders glücklichem Einklang steht, bedarf kaum näherer Begründung. Und ebenso zu dem von A. Rosenberg besonders verdienstlich betonten und mit dem Rassebewußtsein verknüpften Prinzip der Ehre. In tiefgreifenden Spannungen aber befinden sich beide im Rassegedanken vereinten Ideen reinrassiger Abstammung, wie «guter Rasse» im Sinne der hochqualifizierten Zuchtrasse mit allen Verkleidungsformen der Demokratie und Massenherrschaft als unvermeidlicher Begünstigung eines rassischen Erbgutes, dessen Durchschnittsniveau mit der Zunahme der Zahl stetig sinken muß. Nach den streng biologischen Kriterien der Rassenlehre selbst ist eben im Mittel das nordisch-fälische Blut einerseits, das ostische andererseits sozial ebenso ungleich verteilt wie die Ergebnisse sozial wertvoller Züchtungen erblicher Begabungen.

In diesem Sinne beseitigt die von Adolf Hitler in Nürnberg stark unterstrichene Verlegung des Edelrassigen aus dem ausschließlich somatischen in die dem nordischen Erbanteil entsprechende «heroische Gesinnung» und Weltanschauung ebenso eine gewisse politische Verlegenheit wie das baltische Pathos des «Charakters» und der «Persönlichkeit» in A. Rosenbergs «Mythus des 20. Jahrhunderts».

«Alfred Rosenberg sagte einmal»

Hans Friedrich Blunck: *Deutsche Kulturpolitik* in: *Das Innere Reich*, 1. Halbjahresband 1934, S. 121, Auszug.

Wir haben deutsche Landschaften, in denen in den letzten Jahrhunderten benachbarte Völkerschaften in unser Blut einsanken, ich denke an Ostpreußen und Schlesien, die beide in ihr Volkstum manches Fremde aufnahmen. Wir haben andere Landschaften um Weser und Niederelbe, die ihr eingesessenes Volkstum fast rein erhalten haben. Ohne jede Frage wirkten die rassischen Eigenheiten dieser Landschaften auf die Bildung ihrer Teilkultur ein, aber wir wollen uns hüten, die Unterschiede innerhalb Deutschlands zu übersteigern, wie es oft geschah und geschieht. Wir würden sonst verblüfft vor der Tatsache stehen, daß wir Reichsniederländer uns am ehesten im Steiermärker, im Alemannen, im Bergbayern widerspiegeln. Alfred Rosenberg sagte einmal, Rasse sei die Außenseite einer Seele und die Seele umgekehrt das Spiegelbild einer Rasse. Er hat darin Recht, und ich glaube, je stärker unser Volk seine Kultur unabhängig von der unruhigen Vielfalt äußerer Einflüsse aller Art zu gestalten vermag, um so stärker wird sich auch die Einheit und Reinheit deutschen Wesens in Staat und Landschaft geltend machen.

Entweder – oder

Alfred Rosenberg: *Der Mythus des 20. Jahrhunderts*, 1935, S. 81–82, Auszug.

Daß alle Staaten des Abendlandes und ihre schöpferischen Werte von den Germanen erzeugt wurden, war zwar schon lange allgemeine Redensart gewesen, ohne daß vor H. St. Chamberlain daraus die notwendigen Folgerungen gezogen worden wären. Denn diese begreifen in sich die Erkenntnis, daß beim vollständigen Verschwinden dieses germanischen Blutes aus Europa die gesamte Kultur des Abendlandes mit untergehen müßte. Die Chamberlain ergänzende neue Erforschung der Vorgeschichte in Verbindung mit der Rassenkunde hat dann noch eine tiefere innere Besinnung hervorgerufen: jenes fruchtbare Bewußtsein, daß wir heute vor einer endgültigen Entscheidung stehen. Entweder steigen wir durch Neuerleben und Hochzucht des alten Blutes, gepaart mit erhöhtem Kampfwillen, zu einer reinigenden Leistung empor, oder aber auch die letzten germanisch-abendländischen Werte der Gesittung und Staatenzucht versinken in den schmutzigen Menschenfluten der Großstädte, verkrüppeln auf dem glühenden, unfruchtbaren Asphalt einer bestialisierten Unmenschheit oder versickern als krankheitserregender Keim in Gestalt von sich bastardierenden Auswanderern in Südamerika, China, Holländisch-Indien, Afrika.

Die Dattelpalme

Gerhard Köhler: *Rasse und Dichtung* in: *Neues Volk*, Januar 1937, S. 34, Auszug.
  Dr. phil. Gerhard Köhler, Schriftsteller, *1910; Autor von: *Kunstanschauung und Kunstkritik in der nationalsozialistischen Presse*, München 1937.

Diese Grundforderung und Voraussetzung nationalsozialistischer Kulturpolitik ist uns im Ausland vielfach verübelt worden. Man konnte und wollte nicht verstehen, warum ein Jude oder auch ein Neger nicht imstande sein sollte, art- und volksgemäße deutsche Kulturwerte zu schaffen, falls er in Deutschland aufgewachsen und dort erzogen worden sei. Man vergaß dabei aber, daß man von einer in den Norden verpflanzten Dattelpalme ebensowenig Bucheckern wie von einer in der tropischen Zone aufgewachsenen Buche Datteln ernten kann, daß also ein Jude oder Neger nur jüdische bzw. negroide und ein Deutscher nur deutsche Kulturwerke und -werte schaffen kann. Das wird sofort klar, wenn man beispielsweise ein schlichtes deutsches Volkslied mit dem Gedicht eines der gefeiertsten Negerdichter, Langston Hughes [1], vergleicht. Das erstere wird immer Ausdruck der deutschen Volks- und Rassenseele sein und für uns einen Kulturwert bedeuten, während wir das letztere als «Niggerkunst» ablehnen und ihm jeden Wert absprechen. Umgekehrt aber wird der Neger oder mit ihm rassisch verwandte Mensch jenem Niggersong als der ihm passenden und artgemäßen Kunst den Vorzug geben. Das heißt also, daß der Neger nur Negerkunst und -kultur und der nordische Mensch nur nordische Kunst und Kultur schaffen und anerkennen kann.

  1 James Langston Hughes, *1902, Schriftsteller (Lyrik, Novelle, Bühnendichtung, Opernlibretto, Musical).

Gleiches Ziel

Ludwig Büttner: *Literaturgeschichte, Rassenkunde, Biologie* in: *Zeitschrift für Deutschkunde*, 1938, S. 337–338, Auszug; siehe auch von demselben Autor: *Gedanken zu einer biologischen Literaturbetrachtung*, München 1939, S. 67: «Die Frage nach den Erbanlagen und der rassischen Herkunft der Dichter gehört zur biologischen Literaturgeschichte. Die Biographie der Dichter erhält dadurch eine größere Tiefe und vermag zur umfassenderen Deutung der geistigen Haltung beizutragen.»

Die neue Literaturgeschichte und die geistesgeschichtlich orientierte Rassenkunde haben ein gleiches Ziel. Nur die Wegrichtungen sind verschieden. Die Literaturgeschichte geht von der schöpferischen Dichterpersönlichkeit und der Individualleistung aus und sucht darin einen überindividuellen Ausdruck. Die Rassenkunde geht von den typischen Gemeinschaftserscheinungen aus und sucht sie in den schöpferischen Einzelleistungen und Persönlichkeiten wieder. Beide begehen den gleichen Weg zur selben Zeit, jedoch von entgegengesetzter Richtung aus. Beide besitzen das gleiche Erkennungsziel und den gleichen Erkenntniswillen. Die Grenzen schwinden, die eine Wissenschaft geht in die andere über. Sie begegnen sich auf einem Boden der Synthese: rassenkundliche Literaturgeschichte (Geistesgeschichte) oder geistesgeschichtliche Rassenkunde. Beide Wissenschaften verbindet die biologische Auffassung, daß die Gesetze der Vererbung auch im geistig-seelischen Bereich wirken. Sie erkennen das Typische unter den individuellen Persönlichkeiten als gemeinsames schicksalhaftes Erbe. Sie fragen nach Ursachen und Folgen, die oft nicht gewollt, noch dem Willen zugänglich sind. Sie begreifen das Leben nicht allein aus dem überlegenen Verstand, aus Bildung und Erziehung, aus Umwelt und äußeren Bindungen, sondern wesentlich aus den erblichen und rassischen Kräften, die man vielleicht auch als «Gefühl und Schicksal» bezeichnen kann.

Der Streit zwischen den verschiedenen Rassenseelen

Arno Dreher (Bochum): *Das Fragmentarische bei Kleist und Hölderlin als rassenseelischer Ausdruck.* – Inaugural-Dissertation zur Erlangung des Doktorgrades der Philosophischen und Naturwissenschaftlichen Fakultät der Westfälischen Wilhelms-Universität zu Münster, 1938, S. 63, Auszug; Berichterstatter Prof. Dr. Günther Müller; Dekan Prof. Dr. Adolf Kratzer.

Unser deutsches Volk ist kompliziertes Gemisch verschiedener Rassen. Schranken des Verstandes sind aufgetürmt zwischen den einzelnen Gliedern des Volkes, ja sogar in einem einzelnen Menschen sind die verschiedensten rassischen Züge angelegt, durch seine Seele geht ein Riß, die einzelnen rassischen Kräfte führen einen ewigen Kampf miteinander. Und diese historische Entwicklung läßt sich nicht mehr zurückschrauben. Dieser Kampf läßt sich nicht schlichten. Aber wenn wir in der Erziehung künftiger Geschlechter einem der rassischen Stile –, die ja alle, für sich genommen, ihren Wert haben – wenn wir also einem der rassischen Stile den Vorrang geben, wenn wir ihn zum Vorbild für die Erziehung machen, so daß sein Gesetz herrschend würde für unsere Gemeinschaft, – dann könnten wir die Gefahr abschwächen, daß sich immer wieder deutsche Menschen an diesem inneren Widerstreit der Seelen gegenseitig zerstören oder selbst daran verbluten.

Eine neue Größe

Dr. Georg Schmidt-Rohr: *Die Stellung der Sprache im nationalen Bewußtsein der Deutschen* in: *Jahrbuch der deutschen Sprache*, Leipzig 1941, S. 14, Auszug.

Im Volksbegriff des Nationalsozialismus trat eine neue Größe beherrschend in den Vordergrund: das Blut, die Rasse. Das Volk war gewiß immer schon als Volkskörper in seiner Leiblichkeit gesehen worden. Diese Blutwirklichkeit erschien aber leicht als eine zu selbstverständliche Gegebenheit, als daß sie die Beobachtung und das Nachdenken erregt hätte. Erst die Bedrohungen auf der Blutebene riefen die Sorge und die Forschung wach. Die Bedrohung war wesentlich von dreierlei Art: Sie zeigte sich als Überfremdung durch fremdes Blut und damit fremde Art, vor allem in dem Eindringen des Judentums. Sie zeigte sich ferner im Geburtenrückgang und in einer bevorzugten Vermehrung der Minderwertigen unter den Auslesebedingungen der Verstädterung des Volkes.

Die positiven Fragestellungen

Julius Petersen: *Die Wissenschaft der Dichtung – System und Methodenlehre der Literaturwissenschaft*, 2. Auflage mit Beiträgen aus dem Nachlaß, Herausgeber Prof. Erich Trunz, Berlin 1944, S. 49, Auszug.

Dichtung wird als psychische Anthropologie angesehen, und die Rassenprobleme zwingen zur Verbindung naturwissenschaftlicher und geisteswissenschaftlicher Gesichtspunkte. Durch Hans F. K. Günther und Ludw. Ferd. Clauß, die von Literaturgeschichte und phänomenologischer Philosophie herkommen, hat die Rassenforschung geisteswissenschaftliche Antriebe erhalten, die wieder der naturwissenschaftlichen Stützung bedürfen. Es kann kein Zweifel sein, daß die deutsche Literaturgeschichte des 19. und beginnenden 20. Jahrhunderts mit dem wachsenden Hervortreten artfremder Elemente, die schließlich in unerträglicher Weise Literatur, Kritik und Theater zum Geschäftsbetrieb machten, rassenkundliches Beobachtungsmaterial aufdrängt. Wenn indessen die Rassenkunde ernstlich zu einer Grundlage literaturwissenschaftlicher Forschung gemacht werden soll, so kann es nicht getan sein mit Feststellung und Bekämpfung des jüdischen Anteils am europäischen Geistesleben der letzten Jahrhunderte, sondern die positiven Fragestellungen beginnen mit der rassischen Zusammensetzung der verschiedenen Völker, mit den Zusammenhängen von Rasse und Seele, Rasse und Weltanschauung, Rasse und Stil und den aus Erhellung dieser Bindungen hervorgehenden Folgerungen für den Charakter des Denkens und Dichtens einer Nation, für die rassischen Merkmale bestimmter Stämme und einzelner Persönlichkeiten in Bezug auf ihr literarisches Schaffen.

Juden

Zwei pseudo-wissenschaftliche Institute des Dritten Reichs beschäftigten sich unter anderem eifrig mit literarischen Problemen im Hinblick auf die Juden.

Im Münchner *Reichsinstitut für Geschichte des neuen Deutschlands* wurde zunächst eine *Forschungsabteilung Judenfrage* eingerichtet; im April 1938 hieß sie dann *Hauptreferat Judenfrage*; soweit es um literarische Fragen ging, betätigten sich in dem Referat Dr. phil. Max Wundt, Prof. Dr. Franz Koch, Dr. Wilhelm Stapel, Karl Georg Kuhn, Prof. Dr. Walter Frank – Direktor des *Reichsinstituts* –, Erich Botzenhart, Friedrich Burgdörfer, Hans Behrens, Otto Höffler, Clemens August Hoberg, Gerhard Kittel, Rudolf Craemer, Oskar Grosse, Wilfried Euler. Siehe: *Forschungen zur Judenfrage*, Band 1–4, Hamburg 1937–39, und Walter Frank: *Zur Geschichte der Judenfrage* in: *Historische Zeitschrift*, 1940, Band 162, S. 558–566.

Auch das *Institut zur Erforschung der Judenfrage* in Frankfurt a. M. bearbeitete bestimmte literarische Themen; diese Arbeiten fielen jedoch wenig ins Gewicht, da das Institut erst am 26. 5. 1941 – also während des Krieges – eröffnet wurde.

Anfang 1944, als der größte Teil des europäischen Judentums bereits vernichtet war, unternahm der Historiker Prof. Dr. Karl Alexander von Müller – einer der eifrigsten und aktivsten Antisemiten im Dritten Reich – den Versuch, beide Institute zu vereinigen. Es gibt darüber eine Aktennotiz, im Archiv des *Yad Vashem* in Jerusalem, von einem Mitarbeiter des Frankfurter Instituts, Dr. Klaus Schickert, vom 29. 1. 1944, die mit den Worten beginnt: «K. A. von Müller erklärte, die Gelegenheit sei günstig, einen durch nichts gerechtfertigten Dualismus in der Judenforschung zu beenden»; und weiter: «Es müsse eine radikale organisatorische Lösung gefunden werden, und die könne nur darin bestehen, daß München in Frankfurt aufzugehen habe.»

Das waren die Sorgen derartiger Institute im Deutschland des Jahres 1944, aber angefangen hatte das alles schon vor 1933, als man folgendes Lied sang:

«So stehen die Sturmkolonnen zum Rassenkampf bereit!

Erst wenn die Juden bluten, erst dann sind wir befreit!»

Aus: *Kampflied der SA* in: *Kleines Nazi-Liederbuch*, Verlag Paul Arendt, Sulzbach/Oberpfalz, o. J., Ausgabe B, 21. Auflage, S. 10.

Der neue Roman

Dr. Rainer Schlösser: *Der Zeitungsroman – gestern, heute, morgen* in: *Deutsche Presse*, 1933, S. 189, Auszug.

Im einzelnen sind der praktischen Möglichkeiten, völkische Werte auch im Roman zu bieten, unzählige, so daß eine stoffliche Einengung nicht im mindesten zu befürchten ist! Der neue nationale Mythos von Blut und Ehre rückt ja jeden Vorwurf in ein neues Licht! Und unserer Selbstbesinnung, stichwortmäßig mit dem Begriff «nordischer Gedanke» umrissen, mag sie uns endlich zu den germanischen Ursprüngen, bis hinein in die Urzeit führen – nachdem man uns die eigene Art solange verekelte, täte das wahrlich not. Das endlich erwachte Blutbewußtsein, finde es seinen Niederschlag auch einmal darin, daß das Judenproblem nicht mehr in der bisher üblichen, nur zu absichtsvollen sentimentalen Verbrämung, sondern in seiner ganzen Abgründigkeit gestaltet wird: Ein Rothschild-, ein großer Jud-Süß-Roman von einem deutschen Dichter, sie wären durchaus zeitgemäß!

Der Frankenführer Julius Streicher in Hildesheim

Bericht über eine Rede Julius Streichers, in: *Landespost* vom 1. 6. 1934.
Julius Streicher, 1885–1946, gründete 1921 die Nürnberger Gruppe der NSDAP; 1923 war er am Hitler-Putsch in München beteiligt und gründete das antisemitische Hetzblatt *Der Stürmer*; 1933 ernannte Hitler ihn zum Leiter des Zentralkomitees zur *Abwehr der jüdischen Greuel- und Boykott-Hetze*; interessante Angaben über Julius Streicher finden sich in G. M. Gilbert: *Nürnberger Tagebuch*, Frankfurt a. M. 1962, S. 292 f und 415 f, ausführlicher über *Der Stürmer* siehe: *Presse und Funk im Dritten Reich* (Ullstein Buch 33028).

Der Redner beschäftigt sich mit der grundsätzlichen Frage: Was sind die Juden? Er gibt eine Darstellung über den Juden als Menschen, über sein äußeres Aussehen im Gegensatz zum arischen Menschen, er legt an Hand von Beispielen aus der Praxis dar, daß bei Verbindungen zwischen Ariern und Juden das Produkt stets die jüdischen bastardischen Eigenschaften aufweisen wird. Auch nach der Geburt eines jüdischen Kindes rollt nach der Darstellung Streichers stets das jüdische Blut weiter in den Adern der Frau und aus einer neuen Verbindung mit einem Arier wird das Produkt stets jüdisch sein. Wir finden hier Anklänge an die Arthur Dintersche Theorie. Wenn sich dagegen ein katholisches Mädchen mit einem protestantischen Mann verheiratet, dann kommen deutsche Menschen zusammen und das Produkt ist ebenfalls deutsch. In diesem Zusammenhang betont Streicher, daß das Kind mit dem Blute zur Welt kommt und nicht mit der Konfession. Es ist eben das große

Unglück des deutschen Volkes, daß es über die Rassefragen nicht aufge-
klärt ist. Sonst hätten die vergangenen 14 Jahre, die im Deutschen Reich
von Juden und Bastarden gestaltet wurden, anders ausgesehen. Im Blute
liegt die Seele, daher auch die große Bedeutung des Blutes.

«Noch immer nicht»

Alfred Rosenberg: *Die NS-Kulturgemeinde in Düsseldorf* in: *Völkischer Beobachter* vom 5. 6. 1935, Norddeutsche Ausgabe, Auszug.

Das Judentum ist zwar noch immer nicht ganz ausgeschaltet, aber es ist
doch derart zurückgedrängt worden, daß es unmittelbar für die kulturelle Gestaltung Deutschlands keine Gefahr bedeutet, – wenn die Bewegung wachsam bleibt wie in den ersten vierzehn Jahren. Bedenklicher-
weise rühren sich aber bei vielen Gleichgeschalteten und Anhängern
jüngeren Datums schon wieder die sogenannten humanitären Ideen; sie
begreifen nicht, daß es sich bei diesem ganzen Problem nicht um eine
Personalfrage, sondern um ein Problem grundsätzlichen Charakters
handelt. Ebenso wie das ganze deutsche Volk die furchtbaren Jahre bis
1933 als Gesamtheit an seiner Niederlage schwer zu tragen hatte, so
muß auch das Judentum insgesamt und als Einzelperson die Folgen seiner verbrecherischen Tätigkeit tragen, Folgen seiner Beschimpfung alles
dessen, was geistig und seelisch groß in Deutschland war.

Die Zeit der Schande

Wilhelm Stapel: *Die literarische Vorherrschaft der Juden in Deutschland 1918–
1933*, Hamburg 1937, S. 22, Auszug; siehe hierzu auch Werner Zimmermann:
Die Gestalt des Juden in der deutschen Dichtung der Aufklärungszeit in: *Zeitschrift für Deutschkunde*, 1940, S. 245 f.

In der «Weltbühne», in dem «Tage-Buch» (einer von Stefan Großmann
aufgemachten salopperen Konkurrenz jener älteren Wochenschrift) [1], in
der «Neuen Rundschau», die sich mehr seriös gab, verbanden sich Literatur und Politik: Der Literat machte Politik, als ob er in Deutschland
wie in Paris wäre. In der literarischen Innenpolitik scheute man sich
nicht, die Polizei einzusetzen, um die Bordellszenen des «Reigens» von
Arthur Schnitzler [2] den Deutschen aufzuzwingen. Es ist tatsächlich in

1 Stefan Großmann, Schriftsteller (Roman, Novelle, Essay), * 1875; *Das Tagebuch* wurde 1924 gegründet.
2 Arthur Schnitzler, Schriftsteller (Drama, Roman, Novelle), 1862–1931; war
mit Sigmund Freud befreundet und interessierte sich schon früh für die

Berlin vorgekommen, daß diese jüdische Dekadenzliteratur dem widerspenstigen, protestierenden deutschen Volke mit dem Gummiknüppel der Polizei unter der Anführung des jüdischen Polizeipräsidenten, Dr. Bernhard Weiß [1], eingeprügelt wurde. Man machte auch literarische Außenpolitik: Jüdische Franzosen kamen zu Vorträgen, gleichsam zu literarischen Staatsbesuchen nach Berlin, deutsche Juden und ihre Stellvertreter zu eben solchen Besuchen nach Paris. Und ein Feuilletonist wie Alfred Kerr konnte erreichen, vom amerikanischen Staatspräsidenten Coolidge empfangen zu werden, wobei dem Präsidenten von den Veranstaltern verschwiegen worden war, was für ein Schnorrer vor ihm kroch, um sich daheim im Judenblatt mit der amerikanischen Audienz ein Rühmchen anzufachen.

Es war eine Zeit der Schande. Die triumphierenden jüdischen Literaten glaubten, über den aufsteigenden Zorn, den tiefen, schweren, langsamen Zorn der Deutschen, spotten zu dürfen.

Es war so

Will Vesper: *Unsere Meinung* in: *Die Neue Literatur* 1937, S. 209, Auszug.

Es war so, daß die Werke der neueren deutschen Dichter, die heute unter uns bekannt sind, und gar die im engeren Sinne nationale Dichtung, mit wenigen Ausnahmen, kaum mehr in der Öffentlichkeit zu sehen war. In den Schaufenstern des Auslandes kann man noch heute an den ausliegenden Büchern deutscher Sprache studieren, wie vor 1933 und insbesondere vor 1928 die deutschen Schaufenster ausgesehen haben. Die jüdische Literatur prangte breit in allen unseren Auslagen. Ich trat in eine Buchhandlung, neben mir wünschte eine Dame ein Buch zu kaufen. Die Verkäuferin legte ihr einen Stoß Bücher des jüdischen Verlags S. Fischer vor und sagte: «Die Bücher dieses Verlages sind alle gut, die kann ich alle empfehlen.» Die geistige Höflichkeit ging, in der furchtbaren Bitterkeit jener Jahre nach dem Zusammenbruch, bis zur geistigen Selbstaufgabe. Es war so, daß erst mit dem Vordringen der nationalsozialistischen Bewegung, mit dem Steigen der Wahlziffern, auch die wesenhaft deutschen Bücher und die nationalen Schriften in den Auslagen erschienen. Es war wie ein langsames Aufwachen. Nur im Gefolge des politi-

Psychoanalyse; um die Jahrhundertwende gehörte er zur Richtung der *Wiener Moderne; Der Reigen*, Dialoge, wurde am 23. 11. 1920 in Berlin uraufgeführt; Schnitzler stellt im Stück die Gleichheit der Menschen unter der Macht des Sexus dar.

1 Die Nationalsozialisten führten einen besonders heftigen Kampf gegen Dr. Bernhard Weiß; ausführlich darüber siehe Helmut Heiber: *Joseph Goebbels*, Berlin 1962, S. 75 f.

schen Sieges setzte sich der deutsche Geist gegen den fremden durch. Hätte der deutsche Geist im Jahre 1933 nicht die politische Macht errungen, so wäre die deutsche Kultur der Überfremdung erlegen. Das ist eine geschichtliche Erkenntnis von nicht geringer Bedeutung.

Geschichte des Intellektualismus

Halbe in: *Odal*, Herausgeber R. Walter Darré, Mai 1937, S. 928, Auszüge.

Ferdinand Fried [1], «Der Aufstieg der Juden», Blut und Boden Verlag, Goslar, Preis 3,80 RM.

Das Gedächtnis der Öffentlichkeit ist nur kurz. Kaum daß die Gegenwart noch das beachtet, was nur wenige Jahre zurückliegt, geschweige denn das, was sich vor Jahrhunderten und Jahrtausenden abgespielt hat. Nur wenn besondere Umstände die Öffentlichkeit zwingen, sich mit bestimmten Fragen zu beschäftigen, weil sie durch die Nöte der Gegenwart wieder brennend lebendig geworden sind, dann besinnt man sich auf das Zurückliegende und gewinnt Einblicke, die alle Erwartungen übertreffen. Einen solchen Einblick vermittelt uns dies Buch von Ferdinand Fried. Als Verfasser der Bücher «Das Ende des Kapitalismus» und «Autarkie» sowie als Mitarbeiter der «Tat» ist Ferdinand Fried weitesten Kreisen nicht nur als genauer Kenner der von ihm behandelten Gebiete bekannt geworden, sondern auch als weit über dem Durchschnitt stehender Schriftsteller. Es ist daher unnötig, über diese Seite seines Buches viele Worte zu machen. Im übrigen sind dessen hauptsächlichste Darstellungen den Lesern unserer Zeitschrift aus Frieds (Ferdinand Fried. Zimmermann) Aufsätzen in den Heften Nr. 2–5 des laufenden Jahrgangs bekannt, so daß wir auch darauf nicht näher einzugehen brauchen. Das vorliegende Buch gibt jedoch mehr als die Aufsätze, denn diese erfahren in ihm Ausweitung und Abrundung und decken gewissermaßen die geschichtlichen Ursachen auf, die zum «Ende des Kapitalismus» geführt haben oder noch führen müssen. Acht Bildtafeln bringen obendrein durch die Wiedergabe zeitgenössischer Bilder wenig bekannte, dafür aber um so eindrucksvollere Zeugnisse für die von Fried gekennzeichneten Abarten der Semiten.

R. Walther Darré hat den Begriff «Oberflächenbewußtsein» gebildet und als für den Juden kennzeichnend dargestellt. Fried bringt den eindeutigen Beweis für die Richtigkeit dieser Kennzeichnung, und man könnte sein Buch auch eine «Geschichte des Intellektualismus» nennen. Es wird ein Verdienst dieses Buches bleiben, daß es die großen Zu-

---

1 Ferdinand Fried, Schriftsteller, * 1898; Pseudonym für Ferdinand Zimmermann.

sammenhänge in fesselnder und leicht begreiflicher Form herausstellt. Seine eigentliche Aufgabe wird es aber erst dann erfüllen können, wenn es, in möglichst viele Sprachen übersetzt, auch den anderen nichtjüdischen Völkern die Augen öffnet.

Ein wirksames Zersetzungswerk

Walter Abendroth: *Freiheit in der Verantwortung* in: *Deutsches Volkstum*, 1939, S. 5, gekürzt.
   Dr. Walter Abendroth, Schriftsteller, *1896; siehe ausführlich in: *Musik im Dritten Reich* (Ullstein Buch 33032).

Wir scheuen uns nicht vor dem Worte «intellektuell». Es ist schade und tief bedauerlich, daß dieses Wort und der ihm innewohnende Begriff zu einem Schimpfwort werden mußte. Zwar nicht unverschuldeterweise. Gewiß: warum soll nicht auch der geistig Starke ein Recht auf Stolz haben, wie der körperlich Starke ihn hat gegenüber dem Schwächling?
   Viele «Intellektuellen» haben ihn in entscheidenden geschichtlichen Augenblicken zu sehr gehabt. Sie waren dabei, ob mit oder ohne eigenes Wissen, willkommene Opfer der jüdischen Strategie. Dem Juden selbst ist Intellektualität – deren geistige Bestimmung er nicht kennt, die er vielmehr als bloßes Mittel zum Zweck der Herrschaftsausübung auffaßt – ein wirksames Zersetzungswerkzeug, ein Sprengstoff zur Aufteilung der beherrschten Völker in machtlose «Klassen». Undeutsch ist diese verhängnisvoll verallgemeinernde Scheidung der wirklichen mit den vermeintlichen intellektuellen Kräften vom Volksganzen geblieben, ob nun sie selbst in wirklichkeitsferner Verblendung sie vornahmen, oder ob sie ihnen – meist nur als Antwort auf die eigene unentschiedene oder gar verräterische Haltung – aufgezwungen wurde. Hirn und Hand, Denken und Tun gehören zusammen; sie müssen sich ergänzen und können nicht immer in einer Person gleichwertig vereinigt sein. Auch in dieser Hinsicht müssen wir ungesunde Aufspaltungen der Volksenergie überwinden. Das deutsche Volkstum kann nur eine Angelegenheit aller durch gemeinsames Blut und gemeinsames Schicksal Verbundenen sein.

«Der vermutlich gar nicht rassejüdische Galiläer»

Dr. Mirko Jelusichs Besprechung über Franz Schattenfrohs Buch: *Wille und Rasse*, Berlin 1939, Auszug; das Manuskript befindet sich im Archiv des *Yivo-Institute for Jewish Research*, New York, in der Akte: *Jelusich – Hauptamt Wissenschaft*.

Von der gewonnenen unerschütterlichen Grundlage ausgehend, schildert uns der Verfasser das unheilvolle Wirken des jüdischen Volkes in der Geschichte der Menschheit und insbesondere der arischen Völker. Vom dürftigen Religionsbegriff des Judentums ausgehend, dem, wie Schattenfroh es treffend nennt, «politischen Geschäft mit Jahwe», bestehend in der freiwilligen Knechtschaft unter dem Willen Gottes, aber nicht aus innerer Überzeugung, sondern um dafür den Gegenwert, die Herrschaft über die Welt, einzutauschen, läßt uns der Verfasser an Hand klug ausgewählter Beispiele das Eindringen jüdischer Begriffe in die abendländische Religion verfolgen, dies, nachdem der Gründer dieser Religion, der vermutlich gar nicht rassejüdische Galiläer Jesus von Nazareth, vom Judentum ans Kreuz geschlagen wurde, zeigt uns die Verfälschungen dieser sittlich hochstehenden eigentlichen Lehre, den Verlust des inneren Himmelreiches, die echt jüdische Unduldsamkeit und schließlich die Überpflanzung des Weltmachtstrebens, wie es dem jüdischen Geist zur Selbstverständlichkeit geworden war, auf die Kirche.

Literaturgeschichte des deutschen Volkes

Josef Nadler: *Literaturgeschichte des deutschen Volkes*, Berlin 1941, Band 4, S. 221, Auszug.

Alles, was sich gegen den Weimarer Staat und manches, was sich für die damaligen nationalen Bewegungen sagen läßt, das steht bei Rathenau [1]. Darum war er der jüdische Versucher in seiner gefährlichsten Gestalt. Er versuchte, die deutsche Jugend für ein nichts als geistiges, für ein geschichtsloses, für ein volkisch geschlechtsloses Dasein zu bezaubern. Aus jeder Zeile hört man die nervöse Abneigung heraus gegen Blut und Erde und alles, was aus den Sinnen stammt. Ewige Gedanken des deutschen Geistes, die großen Gedanken der deutschen Erhebung erscheinen durch Rathenau nur als Masken des verkappten jüdischen Geistes, der sich in seiner Vermischung von Geschäft, Seele und Machtgelüste gefiel. Weltsendung des deutschen Volkes war bei Rathenau nichts anderes als eine Perversion seines jüdischen Messiasgedankens.

Dieser also, der mächtigste und geistreichste Mann, den das Judentum in Deutschland zu stellen hatte, rief im Augenblick der Entscheidung die deutsche Jugend an und erhob – mit einer berechneten Gebärde der Bescheidenheit – den Anspruch auf ihre Führung.

Und wie antwortete die Jugend auf diesen Anruf? Walter Rathenau

[1] Walther Rathenau, 1867–1922, Schriftsteller und Staatsmann; Außenminister; er wurde von «völkisch» Gesinnten auf der Fahrt ins Auswärtige Amt am 24. 6. 1922 ermordet.

wurde, gerade als er sich anschickte, die Führung der Weimarer Republik fest in die Hand zu nehmen, am 24. Juni 1922 in Berlin von jungen Händen erschossen. Die Schüsse mögen wem immer gegolten haben, sie trafen den Mann, der dem deutschen Volk ein Gift zugedacht hatte, das wie Heilmittel aussah: Balsam der Seele für einen ausgebluteten Körper. Die Schüsse auf Walter Rathenau setzten unter den Deutschen eine unwiderrufliche Entscheidung der Gesinnung und der Tat. Es war eine Entscheidung um das deutschländische Judentum und gegen die Gefahr, die Rathenaus Griff nach der Macht aufgedeckt hatte.

Feind jedes Landes

Aufsatz von Johann von Leers, geschrieben für die *Dienststelle Rosenberg – Hauptamt Lehrmittel*; das Manuskript, im Besitz des Herausgebers, trägt den Stempel 22. 7. 1943; hier nur die letzten beiden Absätze des fünfseitigen Manuskriptes; siehe auch Johann von Leers: *Die Verbrechernatur der Juden*, Berlin 1944.

Das Judentum ist keine Volksgruppe wie andere Volksgruppen und Minderheiten, die lediglich ihre Sonderart mehr oder minder intakt halten wollen, sondern es sind politische Meuchelmörder und Einschleichdiebe, die sich in die Staaten der anderen Völker einschleichen, um diese von innen zu Fall zu bringen und zu zersetzen, sie aufzulösen und einsturzreif zu machen, damit das Judentum dann seine blutige Herrschaft des Bolschewismus aufrichten kann.

Das Judentum ist keine Minderheit, sondern ein Staatsfeind, keine Volksgruppe, sondern eine Gaunergruppe, kein Nationalitätenproblem, sondern eine nationale Todesgefahr für jedes Volk, das nicht mit rücksichtsloser Entschlossenheit die Juden abschüttelt und zerschmettert. Die Juden sind Feinde jedes Staates – Umstürzler und Zerstörer aus unausrottbarer böser Neigung.

Sonderreferat Hinkel

Kulturbund deutscher Juden

Der Kulturbund wurde 1933 gegründet; er ist im Juni 1933 ins Leben gerufen worden, um jüdischen Künstlern das von den NS-Behörden untersagte Auftreten zu ermöglichen. Bald wurde jedoch der Kulturbund die einzige repräsentative jüdische Körperschaft in ganz Deutschland. Die Gründer des Bundes waren Dr. Kurt Singer, Kurt Baumann, Werner Levie und Julius Bab. Sie alle hofften, auf diese Weise ein eigenes jüdisches Kulturleben aufrechterhalten zu können, erkannten jedoch keinesfalls die Ansicht des NS-Regimes an, daß nämlich ein jüdisches Kulturleben gänzlich anders als das deutsche geartet sei. Der *Reichsverband der jüdischen Kulturbünde*, eine am 27. 4. 1935 angeordnete Zwangsorganisation, hatte 1936 insgesamt 168 Zweigstellen in Deutschland, denen 180 000 Mitglieder angehörten; im September 1941 ist diese Organisation wieder aufgelöst worden; weitere Angaben siehe: *Die bildenden Künste im Dritten Reich* (Ullstein Buch 33030) und *Musik im Dritten Reich* (Ullstein Buch 33032); interessante Angaben über den jüdischen Kulturbund finden sich auch bei Irmela Goebel-Vidal: *Das Theater des jüdischen Kulturbundes zu Berlin 1933–1941*, Dissertation Freie Universität Berlin (Manuskript); viele Mitglieder des *Reichsverbandes nichtarischer Christen*, gegründet am 20. 7. 1933, nahmen ebenfalls an den literarischen Veranstaltungen des jüdischen Kulturbundes teil.

Obwohl Hans Hinkel erst 1935 offiziell das *Sonderreferat zur Überwachung der geistig und kulturell tätigen Juden* übernahm, war er bereits, wie aus vielen Briefen hervorgeht, sofort nach der Machtergreifung praktisch der Diktator aller ausgestoßenen jüdischen Künstler und Schriftsteller; am 26. 7. 1935 erschien im *12-Uhr-Blatt* folgende Notiz: «Der Präsident der Reichskulturkammer, Reichsminister Dr. Goebbels, hat mit sofortiger Wirkung den Geschäftsführer der Reichskulturkammer, Hans Hinkel, zu seinem Sonderbeauftragten für die Überwachung und Beaufsichtigung der Betätigung aller im deutschen Reichsgebiet lebenden nichtarischen Staatsangehörigen auf künstlerischem und geistigem Gebiet berufen.» So wurde das *Sonderreferat Hinkel* im Propagandaministerium eingerichtet, und Hinkel entfaltete eine emsige Tätigkeit; zwei Wochen später erklärte Hinkel sein Arbeitsgebiet wie folgt: «Wir wollen dem deutschen Volke seine Hausrechte auf dem so entscheidenden Gebiete des Kulturlebens zurückgeben und nicht dulden, daß Wesensfremde sein Geistes- und Kulturleben bestimmen» – in: *Völkischer Beobachter* vom 7. 8. 1935; siehe auch Hans Hinkel: *Die Judenfrage in unserer Kulturpolitik* in: *Die Bühne*, Schriftleiter Dr. Hans Knudsen, 1936, Heft 17, S. 514–515, sowie Hinkels Interview in *Berliner Tageblatt* vom 15. 3. 1937.

Hinkels Betriebsamkeit ließ auch nicht nach, denn vier Monate später erschien folgende Meldung im *Berliner Lokal-Anzeiger* vom 13. 12. 1935, Morgenausgabe: «Das Deutsche Nachrichtenbüro meldet:

Im Einvernehmen mit dem Geheimen Staatspolizeiamt hat Reichskulturwalter Hinkel, der mit der Überwachung der kulturell tätigen Juden im Deutschen Reichsgebiet Beauftragte, den Direktor Georg Kareski, Mitglied des Vorstandes der Jüdischen Gemeinde Berlin, zum verantwortlichen Leiter des Reichsverbandes jüdischer Kulturbünde bestimmt, Dem Intendanten Dr. Kurt Singer, der im Vorstand des Reichsverbandes verbleibt, wurden Leitung und Durchführung der künstlerischen Veranstaltungen im Rahmen dieser jüdischen Organisation übertragen. Den Nichtariern christlicher Konfession wurde der Zusammenschluß in einer eigenen Vereinigung genehmigt. Zum Leiter dieser Vereinigung wurde Dr. Heinrich Spiero bestimmt.»

Der Bürstenabzug

Alles, was der «Kulturbund» druckte, unterlag der Zensur Hinkels; er hatte zu diesem Zweck einen ganzen Stab von Lektoren und Zensoren. Bis zur Gründung des *Sonderreferats Hinkel* amtierte der Reichskulturwart im Preußischen Ministerium für Wissenschaft, Kunst und Volksbildung, wo er bereits am 30. 1. 1933 als Staatskommissar eingezogen war. Dr. Kurt Singer, der diesen Brief unterzeichnete, war Mitbegründer und Intendant des Kulturbundes, Nervenarzt und Musiker, 1885–1944 (im Konzentrationslager Theresienstadt); ausführlicher über ihn in: *Musik im Dritten Reich* (Ullstein Buch 33032).

Kulturbund deutscher Juden
Ehrenpräsidium: Leo Baeck, Martin Buber, J. Elbogen, Arthur Eloesser, Georg Hermann, Leonid Kreutzer, Max Liebermann, Max Osborn, Franz Oppenheimer, Jacob Wassermann.
Vorstand: Julius Bab (Kritiker und Dramaturg), Kurt Baumann (Regisseur), Lisbeth Cassirer (Jüd. Frauenbund), Dir. Alfred Jaulus (Liberale Vereinigung), Landgerichtsrat Dr. Arthur Lilienthal (Reichsvertretung der Deutschen Juden), Hauptmann a. D. Dr. Loewenstein (Reichsbund jüdischer Frontsoldaten), Dr. Friedrich Ollendorff (Zentral-Wohlfahrtsstelle der Deutschen Juden), Landgerichtsrat Arthur Rau (Zionistische Vereinigung für Deutschland), Dr. Eva Reichmann-Jungmann (Centralverein deutscher Staatsbürger jüd. Glaubens), Dr. Hermann Schildberger (Wirtschaftsstelle der jüd. Gemeinde).
Bundesvorsitzender: Dr. Kurt Singer (Intendant)
Bundessekretär: Dr. Werner Levie

Herrn
Staatskommissar Hans Hinkel
Preuß. Ministerium für Wissenschaft,
Kunst und Volksbildung
Berlin W 8
Unter den Linden 4

Berlin, 12. Oktober 1933
SW 68, Charlottenstr. 92/93
Unser Zeichen: Dr. S/D.
Abt.: Bundesleitung
Stempel:
Eingegangen 13. Oktober 1933
Erl. 20/10 F.

Hochgeehrter Herr Staatskommissar!
Meinem Versprechen gemäß überreiche ich Ihnen in der Anlage den
Bürstenabzug zu der zweiten Nummer unserer Mitteilungsblätter. Außer
dem hier vorliegenden Inhalt kommen nur einige organisatorische Fragen mit den Daten der Veranstaltungen zum Abdruck.

Sollten Ihnen irgendwelche Formulierungen Bedenken erregen, so
bitte ich, uns durch Ihr Büro sofort verständigen zu lassen, damit wir
die betreffenden Stellen ändern.

Mit besonderem Dank für Ihre Mühewaltung zeichne ich

Anlage
handschriftlich:
Soll Blank lesen und mir berichten!
Hinkel

in vorzüglicher Hochachtung
ergebenst
Singer
Kulturbund Deutscher Juden

Auch geschäftliche Mitteilungen

Herrn
Staatskommissar Hans Hinkel
Preuß. Ministerium
für Wissenschaft,
Kunst und Volksbildung
Berlin W 8
Unter den Linden 4

Berlin SW 68, 27. Oktober 1933
Charlottenstr. 92/93

handschriftlich:
Blank
ansehen und kurz berichten. Hinkel

Hochgeehrter Herr Staatskommissar,
wir sind genötigt, unseren Mitgliedern für den Monat November noch
ein zweites Heft mit geschäftlichen Mitteilungen zu senden. Ich gestatte
mir deshalb, Ihnen in der Anlage den Text-Teil zur Genehmigung
vorzulegen.

Mit dem Ausdruck
der vorzüglichen Hochachtung
Dr. Kurt Singer
Kulturbund Deutscher Juden
Anlage

Ein Bericht des Zensors Herbert Blank

Herbert Blank, Schriftsteller, 1900–59, einer von Hans Hinkels Zensoren; in einem Bericht Hinkels «über den redaktionellen Stand des ‹Angriff› und die Notwendigkeit einer grundlegenden Ausgestaltung des Blattes» vom 1. 8. 1932 heißt es über Herbert Blank u. a.: «Ein gerissener Journalist und charakterlich ein ebenso unzuverlässiger Kantonist»; Bericht im Besitz des Herausgebers.

Stempel:
Eingegangen 4. Nov. 1933

Bericht in Sachen «Kulturbund Deutscher Juden»
Aus den beiliegenden Fahnenabzügen muß unbedingt die Notiz «Richard Dehmel»[1] von Julius Bab[2] herausgenommen und ihre Veröffentlichung untersagt werden. Der übrige Inhalt ist einwandfrei. Es ist eigenartig, daß Herr Dr. Singer jedesmal bei ganz gutem Gesamtinhalt immer wieder einen Assimilationsjuden einschmuggelt, der dann über die Stränge haut. Julius Bab war ehemals Literatur-Redakteur in der «Welt am Montag» und ausgesprochener C. V.-Jude[3]. Der Inhalt der Dehmel-Notiz ist geradezu provozierend und außerdem falsch in der Schlußfolgerung, denn Dehmel war nach seinem Kriegserlebnis[4] absolut gegen jene Leute im Romanischen Café eingestellt, die nach seinen Worten «durch andere (also durch die Soldaten) die Kastanien aus dem Feuer holen lassen». Mit einer geradezu rührenden Naivität hält Herr Bab uns unseren Antisemitismus vor, ein Thema, das in diesen Blättern gar nicht zur Debatte steht.

Vielleicht empfiehlt es sich, Herrn Dr. Singer doch einmal kommen zu lassen und ihm nochmals die schärfste Trennung deutscher und jüdischer Belange anheimzustellen; er und seine Zeitschrift sind nur für die jüdischen Belange zuständig. – Die Genehmigung des Staatskommissars zum «Kulturbund» ist in der Öffentlichkeit nicht ohne Widerstände auf-

1 Richard Dehmel, 1863–1920, Dichter.
2 Julius Bab, 1880–1955, Dramaturg, Regisseur und Theaterkritiker; 1926 veröffentlichte er eine Biographie Richard Dehmels; 1938 verließ er Deutschland.
3 C. V. = *Centralverein der Juden in Deutschland;* bis 15. 9. 1935 hieß er: *Centralverein deutscher Staatsbürger jüdischen Glaubens;* gegründet 1893; 1926 zählte er über sechzigtausend Mitglieder, die in fünfhundertfünfundfünfzig Ortsgruppen und einundzwanzig Landesverbänden zusammengefaßt waren; wenn sich der C. V. bis 1933 auch nur mit politischen und wissenschaftlichen Aufgaben befaßte, so verwandelte er sich danach doch in eine Rechtsschutzorganisation, verbunden mit Wirtschaftsberatung; sein Organ war die *C. V.-Zeitung, Allgemeine Zeitung des Judentums.*
4 Siehe Richard Dehmels Erinnerungen als Kriegsfreiwilliger: *Zwischen Volk und Menschheit,* Berlin 1919.

genommen worden. Das vom Staatskommissar gewünschte Ziel – die Abriegelung der Juden im eigenen Verein – darf nicht von Herrn Dr. Singer durch solche Seitensprünge sabotiert werden, die eben Parteikreise sehr übel aufnehmen könnten, woraus dem Staatskommissar unnötige Schwierigkeiten erwüchsen.

Berlin, den 3. November 33   Herbert Blank

Kipling und Thomas Mann

Bericht über das Dezemberheft des «Kulturbund Deutscher Juden»

Daß die beiliegenden Fahnenabzüge als inhaltlich einwandfrei gelten können, hängt davon ab, ob der Herr Staatskommissar [1] auch eine Zensur zwischen den Zeilen wünscht und nicht nur, wie bisher, römisch-juristisch geübt, nur in den Zeilen. Ich bitte, daraufhin den Herrn Staatskommissar auf die ersten vier Strophen des Gedichtes «Wenn...» von Kipling (Abzug zwei) aufmerksam zu machen.[2] Das Gedicht ist ohne Zweifel eine gesucht gewollte literarische Ausgrabung, die nur zu dem Zwecke geschah, um uns Deutschen indirekt und nicht faßbar eins auszuwischen, eben in diesen ersten vier Strophen. Trotzdem würde sich vielleicht empfehlen, das Gedicht nicht zu beanstanden, um festzustellen, ob – mit unserer literarischen «Dummheit» rechnend – im nächsten Heft wieder solch ein Stoß von hinterrücks versucht wird.

Bedenklich ist die Besprechung des Buches «Die Geschichten Jaakobs»[3] von Thomas Mann durch Julius Bab, nicht der Besprechung, sondern des Buches wegen. Die Rezension muß wohl gestattet werden, aber es ist doch einfach nicht tragbar, daß zehn Monate nach dem 30. Januar der Emigrant Thomas Mann in Deutschland ein Buch voll jüdischer Geschichten vertreiben kann. Das Buch liegt in allen deutschen Buchhandlungen aus und hat bereits eine Auflage von 30 000 (Verlag S. Fischer). Es ist

1 Hans Hinkel.
2 Rudyard Kipling, 1865–1936, englischer Schriftsteller und Nobelpreisträger; die betreffenden vier Strophen lauten in freier Übersetzung etwa:
«Behältst du den Kopf oben, obwohl alle um dich ihn verlieren,
und dir daran die Schuld geben,
wenn du auf dich vertraust, obwohl alle an dir zweifeln,
und zu warten weißt, ohne zu ermüden,
wenn du belogen wirst, selbst aber nie lügst,
wenn andere dich hassen und selbst nicht hassen willst,
und wenn du verlierst, doch gleich neu beginnst,
ohne den Verlust zu beklagen, dann bist du ein Mann, mein Sohn.»
3 Erster Teil der Tetralogie *Joseph und seine Brüder*; weitere Teile *Der junge Joseph*, Berlin 1934, *Joseph in Ägypten*, 1936 in Wien, *Joseph der Ernährer*, 1943 in Stockholm.

unerfindlich, wie die Reichsstelle für Deutsches Schrifttum das übersehen konnte. Vielleicht kann der Herr Staatskommissar auf einem anderen Wege das Buch abstoppen; ich habe es gelesen, finde es inhaltlich unglaublich und erbiete mich gern zur näheren Berichterstattung.

Berlin, den 20. November 1933   Herbert Blank
Stempel:
Eingegangen 21. Nov. 1933

«Seine Persönlichkeit ganz stark herausstellen»

Fräulein   Herbert Blank
Framm   Berlin NO, den 20. Dezember 1933
Berlin W 8, Unter den Linden 4/5   Barnimstr. 4/5

Sehr geehrtes Fräulein Framm [1]!
In der Anlage finden Sie den Juden-Bericht, sowie Fragen zu einem Interview. Sagen Sie aber bitte Herrn Hinkel, daß er die Fragen selbstverständlich sich selbst ganz anders stellen, welche hinzufügen oder hinwegnehmen, oder überhaupt das ganze Interview umstellen kann. Ich möchte vor allem bei dieser Kurz-Biographie über ihn seine Persönlichkeit ganz stark herausstellen und dadurch eine große Reihe nicht unwichtiger Leute so heftig wie möglich auf ihn aufmerksam machen. Es steht also ganz in seinem Belieben, wie er das Ganze handhaben will. Nur bitte ich um recht schnelle Beantwortung dieser Fragen, damit das Interview noch vor einem bestimmten Ereignis, das ja in den nächsten Tagen fällig ist, veröffentlicht werden kann.
   Ich bin mit

                                    Heil Hitler!
                                    Ihr sehr ergebener
                                    Herbert Blank

Anlagen

1 Frl. Framm war die Sekretärin von Hans Hinkel.

Die individuelle Anmeldung

Jeder «nichtarische» Schriftsteller mußte die Genehmigung zur Berufsausübung auf einem Blatt des Jüdischen Kulturbundes beim Sonderreferat Hinkel einholen.

«Betr.: Anmeldung jüdischer Autoren»

An das
Reichsministerium
für Volksaufklärung
und Propaganda
Sonderreferat
Herr Reichskulturwalter Hinkel
Berlin W 8
Wilhelmsplatz 8/9

Dr. Richard Eisen
München, 11. Oktober 1937
Landwehrstr. 64
handschriftlich:
S. J. 830/11. 10. 37/665
Stempel:
Reichsministerium für Volksaufklärung
und Propaganda 12. Oktober 1937

Betr.: Anmeldung jüdischer Autoren
Hiermit gestatte ich mir, um Übersendung der Formulare [1] für die vorgeschriebene Anmeldung höflichst zu bitten.

Ich bin gelegentlicher Mitarbeiter jüdischer Blätter und beabsichtige die Herausgabe eines Buches.

Hochachtungsvoll
Dr. R. Eisen

Überwachung der geistig und kulturell tätigen Juden

An das
Reichsministerium für
Volksaufklärung und Propaganda
Sonderreferat Rkw. Hinkel
Berlin

Dr. Richard Eisen
München, 2. Nov. 37
Landwehrstr. 64/III
handschriftlich:
S. J. 830/2. 11. 37/6651
Stempel:
Eingegangen 3. Nov. 1937 V

Betr.: Überwachung der geistig u. kulturell tätigen Juden
    SJ 830
In der Anlage gestatte ich mir die beiden ausgefüllten Fragebogen, einen Lebenslauf und 3 Lichtbilder zu übersenden.

---

1 Das Formular befindet sich im Besitz des Herausgebers. Die Formulare für bildende Künstler, Musiker oder Schriftsteller waren die gleichen.

Leider konnte ich den mit dem 31. Oktober bezeichneten Termin nicht genau einhalten, da ich auf die Ausstellung des Führungszeugnisses warten wollte. Wie aus der ebenfalls hier beigefügten Bescheinigung hervorgeht, konnte ich jedoch das Führungszeugnis nicht erhalten.

Die Bestätigung meiner früheren Mitarbeit bei einer jüdischen Zeitschrift lasse ich in den nächsten Tagen folgen.

7 Anlagen   Dr. Richard Eisen

Lebenslauf

Lebenslauf des Dr. Richard Eisen, München, Landwehrstr. 64/III.
Ich bin am 22. September 1909 in München als Sohn des Kaufmanns Jakob Joel Eisen geboren. In München besuchte ich die Volksschule drei Jahre lang, dann das Theresien-Gymnasium. Im Dezember 1923 übersiedelte ich mit meinen Eltern nach Leipzig und besuchte dort das König-Albertgymnasium, wo ich Ostern 1927 die Reifeprüfung ablegte.

Darauf war ich ein Jahr lang als Volontär bei der Buchhandlung Gustav Fock, Leipzig, tätig. In den folgenden Jahren studierte ich an den Universitäten Leipzig, München, Wien und Würzburg Kunstgeschichte, Philosophie und Byzantinische Kunstgeschichte. In diesen Fächern promovierte ich im Juni 1933 an der Universität Würzburg.

Während meines Studiums und noch kurze Zeit nach Abschluß desselben war ich im Delphin-Verlag, München, tätig. Seit Oktober 1934 bin ich hauptberuflich Sekretär der Zionistischen Ortsgruppe München und des Zionistischen Gruppenverbandes für Bayern.

Dr. R. Eisen

Rassenseele ist der Grundbegriff in Alfred Rosenbergs *Mythus des 20. Jahrhunderts*; siehe auch Hermann Schwarz: Volkstumsphilosophie – Eine Absicht in: *Blätter für deutsche Philosophie*, 1937, Band 10, S. 307 f.

Autoren

Die Autoren werden alphabetisch aufgeführt.

Joseph von Eichendorff

E. K. Wiechmann: *Romantik und Judentum* in: *Völkischer Beobachter* vom 18. 3. 1943.
Freiherr Joseph von Eichendorff, 1788–1857, Dichter.

Der 155. Geburtstag Eichendorffs (der Dichter wurde am 10. März 1788 auf Schloß Lubowitz in der Nähe Ratibors geboren) gab Ministerialrat Wilfried Bade, selbst Erzähler und strengbemühter Lyriker, Gelegenheit, in einem grundsätzlichen Vortrag eine Neubewertung der Romantik vorzunehmen. Den großen deutschen Romantikern von Eichendorff bis Kleist sei es gemeinsam, in der Zeit des Einbruchs des Judentums in das Reich deutschen Geistes die wahre Romantik gerettet zu haben.

Das unter dem unfähigen König Friedrich Wilhelm II. tolerierte Judentum habe die geistige Umwertung dieser Zeit zu seiner eigenen Entfesselung mißbraucht. Das so deutsche Streben, die Welt allseitig zu durchdringen, sie völlig zu begreifen und zu umfassen, sie zur Heimstatt der Seele zu wandeln, werde vom Judentum zum liberalen Kosmo-Polizitismus verfälscht. In dem Berlin zwischen 1800 bis 1830, in den Salons von Dorothea Veit[1], Rahel Levin[2], Henriette Herz[3] wurde die

1 Dorothea Veit, 1764–1834, älteste Tochter des Philosophen Moses Mendelssohn und später Frau des Philosophen und Dichters Friedrich von Schlegel; Schriftstellerin.

2 Rahel Varnhagen von Ense, geborene Levin, 1771–1833; in ihrem Salon trafen sich Prinz Louis Ferdinand von Preußen, Friedrich Schleiermacher, Börne, Heine, Fichte, Chamisso u. a. m.

3 Henriette Herz, 1764–1847, korrespondierte mit Wilhelm von Humboldt

deutsche romantische Bewegung zu einer jüdischen, menschheitsverbrüdernd maskierten Revolte gemacht. Es gelte, die Romantik mit dem Scheidewasser unseres neuen Geistes zu klären und das Jüdische in ihr auszuscheiden, damit um so heller der überwältigende Anteil des Deutschen sichtbar werde. Für diesen deutschen Anteil steht Josef von Eichendorff als einer der bedeutendsten und gültigen Zeugen, so sehr, daß wir deutsche Romantik mit seinem Namen allein schon umgreifen. Seinem Genius, und so dem wahren Geiste der deutschen Romantik, gelte diese Feierstunde zu Ratibor, auf einem Boden, da Preußens erste Siege fielen.

Wilhelm Raabe

Julius Petersen: *Die Wissenschaft von der Dichtung*, Berlin 1939, 1. Auflage, S. 286–287, Auszug.
  Wilhelm Raabe, 1831–1910, Romancier.

In Raabes Körperlichkeit mischen sich nordische Züge, zu denen die hohe, schlanke, langbeinige Gestalt, der stark nach hinten ausladende Langschädel, das schmale, hellhäutige Gesicht, die graublauen Augen und das dunkelblonde Haar gehören, mit Zügen, die der fälischen Eigenart zugeschrieben werden, wie die viereckige Gestaltung der Stirn und die breitgeformte Nase. Aber damit ist noch nicht gesagt, welche Rassenzüge der väterlichen, welche der mütterlichen Familie zugeschrieben sind. Wahrscheinlich hat schon früher mehrfache Kreuzung stattgefunden. In Raabes geistiger Wesensart sind dieselben Widersprüche bemerkbar: der Drang nach freiester Persönlichkeitsentfaltung, das eigenwillige Schöpfertum, die von einer scharfen Intelligenz gebändigte Phantasie, die abstandhaltende innere Vornehmheit dürfen als Eigentümlichkeiten nordischer Haltung in Anspruch genommen werden, während die innere Einsamkeit, das Behagen der Enge, die nüchterne Sachlichkeit und die hellseherische Mystik dem fälischen Wesen zufallen. Aus dieser Gegensätzlichkeit zwischen rationalen und irrationalen Kräften werden nun die Spannungen und Konflikte des Raabeschen Lebens und Dichtens erschlossen, deren Überwindung schließlich dem Lebensgefühl des Humors gelingen konnte. Was aber dessen Art betrifft, so wird durch Siegfried Kadner [1] der gröbere und deftige fälische Humor getrennt von dem feineren und milderen nordischen, der bei Raabe wohl vorwiegt.

in hebräischer Kursivschrift und erhielt im hohen Alter vom König Friedrich Wilhelm IV. eine Staatspension; in ihrem Salon verkehrten u. a. Jean Paul, Mirabeau, Niebuhr, Johannes von Müller, Schadow, Gentz, Börne, Schleiermacher.

  1 Dr. phil. Siegfried Kadner, 1887–1945, Studienrat; Germanistik; Autor von: *Rasse und Humor*, München 1938.

Friedrich Schiller

Annemarie Krusekopp (Dortmund): *Waren die bedeutendsten Männer Deutschlands reinrassig oder gemischtrassig?* – Inaugural-Dissertation zur Erlangung der Doktorwürde einer Hohen Medizinischen Fakultät der Ruprecht-Karl-Universität zu Heidelberg, 1940, S. 19–20; Referent Prof. Dr. Felix von Bormann; Dekan Prof. Dr. Ernst Rodenwaldt; siehe auch Wilhelm Müller: *Studien über die rassischen Grundlagen des Sturm und Drang*, Dissertation, Berlin 1938. «Schiller mit den erprobten Maßen gemessen, verleugnet eigentlich in keiner Bildnisurkunde einen ausgesprochen dinarischen Blutanteil» – ebd. S. 64.

Körperliche Merkmale:
   Große, hagere Gestalt, langarmig, langer Hals. Dünne knorplige Nase, weiß, in einem scharfen Winkel hervorspringend, nach Papageienart gebogen. Dünne Lippen, die untere ragt etwas hervor. Bleiche Hautfarbe, viel Sommersprossen. Augen unentschieden zwischen blau und lichtbraun oder dunkelgrau. Rote Haare.
Seelische Merkmale:
   Als Knabe war er schüchtern, einsam, verschlossen. Er änderte sich aber bald; wurde mutwillig, neckend, foppend, oft derb und stechend. Als Knabe sowie als Jüngling hatte er wenig vertraute Freunde. Gewöhnlich war er ernst, in Gesellschaft meistens stumm, sein Betragen zu seiner Frau und seinen besten Freunden kalt, sein Ton trocken, hart, kalt, verdrießlich. Doch konnte er auch, wenn er sich ganz wohl befand, heiter, lustig, ja kindisch sein. Alles, was er anfing, trieb er im Übermaß und mit großer Heftigkeit. Anziehend war sein freundlicher Blick, abstoßend wieder sein Stolz, vor allem durch seine steife, aufrechte Haltung betont. Unangenehm waren seine sonderbaren Bewegungen und seine widerlich singende Stimme mit dem furchtbar belehrenden Schulton. Durch seine Krankheit gezwungen, lebte er später einsam, abgesondert von der Gesellschaft. Nur die besten Freunde hatten Zutritt zu ihm.
   Rasse: gemischt.

Friedrich von Schlegel

Paul Busch (Wanne-Eickel): *Friedrich Schlegel und das Judentum.* – Inaugural-Dissertation zur Erlangung der Doktorwürde der Philosophischen Fakultät der Ludwig-Maximilians-Universität zu München, 1939, S. 74, gekürzt; Referent: Prof. Dr. Alexander von Müller.
   Friedrich von Schlegel, 1772–1829, Philosoph, Geschichtsforscher und Dichter; siehe auch Josef Veltrup: *Friedrich Schlegel und die jüdische Geistigkeit* in: *Zeitschrift für Deutschkunde*, 1938, S. 401 f.

Von Friedrich Schlegels erster Begegnung mit dem Judentum bis zu seiner Frankfurter Tätigkeit läßt sich eine durchgehende Verbindungslinie ziehen. Die Bekanntschaft eines Juden zog die eines anderen nach sich, und so griff Glied in Glied, bis diese eine Kette bildeten, die ihn völlig umspann.

Schlegels finanzielle Notlage hatte die erste Berührung mit Juden ergeben. Ein anderer Jude, Michaelis, löste ihn von den daraus entstandenen Verpflichtungen und brachte ihn auf dem Umwege in die Berliner jüdischen Salons. Von hier aus ziehen sich die Fäden bis in seine Wiener und Frankfurter Jahre, und als notwendige Folge all dieser Bindungen erscheint dann sein Einsatz für das Judentum in Frankfurt. Nicht unbedeutend ist auch die Tatsache, daß seine finanziellen Angelegenheiten in dieser Zeit von jüdischen Bankhäusern erledigt wurden.

In einer Periode eigener innerer Unsicherheit trat Schlegel in enge Beziehungen zu jüdischen Kreisen. Die geistige Kälte und Bindungslosigkeit dieses Raumes tötete in ihm die letzten Ansätze zu einer aus tiefstem Leben und Erleben kommenden neuen Weltordnung. So vermochte dann auch sein Aufenthalt in Paris, der ihn doch nationale Werte empfinden ließ, nicht, ihn zu einer lebensvolleren Gestaltung zu führen. Er blieb wie die meisten Romantiker in einer nur historisch erlebten Staatstheorie stecken.

Theodor Storm

Wilhelm Steffen: *Mächte der Vererbung und Umwelt in Storms Leben und Dichtung* in: *Dichtung und Volkstum, Neue Folge des Euphorion*, Herausgeber Hans Naumann und Hermann Pongs, 1941, Heft 4, S. 466 und 484, Auszüge.

Theodor Storm, 1817–88, Lyrik und Novelle.

Faßt man zusammen, so läßt sich vermuten, daß Storm aus dem Friesentum und Niedersachsentum hervorgegangen ist; aber allerlei Einschläge sind möglich. Weiter muß man sich gestehen, daß Friesentum und Sachsentum weder äußerlich noch innerlich feststehende, wissenschaftlich gesicherte Begriffe sind. Was die Rasse anbetrifft, so kann man nicht mehr sagen, als daß Storms Heimatbereich als vorwiegend nordisch gilt.

Wie das Bild des Familienerbes, so ist auch das des Stamm- und Rassenerbes schattenhaft.

Soll man die Haltung Storms so erklären, daß ihm der Rassenstolz des nordischen Menschen fehlte? Oder soll man von der Gutmütigkeit des Niedersachsen sprechen? Oder ist auf Zeitbewegung zu verweisen, auf die Romantik, der jedes Volkstum, auch das fremde reizvoll war, oder den Liberalismus, der mit der Nathanweisheit Ernst machen wollte? In Storms Dichtung kommt kein Jude vor.

Anhang: Heinrich Heine

Die Anti-Heine-Kampagne hatte in Deutschland ihre Tradition, ähnlich wie zum Beispiel der Kampf gegen Felix Mendelssohn-Bartholdy; ausführlich über letzteren siehe: *Musik im Dritten Reich* (rororo Nr. 818/819/820). Ein Bundestagsbeschluß hatte Heines Schriften bereits 1835 in den Ländern des Deutschen Bundes verboten und drohte mit Prozessen und Verfolgung; die österreichische Kaiserin Elisabeth hatte auf ihrem Korfuer Besitz Achilleion eine Heine-Büste aufstellen lassen, die von Wilhelm II., als er nach ihrem Tode den Besitz übernahm, sofort entfernt wurde; erst nach dem Ersten Weltkrieg konnte diese Heine-Büste endlich wieder nach langen Kämpfen öffentlich aufgestellt werden.

Nun, Heine hatte eben das «völkisch»-nationalistische Element in Deutschland immer etwas nervös gemacht! Adolf Bartels schrieb: «Man möchte dem Halunken an die Kehle springen», und Alfred Rosenberg tituliert ihn selten anders als den «niederträchtigen Heine».

Zu weiteren Heine-Deutungen sollte man am besten den Dichter selbst zitieren; er meinte: «Keiner ist so verrückt, daß er nicht einen noch verrückteren fände, der ihn versteht» – in: *Reisebilder; Die Harzreise.*

«Schluß mit Heinrich Heine»

Aufsatz von Otto Klein in: *Westdeutscher Beobachter* vom 1. 3. 1936, gekürzt.

Es war eine typisch jüdische Eigenschaft an ihm, die Neigung zur Lüge und zur Kritik an allem und jedem, dieser innere Zwang, jede positive Regung in sich, nachdem er sie einmal zum Ausdruck gebracht, nachher wieder durch eine bis ins Schmutzige und Gemeine hinabreichende Verneinung zu zersetzen. Charakteristisch für seine jüdisch-orientalische Natur ist seine erotische Phantasie, die ihn besonders für die Idee der Rehabilitierung des Fleisches empfänglich machte, eine Idee, die ihm aus dem Saint-Simonismus des Prosper Enfantin zugewachsen war (A. Bartels) und vor allem eine krankhafte Übersteigerung des Geschlechtlichen förderte. Josef Nadler war es vor allem, der ihn «den Meister des schmutzigen Jargons der Gasse» nannte und die «Entsittlichung Deutschlands» als Heines eigentliches Werk hinstellte. Was Heine als Mensch war, das war er naturgemäß auch als Dichter.

«Was nützen alle Reichsstellen zur Förderung deutschen Schrifttums»

Will Vesper: *Unsere Meinung* in: *Die Neue Literatur*, Februar 1936, S. 114–116, gekürzt.

Wohl der größte Teil unseres Volkes bezieht seine Kenntnis der deutschen Dichtung aus den kleinen «Literaturgeschichten zum Schulgebrauch». Viele lassen sich für immer genügen an der bescheidenen und in vieler Beziehung abschreckenden Unterrichtung, die sie hier bekommen. Durch Zufall gerieten mir drei solcher Literaturgeschichten, die auch heute noch an den verschiedensten Schulen verwendet werden, in die Hand. Zwei von ihnen sind vor 1933, die dritte erste 1934 erschienen. Alle drei sind aber heute noch im Gebrauch, und die deutsche Jugend von heute erhält aus ihnen ihr Wissen um die deutsche Dichtung. Wir werden in Kürze eine Gesamtbetrachtung der verschiedensten Literaturgeschichten für die Schulen bringen. Heute nur zu Warnung für die Schulen aus den drei mir vorliegenden Schwarten ein paar Proben.

Die «Deutsche Literaturgeschichte für den Unterrichtsgebrauch», herausgegeben von Direktor Dr. Paul Klausch, ist 1936 noch in einer gut geleiteten Mädchenschule in Gebrauch. Aus der Fülle von Unsinn, Unwissen und Verkalkung, die in ihr angehäuft ist, kann ich natürlich nur ein paar Proben geben. Über Hölderlin stehen fünf törichte Zeilen da, über den Juden Heine, den «ungezogenen Liebling der Grazien, wie er treffend genannt worden ist», 72 Zeilen: «Er weiß in seinen Liedern die zartesten Töne anzuschlagen» usw.

Gewandter gemacht, aber nicht wertvoller ist der «Abriß der deutschen Dichtung» von Hans Röhl. Auch hier wird das mottenzerfressenste Zeug der Vergangenheit liebevoll ausgebreitet. Für das Wesentliche, Lebendige ist nachher kein Platz. Für Heine wird so viel Platz aufgewendet, wie für Hölderlin und Jean Paul zusammen.

Eine überraschende, stellenweise wörtliche Ähnlichkeit mit Röhl hat das Buch «Deutsche Sprache und Dichtung» von Hugo Weber. Auch in diesem 1934 erschienenen Buch genügen für Hölderlin 7 blödsinnige Zeilen, während an Heine immerhin noch 25 gewandt werden.

Was nützen alle «Reichsstellen zur Förderung des deutschen Schrifttums», Kultur- und Schrifttumskammern, wenn so noch immer am grünen Holz gesündigt werden darf. Diese «Literaturgeschichten zum Unterrichtsgebrauch» sind schuld daran, daß die deutsche Jugend und das ganze «Volk der Dichter und Denker» ein so lahmes und fades Verhältnis zur echten deutschen Dichtung haben. Hier ist die Wurzel des Übels, an die man schleunigst die Axt legen muß. Besser gar keine Literaturgeschichte in der Schule als solcher Mottengeist!

Das Gutachten von Börries von Münchhausen

In: *Die Auslese*, 1936, S. 516–518, gekürzt.
Dr. jur., Dr. phil h. c. Börries Freiherr von Münchhausen, 1874–1945, Schrift-steller.

Die deutsche Dichterakademie hat ein Schreiben erhalten, das anregt, diejenigen Heineschen Gedichte, die Unterlage berühmter Vertonungen geworden sind, durch neue Lieder aus deutscher Feder und deutschem Herzen zu ersetzen.

Wir müssen die Gedanken dieser Anregung zunächst einmal ausein-anderfasern, um jeden einzelnen Faden untersuchen zu können.

Gottlob, daß unsere Sprache das Wort Schweinehund hat, es ist zwar nicht sehr salonfähig, aber ich halte es da mit Nicolas Boileau-Despré-aux [1], der in seiner ersten Satire schreibt:

«J'appelle un chat et Rollet un fripon.» [2] Also: Ich nenne Heinrich Heine einen Schweinehund.

Der zweite Gedanke wird am deutlichsten in der Eingabe an die Dich-terakademie ausgesprochen: «Jüdische Verse gelten vielen Sängern als schön, auch wenn sie aus gemeinster Veranlassung geschrieben sind.» Ähnlich wie in dem angeführten Aufsatz verurteilt also hier der Ver-fasser auch Gedichte eines sittlich minderwertigen oder eines jüdischen Verfassers, ja, die «gemeine Veranlassung» genügt ihm zur Verurtei-lung eines Gedichtes, das aus ihr entsprang.

Mir persönlich ist der sittliche Stand eines Werkes wichtiger als der des Verfassers, so daß ich also eine künstlerisch hochstehende Schweine-rei oder Niederträchtigkeit ablehne, selbst wenn sie von einem an sich untadeligen Staatsbürger verfaßt wurde. An diesem Punkte trenne ich mich bewußt vom Standpunkt der Künstlerkunst (l'art pour l'art), denn da ich das Sittliche für wesentlicher halte als das Künstlerische, so muß bei einer untrennbaren Verquickung der beiden Bestandteile in einem solchen Werke das Sittliche den Ausschlag geben. Aber ich wiederhole: das Unsittliche des Werkes, nicht des Künstlers bestimmt meine Verur-teilung. Dieser ganze Fragenkreis wird aber in der Eingabe nur ange-schnitten, und so mag er auch hier auf sich beruhen.

Auch die Rassenfrage als solche steht hier nicht zur Aussprache. Ich habe schon 1923 in meiner Ästhetik der Ballade («Meisterballaden») deutlich und schroff genug geschrieben: «Ich bin eben Deutscher, und restlos genießen kann man nur gleichwüchsige Kunst», – d. h. gleich-rassige, nicht jüdische. Ich habe dort in ehrlicher Auswägung Heines

---

1 Nicolas Boileau-Despréaux, 1636–1711, französischer Dichter, dessen Hauptwerk *L'Art poétique* zu einem ästhetischen Gesetzbuch wurde.

2 Ich nenne das Kind beim Namen, und Rollet ist ein Schurke.

künstlerischen Wert und Unwert besprochen, aber auch darauf kommt es hier nicht an.

Der wesentliche Punkt ist der dritte: die Tatsache, daß Heines Lieder in den Vertonungen selbst unserer größten Meister aus den Konzertsälen wie aus der häuslichen Liederpflege verschwinden, bedeutet tatsächlich einen schweren Verlust an musikalischem Gut.

Der mauschelnde Tonfall

Dr. Eduard Fuchs in: *Nationalsozialistische Erziehung*, 1936, S. 108, gekürzt.
Dr. phil. Eduard Fuchs, *1888, Germanist, Linguist; Studienrat.

Heines Schreibweise in dem ausgewählten Stücke ist widersprüchig, unstet, unberechenbar, launisch, flüchtig, spannungslos. Beiwörter, Vergleiche und Bilder wenden sich nur an das Auge. Die Vergleiche und Bilder sind der Wirklichkeit fremd. Kennzeichnend für Heines Stil sind die Wiederholungen. Die Wortstellung ist viermal ganz jüdisch. Heine liebt die Übertreibungen und ist zuweilen in der Wortwahl geschmacklos. Der Tonfall ist mauschelnd. Die Stimmung wechselt.

Wirklich erklären kann Heines Ausdrucksweise und die dahinter stehende Seelenart nur, wer ihn nicht als «deutscher Dichter» ansieht, sondern als das, was er war, als Juden.

Darauf wird ausdrücklich hingewiesen

Dr. Werner Rust und Dr. Gunther Haupt im Vorwort zur 28. Auflage von Georg Büchmann: *Geflügelte Worte*, Berlin 1937, Auszug.
Georg Büchmann, 1822–84, Philologe; seine Zitaten-Sammlung *Geflügelte Worte* erschien erstmals 1864.

Die Herausgeber glaubten – im Gegensatz zu manchen neueren Nachschlagewerken – nicht, daß es zweckmäßig sei, solche geflügelten Worte kurzweg aus dem Büchmann zu streichen, die auf einen nichtarischen Urheber zurückgehen. Gerade weil es heute wichtig ist, feststellen zu können, ob eine Redensart jüdischer Herkunft ist oder nicht, will der Büchmann auch fernerhin über solche Worte Auskunft geben. Selbstverständlich sind die jüdischen Autoren als solche gekennzeichnet worden, und es wird auch ausdrücklich darauf hingewiesen, daß etwa das Verbleiben Heinrich Heines in dem Kapitel «Aus deutschen Schriftstellern» nicht besagen soll, daß die Herausgeber ihn dem deutschen Schrifttum zurechnen. Diese Kapitelüberschriften besagen nur etwas über die Sprache, in der ein geflügeltes Wort ursprünglich entstanden ist.

Der schamloseste und charakterloseste Literat

Walther Linden: *Geschichte der deutschen Literatur von den Anfängen bis zur Gegenwart*, Leipzig 1937, S. 362, Auszug.

Von hier führen die geistigen Verbindungslinien zum Jungen Deutschland. Sein eigentlicher Anreger, der Jude Heinrich Heine, hat durch seine die romantischen Motive teils rührselig, teils ironisch verwendende, das deutsche Volkslied plündernde Lyrik der Romantik das Grab bereitet, hat durch den impressionistisch-satirischen Stil seiner Plaudereien, Briefe, Skizzen auf ein Jahrhundert den unheilvollsten Einfluß auf die deutsche Sprachform, im besonderen der Zeitungen, geübt, hat durch seine mit Pathos verkündete «hellenische» Religion der Diesseitsfreude und durch seinen verlogenen, weltmännisch aufgeputzten Liberalismus die echtesten Gestaltungen der deutschen Seele beiseitegedrängt. Dieser schamloseste und charakterloseste aller Literaten, der seine Feder zu ständigen Erpressungen auch seinen Glaubensgenossen und nächsten Verwandten gegenüber benutzte, hat noch auf dem jahrelangen Krankenlager, das ihm die Rückenmarksschwindsucht bereitete, durch die Maskerade edlen Märtyrertums die deutsche Öffentlichkeit getäuscht.

Hölderlin und Heine

Prof. Dr. Ewald Geißler: *Vom Deutsch jüdischer Dichter* in: *Nationalsozialistische Monatshefte*, Juni 1939, S. 535–536, gekürzt.
Geißler, * 1880, Prof. für deutsche Sprachkunst.

Aus der Tatsache, daß unsere deutsche Sprache eine deutsche Weltschau in sich trägt, folgern wir also nicht (mit manchen Sprachphilosophen): also ist der Jude, der sie mitspricht, durch sie mit zum Deutschen geworden. Sondern wir folgern: diese Weltschau ist Ausdruck einer bestimmten völkisch-rassischen Haltung; wer nicht aus dieser Haltung kommt, dem ist die Weltschau nicht artgemäß, er kann gar nicht wahrhaftig in sie eingehen.

Den Beweis sehen wir im Werk gerade jener Sprachgeschultesten, die die jüdische Welt uns immer auftrumpfend vorhält: sogar zum deutschen Dichter vermag ein Jude zu werden. Er vermag es eben nicht. Wir brauchen nur einen Deutschen neben ihn zu stellen. Am überzeugendsten geschieht das bei möglichst inhaltsähnlichen Stoffen. Sehen wir, wie Hölderlin eine Stadt beschreibt, und wie Heine dasselbe tut. Leider fehlt der Raum, die Gedichte herzusetzen; schlage jeder selbst bei Hölderlin die Ode «Heidelberg» auf, und in Heines «Deutschland, ein Wintermärchen» jenes Kapitel IV, das der Stadt Köln gilt. Schon die Versgestalt: bei Hölderlin eine Strenge und Bindung, die jedem Wort seine Schwere und Tiefe gibt, bei Heine eine zu nichts verpflichtende Lockerheit. Heines lose Vierzeiler haben einen hüpfenden Gang, weil in jeder Reihe nur eine Hebung vorspringt, und zwar mit Vorliebe am Reihenende; das Ganze bekommt dadurch etwas Parlierendes (in französischem oder couplethaftem Sinn). Denselben Gegensatz zeigt der Wortschatz: bei Hölderlin werden die Einzelbezeichnungen ihrer zufälligen Belanglosigkeit entkleidet und ins Gültige gehoben, bei Heine umgekehrt die hohen Namen ins Niedere abgewertet. Beide Städte überragt ein Steinwerk der Vergangenheit: für Hölderlin ist das Schloß von Heidelberg «die gigantische schicksalskundige Burg», für Heine der Kölner Dom ein «kolossaler Geselle», dem er ohne den geringsten Schauer mit jüdischen Fingern auf die Schultern klopft.

Eichendorff und Heine

Dr. Wilhelm Stapel: *Volk – Untersuchungen über Volk und Volkstum*, Hamburg 1942, S. 267–269, gekürzt; siehe auch Wilhelm Arp: *Deutsche Bildung in Begriff und Gestalt unseres arteigenen Menschentums*, Leipzig 1943, S. 58.

Man spreche neben Eichendorffs Worte Heines Worte, der Zauber bleibt aus. Er sagt uns zwar, daß die schönste Jungfrau ein Lied singt, das eine wundersame, gewaltige Melodei hat, aber der Klang dieser Verse hat nicht selbst den bestrickenden Zauber. Wir erfahren von dem Zauber, aber erleben ihn nicht unmittelbar.

Während die Reime Eichendorffs etwas Verhaltenes, Geheimnisvolles, Weites haben, haben die Reime Heines etwas Spitzes, Scharfes, ja fast etwas Heiseres. Bezeichnend ist für den Juden die Häufung von K- und G-Lauten, also von Gutturalen an dieser Stelle – eine Stabung, die an sich gelungen ist, die aber in dieser Situation, wo es sich um Lockendes, Bestrickendes handelt, für uns unmöglich ist. Eichendorff braucht die gutturale Stabung an ganz anderer Stelle, nämlich da, wo es sich um die tief eratmende Entgegensetzung gegen den Zauber, um die Brechung des Bannes, um die Befreiung des Menschen handelt: «Denn über Wald und Kluft erklangen Morgenglocken», und auch da ist der uns hart und trotzig klingende Laut durch das rundende L erweicht.

Eichendorff gebraucht an folgenden Stellen (abgesehen vom Zwiegespräch zwischen den dichterischen Gestalten) die Ich-Form: «Einen Kahn wohl sah ich ragen», «ich aber stand erschrocken», «und hätt' ich nicht vernommen», «wär ich nimmermehr gekommen». Bei Heine dagegen: «Ich weiß nicht, was soll es bedeuten, daß ich so traurig bin», «kommt mir nicht aus dem Sinn», «ich glaube, die Wellen verschlingen». Bei Eichendorff also: ich sah ragen, ich stand erschrocken, ich hätte den

Klang vernommen, ich wäre nicht gekommen. Es handelt sich stets um sinnhafte Wahrnehmungen oder Zustände.

Bei Heine: Ich weiß nicht, ich bin traurig, mir kommt es nicht aus dem Sinn, ich glaube.

Bis auf das etwas nüchtern-sentimentale (da hier noch unmotivierte, nur gesagte) Traurig-sein, sind es lauter intellektuelle Verhaltungsweisen. Der Dichter teilt uns sein subjektives Meinen oder Nicht-Wissen mit. Es ist ein völlig anderes Ich als bei Eichendorff. Dieser steht darin, jener verhält sich wie ein sentimentaler Intellektueller.

Ferner: Das Auffälligste an Heines Lied ist Anfang und Ende, beides ganz unliedhaft. Man gebe sich der Innervation des Satzes: «Ich weiß nicht, was soll es bedeuten» hin, sofort fahren uns die Worte in die Arme und zwingen uns zu einem Zucken der Achseln, während die Handflächen auseinandergehen: eine typisch jüdische Geste. Und der Schluß mit dem «Ich glaube...» und dem «und das hat mit ihrem Singen die Loreley getan» ist ein Musterbeispiel der jüdischen Sentimentalität, der Sentimentalität des schräggehaltenen (ein wenig nach hinten geneigten) Kopfes mit dem verlorenen Blick, aus welcher Stellung der Jude sofort mit einem Sprung, mit einem Witzwort heraushüpfen kann; denn diese Sentimentalität ist der Ironie benachbart, sie hat nicht das Schwerblütige der deutschen Sentimentalität. Man halte nur den Heineschen Schluß (den schwächsten Teil des Gedichtes) mit dem wohlklingenden, ganz unmittelbaren Abgesang in Eichendorffs «Verloren» zusammen: «Und das Schifflein ist versunken, der Schiffer ist ertrunken.» In diesem «versunken» und «ertrunken» liegt etwas Endgültiges und Dunkles, das durch das Absinken von i zu u besonders sinnfällig wird.

Sprache

Ein kaum faßlicher Denkfehler

Adolf Hitler: *Mein Kampf*, München 1935, S. 428, Auszug.

Es ist ein kaum faßlicher Denkfehler, zu glauben, daß, sagen wir, aus einem Neger oder einem Chinesen ein Germane wird, weil er Deutsch lernt und bereit ist, künftighin die deutsche Sprache zu sprechen und etwa einer deutschen politischen Partei seine Stimme zu geben. Daß jede solche Germanisation in Wirklichkeit eine Entgermanisation ist, wurde unserer bürgerlichen nationalen Welt niemals klar. Denn wenn heute durch das Oktroyieren einer allgemeinen Sprache bisher sichtbar in die Augen springende Unterschiede zwischen verschiedenen Völkern überbrückt und endlich verwischt werden, so bedeutet dies den Beginn einer Bastardierung und damit in unserem Fall nicht einer Germanisierung, sondern einer Vernichtung germanischen Elementes. Es kommt in der Geschichte nur zu häufig vor, daß es den äußeren Machtmitteln eines Eroberervolkes zwar gelingt, den Unterdrückten zwar ihre Sprache aufzuzwingen, daß aber nach tausend Jahren ihre Sprache von einem anderen Volk geredet wird, und die Sieger dadurch zu den eigentlich Besiegten werden.

Blutveranlagung

Georg Schmidt-Rohr: *Rasse und Sprache* in: *Zeitschrift für Deutschkunde*, 1934, S. 319–320, Auszug; siehe auch Max Bauselow: *Grundfragen des neuen Deutschunterrichts* in: *Zeitschrift für Deutschkunde*, 1937, S. 85 f.

Da es für unser Volk keine einheitliche rassische Grundlage gibt und zu keiner Zeit gegeben hat, sondern da ein Gemenge von mehr oder weniger reinen Rassen und von Rassemischungen vorliegt, spreche ich lieber von «Blut». Die Gesamtheit der vielfältigen unterschiedlichen Rassebegabungen, die im deutschen Volk vertreten ist, ist das deutsche «Blut», die Blutveranlagung unseres Volkes.

Diese Blutveranlagung, diese Begabungsgrundlage ist natürlich von ganz entscheidender Bedeutung für die sich in dem Begriffsschatz der Sprache darstellende Geistigkeit eines Volkes und für sein Seelentum.

Wir reden wohl von «schwarzen Franzosen», aber nicht von «schwarzen Deutschen», auch nicht in den Kolonien. Gegenüber dem Neger ist dieses eine sicher: der allgemeine Sprachgebrauch in Deutschland und England – in Frankreich – schließt mit Selbstverständlichkeit den Neger aus der Volksgemeinschaft aus, auch wenn er zur Sprachgemeinschaft gehört. (Der Franzose ist ja bekanntlich noch so im Staatsdenken befangen, daß er zur Zeit wohl seine eingebürgerten Neger, nicht aber seine weißen Sprachgenossen in Kanada zu seinen «Volksgenossen» rechnet.)

Das sonderbare Deutsch

Dr. Wilhelm Stapel: *Die literarische Vorherrschaft der Juden in Deutschland 1918 –1933*, Hamburg 1937, S. 41–42, gekürzt.

Das sonderbarste Deutsch, das je geschrieben wurde, ist das der Buber-Rosenzweigschen Übersetzung [1] des Alten Testaments, oder, wie man

1 Prof. Dr. Martin Buber, 1878–1965, Religionsphilosoph; Franz Rosenzweig, 1886–1929, Philosoph; beide begannen gemeinsam 1926 eine Bibelübersetzung.

sich zu sagen bemühte: der «Bibelübersetzung» von Buber und Rosenzweig (im Anklang an das Wort von Luthers «Bibelübersetzung», eine solche Parallele hat propagandistische Wirkung). Es ist bekannt, daß die Absicht dieser jüdischen Übersetzung kultisch ist. Buber und Rosenzweig übersetzten mit großem geistigen Aufwand ihre Heilige Schrift in der Weise ins Deutsche, daß auch der deutsche Text in derselben Weise wie der hebräische kultisch psalmodiert werden kann. Man dachte dabei an die Gemeinden und Synagogen, in denen das Hebräische nicht verstanden wird, in denen man aber die hebräische, kultische Rezitationsweise behalten will. In dieser Übersetzung ist deutlich, was aus der deutschen Sprache wird, wenn man sie den hebräischen Gesetzen unterordnet und nach hebräischem Rhythmus prägt. Es gibt nichts Lehrreicheres als eine Vergleichung des Lutherdeutsch mit dem hebräisierten Deutsch dieser von Juden für Juden veranstalteten Übersetzung hebräischer Texte. Dies scheint uns die echteste Frucht der Zeit von 1918 bis 1933: der Versuch, die deutsche Sprache künstlich zu einer hebraisierenden Kultursprache umzubilden. Daß dieses neuartige Deutsch von den Deutschen der Weimarer Republik mit Bewunderung empfangen wurde, versteht sich.

Ein Hirnling

Prof. Dr. Ewald Geißler: *Sprachpflege als Rassenpflicht* in: *Weimar – Bekenntnis und Tat der Hitlerjugend*, Herausgeber Otto Zander, Berlin 1938, S. 56, Auszug; siehe auch sein Buch: *Sprachpflege als Rassenpflicht*, Berlin 1937.

Ein paar Verse Heines oder Werfels, gehalten neben möglichst inhaltsähnliche eines deutschblütigen Dichters, oder eine Seite Emil Ludwig Cohns [1] unter die Sprachlupe genommen, und wir finden: dasselbe deutsche Wort kann im jüdischen Mund einen völlig anderen Klang haben, einen ungleich flacheren Gehalt. Die «goldenen Sternlein» in Matthias Claudius [2] «Abendlied» sind unvergleichbar den «Sternlein mit den goldenen Füßchen» in Heines Attrappen- und Requisitenlyrik, die sich auf deutsch nicht benennen läßt.

All dieses ergibt: jede Sprachäußerung sagt mehr, als sie «sagt», d. h. als ihre Sprachinhalte ausdrücklich anzeigen oder beteuern. Die Echtheit, die Worttiefe ist unabhängig von den Worten an sich, die jemand

1 Emil Ludwig, 1881–1948, Schriftsteller; seine Biographien: *Goethe, Napoleon, Wilhelm II., Bismarck, Michelangelo, Lincoln* u. a. m. erzielten viele und hohe Auflagen.

2 Matthias Claudius, 1740–1815, Dichter; Herausgeber des *Wandsbecker Bothen*.

vielleicht mit besonderen Versicherungen seiner Gefühlsstärke aufmarschieren läßt. Ich kann zum Beispiel die Bodenständigkeit preisen, aber dabei durch meine Sprache verraten, daß ich aus Asphalt und Druckerschwärze komme. Ich kann Deutschland beteuern und lasse in jeder Zeile erkennen, wie gleichgültig und fremd mir das deutsche Wesen ist. Ich kann das «Irrationale» verkünden und ein bloßer Hirnling sein (Intellektueller).

«Du» und «Ihr»

Dr. Friedrich Kammerer: *Die deutsche Anrede im Wandel der Zeit – Eine sprachgeschichtliche Betrachtung* in: *Zeitschrift für deutsche Bildung*, 1939, S. 422, Auszug.

Zwischen dem Du und dem Ihr setzt ein Rangstreit ein, der mit einem vollen Sieg des Ihr im 13. Jahrhundert endet. Das Ihr wird die Anrede der höfischen Gesellschaft. Es dringt bis in die Familie hinein: Kinder haben ihren Eltern Ihr zu geben und erhalten Du. Auch Verlobte und Ehegatten geben sich innerhalb der höfischen Gesellschaft Ihr. Aber die Grenze zwischen den beiden Formen ist noch nicht fest gezogen. Das Ihr gilt zwar überall da, wo die Etikette herrscht. Überall da aber, wo das Blut spricht, bricht das Du durch, sowohl in freundlichem wie in feindlichem Sinne. Bei heftiger Gemütsbewegung, bei Seelennot, bei Erklärung der Freundschaft, der Liebe, beim Bieten des Friedens wie bei ausbrechender Feindschaft geht man zum Du über. Ehegatten und Freunde geben sich, wenn sie den Blicken des Herrschers fern sind, wieder Du. Aber, wie schon angedeutet, dieses Du hat ein doppeltes Gesicht: es war Ausdruck größter Liebe, es konnte auch Ausdruck tiefster Verachtung sein: nicht nur der gesellschaftlich Niedrigere wird mit Du angeredet, sondern auch der Verfemte, der Verbrecher, der Henker, die Dirne, der Ungläubige, der Jude.

Charakterlos

Hermann Esser: *Die jüdische Weltpest*, München 1940, S. 182, Auszug.
  Hermann Esser, *1900; NSDAP-Nr. 2; 1925 Reichspropagandaleiter der NSDAP; ab 9. 3. 1933 Mitglied der bayerischen Staatsregierung; ab 1939 Staatssekretär im Propagandaministerium; siehe auch Herwig Hartner-Hnizdo: *Das jüdische Gaunertum*, München 1939; über Jiddisch siehe Joseph Wulf: *Jiddisch – Über die geistige Welt des Ostjudentums* in: *Aus Politik und Zeitgeschichte* vom 28. 9. 1960.

Die Sprache eines Volkes ist Spiegelbild seiner Seele. In der Sprache drückt sich der Charakter einer Nation aus.

Das Judentum ist auch in seiner Sprache charakterlos. Die Sprache der Juden hat in der Weltgeschichte die Bezeichnung Mauscheln. Man erkennt den Juden an seiner Sprache, zu der er sich neben dem Mundwerk auch der Hände und Füße bedient. Jeder Jude möchte am liebsten ein paar Sätze auf einmal sprechen. Jeder Jude will schon in der Verständigung mit dem Mitmenschen den anderen übertölpeln, darum die jüdische Hast auch in der Sprache. Jedem Nichtjuden geht das Mauscheln auf die Nerven. Die Sprache der Juden ist widerwärtig ölig und sentimental, ist im Tonfall wie Inhalt verlogen.

«Mama» ist nicht jiddisch!

Aufsatz von Roland Hageneier in: *Deutsche Presse*, 1940, S. 228.

Berufskamerad Theodor Bleckmann hat in dankenswerter Weise in Nr. 21 der «Deutschen Presse» auf die zahlreichen in weiten Volkskreisen noch immer umlaufenden Worte jiddischen Ursprungs hingewiesen.[1] Dabei ist ihm allerdings der Fehler unterlaufen, auch das Kosewort für Mutter «Mama» als aus dem Hebräischen kommend zu bezeichnen. Als Beweis dafür führt Berufskamerad Bleckmann an, es stehe in verdächtiger Nachbarschaft mit dem hebräischen Ausdruck «mamme loschen»[2], mit dem die jiddisch Sprechenden ihre Ausdrucksweise bezeichneten. Dieses Argument scheint doch ziemlich an den Haaren herbeigezogen, wenn man weiß, daß schon die alten Römer die weibliche Brust als «mamma» bezeichneten. Offenbar stammt die Bezeichnung überhaupt aus dem Kindermund selbst, der diese beiden Silben am leichtesten und ehesten zu formulieren versteht. In dem Aufsatz eines Volkskundlers, der Name ist mir leider entfallen, las ich vor Jahren einmal die Bemerkung, daß das Wort «Mama» von den Kindern aller Völker als erstes Wort gesprochen werde. Es dürfte somit das älteste Wort der Welt sein, und wenn es dann auch von den Juden verwandt wird, so liegt doch in keiner Weise ein Beweis dafür vor, daß wir Deutschen es von den Juden übernommen haben sollten.

[1] Einige Pseudowissenschaftler befaßten sich im Dritten Reich mit der jiddischen Sprache und arbeiteten teilweise auch als Spezialisten an Julius Streichers *Der Stürmer* mit; hauptsächlich ging es diesen «Forschern» darum, zu beweisen, Jiddisch sei eine «Gaunersprache»; siehe z. B. Herwig Hartner-Hnizdo: *Das jüdische Gaunertum*, München 1939, S. 1–20.

[2] «Mamme loschen», loschen bedeutet in Hebräisch Sprache; da die jüdische Frau Osteuropas Hüterin und Pflegerin der jiddischen Sprache war, wie geschichtlich feststeht, nannte man Jiddisch in der Umgangssprache auch «mamme-loschen».

Todeskeim

Otto Heuschele: *Die Sendung des deutschen Schrifttums im neuen Europa* in: *Deutsche Akademie Mitteilungen*, München 1942, S. 22–23, gekürzt.

Hermann Otto Heuschele, Schriftsteller (Lyrik, Erzählung, Novelle, Roman und Essay), *1900.

Wir wissen, daß die Gefahr der Schwächung und Überfremdung unseres eigenen Geistes- und Seelenlebens nicht immer vermieden wurde. Gerade in der Epoche kurz vor und nach dem ersten Weltkriege wurde unser Volk mit einer Fülle von Übertragungen überflutet. Es gab kaum eine Sprache des Abendlandes, aus der nicht übersetzt worden wäre, es gab keinen Kulturkreis der Erde, in den sich nicht geistig Suchende aufgemacht, aus dem sie nicht geistige Güter hereingebracht hätten, durch die uns Hilfe und Heil kommen sollte, während uns gerade in diesem Augenblick unserer Geschichte doch nur der Umgang mit den reinsten und besten Kräften unseres eigenen Selbst heilvoll sein konnte.

Aber nicht nur die Fülle und Wahllosigkeit der Übersetzungen war verhängnisvoll, weit bedrohlicher war die Art, wie übersetzt wurde.

Diese Art der Übersetzung hat der großen Aufgabe alles geistigen Austausches mehr geschadet als genützt und hat sich von dem verpflichtenden Begriff der Weltliteratur weit entfernt. Unser deutsches Schrifttum aber hat durch sie keine dauernden Bereicherungen, sondern nur ernste Gefährdungen erfahren. Das Gefüge unserer Sprache wurde vielfach gelöst, durch Risse und Sprünge, die sich so bildeten, drang fremder Geist auflösend in den eigenen Geist ein. Aus diesen Utopien heraus versuchte man in den Jahren nach dem ersten Weltkrieg allenthalben die Idee Europas zu entwickeln. Aber diese Idee trug, da sie einer welt- und lebensfremden Ideologie entsprang, von vornherein den Todeskeim in sich.

Literarische Zeitschriften

Die drei folgenden Auszüge stammen aus Georg Ramseger: *Literarische Zeitschriften um die Jahrhundertwende unter besonderer Berücksichtigung der «Insel»* in der Reihe *Germanische Studien*, Berlin 1941; mit gleichem Titel erschien 1941 in Hamburg Georg Ramsegers Dissertation; Gutachter Prof. Dr. Robert Petsch; Mitgutachter Dozent Dr. Fritz Martini.

Dr. phil. Georg Ramseger, Schriftsteller und Journalist, *1912.

Deutsche Rundschau

Ramseger, a. a. O., S. 80, 81, 82 und 88, Auszüge.

Die Ausbildung des Typus war das Werk der «Deutschen Rundschau», gegr. 1874, unter Leitung des Juden Julius Levy aus Rodenberg [1].

Die Obrigkeit, ein Begriff, der für die Männer des Naturalismus oder später des Simplizissimus höchst fragwürdig war, war einem Manne wie Levy/Rodenberg unantastbar. Es war dies nicht zuletzt rassisch begründet. Der junge jüdische Jurist hatte hören müssen, daß es empfehlenswert wäre, den bürgerlichen Namen abzulegen – Levy also – und dem Christentum beizutreten, wenn er in der Öffentlichkeit Erfolg haben wollte. Von da an nannte er sich Rodenberg. Zum Christentum ist er nicht übergetreten, wenngleich er auch jede Berührung mit der jüdischen Religionsgemeinschaft aufgab.

Die geschilderten Eigenschaften verbürgten einen gewissen Erfolg der Zeitschrift. Ausschlaggebend war aber der journalistische Instinkt seiner Rasse, der innerhalb der vorhandenen Zeitschriftentypen eine Lücke entdeckte und sie ausfüllen hieß.

Es ist hier nicht die Gelegenheit, die Haltung der wissenschaftlichen und politischen Artikel der «Deutschen Rundschau» um die Jahrhundertwende nachzuprüfen. Wir möchten nur an zwei Stellen den Glauben darlegen, zu dem das liberale Bürgertum, das in der «Deutschen Rundschau» seine Zeitschrift erhielt, schließlich gelangen mußte; die gefährlichen Folgen dieses Glaubens hatten die Söhne und Enkel auf sich zu nehmen und zu bewältigen. Wie ahnungslos man trotz Nietzsche, Lagarde und Langbehn und allen anderen Kritikern in diesen Kreisen noch war, zeigt die Stellungnahme der «Deutschen Rundschau» zum Dreyfuß-Prozeß. Man steht selbstverständlich auf Seiten Dreyfuß'. Interessant aber und bezeichnend ist, wie man die Tatsache, daß er unüberzeugbare Gegner hatte, kommentiert. Da heißt es: «Die Begeisterung für das Wohl der Menschheit hat einer an das Barbarische grenzenden Abneigung gegen alles Fremde, die ‹amour sacrée de la patrie› beschränktem Nationalismus, die Abscheu vor Tyrannen und ‹rois conjurés› bösartigem Rassenhaß Platz gemacht, und an die Stelle republikanischen Bürgerstolzes ist der Hochmuth des Prätorianerthums getreten.» Das sind die gleichen Worte, mit denen uns unsere Gegner heute – 40 Jahre später – vor der Welt beschimpfen wollen.

---

[1] Julius Rodenberg, 1831–1914, Dichter, Romancier und Essayist. Seine reichhaltige Bibliothek vermachte Rodenberg der Stadt Berlin.

Neue Rundschau

Ramseger a. a. O., S. 89, 91 und 98, Auszüge; Vorgänger waren: *Freie Bühne für modernes Leben*, Herausgeber von 1890–91 Otto Brahm, Redaktion Arno Holz und Wilhelm Bölsche; *Die neue deutsche Rundschau*, seit 1894; *Die Neue Rundschau*, vom Verleger Samuel Fischer 1904 gegründet, herausgegeben von Oskar Bie.

Als die heutige «Neue Rundschau» im Jahre 1890 gegründet wurde (unter dem Titel «Freie Bühne»), handelte es sich primär um eine vornehmlich literarische, und innerhalb des Literarischen revolutionäre Zeitschrift, deren spätere Ähnlichkeit, ja Gleichheit mit dem Typ der Rundschau sich noch nicht ankündigte.

In der Betrachtung über die «Neue Rundschau» im S-Fischer-Almanach für das Jahr 1911 heißt es: «Es galt, das Alte, mit dem wir groß geworden waren, nicht zu verachten, und das Neue, das vielleicht den Keim der Zukunft in sich trug, rechtzeitig zu beobachten.» So war die Zeitschrift – wie der Verlag – im gewissen Sinne stets «auf der Höhe», pflegte – wie der Verlag – heterogene Erscheinungen und konnte im Grunde von keiner literarischen Strömung überrascht werden. Gewitzter als der blind gläubige und bedenkenlos ergriffene M. G. Conrad[1] in seiner «Gesellschaft» ließ der Jude Otto Brahm[2] schon im Vorwort zum ersten Heft der neuen Zeitschrift durchblicken: «Die künstlerische Losung des Tages braucht nicht mehr die von heute zu sein», wie Soergel es formuliert. Im Grunde machte sich hier der gleiche Geist bemerkbar, der Rodenberg zu der so vorsichtigen, zurückhaltenden Leitung seiner Zeitschrift bewog: man sicherte sich. Gewiß: man war mittlerweile radikaler geworden; man sprach sich eindeutig für eine Kunst aus, von der man wußte, daß sie dem Staate und großen Teilen des Bürgertums unsympathisch war. Man war ja auch wesentlich jünger und besaß nicht mehr die Vorsicht und den leisen Tritt des Juden vor der Emanzipation. Man brauchte beides nicht mehr zu besitzen, denn man war mittlerweile vollwertiges Glied der Gesellschaft geworden; Rassengenossen standen schon überall in vermittelnden Positionen.

So steht also diese Zeitschrift bereits 1900 auf dem Boden, von dem aus ein Thomas Mann, der von 1908 ab ständiger Gast der Zeitschrift ist, einmal 32 Jahre später für die Sozialdemokratie gegen den Nationalsozialismus beim deutschen Bürger agitierte.

1 Michael Georg Conrad, 1846–1927, Schriftsteller und Gründer der Zeitschrift *Die Gesellschaft*; Reichstagsabgeordneter.
2 Otto Brahm, 1856–1912, Schriftsteller und zusammen mit Maximilian Harden und Theodor Wolff Gründer der Zeitschrift *Freie Bühne*; Leiter des Deutschen Theaters und später des Lessing-Theaters.

Die Insel

Ramseger, a. a. O., S. 153 und 158, Auszüge. *Die Insel* wurde 1899 in München von Alfred Walter Heymel, Rudolf Alexander Schröder und Otto Julius Bierbaum gegründet; Mitarbeiter waren u. a. Richard Dehmel, Hugo von Hofmannsthal, Detlev von Liliencron, Rainer Maria Rilke, Rudolf Borchardt; aus der Zeitschrift ging dann der Leipziger Insel-Verlag hervor.

Würden wir hier eine vollständige Namenliste anführen, so würden zwei für die Stellung der «Insel» innerhalb des fin de siècle typische Erscheinungen deutlicher auffallen: der große Anteil der Ausländer – fast dreißig vom Hundert der Namen, die Schweizer (E. v. Bodmann [1] und Walser [2]) nicht eingerechnet – und ebenfalls ein beträchtlicher Anteil des jüdischen Schrifttums – ungefähr zehn vom Hundert – nicht eingerechnet die ausländischen Juden (Marcel Schwob [3], Gustave Kahn [4] usw.). Wir finden da u. a. die Namen Ludwig Geiger, Holitscher, Hedwig Lachmann, Felix Salten [5] und Jakob Wassermann – darunter solche Gestalten, denen es später dann gelingen sollte, sich vor der Welt und vor vielen Deutschen als die eigentlichen Vertreter des deutschen Schrifttums der Gegenwart hinzustellen. In der «Insel» sind sie als Einzelne und nur gelegentlich mit Beiträgen Vertretene noch nicht zu der beherrschenden Stellung aufgerückt, die sie in der gleichzeitigen «Neuen deutschen Rundschau» schon innehatten. Aber sie sind schon da; die «Insel» war neben anderen Organen eine Zeitschrift, auf die man sich berufen konnte, in deren Umkreis sich ausnutzbare Verbindungen und Beziehungen herstellen ließen und die mit ihren guten Honoraren auch wirtschaftlich der jüdischen Literatur ihre Existenz sichern half.

Die Ausweitungen, die sich aus der Unparteilichkeit der «Insel» ergaben, erstreckten sich niemals auf das «mourir en beauté» des Dekadenten. Sie erreichten auf der einen Seite vielleicht die abendlichen Stimmungen des Neuromantikers der Andacht, auf der anderen ein Leben in Schönheit, wie es die Lebensbejaher preisen. Dazwischen aber werden

1 Freiherr Emanuel von Bodmann, 1874–1946, Dichter.

2 Robert Walser, Schriftsteller, 1878–1956.

3 Marcel Schwob, 1867–1905, französischer Schriftsteller und Professor an der *École des Hautes Études.*

4 Gustave Kahn, 1859–1936, französischer Dichter und Schriftsteller; einer der Führer der «Symbolisten».

5 Ludwig Geiger, 1848–1920, Literatur- und Kulturhistoriker; Arthur Holitscher, 1869–1941 (in der Emigration), Schriftsteller; Hedwig Lachmann, 1865–1918, Schriftstellerin und Übersetzerin englischer und französischer Lyrik; Felix Salten, 1869–1945 (in der Emigration), Schriftsteller (Novelle, Roman, Essay).

die nicht müden, aber kalten, nervös beredten Stimmen jenes Geistes laut, der sich auf Grund des Glaubens an eine internationale Gültigkeit der Kunst und der ästhetischen Gesetze in die Zeitschrift eingeschlichen hatte: der Geist des Negativen.

Es kann nicht verwundern, daß es vor allem die fremdartigen Elemente waren, die diesen Geist vertraten. Bierbaum [1] ermöglichte ihnen ihre Wirkung. Seine eigene Geschäftigkeit wurde von der Geschäftigkeit eines Literaten wie Franz Blei [2] angezogen. R. A. Schröder [3] spricht von der «unermüdlichen grotesken Hilfsbereitschaft Franz Bleis» und kennzeichnet damit die Art und Weise, wie sich der Literat unentbehrlich zu machen verstand. Durch Bierbaum und Blei traten dann auch fast alle rassischen Fremden in den Mitarbeiterkreis ein.

Literarische Strömungen

Sturm und Drang

Wilhelm Müller: *Studien über die rassischen Grundlagen des Sturm und Drang,* Dissertation, Münster i. W. am 25. 11. 1938, S. 137–140, Auszüge; Referent: Prof. Dr. Günther Müller.

Was bedeuten die rassenkundlichen Erkenntnisse für Literatur- und Geisteswissenschaft? Wird die Rassenkunde in der zum großen Teil doch historischen Aufgabe beider Wissenschaften noch fruchtbar? Das waren im Grunde die dringlichen Fragen, die nach anfänglich allzu billigen Spekulationen der Stilforscher beantwortet werden mußten und die auch in den Studien zum Sturm und Drang ständig gegenwärtig waren. Mit Maßen und Merkmalen, die die Rassenkunde bereitstellte, konnte zunächst die einzelne Persönlichkeit gedeutet werden, sofern sich die nötigen Bildnisurkunden, Ahnenreihen und haltungsmäßig auswertbaren biographischen Angaben boten. Eine Interpretation des Werkes aber mußte für Dichtungs- und Geistesgeschichte ebenso gewichtig sein, und ein Gegeneinanderabwägen beider Ergebnisse konnte erst Aussagen über die Gesamterscheinung, d. h. den Einfluß rassischer Substanz auf jene scheinbar so abgelöste und in sich ruhende und wachsende Welt der Literatur und Kunst, gestatten. Waren die unerläßlichen Unterlagen vorhanden, so konnten sich Schwierigkeiten der Einordnung nur noch von der relativen Undeutlichkeit der Merkmale ergeben.

1 Otto Julius Bierbaum, 1850–1910, Schriftsteller.
2 Franz Blei, 1871–1942 (in der Emigration), Schriftsteller; er gab 1908–10 zusammen mit Carl Sternheim die Zeitschrift *Hyperion* heraus.
3 Rudolf Alexander Schröder, 1878–1962, Dichter.

Haben sich nun die aufgeworfenen Fragen beantwortet und sind darüber hinaus die im biologischen Sein ruhenden Möglichkeiten der zweiten Hälfte des 18. Jahrhunderts, aus deren Fülle dinarische und ostbaltische Kräfte den Sturm und Drang verwirklichten, sichtbar geworden, dann hat die Abhandlung nicht nur die bekannten Fakten einem neuen Koordinationskreuz eingeordnet, das die große Zweiteilung der Epoche herausstellte, sondern die eigentlichen, vom Biologischen nicht abzulösenden Untergründe an einer Teilstrecke deutscher Dichtungsgeschichte erhellt. Eine solche Untersuchung muß aber solange unfruchtbar bleiben, bis auch die angrenzenden Epochen in ihren rassischen Kräften klar gesehen sind.

Berliner Romantik

Hans Karl Krüger (Dortmund): *Berliner Romantik und Berliner Judentum.* – Inaugural-Dissertation zur Erlangung der Doktorwürde, genehmigt von der philosophischen Fakultät der Rheinischen Friedrich-Wilhelms-Universität zu Bonn, 1939, S. 136–137; Berichterstatter: Prof. Dr. K. J. Obenauer.

Die Emanzipation der Juden in Berlin und ihre Berührung mit dem Kreise der Berliner Romantik zeigt mit klarer Eindeutigkeit, daß nur das Geschlecht seinen Lebensraum beherrschen kann, das gewillt ist, ihn zu verteidigen. Mit zäher Hartnäckigkeit hat Moses Mendelssohn[1] die Stadt Berlin für das Judentum erobert; und bei aller Dekadenz, die den jüdischen Frauen eigentümlich ist, sind auch sie gewillt, diesen eben eroberten Lebensraum zu beherrschen und zu verteidigen. Ihre Herrschaftsansprüche durchzusetzen, wird den Berliner Juden durch drei Umstände erleichtert. Einmal durch die gefährliche Veranlagung des deutschen Menschen, der im fremden Volk und in der fremden Rasse statt des «Anderen» das «Bessere» zu sehen geneigt ist, zum zweiten durch die Besonderheit des deutschen romantischen Menschen, der in der intellektuellen Wendigkeit des jüdischen Geistes und im schmeichlerischen Eingehen auf seine Person eine Bestätigung seiner Existenz zu finden glaubt, und schließlich durch den Liberalismus der antisemitischen Gesellschaft, die bei allen judenfeindlichen Angriffen der Verkehr mit jüdischen Häusern nicht aufgeben will. Die Begegnung der Berliner Juden mit der Berliner Romantik lehrt dementsprechend dreierlei: daß es gilt, jedes Volk zu achten, aber das seine als Inbegriff aller jener Mächte, durch die wir geworden sind, zu lieben – daß es heißt, über den Reichtum der deutschen Romantik nicht die Fehler des romantischen Men-

1 Moses Mendelssohn, 1729–86, Philosoph, Literaturkritiker, Bibelübersetzer; siehe *Moses Mendelssohn – Gesammelte Schriften,* Leipzig 1843–45, 7 Bände; eine innige Freundschaft verband ihn mit Gotthold Ephraim Lessing und Immanuel Kant.

schen zu übersehen, die auch in uns liegen – daß es notwendig ist, den eigenen Lebensraum gegen jeden fremdrassigen Eindringling unerbittlich zu verteidigen.

Naturalismus

Georg Ramseger: *Literarische Zeitschriften um die Jahrhundertwende*, a. a. O., S. 46–47, Auszug.

Der Naturalismus war nur die literarische Erscheinungsform des positivistisch-rationalistischen Zeitalters und somit jüdischer Geistigkeit besonders offen. Neben der wirtschaftlichen war es gerade – Wilhelm Stapel erläutert es eingehend – die literarische Geltung, die dem Juden seit der offiziellen Emanzipation 1848 die allgemeine öffentliche Geltung verschaffen sollte. Die Gelegenheit zur Verwirklichung gaben ihm, wie abermals W. Stapel sagt: «der denaturierte Liberalismus, die entscheidungsscheue Objektivität und die verantwortungslose Neutralität des 19. Jahrhunderts...», eben jene besonderen Züge des liberalen Bürgers, die die deutsche Kulturkritik angegriffen hatte. Presse, Zeitschriftenwesen und Theaterleitung, die Vermittlerstellen des künstlerischen Lebens also, waren die Plätze, die das Judentum zuerst besetzte, um von hier aus eine ganz bestimmte Literatur zu propagieren, die ihrer eigenen das Feld bereiten sollte. Die Zentrale war Berlin. Julius Levy (Rodenberg) gründete 1874 die «Deutsche Rundschau», Karl Emil Franzos [1] aus Galizien 1886 die «Deutsche Dichtung», Oskar Blumenthal [2] 1872 die «Deutsche Dichterhalle», im gleichen Jahr der Mischling Paul Lindau [3] «Die Gegenwart», 1877 gründete derselbe Lindau die Zeitschrift «Nord und Süd», 1892 folgte «Die Zukunft» von Isidor [4] Witkowski-Maximilian Harden, 1889 ergingen Einladungen für die «Freie Bühne» von Harden, Theodor Wolff [5] und Brahm (Abrahamsohn).

1 Karl Emil Franzos, 1848–1904, Schriftsteller (Roman, Novelle, Reiseberichte, Kulturgeschichte); berühmt durch sein Werk *Aus halb Asien*, Leipzig 1876; 1882–85 redigierte er in Wien die *Neue Illustrierte Zeitung*.

2 Oskar Blumenthal, 1852–1917, Theaterkritiker am *Berliner Tageblatt*.

3 Paul Lindau, 1839–1919, Schriftsteller und Dramaturg.

4 Maximilian Hardens bürgerlicher Name war *Felix* Witkowski; dieser «Isidor» gehörte ins Schimpf-Repertoire der Nationalsozialisten gegen jüdische Persönlichkeiten; dazu gehörte auch der Hinweis in Klammern auf die jüdischen oder ausländisch klingenden Namen; übrigens wurde dieselbe Methode in der stalinistisch-antisemitischen Literatur gehandhabt. Der Herausgeber besitzt ein großes Archiv über die Gleichheit derartiger Methoden im braunen und roten Staat.

5 Theodor Wolff, 1868–1943, Chefredakteur des *Berliner Tageblatts*; er emigrierte 1933 nach Frankreich und 1942 wurde er von dort nach Sachsenhausen deportiert.

Abstammungsnachweis

Auf Grund der sogenannten *Nürnberger Gesetze* vom 15. 9. 1935 wurde von jedem «Volksgenossen» der Abstammungsnachweis verlangt; es gab da den «kleinen» und den «großen» Abstammungsnachweis. NSDAP-Mitglieder mußten ihr «Ariertum» bis zur am 1. 1. 1800 lebenden Ahnenreihe nachweisen, die SS sogar bis 1750; ausführlicher siehe Dr. Frhr. v. Ulmenstein: *Der Abstammungsnachweis*, Berlin 1941; Dr. jur. Bernhard Lösener und Dr. jur. Friedrich A. Knost: *Die Nürnberger Gesetze über das Reichsbürgerrecht, den Schutz des deutschen Blutes und der deutschen Ehre nebst den Durchführungsverordnungen sowie einschlägigen Bestimmungen und den Gebührenvorschriften*, Berlin 1936; Dr. Wilhelm Stuckart und Dr. Hans Globke: *Reichsbürgergesetz vom 15. September 1935, Gesetz zum Schutze des deutschen Blutes und der deutschen Ehre, Gesetz zum Schutze der Erbgesundheit des deutschen Volkes vom 15. Oktober 1935 nebst allen Ausführungsvorschriften und den einschlägigen Gesetzen und Verordnungen*, Berlin 1936; Joseph Wulf: *Die Nürnberger Gesetze*, Berlin 1960; Hans Rothfels: *Das Reichsministerium des Innern und die Judengesetzgebung* in: *Vierteljahreshefte für Zeitgeschichte*, Juli 1961, S. 262–313.

Verband deutscher Volksbibliothekare

Brief ges. an:
Frl. Dr. Bry, Frl. Ther. Krimmer, Frl. Elis. Lehfeldt, Frl. R. Lustig, Herrn Jan Pepino, Frl. Anneliese Printz, Frl. Gertr. Silberstein, Frl. Anna Wolf.

Da Sie zur Zeit nicht bibliothekarisch tätig sind und nach dem Arierparagraphen in absehbarer Zeit für den Dienst an öffentlichen Büchereien nicht in Frage kommen, ist Ihr Verbleiben in der Reichsschrifttumskammer nicht möglich. Wir müssen Sie daher ab 1. 4. 35 aus der Mitgliederliste unseres Verbandes streichen.

Der Mitgliedsausweis für 1934/35 ist umgehend zurückzuschicken.

Verband Deutscher Volksbibliothekare
in der Reichsschrifttumskammer
i. A. Unterschrift

Das entscheidende Wort

handschriftlich:
telef. mitgeteilt, daß
er schreiben soll F. 7/8

Herrn Staatskommissar Hinkel Wilhelm Vogel
Reichsministerium für Volksaufklärung Berlin-Dahlem, den 6. Aug. 36
und Propaganda Am Anger 11 a
Berlin W 8, Wilhelmsplatz 8–9 Fernruf: G 6 Breitenbach 1272

Sehr geehrter Herr Staatssekretär!
Am 9. Juli d. Js. wandte ich mich mit einem Bittgesuch an den Herrn
Reichskanzler und Führer, um eine Ausnahme vom Verlegergesetz für
mich zu erwirken. Ich bin Arier, bin aber mit einer nichtarischen Frau
verheiratet. Da ich inzwischen hörte, daß Sie, Herr Staatskommissar, in
diesen Angelegenheiten das entscheidende Wort sprechen, erlaube ich
mir, an Sie die ergebene Bitte zu richten, mir Gelegenheit zu persönlichem mündlichem Vortrag derjenigen Gründe und Tatsachen zu geben,
die eine Sonderbehandlung in meinem Falle rechtfertigen könnten.

Ich wäre Ihnen sehr zu Dank verbunden, wenn Sie die Freundlichkeit
hätten, mir Tag und Stunde für eine solche Rücksprache zu bestimmen.

Heil Hitler!
Wilhelm Vogel

Die Ehre des deutschen Buchhandels

Gau Berlin der Gruppe Buchhandel
in der Reichsschrifttumskammer
An alle Mitarbeiter Berlin W 35, Potsdamer Privatstr. 121 D,
des Gaues Berlin Fernruf: B 1 3374/75
der Gruppe Buchhandel Obleute-Rundschr. Nr. 13/1937 IV/M
in der Reichsschrifttumskammer Berlin, den 12. Januar 1937

Betr.: 1) Beschäftigung von Nichtariern bzw. ausgeschlossenen Mitgliedern
2) Vertrieb von Schrifttum durch jüdische bzw. «nichtarische»
(nichtbuchhändlerische) Wiederverkäufer und Unternehmen
3) Werbung für jüdische Verlage

1) In der letzten Zeit konnte mehrfach festgestellt werden, daß Buch-
handels- und Verlagsunternehmen, insbesondere solche, deren Inhaber
Juden oder jüdisch versippt sind, Leute beschäftigen, die nicht Mitglied

der Reichsschrifttumskammer sind, oder aber von dieser aus bestimmten Gründen ausgeschlossen wurden. Meist handelt es sich hier um Nichtarier, die von ihren Stammesgenossen schwarz beschäftigt wurden.

Es bedarf wohl keines Hinweises, daß derartige Anstellungen gegen die gesetzlichen Bestimmungen verstoßen und sich mit der Ehre des deutschen Buchhandels im nationalsozialistischen Deutschland nicht vereinbaren lassen. Aus diesem Grunde bitte ich alle Mitarbeiter genauestens nachzuprüfen, ob in Berlin die gesetzlichen Vorschriften in Bezug auf die Einstellung von Nichtariern und ausgeschlossenen Mitgliedern in allen Buchhandlungen und Verlagsfirmen eingehalten werden und mir etwaige Vorkommnisse sofort zu melden.

2) Verschiedene Vorfälle in letzter Zeit beweisen, daß jüdische Unternehmen nach wie vor die außerhalb des Buchhandels generell freigegebenen Buchgruppen vertreiben. Dabei wird neuerdings mitunter auf die Amtliche Bekanntmachung Nr. 115 betr. Handel mit Büchern in Einheitspreis-, Kleinpreis- und Seriengeschäften verwiesen, wonach gemäß Ziff. 4) dieser Anordnung der Verkauf von

a) verlagsneuen Schriften bis zum Verkaufspreis von RM –,50 einschließlich,

b) Mal- und Bilderbücher für das Kleinkind,

c) Gesang- und Gebetbüchern, Meßbüchern und Laudaten

Einheitspreis-, Kleinpreis- und Seriengeschäften gestattet ist.

Es darf im allgemeinen als selbstverständlich vorausgeschickt werden, daß diese Ausnahme nur für Einheitspreisgeschäfte usw. Geltung hat, die sich in deutschen Häusern befinden, jedoch nicht für jüdische Einheitspreis- und dergl. Unternehmen. In diesem Zusammenhang wird zur Klarstellung nochmals eindeutig herausgestellt, daß jüdischen bzw. «nichtarischen» Unternehmen gemäß § 10 der Ersten Durchführungsverordnung zum Reichskulturkammergesetz der Vertrieb von Schrifttum aller Art, also auch der sogenannten freigegebenen Buchgruppen, ausnahmslos *nicht* gestattet ist. Sie werden gebeten, jeden unzulässigen Buchvertrieb jüdischer bzw. «nichtarischer» (nichtbuchhändlerischer) Wiederverkäufer und Unternehmen unverzüglich hierher zu melden.

3) Verschiedentlich mußte festgestellt werden, daß Buchhandlungen sich recht umfassend und offensichtlich mit allen Werbemitteln für jüdische Verlage eingesetzt haben. Z. B. wurden von Buchhandlungen systematisch Prospekte jüdischer Verlage verteilt und in den Räumen, sogar in den Schaufenstern Plakate solcher jüdischen Verlage ausgehändigt. Dieses Eintreten für jüdische Verlage widerspricht den berufsständischen Pflichten des deutschen Buchhändlers. Sie werden deshalb hiermit aufgefordert, alle die Firmen, bei denen festgestellt worden ist und fernerhin festgestellt wird, daß sie für jüdische Firmen, auch wenn diese im Aus-

land ansässig sind, besonders werben, namentlich anzugeben unter genauer Darstellung der Art und Weise, wie sie sich betätigt haben. In jedem einzelnen Falle wird der Leiter des deutschen Buchhandels die einzelnen Buchhändler zur Rechenschaft ziehen und eine Verwarnung aussprechen. Ferner sei bemerkt, daß immer noch zu beobachten ist, wie sehr sich manche Firmen für Bücher einsetzen, die nicht nur aus ausländischen jüdischen Verlagen stammen, sondern die in ihrer Art und nach ihrem Inhalt eine Förderung z. B. durch Hervorheben in der Auslage und im Schaufenster nicht verdienen.

Die Aufgabe des *deutschen* Buchhändlers ist die Förderung *deutschen* Schrifttums.

Heil Hitler!
Gustav Langenscheidt
Gauobmann

Ein Brief des Herrn von Loebell

Hellmuth von Loebell, Leiter der Abteilung *Kulturpersonalien* in der Reichskulturkammer und Referent im Propagandaministerium.

An den
Herrn Präsidenten
der Reichsschrifttumskammer
Berlin-Charlottenburg 2
Hardenbergstr. 6

Reichskulturkammer
Hauptgeschäftsführung
Berlin, den 11. Dezember 1942
W 15, Schlüterstr. 45
Aktenzeichen:
RKK–KP–4260–007/11

Betr.: Namentliches Verzeichnis der Vierteljuden und der Deutschblütigen, deren Ehepartner Halbjuden bzw. Halbjüdinnen sind.

Es wird gebeten, unverzüglich die Fertigung des Verzeichnisses in Angriff zu nehmen, in der für den *Gesamtbereich* Ihrer Kammer folgende Personen aufzunehmen sind:

1.) Vierteljuden (oder jüdische Mischlinge minderen Grades),
2.) Deutschblütige, deren Ehepartner Halbjuden bzw. Halbjüdinnen
   oder jüdische Mischlinge minderen Grades sind,
   Die Liste muß ferner enthalten:
a) abc-liche Reihenfolge,
b) Künstlername, bürgerl. Name, Beruf,
   Vorname, Wohnort, Wohnung, Geburtsort und -Datum.
   Abstammungsprüfungsergebnis,
   bei Verheirateten: Namen des Ehepartners mit Geburtsort und -Datum, Abstammungsprüfungsergebnis f. d. Ehepartner

c) Personen, deren Abstammung nach den jetzt gültigen Bestimmungen geprüft und die vollgültige Mitglieder ihrer Kammer sind, brauchen nicht besonders gekennzeichnet zu werden.

Hingegen sind in der letzten Spalte zu versehen mit
x) Personen, deren Abstammung bisher nicht einwandfrei festgestellt werden konnte, die aber wahrscheinlich zu den in Frage kommenden Personengruppen gezählt werden müssen. Das vermutete Abstammungsprüfungsergebnis muß angegeben werden.
xx) Laufende, noch nicht entschiedene Aufnahmeanträge.
xxx) (in der ersten Spalte, hinter der Berufsangabe zu vermerken). Personen, die *nicht* Mitglieder Ihrer Kammer sind, aber mit Befreiungsschein oder mit Sondergenehmigung arbeiten.

Das Verzeichnis ist bis spätestens zum 15. Januar 1943 einzusenden.

Im Auftrage: gez.: von Loebell
Beglaubigt: Unterschrift

Stempel

«Durch den Krieg war es leider nicht möglich»

An die
Reichsschrifttumskammer
Berlin-Charlottenburg 2

Reichsschrifttumskammer
Abt. III – Gruppe Buchhandel –
Leipzig, den 14. 1. 1943
III G-F 8/16–S

Betr.: Namentliches Verzeichnis der Vierteljuden und der Deutschblütigen, deren Ehepartner Halbjuden bzw. Halbjüdinnen sind.
Bezug: Ihr Schrb. v. 11. d. M. – IA – Schw.

Auf das Ersuchen, die Vierteljuden und jüdisch Versippten aus dem Bereiche der Gruppe Buchhandel namentlich zu melden, wird berichtet, daß diese Meldung insofern erschwert wird, als eine entsprechende Kartei, nach der diese Feststellung in der kurzen Zeit gemacht werden könnte, nicht vorhanden ist. Es mußte deshalb im wesentlichen nach dem Gedächtnis gearbeitet werden. Das Ergebnis ist die beiliegende Liste.

Für den Bereich der Fachschaften Angestellte und Buchvertreter kann leider eine namentliche Anführung nicht erfolgen, schätzungsweise sind etwa zehn bis fünfzehn Vierteljuden in diesen Fachschaften tätig. Genaue Angaben würden einer Zeit in Anspruch nehmenden Aktendurchkämmung bedürfen.

Durch den Krieg war es leider nicht möglich, das Karteiwesen in der Abteilung III auszubauen.

Viele Fälle, die ursprünglich Judenvorgänge waren, haben sich durch Scheidung erledigt, z. B.: Egon Zidek i. Fa. Carl Hölzel, Wien 1, Kärnt-

nerring 9; Dr. Max Strucken i. Fa. Herbert Bärsch Nachf., Frankfurt
a. M.-Höchst, Hostatostr. 16; Paul von Bergen i. Fa. Gutenberg-Buch-
handlung, Berlin W 50, Tauentzienstr. 20.

Heil Hitler!

Anlage   Unterschrift

Ergänzungen

	Reichsschrifttumskammer
	Abt. III – (Buchhandel)
An die	Leipzig, den 18. 3. 1943
Reichsschrifttumskammer	*III B 2 – F 8/ 16 – S*
Berlin-Charlottenburg 2	*Stempel*

Betr.: Namentliches Verzeichnis der Vierteljuden und Mischlinge minderen Grades und der Deutschblütigen, deren Ehepartner Mischlinge I. oder minderen Grades sind.
Vorg.: Ihr Schrb. v. 20. 1. 43 – IA – Schne.

Mit Schreiben vom 8. v. M. wurden Ihnen die gewünschten Listen der
Gruppe Buchhandel übersandt.

In der Liste der «Mischlinge» muß folgendes ergänzt werden:
Heinrichshofen, Eva-Maria, geb. List.

in Firma Heinrichshofensche Buch- und Kunsthandlung, Musikalien-
handlung, Magdeburg, Breiter Weg 71/72,

Geburtsort und Datum: Magdeburg, 11. 3. 1901

Abstammungsverhältnis: Mischling I. Grades.

Gemäß Entscheidung vom 16. 6. 1941 sollte Frau Heinrichshofen aus
der Firma ausscheiden. Nach der Entscheidung vom 8. 1. 1942 kann
Frau Heinrichshofen bis zur Einstellung der Feindseligkeiten auf dem
europäischen Kontinent weiterhin die Betriebsführung übernehmen. Inhaber der Firma sind die minderjährigen Kinder: Mischlinge II. Grades.

Anwendung des § 9 der A. B. 133 wurde durch Schreiben von Herrn
Baur am 16. 6. 1942 zugesichert.

Sie werden gebeten, die Liste entsprechend zu ändern.

Heil Hitler!

Unterschrift

Schnellstens

An den
Herrn Präsidenten
der Reichsschrifttumskammer
Berlin

Der Reichsminister
für Volksaufklärung und Propaganda
Berlin, den 15. Juni 1938
II A 20700/23. 5. 38/4

Betr.: Abstammungsprüfung der zukünftigen Mitglieder der Reichskulturkammer im Lande Österreich.

Nachdem nun das Reichskulturkammergesetz im Lande Österreich eingeführt wird, weise ich erneut ausdrücklich darauf hin, daß *sämtliche* nichtarische Fälle, d. h. *alle* Fälle, bei denen es sich um Voll-, Dreiviertel-, Halb- und Vierteljuden und solche Fälle, bei denen es sich um Personen, die mit derart Genannten verheiratet sind, handelt, jeweils der Abteilung II A zur Entscheidung vorgelegt werden müssen. Ferner sind alle zweifelhaften Fälle, auch wenn es sich um bekannteste Personen handelt, sofern nicht der Nachweis der arischen Abstammung hundertprozentig geführt ist, zur Entscheidung vorzulegen.

Ich bitte, diese Anweisung an Ihre sämtlichen Mitarbeiter – auch im Lande Österreich – schnellstens weiterzugeben.

Im Auftrag
Hinkel

«Bereits im Mai»

Jüngere Leser können heute vielleicht kaum noch begreifen, wieviel Mühe und Kopfzerbrechen derartige Briefe wie der voranstehende des *Sonderreferenten für Judenfragen* im Reichspropagandaministerium, Hans Hinkel, den Mitgliedern der Reichskulturkammer verursachten. Deshalb seien nachstehend drei Briefe von Volksbibliothekaren wiedergegeben.

P. T.
Verband Deutscher Volksbibliothekare
Reichsverband
der Reichsschrifttumskammer
Reichsgeschäftsstelle Berlin C 2

Karoline Fiale
Wien XII, Jägerhausgasse 13
Wien, den 19. Sept. 1938

Höfl. bezugnehmend auf Ihre w. Zuschrift v. 1. Aug. d. J. ersuche ich, mir zur Erbringung meines Ariernachweises gefl. eine Frist zu bewilligen. Ich habe bereits im Mai d. J. nach der C. S. R. wegen der nötigen

Papiere geschrieben, jedoch leider bisher keine Nachricht bekommen. Nachdem ich bereits inzwischen nochmals geschrieben habe, hoffe ich, daß ich meine Papiere in Kürze bekommen werde. Nach Erhalt derselben werde ich Ihnen diese dann sofort einsenden.

Heil Hitler!
Karoline Fiale

«In Anbetracht der politischen Lage»

An den
Verband deutscher Volksbibliothekare
Fachverband der Reichsschrifttumskammer
Reichsgeschäftsstelle Wien, den 28. Sept. 1938

Betrifft: Fristverlängerung für Abstammungsnachweis
Ich ersuche um Fristverlängerung für die Erbringung des Abstammungsnachweises, da mir noch einige Dokumente zur Vervollständigung fehlen und in Anbetracht der politischen Lage in der Tschechoslowakei derzeit jede Urgenz dorthin unbeantwortet bleibt. Ich möchte nur erwähnen, daß ich in der Ortsgruppe Baumgarten-Ost als Ortgruppenleiter in Dienst stehe und meine arische Abstammung eidesstattlich versichere.

Heil Hitler!
Obige Angaben werden bestätigt: Kabill, Rudolf
Heil Hitler! Wien 13, Schamborg 15
Teltschik, Julius
Der Personalamtsleiter
Stempel:
Nationalsozialistische Deutsche Arbeiterpartei
Ortsgruppe Baumgarten-Ost

Begründete Bitte

An den Verband   Reichsschrifttumskammer
Deutscher Volksbibliothekare   Landesleitung Österreich
Fachverband   Gruppe Buchhandel
der Reichsschrifttumskammer   Wien, am 22. September 1938
Berlin C 2   III, Schwarzenbergplatz 7
Breitestr. 3 II   Fernruf: U 14–4–25

Unser Zeichen: Dr. Z/R.
Betrifft: Fräulein Paula Harrer, Wien III, Landstr. Hauptstr. 98–II.
Fräulein Paula Harrer, die bei Ihnen um Aufnahme angesucht hat, ist

nicht in der Lage, ihre Dokumente bis 30. ds. Mts. zu beschaffen. Auf
Grund ihrer begründeten Bitte um Fristerstreckung wurde ihr diese bis
1. November d. J. zugestanden. Ich bitte um Kenntnisnahme.

Heil Hitler!

Stempel: i. A. Der Geschäftsführer
Reichskulturkammer – Dr. Karl Zartmann
Reichsschrifttumskammer
Landesleitung Österreich

Briefwechsel: Der Stürmer — Reichsschrifttumskammer

Der Stürmer an die Reichsschrifttumskammer

Der Stürmer, Deutsches Wochenblatt zum· Kampfe um die Wahrheit
Herausgeber: Julius Streicher
Schriftleitung und Verlag: Nürnberg-A, Pfannenschmiedsgasse 19
Schriftleitung: Fernruf 21 872, Verlag: Fernruf 21 830, 21 833
Sprechstunden: *Jeden Dienstag* und *Donnerstag* vormittags 11–12 Uhr
Postscheckkonto Nürnberg Nummer 105

Stempel:
Reichsschrifttumskammer
20. Juli 1941 II A 021 544

An die Reichsschrifttumskammer
Berlin-Charlottenburg Schriftleitung: Ba./H.
Hardenbergstr. 6 Nürnberg-A, 18. Juni 1941

Verschiedene Volksgenossen haben sich an uns mit der Bitte gewandt,
ihnen mitzuteilen, ob es sich bei folgenden Schriftstellern um Juden
handelt:

1. Upton Sinclair	6. Colette	11. Viktor Hugo
2. Lewis Sinclair	7. Speyer	12. Theodor Dreiser
3. Romain Rolland	8. Werner Fabian	13. Diderot
4. H. G. Wells	9. Charles Dickens	14. Ernst Gläser
5. Frank Thieß	10. Emil Zola	15. Viktor Marguritte

Für eine baldige Nachricht wären wir Ihnen dankbar.
Gleichzeitig bitten wir Sie, uns mitzuteilen, ob es nicht Bücher oder
Schriften gibt, aus denen ersichtlich ist, bei welchen Schriftstellern es

sich um Juden handelt. Für Ihre Bemühungen danken wir Ihnen herzlich.

Heil Hitler!
Der Stürmer
Hauptschriftleitung
i. A. Unterschrift

Ohne Lösung der Judenfrage keine Erlösung des Deutschen Volkes!

Die Antwort der Reichsschrifttumskammer

An die Hauptschriftleitung des «Stürmer»   II A – 021544–Roe
Nürnberg-A, Pfannenschmiedsgasse 19   3. Juli 1941

Zu Ihrem Brief vom 11. 6. 41 wird Ihnen mitgeteilt, daß es ein vollständiges Verzeichnis der jüdischen bzw. nichtarischen Schriftsteller noch nicht gibt und auch nicht geben kann, da die Arbeit hierfür eine äußerst umfangreiche ist. Das Amt Schrifttumspflege, Berlin NW, Oranienburgerstr. 79, hat seit Jahren eine solche Arbeit begonnen, die aber noch nicht zum Abschluß gebracht werden konnte und die immer neuere Nachforschungen notwendig macht. In der Reichsschrifttumskammer sind lediglich die lebenden Schriftsteller Großdeutschlands organisiert. Bisweilen ist auch Material über die in der letzten Zeit verstorbenen Schriftsteller vorhanden.

Von den von Ihnen genannten Schriftstellern sind lediglich Mitglied der Reichsschrifttumskammer und haben den Nachweis der arischen Abstammung erbracht:

5.) Frank Thiess, Mitglieds-Nr. 1913 [1]

14.) Ernst Gläser, dessen Akte noch bearbeitet wird, da Gläser erst im Jahre 1939 nach Deutschland zurückkehrte und mit Genehmigung des Propagandaministeriums einen Roman schreibt.

Zu 1) Upton Sinclair und 2) Sinclair Lewis und 12) Theodor Dreiser – wird Ihnen mitgeteilt, daß es sich hier um drei amerikanische Schriftsteller handelt, über deren rassische Abstammung Näheres hier nicht bekannt ist. Alle drei schreiben aus typisch amerikanischer Mentalität heraus.

Zu 3) Romain Rolland (Pazifist, Gegner Deutschlands), 6) Colette und 15) Viktor Marguritte (Pazifist), wird mitgeteilt, daß über diese drei französischen Schriftsteller (Colette ist der Deckname für eine Frau) hier nichts über ihre rassische Abstammung bekannt ist. Eventuell könnten Sie Näheres über die Auslandsorganisation der NSDAP erfahren.

1 Dr. phil. Frank Thiess, Schriftsteller (Roman, Novelle, Essay, Geschichte), 1890.

Zu 4) H. G. Wells: Dieser bekannte englische Schriftsteller ist seit Jahren Vorsitzender des Internationalen Pen Clubs. Er soll kein Jude sein. Er hat sich des öfteren leidenschaftlich gegen Deutschland erklärt. Ein Schriftsteller Werner Fabian ist hier nicht bekannt.

Zu 9): Hier handelt es sich um den bekannten englischen Romanschriftsteller Charles Dickens (Mitte des 19. Jahrhunderts). Es ist hier nichts bekannt geworden, daß Dickens Jude oder Nichtarier sein soll.

Auch hinsichtlich der bekannten französischen Schriftsteller Emile Zola, Viktor Hugo, Diderot (18. Jahrhundert) ist nichts hinsichtlich der rassischen Abstammung bekannt. Die Werke sind unbeanstandet im Handel.

Zu 7): Wilhelm Speyer [1] ist Nichtarier, vielleicht Volljude und hält sich bereits seit Anfang 1933 in der Schweiz auf.

Im Auftrage
Meyer [2]

Autoren

Robert Franz Arnold

Robert Franz Arnold, 1872–1938, Literarhistoriker; wirkte von 1895–1913 an der Hof-Bibliothek in Wien, dann an der dortigen Universität.

Stempel:

Reichsschrifttumskammer	Der Landesleiter der Reichsschrifttumskammer
9. Sept. 1942 VI Bl 39	beim Landeskulturwalter Gau Wien
	Wien 3, 7. 9. 1942, Schwarzenbergplatz 7
An die	Ruf B 54–0–48, U 14–4–25
Reichsschrifttumskammer	Aktenzeichen:
Berlin-Charlottenburg	II, L1W/DrHA/Wa
Hardenbergstr. No. 6	

Ich wende mich in folgender Angelegenheit an Sie und bitte Sie um Ihre Entscheidung:

Ein Wiener wissenschaftlicher Bibliothekar hat sich an uns gewendet, da er vom Verlag Walter de Gruyter [3] aufgefordert wurde, die «Allge-

---

1 Wilhelm Speyer, 1887–1952, Schriftsteller (Unterhaltungsroman).

2 Meyer, Leiter des Referats II A in der Abteilung II, *Schriftsteller*, der Reichsschrifttumskammer.

3 Der Verlag Walter de Gruyter & Co., früher Göschensche Verlagsbuchhandlung, J. Guttentag Verlagsbuchhandlung Georg Reimer, Karl J. Trübner, Veit & Co. Verlagsbuchhandlung in Berlin mit Zweigniederlassung in Leipzig, gegründet 1919 durch Zusammenlegung dieser Firmen in der Hand Walter de Gruyters, 1862–1923.

494

meine Bücherkunde» [1] zur neuen deutschen Literatur, 3. Auflage, von Robert F. Arnold, umzuarbeiten. Robert F. Arnold war Jude, das genannte Werk außerordentlich verbreitet. Der genannte Bibliothekar machte daraufhin dem Verlag den Vorschlag, die «Allgemeine Bücherkunde» so umzuarbeiten, daß alle Geisteswissenschaften in dem neuen Werk bücherkundlich dargestellt werden, somit über den engen Rahmen, den Arnold gezogen hatte, hinausgehe. Der genannte Bibliothekar möchte diese Arbeit im Zusammenwirken mit Angehörigen der verschiedenen Geisteswissenschaften erstellen: Geschichte, Volkskunde, Biologie, Philosophie und Theologie. Im neuen, weitaus größeren Werke würde aber 1.) das System, das Arnold für die Literaturgeschichte angewandt hatte, übernommen werden, und 2.) der literaturgeschichtliche Teil, den Arnold in der «Allgemeinen Bücherkunde» brachte, mit einigen Umarbeitungen. Diese Umarbeitungen würden sich auf die einzelnen Kapitel des Werkes Arnolds erstrecken.

Da der Autor selbst Bedenken hat, an das Werk des Juden Arnold in irgendeiner Form anzuknüpfen, wandte er sich an uns, und wir konnten ihm nicht zu dieser Arbeit raten. Wir bitten Sie aber, uns Ihre Meinung zu der ganzen Frage der Umarbeitung und Erweiterung des Werkes Arnolds mitzuteilen, damit wir dem Autor Nachricht geben können.

Stempel:

Reichskulturkammer
Der Landeskulturwalter Gau Wien

Der Geschäftsführer:
Dr. Anton Haasbauer

Hans Habe

Hans Habe, Romancier, * 1911; auf Grund dieses Briefes verbot Dr. Goebbels mit Schreiben vom 5. 4. 1940 an die Reichsschrifttumskammer sämtliche Bücher von Hans Habe; Brief im Besitz des Herausgebers.

An das Reichsministerium
für Volksaufklärung
und Propaganda
Berlin

Der Chef der Sicherheitspolizei und des SD
Berlin SW 11, den 26. 3. 1940
Prinz Albrecht Str. 8
IV B 4 b – 6691/E.

Betr.: Den Roman «Zu spät» von Hans Habe, Europa-Verlag, New York
Vorg.: Ohne
Anl.: 1 Buch

1 *Die Allgemeine Bücherkunde zur neueren deutschen Literaturgeschichte* erschien in Berlin 1910.

Anliegend übersende ich unter Rückerbittung ein Exemplar des oben angeführten Buches von Hans Habe (richtiger Name Bekessy), von dem im Verlag Harran, London, unter dem Titel «Sixteen Days» bereits eine englische Übersetzung erschienen ist. Der im Jahre 1937 erschienene Roman «Drei über die Grenze» des gleichen jüdischen Verfassers ist im Dezember 1937 in die Liste des schädlichen und unerwünschten Schrifttums eingereiht worden. Um den neuen Roman des Juden Bekessy zu kennzeichnen, genügt es, auf die Auslassungen über die Rassenschande auf Seite 226/27 zu verweisen.

Mit Rücksicht darauf, daß das Buch, obwohl es in den U.S.A. erschienen ist, durch die Züricher Filiale des Europa-Verlages auch in der Schweiz verbreitet werden dürfte, wodurch auch die Gefahr seiner Einführung ins Reichsgebiet gegeben ist, halte ich ein Verbot für notwendig und bitte um Zustimmung.

Das Auswärtige Amt hat Abschrift dieses Schreibens erhalten.

Beglaubigt: Im Auftrage:
Unterschrift   Keller
Kanzleiangestellte   L. S.

Janusz Korczak

Will Vesper in: *Die Neue Literatur*, Februar 1936, S. 118–119.

Janusz Korczak, 1878–1942 (im Vernichtungslager Treblinka) war in Polen ein berühmter Schriftsteller und Pädagoge; im Warschauer Getto leitete er ein Waisenhaus; als die Waisen im Zuge einer «Aussiedlung» der Kinder im Getto ins Vernichtungslager Treblinka transportiert wurden, ging er – obwohl man ihn vorerst noch verschonen wollte – freiwillig mit ihnen in den Tod; in diesem Zusammenhang erscheint es aufschlußreich, womit sich eine deutsche Zeitung in Polen, die *Freie Presse*, schon 1936 beschäftigt hat.

Der Lodzer «Freien Presse» entnehmen wir folgende Meldung: «Bezeichnend für die Unkenntnis, die in Deutschland noch immer in bezug auf die polnische Literatur besteht, ist, wie der Warschauer nationale ‹Dziennik Narodowy› berichtet, die folgende Tatsache: ‹Im Verlag von Williams erschien in Berlin die deutsche Übersetzung des Romans von Janusz Korczak unter dem Titel *Der kleine Jacek wird bankrott (Bankructwo malego Jacka)*. Dabei ist es allgemein bekannt, daß sich unter dem Pseudonym Janusz Korczak der mindere jüdische Schriftsteller Josek Goldszmit verbirgt.› Den deutschen Verlegern, die versuchen, durch Hintertüren wieder jüdische Literatur nach Deutschland zu schmuggeln, muß schleunigst das Handwerk gelegt werden. Wir brauchen überhaupt keine jüdische Literatur ins Deutsche zu übersetzen! Die internationalen jüdischen Literaturschieber haben lange genug verhindert, daß wir die wirklich nationalen Literaturen der anderen Völker kennenlernten und haben uns stattdessen nur ihre Rassegenossen serviert, sowie sie auch aus Deutschland nicht die deutsche, sondern die jüdische Literatur exportieren. Genau so wie wir wünschen, daß andere Völker endlich die wirkliche deutsche Dichtung kennenlernen, so wünschen wir auch endlich die arteigene Dichtung der anderen Völker ins Deutsche übertragen zu sehen. Wir lehnen dabei ausdrücklich jede jüdische Vermittlung, Übersetzertätigkeit und dergl. ab. Wir wünschen mit den anderen Völkern endlich unmittelbar zu einem sauberen Austausch der geistigen Güter zu kommen, ohne den fälschenden Zwischenhandel fremder Schmarotzer. Damit wir aber zunächst einmal in Deutschland selber Klarheit bekommen, müssen wir immer wieder verlangen, daß alle deutschen Bücher, auch die importierten, einen Vermerk tragen, wenn der Verfasser ein Jude ist, genau so wie ja auch in den Übersetzungen stehen muß, aus welcher Sprache sie übertragen wurden.

Verleger

Das Oberlandesgericht München

Deutsche Verleger und jüdische Autoren, in: *Theater-Tageblatt – Deutscher Theaterdienst* vom 24. 8. 1935.

Wir erleben es heute noch so manches Mal, daß deutsche Verleger von Juden verfaßte Bücher herausbringen und sogar noch dafür werben. Vielfach taten sie es nur sehr ungern, glaubten aber, auf Grund früherer Verträge dazu verpflichtet zu sein. In einem solchen Falle hat sich nun ein deutscher Verleger einmal standhaft geweigert, das Buch eines jüdischen Verfassers, über dessen Verlegung im Jahre 1929 ein Vertrag abgeschlossen war, zu drucken und zu vertreiben. Der jüdische Autor erhob darauf Klage.

Das Oberlandesgericht München hat aber, wie die «Juristische Wochenschrift» 1935, Seite 2215, mitteilt, die Klage abgewiesen und in dem Urteil u. a. ausgeführt, es könnte infolge der völlig veränderten politischen Verhältnisse einem Verleger aus wirtschaftlichen Gründen nicht zugemutet werden, die einem nichtarischen Urheber im Verlagsvertrag gemachte Zusicherung hinsichtlich der Bearbeitung des Werkes zu erfüllen. Aus diesem Grunde sei der Verlag insoweit nach § 275 BGB von der vertraglich geschuldeten Leistung freigeworden. Die Entscheidung ist für das gesamte deutsche Verlagswesen von größter Bedeutung.

Will Vespers Nachruf

Will Vesper in: *Die Neue Literatur*, Februar 1935, S. 110–111.

Es ist selbstverständlich, daß die Autoren des kürzlich verstorbenen mächtigen jüdischen Verlegers Samuel Fischer ihm nachtrauern und sein Gedächtnis feiern. Fälschungen dürfen aber auch an Gräbern nicht ausgesprochen werden. Falscher Legendenbildung muß man rechtzeitig begegnen. Wenn Gerhart Hauptmann in seinem Nachruf in der S. Fischerschen «Neuen Rundschau» schreibt, S. Fischer sei der «entschiedenste Förderer» «einer unauslöschlich nordisch betonten großen Literatureepoche gewesen», «die außer mit ihren deutschen Trägern, mit den Namen Ibsen, Björnson, Garborg, Hamsun und anderen verbunden ist», so muß man der Wahrheit zur Liebe feststellen, daß der Förderer dieser «nordisch betonten» Epoche in Wirklichkeit der große und lange Zeit allmächtige Verleger der Juden und Halbjuden in Deutschland war. Sami Fischer war der Verleger Alfred Kerrs und Alfred Döblins, der Verleger Wassermanns, Beer-Hofmanns [1] und Arthur Schnitzlers und vieler anderer von gleicher Rasse und Art.

Ähnlich steht es mit Gerhart Hauptmanns weiterer Behauptung, S. Fischers Verlag sei «für viele echte Werke deutschen Geistes, von Thomas Mann bis zu Hermann Stehr, die Heimstätte» gewesen. Es ist wahrhaftig nicht offen und ehrlich, in dem ganzen Nachruf keinen einzigen der jüdischen Autoren, die S. Fischer wirklich förderte, zu nennen – aber am wenigsten geht es an, jetzt S. Fischer mit dem Namen H. Stehrs zu schmücken. Fischer hat Stehrs Bücher zwar eine Weile totverlegt, ohne sich auch nur im geringsten für Stehr so einzusetzen, wie er es verdiente, so daß Stehr mit Recht sich schon vor Jahrzehnten von S. Fischer trennte, lange mit seinen Werken herumirrte und erst neuerdings in ganz anderen Verlagen «eine Heimstätte» fand. Genau so ging es mit Emil Strauß.

«Weg mit dem Verbrecheralbum!»

Aufsatz in: *Das Schwarze Korps* vom 28. 1. 1937.

Es scheint Verleger zu geben, die der Meinung sind, daß die Zeit selbst Fußtritte zu heilen pflegt. Jedenfalls erscheint Degeners Handbuch «Wer ist's?»[2] nach wie vor in alter Frische und wird munter über dies hinaus

1 Richard Beer-Hofmann, 1886–1945, Schriftsteller (Lyrik, Erzählung, Bühnendichtung). Er starb in New York.
2 Es handelt sich um Degener: *Wer ist's?*, Ausgabe 10, Berlin 1935.

sogar Männern der Partei mit ausführlichen Reklamebroschüren angeboten.

Ein an sich löbliches Beginnen, das jedoch in keiner Hinsicht diesen Beteuerungen gerecht wird. Es wimmelt darin nach wie vor von Juden, literarischen Emigranten, politischen Hochstaplern, ehemaligen SPD-Bonzen und solchen von der Zentrumspartei, Pazifisten, Futuristen, Greuelpropagandisten, Hochverrätern, Börsenjobbern, marxistischen Reformaposteln und natürlich auch der ganze intellektuelle Schwanz der palästinensischen Kolonie in Wien.

«Wer ist's?», dessen Hartleibigkeit die Säuberung des Degener-Handbuches hintertreibt, gleichwohl wir eindeutigst bereits vor einem Jahre hierzu unmißverständlich aufforderten?

Die gesäuberte Reclams-Universalbibliothek

Professor Adolf Bartels: *Verschwundene Juden* in: *Völkischer Beobachter* vom 9. 1. 1938, gekürzt.
Reclams-Universalbibliothek, Verlagsbuchhandlung und Buchdruckerei, 1828 von Anton Philipp Reclam, 1807–96, in Leipzig gegründet; 1867 wurde die volkstümliche Sammlung *Reclams-Universalbibliothek* – Nr. 1: Goethe, *Faust I* – gegründet.

Es kam mir jüngst ein vollständiges Verzeichnis von Reclams Universalbibliothek vom Oktober 1919 mit 6060 Nummern in die Hand, und ich verglich dieses mit dem allerneuesten von 1937, das 7386 Nummern aufweist – ja, da sucht man vergeblich nach so manchem einst vertretenen bekannten jüdischen Dichter. Nicht daß die Firma Reclam früher geradezu judenfreundlich gewesen wäre, aber sie mußte doch, da das Judentum in den beiden Menschenaltern um 1900 bei uns Deutschen die Literaturherrschaft hatte, mit diesem rechnen, und so kamen recht viele Juden in die Universalbibliothek, bessere und schlechtere, vor allem einflußreiche.

Im allgemeinen kann man doch mit dem großen Aufräumen bei Reclam zufrieden sein; es kommen jetzt Tausende deutscher Leser, vor allem das Volk und die Jugend, nicht mehr so leicht an die durchweg gefährlichen jüdischen Dichter und Schriftsteller heran. Man wird freilich einwenden: Es ist doch nötig, auch jetzt noch, daß wir Deutschen die Juden wirklich kennenlernen, und das geschieht am leichtesten auf dem Gebiete der Literatur. Ganz gewiß, aber das schlimmste Jüdische bot Reclam ja nicht gerade, ob er auch Börne [1] und Heine brachte. Vielleicht

1 Ludwig Börne, 1786–1837, Schriftsteller; seine *Gesammelten Werke*, 12 Bände, erschienen 1862.

könnte man zu Kenntniszwecken eine jüdische «Blumenlese» schaffen, die das Schlimmste, was die Juden gegen das Deutschtum losgelassen haben, aber auch sonstiges Charakteristisch-Jüdisches vereinigte. Ich bin gern bereit, diese Arbeit vorzubereiten, und bitte den ihr geneigten Verleger, sich an mich zu wenden.

Der Verlag Theodor Fritsch bürgt

Theodor-Fritsch-Verlag, eigentlich Hammer-Verlag, wurde vom antisemitischen Schriftsteller Theodor Fritsch, 1852–1933, gegründet; 1887 stellte er den *Anti-semiten-Katechismus* zusammen, der 1936 in der 40. Auflage als *Handbuch der Judenfrage* erschien; über Theodor Fritsch siehe auch das Vorwort von Landes-bischof Fr. Otto Coch zu seinem Buch *Der falsche Gott*, Leipzig 1933, und *Theodor Fritsch – Zum heutigen zehnten Todestag des Pioniers der Judenfrage*, in: *Völkischer Beobachter* vom 8. 8. 1943; nach seinem Tode führte der Sohn Theodor den Verlag weiter; er erklärte in seinem handschriftlichen Lebenslauf – im Besitz des Herausgebers –: «Am 1. September 1927 bin ich in die NSDAP eingetreten, war vom Jahre 1928 an SA-Mann; 1932–1933 war ich Ortsgrup-penleiter.»

An den Leiter	Reichspropagandaamt Berlin
des Reichspropagandaamtes Berlin	Lu/Schu./753
Parteigenossen Wächter [1]	Berlin-Nikolassee, den 16. 1. 1940
im Hause.	Kirchweg 33

Betrifft: Gregor Schwartz-Bostunitsch: «Der Jude und das Weib».

Die Schrift will den Grundunterschied in der Einstellung des Juden und des Deutschen zum Weibe klar erkenntlich machen und tut das auch un-ter Beibringung einer Fülle von beglaubigtem Material, so daß ihr erzie-herischer Charakter ohne weiteres gegeben ist.

Selbstverständlich ist dieses Material keine Lektüre für «höhere Töchter» oder «Unmündige im Geist»; aber für den, dem die Gefahren der jüdischen Einstellung zum Weibe gewiesen werden sollen, ist es not-wendig, deutlich zu werden und auf gut deutsch zu reden.

Der Verlag Theodor Fritsch als alter (ältester!) deutsch-völkischer Kampfverlag bürgt ebenso sehr für den Ernst dieser Schrift wie der Her-ausgeber Ministerialrat Dr. Ziegler [2]. Die Beton- und Monierbau Ak-tien-Gesellschaft wäre in diesem Sinne zu bescheiden.

Heil Hitler!
Unterschrift
Referent

1 Werner Wächter, * 1902.
2 Dr. Hans Severus Ziegler.

Bibliotheken und Emigranten

Hier muß darauf hingewiesen werden, daß Juden, die während des Dritten Reichs auswandern wollten und die Genehmigung dazu erhielten, außerordentlichen Schikanen ausgesetzt waren; sie hatten die sogenannte Reichsfluchtsteuer zu zahlen, die ein Viertel des Gesamtvermögens betrug; diese Maßnahme beruhte groteskerweise auf der *Verordnung des Reichspräsidenten zur Sicherung von Wirtschaft und Finanzen und zum Schutze des inneren Friedens* vom 8. 12. 1931 – einer Verordnung also, die aus der Zeit vor der nationalsozialistischen Machtergreifung stammte – *RGBl.*, 1931, Teil I, S. 699; ursprünglich handelte es sich dabei um eine Maßnahme gegen die Kapitalflucht bei *freiwilliger* Aufgabe des Inlandwohnsitzes; nach der Machtergreifung ist sie dann jedoch auf die vom Dritten Reich *erzwungene* Auswanderung ausgedehnt worden; die Auswanderung brachte auch noch andere Schwierigkeiten mit sich, zum Beispiel wenn es um die Bibliotheken ging. Deshalb hier einige Briefe, die die Einstellung der Behörden zu den jüdischen Bibliotheken im allgemeinen und zu verschiedenen Schriftstellern im besonderen illustrieren.

Umzugsgut

Stempel: Reichsschrifttumskammer 25. Apr. 1939
Stempel: Eingegangen 6. Mai 1939
Stempel: Eingegangen 19. Mai 1939

An die Reichsschrifttumskammer
Berlin   22. April 1939

Bei den als «Umzugsgut» bzw. «Reisegepäck» bezeichneten Büchern handelt es sich um keine abgeschlossene Bibliothek, sondern um Bücher aus meiner Schul- und Studienzeit sowie um solche, die ich während meiner Lehrtätigkeit erwarb. Ich bitte, die Bücher im ganzen zu lassen, da sie meist nur von persönlichem Wert für mich sind und mir die Fortsetzung meines Berufes im Ausland ermöglichen sollen.

Bei den wissenschaftlichen Notizen handelt es sich um selbstverfaßte Abschriften und Ausarbeitungen während meiner Studienzeit, die ich als mein Eigentum beanspruche, da ich die Kollegs selbst mitgeschrieben und aus Gründen der Übersichtlichkeit getippt habe.

Dr. Jaffé

Das Gutachten

Hier wird der ganze Briefkopf wiedergegeben, während später nur noch die Firma als solche genannt wird.

Buchhandlung und Antiquariat Loofmann & Zinnow
Reichhaltiges Lager wissenschaftlicher Literatur
Einzelwerke und Bibliotheken werden angekauft

Stempel: oder in Kommission genommen
Eingegangen: Berlin NW 7, den 17. Mai 1939
19. Mai 1939   Universitätsstraße 3 b Fernruf: A 6 Merkur 74 01

Gutachten für den Juden Dr. Gerhard Israel [1] Jaffé, Berlin NW 40, Calwinstr. 4
Die bei der Mutter des Genannten liegenden Bücher habe ich durchgesehen und keine zu beanstandenden Werke gefunden. Eine allgemeine Besichtigung des Umzugsgutes durch einen Beauftragten der Devisenstelle (Herrn Oskar Mührlein NW 21, Birkenstr. 30, Tel. 35 33 79) hatte bereits früher stattgefunden. Die vorhandenen Bestände waren zum größten Teil sehr stark benutzt und stellen keinen erheblichen Wert für ein Antiquariat dar. Im Höchstfalle würde ich Mk. 50,– (fünfzig Mark) Ankaufspreis für ein Antiquariat annehmen.

Richard Loofmann

Der Landesobmann des Buchhandels

Gau Berlin der Gruppe Buchhandel
in der Reichsschrifttumskammer,
An den Herrn   Berlin W 35, Potsdamer Privat Straße 121 D
Oberfinanzpräsidenten   Fernruf: B 1 33 74/75
Berlin C 2   IV/P – Gruppe Buchhandel
Neue Königstr. 61–64   24. 5. 1939

Gutachten für Juden: Dr. Gerhard Israel Jaffé, Berlin NW 40, Calwinstr. 4
Die von dem Juden Dr. Jaffé als Umzugsgut bezeichneten Bücher, die bei der Mutter des Genannten lagern, wurden in meinem Auftrag durchgesehen. Unerwünschte Bücher konnten nicht festgestellt werden. Die Be-

---

[1] Ab 1. 1. 1939 mußten Juden zusätzlich den Vornamen Israel bzw. Sara führen; *Zweite Verordnung zur Durchführung des Gesetzes über die Änderung von Familiennamen und Vornamen vom 17. 8. 1938, RGBl. 1938, Teil 1, S. 1044.*

stände, die zum Teil sehr abgenutzt sind, haben einen Wert von höchstens RM 50,–. Die überlassene Liste füge ich dem Gutachten bei. Meinerseits bestehen keine Bedenken gegen die Ausfuhr dieser Bestände.

Heil Hitler!

Einen Durchschlag zur Kenntnisnahme an
die Reichsschrifttumskammer,
Berlin-Charlottenburg, Hardenbergstr. 6

Gustav Langenscheidt
Landesobmann
des Buchhandels

Auswanderungsmitnahme von 650 Büchern

An die
Reichsschrifttumskammer
Berlin-Charlottenburg 2

Dr. Emanuel Israel Felheim
Berlin-Lichtenrade,
Paetschstr. 30, den 4. Juni 1939

Betrifft: Auswanderungsmitnahme von 650 Büchern.

Der Herr Oberfinanzpräsident Berlin (Devisenstelle) hat mich durch Verfügung vom 1. Juni ds. Js. – Sachgebiet 415 Bk, Nr. Z 67135403 – ersucht, über die Bücher, die ich bei meiner Auswanderung mitnehmen will und deren Verzeichnis ich beigefügt habe, das dortige Gutachten einzuholen.

Ich bitte daher ergebenst um Ausstellung eines solchen Gutachtens und wäre sehr dankbar, wenn ich dasselbe baldigst erhalten würde, da meine Auswanderung schon in kürzester Frist erfolgt.

Ich gestatte mir, noch zu bemerken, daß ich infolge meines Leidens ständig liegen muß und daher auf das Lesen von Büchern angewiesen bin.

Dr. Emanuel Israel Felheim

An die Reichskulturkammer

An die
Reichskulturkammer
in Berlin

Dr. Bertha Sara Stenzel
Berlin-Grünau, den 14. 6. 39
Birkheidering 51

Betrifft: Auswanderung.

Hierdurch bitte ich um Genehmigung, die beiliegend aufgezählten Bücher in das Ausland mitzunehmen. Ich bin Doktor der Philosophie und war 26 Jahre lang die Mitarbeiterin meines verstorbenen Mannes, des (deutschblütigen) Professors für Philosophie in Halle/Saale, Dr. Julius Stenzel [1]. Ich benötige die Bücher zu wissenschaftlicher Fortarbeit und zur Erteilung von Privatstunden in alten Sprachen und Kunstgeschichte. Da ich kein Vermögen mehr mit ins Ausland nehme und auf die Unter-

1 Prof. Dr. Julius Stenzel, Philosophie, Bildungsgeschichte und Sprachwissenschaft.

stützung meiner Kinder angewiesen bin, die sich selbst mühsam durchschlagen, muß ich auf alle Weise versuchen, mich mit durchzubringen. Ich muß deshalb auch Musikunterricht geben, wozu mir die beiliegend aufgeführten Noten notwendig sind. Die Noten sind von meinem verstorbenen Manne für die gemeinsame Hausmusik angeschafft worden und haben einen großen Erinnerungswert für mich und meine Kinder.

Dr. Bertha Sara Stenzel
geb. Meydan
Kennkarte No. A 682 216

Glaeser, Höllriegel, Zweig

Es handelt sich hier um Bücher von

1. Ernst Glaeser, Pseudonym Anton Ditschler, * 1902; 1933 verließ er Deutschland und veröffentlichte in der Emigration: 1935 *Der letzte Zivilist*, in vierzehn Sprachen übersetzt, 1936 *Das Unvergängliche* in Amsterdam; 1937 *Skizzen* in Zürich; 1939 kehrte er nach Deutschland zurück und wurde als Soldat Hauptschriftleiter der Wehrmachtsfrontzeitung *Adler im Süden*.

2. Dr. phil. Arnold Höllriegel, 1883–1939.

3. Da hier kein Vorname vorhanden ist, kann es sich um Arnold oder Stefan Zweig handeln.

Buchhandlung und Antiquariat
Loofmann & Zinnow
Berlin NW 7, den 25. Juni 1939
Universitätsstr. 3 b

Gutachten für die Jüdin Elisabeth Sara Fleck, Berlin-Charlottenburg 9, Eichenallee 25

Bei Durchsicht der mitzunehmenden Bücher habe ich folgende drei Bände: Gläser, Höllriegel, Zweig, als verboten festgestellt. Diese Bücher sollen bei der Mutter in Berlin bleiben, da sie dieselben ursprünglich geschenkt hatte. Die übrigen Bände haben einen Ankaufswert (für ein Antiquariat), der auf jeden Fall unter 20,– Mark (zwanzig) liegt.

Richard Loofmann

Van de Velde

Theodor Hendrik Van de Velde, 1873–1937, Arzt und Sexualforscher.

Buchhandlung und Antiquariat
Loofmann & Zinnow
Berlin NW 7, den 14. Juli 1939
Universitätsstr. 3 b

Gutachten für den Juden Fritz Werner Israel Lewin, Berlin-Wilmersdorf, Hohenzollerndamm 184

Folgende verbotene Bücher habe ich festgestellt:

Vandevelde: «Vollkommene Ehe» und «Erotik in der Ehe» und deren Ablieferung an die RSK veranlaßt.

Für die mitzunehmenden Bücher habe ich einen Antiquariats-Ankaufswert von Mk. 140,– (einhundertvierzig) errechnet.

Richard Loofmann

Varia

Verwarnung

Stempel:
Reichsschrifttumskammer
15. Mrz. 1938 V – 11081

An die
Reichsschrifttumskammer
Berlin W 8

Jos. Kösel'sche Buchhandlung,
Koblenz am Rhein, Löhrstr. 43
Fernsprecher: 741
Postscheckkonto: Köln 29 134
Drahtanschrift: Kösel – Koblenz
Bank-Konto:
Deutsche Bank u. Disconto-Gesellschaft
Koblenz, den 13. März 1937

Ihr Zeichen: V – 1945/H

Ich besitze Ihr Schreiben vom 8. März, in welchem Sie mir wegen Vertriebs schädlichen Schrifttums eine Verwarnung erteilen.

Ich erlaube mir, dazu Folgendes zu bemerken: Schon 1933/34 ist von mir das Lager nach meinem Dafürhalten sorgfältigst von unerwünschtem Schrifttum gereinigt worden. Wenn sich nun bei der im vergangenen Herbst erfolgten Überprüfung meines ziemlich umfangreichen Lagers nur noch *zwei Inselbändchen* von Zweig und Werfel vorfanden, so ist es doch selbstverständlich, daß diese bei meiner Prüfung übersehen wurden, was bei ca. 600 Bändchen dieser Sammlung entschuldbar sein dürfte; die übrigen paar Broschüren waren religiöse, längst überholte Traktätchen.

Natürlich wußte und weiß ich auch ohne Kenntnis der Liste verbotener Bücher, daß die genannten Autoren aus deutschen Buchläden zu verschwinden haben, aber die beiden Bändchen waren eben ohne bösen Willen *übersehen* worden.

Ich habe anläßlich dieser Verwarnung noch zu Ihrer Kenntnis zu bringen, daß ich seit ca. zwei Jahren zum Obmann des Koblenzer Buchhandels berufen worden bin. Sie werden mit mir der Meinung sein, daß ein gemaßregelter Buchhändler sich nicht für einen solchen Posten eignet, weshalb ich auch meinem Gauobmann, sowie dem Landesleiter der Reichsschrifttumskammer entsprechend Meldung machte.

Heil Hitler!
W. Domharter

NEUE MODERNE
LEIH·BÜCHEREI
J. WILLEKE

KOBLENZ, den 12. März 1937
Firmung-Str. 20

Kl.
15. MRZ. 1937
V— 11074

An den
Herrn Präsidenten
der Reichsschrifttumskammer
Berlin W 8

Betrifft: Ihr Schreiben vom 8. d.Mts. -V-1945/H-

Vor der Überprüfung meiner Leihbücherei durch
die Geheime Staatspolizei Ende Oktober 1936 haben einige
Überprüfungen durch die Kriminal Polizei, die Geheime
Staatspolizei und der Beratungsstelle für das Leihbücherei-
wesen bereits stattgefunden und die selbstverständliche
Entfernung der bis zu dem jeweiligen Zeitpunkt verbotenen
Bücher zur Folge gehabt.
Insgesamt wurden von mir vor Oktober 1936 350 Bücher auf
Veranlassung der genannten Stellen und meinen eigenen
Feststellungen zufolge abgeliefert.
Die genannten Stellen würden mir bescheinigen müssen,dass
meine mustergültig geordnete Kartothek die Feststellung
solcher Bücher die auf Grund neuer Beschlagnahmungen zu
entfernen waren sofort ermöglichte und,dass ich mich in den
Säuberung der Leihbüchereien von unerwünschtem Schrifttum
voll und bereitwilligst stellte.
Von einem Verbot der von Ihnen angeführten Bücher war den
hiesigen Leihbüchereibesitzern und den Buchhändlern nichts
bekannt, so dass hier erst bei der Beschlagnahmung durch
die Beamten der Gestapo das Verbot auch dieser Bücher
bekannt wurde, da sonst eine Ablieferung längst erfolgt
gewesen wäre.
Da keine offizielle Liste aller verbotenen Bücher zur Ein-
sichtnahme den Leihbüchereibesitzern zur Verfügung steht,
kann praktisch das Verbot erst durch die Beschlagnahmung
bekannt werden.

Ich bitte feststellen zu wollen, dass mir Ihre
Verwarnung auf Grund meiner obigen Feststellungen zu Unrecht
erteilt wurde, da ich mich hinsichtlich der Führung meiner
Bücherei und der Wahrnehmung meiner Pflichten als Gaufach-
schaftsberater eines untadeligen Verhaltens befleissige.

Heil Hitler !

Dienst der

Die Leihbüchereien werden überprüft

Die Geheime Staatspolizei ist verständigt

Stempel:
Reichsschrifttumskammer
18. Mrz. 1939 Va
An den
Herrn Präsidenten der
Reichsschrifttumskammer
in Berlin

Der Reichsminister
für Volksaufklärung und Propaganda
Berlin W 8, den 17. März 1939
Wilhelmplatz 8–9
Fernsprecher: 11 00 14
Geschäftszeichen:
VIII 8170/6. 1. 39 – 934 5/10

Betrifft: Verbot des Buches «Berühmte Liebespaare» von F. v. Hohenhausen, Verlag von A. Weichert, Berlin.

Ich bitte, das obengenannte Buch in die Liste des schädlichen und unerwünschten Schrifttums einzureihen. Das Buch ist tendenziös judenfreundlich. Das Titelbild stellt die getaufte Jüdin Rahel Levy [1] (Tochter eines jüdischen Goldwarenhändlers) dar, die um die Wende des 18. Jahrhunderts einen literarischen Salon in Berlin unterhalten hat. In ihrer Schilderung des damaligen literarischen Lebens hebt die Verfasserin immer wieder den Einfluß hervor, den diese Jüdin auf bedeutende Schriftsteller und Dichter jener Zeit angeblich ausgeübt hat.

Auch die in den anderen Abschnitten von der Verfasserin gebrachte Stellungnahme zu Heine und Lassalle [2] widerspricht der nationalsozialistischen Anschauung.

Die Geheime Staatspolizei habe ich verständigt.

Dr. Goebbels
Beglaubigt: Unterschrift
Kanzleiangestellte

Der Reichsführer SS wurde gebeten

Stempel:
Reichsschrifttumskammer
19. Aug. 1939 III Z Vo
An den
Herrn Präsidenten der
Reichsschrifttumskammer
in Berlin

Reichsministerium
für Volksaufklärung und Propaganda
Berlin W 8, den 17. August 39
Wilhelmplatz 8–9
Fernsprecher: 11 00 14
Geschäftszeichen:
S 8270/29. 7. 39 – 529 1/14

Betrifft: Verbot des Buches «Banners in Bavaria» von Mary Dunstan, William Heinemann Ltd., London o. J.

1 Rahel Varnhagen von Ense, geb. Levin.
2 Ferdinand Lassalle, 1825–64, Gründer und Führer des Deutschen Arbeitervereins, der späteren Sozialdemokratischen Partei Deutschlands.

Das obengenannte Buch ist in die Liste des schädlichen und unerwünschten Schrifttums einzureihen.

Das Buch spielt in den Märztagen 1938 und schildert die Leiden eines jungen Juden und eines arischen Mädchens. Es versucht, das Mitleid des Lesers mit den «armen und unterdrückten Österreichern» zu wecken.

Der Reichsführer-SS wurde gebeten, auf Grund der Anordnung des Herrn Reichspräsidenten vom 28. Februar 1933 das Buch für das Reichsgebiet zu verbieten. Es wird um Mitteilung über das Veranlaßte gebeten.

In Vertretung des Staatssekretärs   Dr. Greiner [1]
                                              Beglaubigt: Unterschrift
                                              Rg. Ass.
                                              Stempel

---

[1] Dr. jur. Erich Greiner, *1877, Ministerialdirektor im Propagandaministerium.

Adolf Bartels

Über Adolf Bartels siehe auch Adolf Bartels: *Meine Lebensarbeit*, Wesselburen 1932; Prof. Dr. Heinz Kindermann: *Adolf Bartels im Kampf um die völkische Entscheidung* in: *Deutscher Kulturwart*, 1937, S. 694 f; Rainer Schlössers Aufsätze in: *Völkischer Beobachter* vom 14. 11. 1937 und vom 15. 11. 1942; Kurt Bock: *Dichter im Dritten Reich* in: *Neues Volk*, November 1937, S. 24 f; Will Vesper in: *Die Neue Literatur*, Januar 1939, S. 44 f; Carl Ems: *Leben eines Kämpfers* in: *Filmkurier* vom 14. 11. 1942; Hermann Burte in: *Weimarer Reden*, Hamburg 1943, S. 85 f; Adolf Bartels: *Festgabe zum 80. Geburtstag*, Neumünster 1944.

Der Geist spielt mit

Adolf Bartels: *Geschichte der deutschen Literatur*, 13. und 14. Auflage, Hamburg 1934, S. 726–727, gekürzt.

Der Nationalsozialismus, der heute herrscht, hat sich, wie man sich denken kann, literarisch noch nicht seine Weise schaffen können, doch ist er auch im Schrifttum selbstverständlich nicht ohne Einfluß geblieben. Wenn meine Romane «Die Dithmarschen» und «Dietrich Sebrandt» 1927 in neuen Auflagen starke Verbreitung erlangten – ich gab dann auch 1927 den neuen Roman «Der letzte Obervollmacht», in dem zum Schluß schon Hitler auftritt, heraus – so spielt da sicher der Geist des Nationalsozialismus mit.

Ich glaube, daß es eine Kunst großartig realistischer Prägung sein wird, ein höherer nationaler Realismus, der, wie einst die Romantik den Realismus, so nun seinerseits die Romantik in sich schließt, eine Dichtung, die sicher schreitet, aber, wo es nottut, auch fliegen kann. Man hat schon, nach Hitler, das neue Schlagwort «heroisch», das ich mir selbstverständlich gefallen lasse. Die Judenherrschaft in der Literatur ist, ob man auch noch auf manches gefaßt sein muß, jetzt jedenfalls gebrochen, und die Uneinigkeit unseres Volkes, die auch all die bösen Kulturerscheinungen ermöglichte, scheint nun doch auch überwunden. An dem Tage, wo ich dies schreibe, haben vierzig Millionen Deutsche sich mit einem Ja zu Hitlers tapferer Politik bekannt.[1] Hoffen wir, daß es in der nächsten Zukunft so weiter geht, treu meinem alten Worte «Deutsch sein ist alles».

«Meine Verdienste»

Prof. Adolf Bartels: *Reinliche Scheidung* in: *Völkischer Beobachter* vom 3./4. 2. 1935.

Es ist, wie man allgemein zugibt, eines meiner Verdienste, daß ich die Scheidung zwischen Deutschen und Juden in der deutschen Literaturgeschichte durchgeführt habe. Meine Vorgänger, etwa mit Ausnahme von Wolfgang Menzel[2], und auch meine Nachfolger, hielten das nicht für nötig, obgleich doch bei der rassischen Verschiedenheit von Deutschen und Juden ein Jude unmöglich deutscher Dichter sein kann, so gewandt er sich auch der deutschen Sprache und deutscher Dichtungsformen bedienen, so kenntnisreich er das deutsche Leben behandeln mag. Aber man schrieb ganz ruhig, Heinrich Heine sei der größte deutsche Lyriker nach oder gar mit Goethe, und noch im letzten Jahrzehnt wagte man, Franz Werfel als den größten deutschen Dichter unserer Zeit hinzustellen. Schon in den ersten Auflagen meiner «Deutschen Dichtung der Gegenwart»[3], die Ende des vorigen Jahrhunderts erschienen, nannte ich, soweit ich Bescheid wußte, alle jüdischen Dichter Juden und setzte das auch in den Ausgaben meiner «Geschichte der deutschen Literatur»[4], die vom Anfang des neuen Jahrhunderts an hervortraten, mit stetig anwachsender Sicherheit fort. 1925 veröffentlichte ich dann die Schrift «Jüdische Herkunft und Literaturwissenschaft, eine gründliche Erörterung», die zunächst die Herren Kollegen wegen ihrer Unterlassungssünde gehörig hernahm, und dann eine vollständige Übersicht: «Das Judentum in der deutschen Literatur» gab, die in sieben Kapitel zerfällt und reich-

1 Es handelt sich hier um die «Volksabstimmung» und die «Wahlen» vom 12. 11. 1933; offizielles Ergebnis war: 40,5 Millionen Ja-Stimmen (95,1 %) und 2,1 Millionen Nein-Stimmen (4,9 %). Für die Einheitsliste der NSDAP stimmten 39,6 Millionen Wahlberechtigte; ungültig waren 3,3 Millionen Stimmzettel.

2 Wolfgang Menzel, 1798–1873, Kritiker und Literarhistoriker; Heinrich Heine schrieb über ihn: «Dieser Held des Deutschtums, dieser Vorkämpfer des Germanentums, sieht gar nicht aus wie ein Deutscher, sondern wie ein Mongole, jeder Backenknochen ein Kalmück» – in: *Über den Denunzianten – Eine Vorrede zum Dritten Teil des Salons 1837*, in: *Heines Sämtliche Werke*, Tempel-Klassiker, Band 9, S. 348.

3 Erschienen Leipzig 1897.

4 Erschienen Leipzig 1901–02.

lich 800 Namen bringt – «bei 600–700 kann man mit Sicherheit annehmen, daß ihre Träger jüdisches Blut haben», heißt es zum Schluß. Etliche Widersprüche, etwa ein Dutzend, sind dann erfolgt, auch sind noch einige Lücken da, aber im großen ganzen ist das Werk doch zuverlässig und wird in der Neuausgabe, die bevorsteht, hoffentlich tadellos werden.

«Da gingen mir die Augen auf»

Gerhard Baumann: *Jüdische und völkische Literaturwissenschaft – Ein Vergleich zwischen Eduard Engel und Adolf Bartels*, München 1936, S. 5.

Als mir im Jahre 1931 die Leitung einer Ortsgruppe des nationalsozialistischen Schülerbundes übertragen wurde, übernahm ich gleichzeitig auch die Schulungsarbeit der Ortsgruppe. Die Literatur, die bis zu diesem Zeitpunkt über den Nationalsozialismus erschienen war, ließ sich noch verhältnismäßig leicht überblicken. Und so konnte es denn nicht ausbleiben, daß mir auch eine Schrift mit dem Titel: «Der Nationalsozialismus, Deutschlands Rettung» in die Hände fiel. Es war dies das erstemal, daß ich mit dem Namen Adolf Bartels bekannt wurde. Etwas später las ich seine Broschüre «Freimaurerei und deutsche Literatur». Wirklich hingeführt zu Bartels' Schaffen hat mich aber erst sein Buch «Jüdische Herkunft und Literaturwissenschaft», das ich 1932 mit großem Interesse las. Hier war ein Werk geschrieben, das durch seine scharfe Scheidung zwischen deutscher und jüdischer Literatur uns Jungen, die wir kaum noch aus dem Sumpf herauszufinden wußten, den Weg zeigte, den wir zu gehen hatten, wollten wir uns in die neuere deutsch geschriebene Literatur hineinarbeiten.

In diesem Buch stieß ich auch auf einen Abschnitt über Eduard Engel [1]. Dessen zweibändige Geschichte der deutschen Literatur war mir bekannt, und ich hatte mehrfach in ihr geblättert, ohne allerdings zu wissen, daß der Verfasser ein Jude war. Ich hatte im Gegenteil Engel für einen guten Deutschen gehalten und war einigermaßen erstaunt, nun von Bartels zu hören, daß Engel ein Jude sei. Daraufhin habe ich mir die Engelsche Literaturgeschichte näher angesehen und vor allem die Ausführungen über diejenigen Dichter und Schriftsteller durchgesehen, deren Werke mir bekannt waren, so z. B. Bartels, Chamberlain, Heine usw. Da gingen mir denn die Augen auf und ich wußte, wes Geisteskind Engel war.

---

[1] Eduard Engel, 1851–1941, Literarhistoriker; Leiter des Stenographischen Büros im Deutschen Reichstag; seine *Deutsche Stilkunde* erschien in siebenunddreißig Auflagen; seine Bücher: *Sprich Deutsch!*, *Gutes Deutsch* sind in mehr als fünfzig Auflagen erschienen.

Hans Knudsen berichtigt

Hans Knudsen: *Die Abstammung Emil Pohls – Er war kein Jude* in: *Der Autor*, September 1938, S. 8; bereits 1934 wandte sich die Reichsschrifttumskammer an den Verlag Franz Eher Nachf., bei dem die Werke von Adolf Bartels verlegt wurden, der Beschwerden wegen, «daß Adolf Bartels in der Tat eine ganze Reihe angesehener Deutscher, die ihren rein deutschen Stammbaum zum Teil bis in Jahrhunderte zurückverfolgen und nachweisen können, jüdischer Herkunft bezichtigt» habe; siehe hierzu Léon Poliakov – Joseph Wulf: *Das Dritte Reich und seine Denker*, Berlin 1959, S. 437–438; viele Schriftsteller hatten während des Dritten Reichs dieser falschen Verdächtigungen wegen ihren Ärger; im Zusammenhang damit schrieb Dr. Stapel in: *Deutsches Volkstum*, 1934, S. 568, u. a. folgendes: «Aber nicht einmal der Name Cohn ist immer ein Zeichen für das Judentum seines Trägers. Kohn (Kohne) und Cohn kommen, als Abkürzungen des Namens Konrad und Conrad, in Norddeutschland als echte deutsche Familiennamen vor. Mag man einen Menschen nicht leiden, so genügen schwarze, krause Haare oder eine dinarische Nase, um das Mißtrauen hervorzurufen. Wer nicht fest in der Rassenkunde ist, verwechselt leicht dinarische und jüdische Nasen. Schottischer, irischer, südfranzösischer Einschlag wird manchmal als jüdisch mißdeutet. Es gibt sogar Fälle, in denen jüdisches Aussehen völlig unerklärlich ist: unter den Bakairi-Indianern (Karaiben) fand man – sie waren bis dahin nie mit Weißen zusammengekommen – einzelne Leute von verblüffend jüdischem Aussehen. (Abgebildet bei Karl von den Steinen, Unter den Naturvölkern Zentral-Brasiliens, Berlin 1897, S. 106.) Aber sicher ist nie einer der zwölf Stämme Israels in die brasilianischen Urwälder bis zu den Quellflüssen des Schingu gewandert. Es ist also auch in bezug auf das Aussehen Vorsicht geboten.» Will Vesper mußte ebenfalls in: *Die Neue Literatur*, Juni 1935, S. 365, berichten: «Wie uns glaubwürdig versichert wird, war Hans Vaihinger (s. Februarheft der ‹Neuen Literatur›, S. 141) nicht Jude und war ferner Georg Steinhausen, der Verfasser der ‹Geschichte der deutschen Kultur›, nicht Halbjude (s. ebd., S. 164). Das ändert leider nichts an der Tatsache, daß die Kulturgeschichte Steinhausens an entscheidenden Stellen ausgesprochen judenfreundlich ist»; siehe auch: Dr. Gottfried Fittbogen: *August Sauer und Adolf Bartels* in: *Dichtung und Volkstum*, 1941, Band 41, Heft 12, S. 237–253.

In einem Aufsatz «Verschwundene Juden» im «Völkischen Beobachter» (Norddeutsche Ausgabe vom 9. Januar 1938) geht Adolf Bartels auf die jüdischen Autoren ein, die aus Reclams Universalbibliothek nach 1933 herausgenommen worden sind. Aus dem Satz: «Merkwürdigerweise findet man aber noch 6 (statt früher 10) Werke von Emil Pohl», muß angenommen werden, daß Bartels auch den einst vielgepriesenen Autor zahlreicher Possen und Schwänke für einen Juden hält. Emil Pohl, Schauspieler und Theaterleiter (Kassel, Schwerin, Bremen, Riga, Berlin) stammt aus Königsberg i. Pr., und die Abstammungsurkunden, die nicht ohne Schwierigkeiten, aber mit Hilfe dienstlicher Stellen unter mancherlei Mühen schließlich doch zu beschaffen waren, zeigen, daß Pohl arischer Herkunft ist.

Emil Pohl ist am 7. Juni 1824 geboren (und am 5. August getauft). Der Vater von Friedrich Carl Ludwig Emil Pohl ist der Sekretär Johann Friedrich Pohl, die Mutter: Henriette Christina, geborene Lehmann. Unter dem 3. April 1812 ist die Ehe dieser beiden in der evangelischen Kirche Sackheim-Königsberg geschlossen worden, als Emil Pohls Vater 26 Jahre alt und Calculator bei der Kgl. Ostpreußischen Regierung war. In dieser Trauungseintragung wird Emil Pohls Mutter Henriette Christina Lehmann als einzige Tochter des verstorbenen Ober-Polizei-Commissarius Lehmann bezeichnet, damals 20 Jahre alt. («Sponsus hat das Proclamations-Attest der Herren Archidiaconi Werner von der Loebenichtschen Kirche, den Consens des Ost-Preußischen Regierungs-Präsidii und Sponsa den Ober-Vormundschaft Consens beigebracht»).

Christina Henriette ist am 21. Dezember 1791 als eheliche Tochter des Bedienten Johann Heinrich Lehmann und der Louise Henriette geb. Grünbergern geboren, Johann Friedrich Pohl am 4. Mai 1786 als ehelicher Sohn des Mältzers Johann Friedrich Pohl, Löbenichtscher Berg, und der Catharina, geb. Schwartzin.

Diese Eintragungen aus den Königsberger evangelischen Gemeinden Sackheim und Altroßgarten zeigen, daß Emil Pohl aus einfachen Handwerker-Verhältnissen stammt, der Großvater mütterlicherseits hat sich vom Bedienten zum Polizei-Beamten heraufgearbeitet. Nichts läßt auf jüdisches Blut schließen. Wenn Emil Pohl in seinen Stücken auch Juden auftreten läßt, so liegen die Gründe dafür in der Zeit, und das wird aus einer in Kürze erscheinenden, höchst aufschlußreichen Arbeit zu dieser Frage von Elisabeth Lüttig-Niese im einzelnen zu erkennen sein.

Emil Pohl kann nun also bei Reclam und auf der Bühne wieder erscheinen. Seine Posse «Eine leichte Person» hat 1933 die «Volksbühne» in Berlin von neuem erprobt.

Eine Notiz von Alfred Richard Meyer

Alfred Richard Meyer, Pseudonym Munke-Punke, *1882, Schriftsteller (Lyrik, Groteske, Skizze); die Notiz hat er wahrscheinlich für die Reichsschrifttumskammer verfaßt.

> Alfred Richard Meyer
> Groß-Biesnitz bei Görlitz
> bei Dr. Tittler
> Roonstr. 6, den 19. 1. 1944

Betr.: Adolf Knoblauch [1] (Gregor Heinrich), Berlin-Spandau, Glühwürmchenweg 20.

1 Adolf Knoblauch, Schriftsteller (Kultur, Literatur), *1882.

Es ist mir nichts davon bekannt, daß 60 Schriftsteller gegen Professor Adolf Bartels vorgehen wollen bzw. vorgegangen sind. In Werbellin wollte ein Gerücht wissen, daß Bartels kürzlich verstorben sei. Im Weltkrieg hatte mich Bartels des Judentums verdächtigt. Ich schrieb ihm seinerzeit deutlich. Er antwortete, daß ihm die Titel meiner drei ersten Bücher jüdisch vorgekommen seien. Diese Titel lauteten: «Vicky» (Mädchenname), «Die Ebernburg», «Colombine». Bartels versprach Berichtigung in seiner Literaturgeschichte. Diese Berichtigung lautete dann: «Meyer bestritt mir gegenüber, Jude zu sein.» Das heißt: nach meiner (Bartels') Ansicht ist er vielleicht doch einer. Ich verzichtete auf weitere Verfolgung, weil Bartels entschieden große völkische Verdienste hat und zuerst den Rassengedanken in der Literatur tapfer vertrat. Daß er dabei etwas manisch oft über das Ziel hinaus schoß, schmerzte mich. Bartels hat ja dann im V.B. in vielleicht 30 Fällen widerrufen müssen. Er tat das meist sehr gewunden und widerwillig. (So bei Gustav Meyrink[1] und Frank Wedekind[2], die er aus künstlerischen Gründen außerdem ablehnte – was sein gutes Recht ist.)

Bartels ist 1942 in Weimar hochgeehrt worden, so auch durch die Errichtung einer Bartels-Stiftung. Ihm wurde der Ehren-Doktor verliehen. Nach meiner Ansicht geht es nicht an – und noch weniger in der heutigen Zeit –, daß man Bartels, der alter Pg ist[3], öffentlich anprangert. Er hat in seinem Kampf stets das Beste gewollt. Er hat daneben in vielen Fällen geirrt. Was würde das feindliche Ausland jetzt sagen, wenn wir eine «Aktion» heute gegen Bartels unternähmen. Wir würden unsere eigene Weste beschmutzen. Wir müssen den Burgfrieden wahren – weil wir siegen wollen.

Ich bitte der Angelegenheit nachzugehen und zu ermitteln, welche 60 Schriftsteller das sind und an Knoblauch, der unschuldig an seinem verdächtigen Namen ist, zu schreiben, er möge sich beruhigen. Er ist genügend gerechtfertigt, daß er Mitglied der RSK, seiner Standesorganisation, ist. Sollte bereits etwas gegen Bartels im Gange sein, so schlage ich vor, daß Generalintendant Dr. Hans Severus Ziegler in Weimar, ein Bartels-Schüler, die Vermittlung übernimmt und u. U. Bartels, der ja über 80 ist, überredet, in einer milden Form Berichtigungen, und zwar möglichst privat, nicht öffentlich zu bringen – soweit man das von einem alten, entschieden verdienten Mann verlangen kann. Man soll solche Männer nicht demütigen. Das sage ich, obgleich ich selbst zu den «Be-

1 Gustav Meyrink, 1868–1932, Schriftsteller (Roman, Novelle); 1927 trat er vom Protestantismus zum Mahajana-Buddhismus über.
2 Frank Wedekind, 1864–1918, Dramatiker und Schauspieler; Mitarbeiter des *Simplicissimus*; er mußte wegen Majestätsbeleidigung 1899–1900 eine Festungshaft verbüßen.
3 Für A. R. Meyer wäre es wohl unvorstellbar gewesen, daß gerade Adolf Bartels nicht Mitglied der NSDAP war.

troffenen» gehöre. Es ist mir nicht bekannt, daß Bartels, wie Knoblauch behauptet, ein «Juden-Lexikon» herausgegeben hat. Vielmehr hat Bartels in seinen verschiedenen Literaturgeschichten alle Schriftsteller hinsichtlich ihrer Rasse bzw. hinsichtlich ihrer Juden-Freundlichkeit gekennzeichnet, allerdings oft Fehler aus dem Semi-Kürschner usw. übernommen, ohne sich die Mühe persönlicher Nachprüfung zu machen.

Ich bitte um Bescheidung an Knoblauch – in dem von mir angedeuteten Sinne, und ev. um Nachforschung, um welche 60 Schriftsteller es sich handelt. Für Knoblauch ist die Sache verjährt, da er sich auf seinen Briefwechsel vom Jahre 1934 beruft. Zehn Jahre sind verstrichen – Deutschland kämpft um den Sieg und nicht gegen Sünden verdienter Parteigenossen.

A. R. Meyer

Anlage

Das Goldene Parteiabzeichen

Stempel:
Eingegangen 20. Nov. 1942
Reichsleitung der NSDAP

An den Reichsschatzmeister
der NSDAP München 33

Kanzlei des Führers der NSDAP
Berlin W 8, den 18. November 1942
Voßstr. 4
Fernruf: Ortsverkehr 12 00 54
Fernverkehr 12 66 21
Aktenzeichen: Ia: v. Fe.

Der Führer hat an Professor Adolf Bartels, Weimar, anläßlich seines 80. Geburtstages am 15. November 1942 das Goldene Ehrenzeichen der Partei ehrenhalber verliehen.

Da Prof. Bartels der Partei nicht angehört, bitte ich Sie, seine Aufnahme in die NSDAP veranlassen zu wollen und ihm die Besitzurkunde, die ihn zum Tragen des Goldenen Ehrenzeichens berechtigt, zu übermitteln.

Ich bitte, mir bei Gelegenheit die Prof. Bartels zugewiesene Mitgliedsnummer mitzuteilen.

Stempel:
Kanzlei des Führers der NSDAP

Heil Hitler!
i. A. von Ihne

«Exzeptionelle Stellung»

Dr. Hans Severus Ziegler
Generalintendant
des Deutschen Nationaltheaters,
Staatsrat und Reichskultursenator
Telefon: 4283/84
Privat: 3170
Weimar: den 11. 3. 44
privat

An die
Hanseatische Verlagsanstalt
Aktiengesellschaft
Hamburg 36
Alsterdamm 26

Sehr geehrte Herren!
In Vertretung des schwer leidenden und zur Korrespondenz zurzeit nicht
fähigen Herrn Professor Dr. h. c. Adolf Bartels beehre ich mich, Ihnen
auf Bitten seiner Gattin mitzuteilen, daß bei Herrn Prof. Bartels wegen
seiner exzeptionellen Stellung als völkischer Vorkämpfer und ältester
völkischer Literatur-Historiker niemals eine Aufnahme in die Reichsschrifttumskammer und gewissermaßen eine offizielle Abstempelung
hat stattfinden müssen. Es liegt hier eine Parallele zu dem anderen Umstand vor, daß Adolf Bartels auch nie Mitglied der Partei geworden ist.
Die Ortsgruppe Weimar der NSDAP hat Bartels nach der Gründung
1925 sozusagen als Ehrenmitglied ohne weitere Formalitäten aufgenommen, was damals noch möglich war.[1] Von allen organisatorischen
Bindungen hat man bei dieser prominenten Persönlichkeit abgesehen,
und da Professor Bartels seiner ganzen Art gemäß von allen solchen
praktischen und organisatorischen Fragen weit entfernt lebt, ist er nie
regulär Mitglied geworden. Diese Tatsache ist aber dadurch vom Führer
persönlich wett gemacht worden, daß Professor Adolf Bartels zu seinem
80. Geburtstag neben einem Bild im Silberrahmen und mit persönlicher
Widmung des Führers, vom Führer das Goldene Parteiabzeichen erhielt, daneben von Baldur von Schirach das große goldene Ehrenzeichen
der Hitlerjugend. Außerdem hat Adolf Bartels zum 75. Geburtstag schon
den Adlerschild des Deutschen Reiches als die höchste Kultur-Auszeich-
nung überhaupt erhalten, und zwar auf meinen persönlichen Antrag
beim Führer.
   Sie mögen daraus ersehen, daß man von den höchsten Stellen der Partei aus die Sache bei Adolf Bartels etwas anders ansieht, und ich weiß,
daß auch der Chef des Zentralverlages, Reichsleiter Pg Amann, Adolf
Bartels unbesehen und unnachweisbar die rein arische Abstammung

---

1 «Als im Jahre 1926 der Parteitag der nationalsozialistischen Bewegung in
Weimar stattfand, da war es der Führer persönlich, der dem völkischen Kämpfer Adolf Bartels einen Besuch abstattete. Einer solchen Ehre können sich nur
sehr wenige Wissenschaftler außer Bartels rühmen» – in Gerhard Baumann:
Jüdische und völkische Literaturwissenschaft, München 1936, S. 12.

und judenfreie Sippenschaft unterstellt. Vielleicht genügen Ihnen diese Ausführungen als Unterlagen gegenüber der Reichsschrifttumskammer.

Ich möchte bei dieser Gelegenheit einmal erwähnen, daß ich mich als Schüler von Adolf Bartels schon all die letzten Jahrzehnte über Ihr unermüdliches Eintreten für den ausgezeichneten Roman «Die Dithmarscher» [1] und über die hervorragende Ausgabe Ihres Verlages gefreut habe.

Mit verbindlichen Empfehlungen
Heil Hitler!
Dr. Hans Severus Ziegler

1 *Die Dithmarscher* erschienen 1898.

Nachwort:
Die innere Emigration – Werner Bergengruen

Werner Bergengruen, Schriftsteller (Roman, Novelle, Lyrik), *1892; 1937 aus der Reichsschrifttumskammer ausgeschlossen – «da Sie nicht geeignet sind, durch schriftstellerische Veröffentlichungen am Aufbau der deutschen Kultur mitzuarbeiten»; seine Werke sind in zehn Sprachen übersetzt worden, die Gesamtauflage hat die Millionengrenze längst überschritten.

In den drei folgenden Dokumenten wird die Atmosphäre ersichtlich und gewissermaßen amtlich definiert, der ein Schriftsteller bei wahrer innerer Emigration im totalitären Staat ausgeliefert ist.

In einigen Büchern findet sich auch manche Dokumentation über viele andere Schriftsteller, die im Hitler-Reich «Gefangene der Freiheit» waren: *Der lautlose Aufstand*, Herausgeber Günther Weisenborn, Hamburg 1953; Helmut Gollwitzer – Käthe Kuhn – Reinhold Schneider: *Du hast mich heimgesucht bei Nacht*, München 1960; Manfred Schlösser: *An den Wind geschrieben – Lyrik der Freiheit 1933–1945*, München 1962.

Werner Bergengruen erfaßte die Komplikationen eines Schriftstellers im Dritten Reich, als er schrieb:

«Er will die Reinen von den Schuldigen scheiden?
Und welcher Reine hat sich nicht befleckt?
Es wird die Sichel Kraut und Unkraut schneiden,
wenn sie des Erntetages Spruch vollstreckt»

– bei Manfred Schlösser, a. a. O., S. 170.

In Anbetracht der Dringlichkeit

Stempel:
Eingegangen 10. 6. 40
Erledigt: v. Lr. Kaiser
An die Ogr. Solln der NSDAP
z. Hd. Pg A. Haselbacher
Solln b. Mchn., Schulstraße 7
Rathaus

Nationalsozialistische
Deutsche Arbeiterpartei
Gauleitung München-Oberbayern
München 30, den 7. 6. 40
Schalterfach

Unter Rückgabe
Sofort bearbeiten!
Streng vertraulich!
Termin: Innerhalb 10 Tagen nach Erhalt!

Gaupersonalamt
Hauptstelle politische Beurteilungen
Zeichen: Re/s–BB 1636 (t 5. 6. 40)

Betrifft: Schriftsteller Werner Bergengruen, geb. 16. 9. 92, wohnhaft
Solln/München, Hirschenstr. 36
Beurteilung wird aus folgenden Gründen benötigt: *unbekannt.*
handschriftlich: W. V. 15. VII. 40

Ich bitte Sie um genaue Auskunft darüber, ob gegen die politische Zuverlässigkeit des Vorgenannten Bedenken bestehen, gegebenenfalls auf welche Tatsachen diese sich gründen.

In Anbetracht der Dringlichkeit der Angelegenheit ersuche ich um Einhaltung des gestellten Termins.

Heil Hitler!

Stempel: Unterschrift
Nationalsozialistische Deutsche Arbeiter-Partei Hauptstellenleiter
Personalamt – Gauleitung München – Oberbayern
Stempel:
NSDAP-Gauleitung München Oberbayern
Eing. 17. Jun. 1940 Nr. 220791
Abt.: Pol. Beurteilungen
Erledigt am:
Höflichkeitsformeln fallen bei allen parteiamtlichen Schreiben weg.

Der Fragebogen

I. Frühere Zugehörigkeit zu anderen politischen Parteien oder Wehrverbänden sowie Logen?
   von: bis:
II. a) Mitglied der NSDAP seit: *nein*
       Mitgliedsnummer: –
    b) Zugehörigkeit zu Gliederungen, angeschlossenen Verbänden der Partei usw.? – seit: –
       Bekleidet derselbe ein Amt innerhalb der Partei, Gliederungen oder angeschlossenen Verbänden?   *Nein*
    c) Ist Frau in Frauenschaft?   *Nein*
    d) Sind Kinder in HJ, BDM, JV?   *Nein*
III. Soziales Verhalten: *Unbekannt.*

Ausführliches Gesamturteil

Bergengruen dürfte politisch nicht zuverlässig sein. Wenn er auch, wenn dazu Anlaß besteht, an seinem Fenster die Hakenkreuzfahne zeigt, oder bei Sammlungen immer und gerne gibt, so gibt seine sonstige Haltung trotzdem Anlaß, ihn als politisch unzuverlässig anzusehen.

Weder er noch seine Frau und Kinder sind Mitglied einer Gliederung. Der deutsche Gruß «Heil Hitler» wird weder von ihm noch von seiner Familie angewendet, auch wenn er ab und zu die Hand ein wenig erhebt. Eine NS-Presse bezieht er soweit bekannt ebenfalls nicht.

Diese seine Einstellung dürfte wahrscheinlich darin zu suchen sein, weil er oder seine Frau vermutlich jüdisch versippt ist. Anlaß zu dieser Vermutung gibt folgendes:

1) Bergengruen verkehrt sehr viel in einem Hause, dessen Besitzers-Ehefrau Volljüdin ist.

2) Im Jahre 1938 ließ er seine Tochter in München eine Schule besuchen, deren Schüler meist Juden-Mischlinge waren.

3) Konnte in Erfahrung gebracht werden, daß aus einem vorhandenen Abstammungsnachweis seines Sohnes hervorgehen soll, daß ein Großelternteil dieses Kindes jüdischer Abstammung sei, vermutlich von Seite der Mutter.

Demnach wäre die Ehefrau des Bergengruen Halbjüdin.

Da der Ortsgruppe keine amtlichen Unterlagen hierfür zugängig sind, wäre es zweckmäßig, durch die Polizei Erkundigung hierüber einziehen zu lassen. Bemerkt sei noch, daß Bergengruen auch konfessionell stark gebunden ist.

Mchn-Solln, den 14. Juni 1940	Haselbacher
F. d. R. Unterschrift	Der Hoheitsträger
Ortsgr. Organisationsleiter	komm. Ortsgruppenleiter

Stempel:
Nationalsoz. Deutsche Arbeiterpartei
Ortsgruppe München-Solln

Sollte der Beurteilungsbogen nicht ausreichen, so bitte ich, ein weiteres Blatt beizulegen!

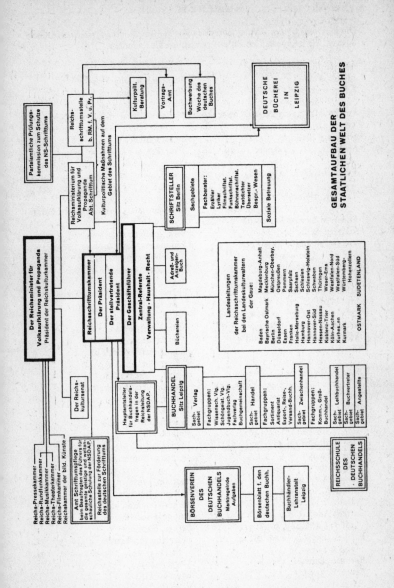

GESAMTAUFBAU DER STAATLICHEN WELT DES BUCHES

533